D1643688

Brandvägg

Tidigare böcker i serien om Kurt Wallander:

Mördare utan ansikte 1991
Hundarna i Riga 1992
Den vita lejoninnan 1993
Mannen som log 1994
Villospår 1995
Den femte kvinnan 1996
Steget efter 1997

Övriga böcker av Henning Mankell på Ordfront förlag:

Fångvårdskolonin som försvann 1979, 1997
Dödsbrickan 1980
En seglares död 1981
Daisy Sisters 1982
Älskade syster 1983
Sagan om Isidor 1984
Leopardens öga 1990
Comédia infantil 1995
Berättelse på tidens strand 1998
Bergsprängaren 2 uppl. 1998

På andra förlag

Bergsprängaren 1973
Sandmålaren 1974
Vettvillingen 1977
Apelsinträdet 1983
Hunden som sprang mot en stjärna 1990
Skuggorna växer i skymningen 1991
Katten som älskade regn 1992
Eldens hemlighet 1995
Pojken som sov med snö i sin säng 1996
Resan till världens ände 1998

Henning Mankell

Brandvägg

O

ORDFRONT FÖRLAG

Stockholm 1998

Henning Mankell: Brandvägg
Ordfront förlag, Box 17506, 118 91 Stockholm
www.ordfront.se
forlaget@ordfront.se

Omslagsbild: Mikael Eriksson
Grafisk form & typografi: Christer Hellmark
Satt med Monotype Sabon (Postscript)
Tryck: WSOY, Finland 1998

ISBN 91-7324-619-0

»Den människa som far vilse
ifrån förståndets väg,
hon hamnar i skuggornas krets.«

ORDSPRÅKSBOKEN 21:16

I
Anslaget

I

På kvällen avtog plötsligt vinden. Sedan dog den alldeles bort.

Han hade gått ut på balkongen. På dagarna kunde han skymta havet mellan husen mittemot. Men nu var det mörkt omkring honom. Ibland brukade han ta med sig sin gamla engelska marinkikare ut på balkongen och se in i de upplysta fönstren i huset tvärs över gatan. Men det slutade alltid med att han fick en krypande känsla av att det var någon som hade upptäckt honom.

Det var stjärnklart.

Redan höst, tänkte han. Kanske blir det frost i natt. Även om det fortfarande är tidigt för att vara i Skåne.

En bil for förbi någonstans på avstånd. Han huttrade till och gick in igen. Balkongdörren var trög. På anteckningsblocket som låg på köksbordet intill telefonen skrev han upp att han skulle komma ihåg att se över dörren dagen efter.

Sedan fortsatte han till vardagsrummet. Ett kort ögonblick stod han stilla i dörröppningen och lät blicken vandra runt. Eftersom det var söndag hade han städat. Det gav honom alltid samma känsla av tillfredsställelse att veta att han befann sig i ett rum som var alldeles rent.

Vid ena kortväggen stod hans skrivbord. Han drog ut stolen, tände arbetslampan och tog fram den tjocka loggboken som han förvarade i en av lådorna. Som vanligt började han med att läsa igenom vad han hade skrivit kvällen innan.

»Lördagen den 4 oktober 1997. Vinden har hela dagen varit byig. Enligt SMHI *har det blåst 8–10 meter per sekund. Söndertrasade moln har jagat fram över himlen. Temperaturen klockan sex på morgonen var 7 grader. Klockan två har den gått upp till 8. För att på kvällen gå ner till 5.«*

Sedan hade han bara skrivit fyra meningar till.

»Rymden idag är tom och övergiven. Inga meddelanden. C *svarar inte på anrop. Allt är lugnt.«*

Han tog av locket från bläckhornet och doppade försiktigt ner stålpennan. Den hade han ärvt av sin far som sparat den sedan den dag han i sin ungdom börjat som kamrersassistent på ett litet bankkontor i Tomelilla. I loggboken använde han aldrig någon annan penna.

Han skrev att vinden hade avtagit och sedan alldeles dött ut. På termometern som satt vid köksfönstret hade han sett att det var 3 grader. Himlen var klar. Han noterade vidare att han hade städat sin lägenhet och att det hade tagit tre timmar och tjugofem minuter. Det var tio minuter kortare än söndagen innan.

Dessutom hade han gått en promenad ner till småbåtshamnen efter att ha suttit en halvtimme i Sankta Maria Kyrka och mediterat.

Han tänkte efter innan han fortsatte. Sedan skrev han ytterligare en rad i sin loggbok. »*På kvällen kort promenad.*«

Han tryckte läskpappret försiktigt över det han skrivit, torkade av stålpennan och satte på bläckhornets lock.

Innan han slog igen loggboken såg han på det gamla skeppsuret som stod intill honom på skrivbordet. Visarna pekade på tjugo minuter över elva.

Han gick ut i tamburen, satte på sig sin gamla skinnjacka och stack fötterna i ett par gummistövlar. Innan han lämnade lägenheten kände han efter att han hade nycklarna och plånboken i fickan.

När han kom ut på gatan stod han orörlig i skuggorna och såg sig om. Det fanns ingen där. Det hade han heller inte väntat sig. Sedan började han gå. Han böjde som vanligt av åt vänster, korsade vägen mot Malmö och gick ner mot varuhusen och den röda tegelbyggnad där skattemyndigheten var inrymd. Han ökade takten tills han hade hittat sin vanliga, lugna kvällsrytm. På dagarna gick han fortare eftersom han ville anstränga sig och bli svettig. Kvällspromenaderna var annorlunda. Då försökte han framför allt koppla bort dagens tankar, förbereda sig inför nattsömnen och morgondagen.

Utanför Byggvaruhuset rastade en kvinna sin hund. Det var en schäfer. Han brukade nästan alltid möta henne när han var ute på kvällarna. En bil for förbi honom i hög fart. Han skymtade en ung man vid ratten och han hörde musik trots att bilfönstren var stängda.

De vet inte vad som väntar dem, tänkte han. Alla dessa ungdomar som far runt i sina bilar och spelar musik så högt att de snart kommer att få sina öron skadade.

De vet inte vad som väntar. De lika lite som de ensamma damer som är ute och rastar sina hundar.

Tanken gjorde honom upprymd. Han tänkte på all den makt han var med och delade. Känslan av att vara en av de utvalda. De som hade krafter att bryta ner gamla förstenade sanningar och skapa helt nya och oväntade.

Han stannade och såg upp mot stjärnhimlen.

Ingenting är egentligen fattbart, tänkte han. Mitt eget liv lika lite som att det ljus jag just nu ser från stjärnorna har varit på väg hit under oändliga tidsrymder. Det enda som kan ge ett skimmer av mening åt det hela är det jag gör. Det erbjudande jag fick för nästan tjugo år sedan och som jag tog emot utan att tveka.

Han fortsatte att gå. Fortare nu, eftersom de tankar som formade sig i hans huvud gjorde honom upprörd. Han märkte att han hade blivit otålig. De hade väntat så länge. Nu närmade sig ögonblicket när de skulle fälla ner de osynliga visiren och se sin stora svallvåg rulla fram över jorden.

Men ännu var ögonblicket inte inne. Ännu var tiden inte riktigt mogen. Otålighet var en svaghet han inte kunde tillåta sig.

Han stannade. Redan befann han sig mitt inne i villaområdet. Längre tänkte han inte gå. Strax efter midnatt skulle han ligga i sin säng.

Han vände och började gå tillbaka. När han hade passerat skattemyndighetens hus bestämde han sig för att gå bort till den bankomat som fanns intill varuhusen. Han kände med handen utanpå fickan där plånboken fanns. Han skulle inte ta ut några pengar. Men han ville se ett kontoutdrag och förvissa sig om att allt var som det skulle.

Han stannade i ljuset intill bankomaten och tog fram sitt blå uttagskort. Damen med schäfern var borta nu. På vägen från Malmö slamrade en tungt lastad långtradare förbi. Förmodligen skulle den med en av färjorna mot Polen. Av oljudet att döma var avgasröret trasigt.

Han slog in sin kod och tryckte sedan på knappen för kontoutdrag. Kortet kom tillbaka och han stoppade ner det i plånboken. Det rasslade till inne i automaten. Han log vid tanken, fnittrade till.

Om människor bara visste, tänkte han. Om människor bara visste vad som väntar dem.

Den vita lappen med kontoutdraget kom fram genom springan. Han letade efter sina glasögon i fickan och insåg att de låg i den rock han använt när han gått ner till småbåtshamnen. Ett ögonblick blev han irriterad över att han glömt dem.

Han ställde sig där ljuset från gatlyktan var som starkast och kisade mot kontoutdraget.

Den automatiska utbetalning som gjorts på fredagen var bokförd. Liksom de kontanter han tagit ut dagen innan. Behållningen var 9 765 kronor. Allt var som det skulle.

Det som hände kom helt utan förvarning.

Det var som om han hade träffats av en spark från en häst. Smärtan var våldsam.

Han föll framåt, med handen krampaktigt knuten runt den vita lappen med siffrorna.

När huvudet slog i den kalla asfalten upplevde han ett ögonblick av klarhet.

Hans sista tanke var att han ingenting förstod.

Sedan inneslöts han av ett mörker som kom från alla håll samtidigt.

Klockan hade just passerat midnatt. Det hade blivit måndagen den 6 oktober 1997.

Ytterligare en långtradare på väg mot nattfärjan passerade.

Därefter var det åter stilla.

2

När Kurt Wallander satte sig i sin bil på Mariagatan i Ystad var det med en känsla av stort obehag. Klockan var strax efter åtta på morgonen den 6 oktober 1997. Han körde ut ur staden, medan han undrade varför han inte hade tackat nej. Han hyste en djup och intensiv motvilja mot begravningar. Ändå var det en sådan han nu var på väg till. Eftersom han var ute i god tid bestämde han sig för att inte köra raka vägen till Malmö. Han svängde istället av och körde längs kustvägen mot Svarte och Trelleborg. På vänster sida skymtade havet. En färja var just på väg in mot hamnen.

Han tänkte att det nu var den fjärde begravningen han var på väg till på sju år. Först hade det varit hans kollega Rydberg som fått cancer. Det hade varit en utdragen och plågsam sjukdomstid. Wallander hade ofta besökt honom på sjukhuset där han legat och tynat bort. Rydbergs död hade varit ett hårt personligt slag. Rydberg var den man som gjort polis av honom. Han hade lärt Wallander att ställa de rätta frågorna. Genom honom hade han gradvis tillägnat sig den svåra konsten att avläsa en brottsplats. Innan Wallander började arbeta tillsammans med Rydberg hade han varit en högst ordinär polis. Det var först långt efteråt, när Rydberg redan var död, som Wallander hade insett att han själv inte bara besatt envishet och energi utan faktiskt också en betydande skicklighet. Fortfarande förde han ofta i det tysta samtal med Rydberg när han stod inför en komplicerad utredning och inte visste åt vilket håll han borde vrida spaningsarbetet. Saknaden efter Rydberg dök upp hos honom nästan varje dag. Den skulle alltid finnas där.

Sedan var det hans far som plötsligt gått bort. Han hade fallit ihop och dött av ett slaganfall i sin ateljé i Löderup. Det var tre år sedan nu. Fortfarande kunde Wallander komma på sig med att tycka att det var obegripligt. Att hans far inte längre fanns där, omgiven av sina tavlor och den eviga doften av terpentin och oljefärger. Huset i Löderup hade sålts efter hans död. Wallander hade vid några tillfällen farit förbi och sett att andra människor nu bodde där. Men han hade aldrig stannat. Då och då besökte han graven, fast alltid med en oklar känsla av dåligt samvete. Han insåg att det gick allt längre tid mellan gångerna. Han hade också märkt att det hade blivit allt svårare för honom att återkalla faderns ansikte.

En människa som var död var till sist en människa som aldrig funnits.

Sedan var det Svedberg. Hans kollega som blivit brutalt mördad i sin egen lägenhet året innan. Den gången hade han tänkt på hur lite han egentligen visste om de människor han arbetade tillsammans med. Svedbergs död hade avtäckt förhållanden som han aldrig ens hade kunnat ana.

Och nu var han på väg till sin fjärde begravning, den enda som han egentligen inte hade behövt åka på.

Hon hade ringt på onsdagen. Wallander hade just varit på väg att lämna sitt arbetsrum. Det hade varit sent på eftermiddagen. Han hade haft huvudvärk efter att ha suttit lutad över ett tröstlöst utredningsmaterial om ett beslag av smuggelcigaretter som gjorts i en långtradare som kört av en färja. Spåren hade lett till norra Grekland och sedan förlorat sig i ett tomrum. Han hade utväxlat informationer med grekisk och tysk polis. Men de hade ändå inte kommit närmare huvudmännen. Nu insåg han att chauffören som sannolikt inte vetat att det fanns smuggelgods i lasten skulle dömas till några månaders fängelse. Något mer dramatiskt skulle knappast ske. Wallander var säker på att det dagligen anlände smuggelcigaretter till Ystad. Han tvivlade på att de någonsin skulle lyckas stoppa trafiken.

Dessutom hade hans dag förmörkats av att han haft ett ilsket samtal med en åklagare som vikarierade för Per Åkeson som några år tidigare begett sig till Sudan och aldrig tycktes komma tillbaka. Både inför Åkesons uppbrott och när han läste de brev han regelbundet fick kände Wallander en gnagande avundsjuka. Åkeson hade vågat ett sådant uppbrott som Wallander själv bara hade drömt om. Nu skulle han snart fylla 50 år. Han visste, även om han inte helt ville erkänna det för sig själv, att de stora avgörande besluten i hans liv nog redan var över. Något annat än polis skulle han aldrig bli. Det han kunde göra fram till sin pensionering var att försöka bli en bättre brottsutredare. Och kanske lära ut något av det han kunde till sina yngre kollegor. Men därutöver fanns ingenting som hägrade som en vändpunkt i hans liv. Det fanns inget Sudan som väntade på honom.

Han hade stått med jackan i handen när hon ringde.

Först hade han inte förstått vem hon var.

Sedan hade han insett att det var Stefan Fredmans mamma. Tankarna och minnesbilderna hade rusat genom hans huvud. På några sekunder hade han återkallat händelserna som nu låg tre år tillbaka i tiden.

Pojken som hade maskerat sig till indian och försökt ta hämnd på de män som gjort hans syster galen och fyllt hans yngre bror med skräck. En av dem han hade dödat var hans egen far. Wallander hade erinrat sig den förfärande slutbilden, då pojken stod på knä och grät över den döda systerns kropp. Vad som hade hänt efteråt visste han inte mycket om. Annat än att pojken naturligtvis aldrig hamnat i fängelse utan på en sluten avdelning för psykiskt sjuka.

Nu ringde Anette Fredman för att tala om att Stefan var död. Han hade tagit livet av sig genom att kasta sig ner från den byggnad där han hölls inlåst. Wallander hade beklagat sorgen, och någonstans inom sig även känt en egen sorg. Eller kanske det mest varit en känsla av hopplöshet och förtvivlan. Men han hade fortfarande inte förstått varför hon egentligen hade ringt honom. Han hade stått där med telefonluren i handen och försökt återkalla hennes utseende i minnet. Vid två eller tre tillfällen hade han träffat henne, i en förort utanför Malmö, när de letade efter Stefan och försökte förlika sig med tanken att det kunde vara en 14-årig pojke som begått de brutala våldsbrotten. Han mindes att hon varit skygg och pressad. Det hade funnits något undflyende hos henne, som om hon hela tiden fruktade att det värsta skulle hända. Vilket det också hade gjort. Wallander påminde sig vagt att han undrat om hon varit missbrukare. Kanske hon drack för mycket, eller dövade sin oro med mediciner? Han visste inte. Dessutom hade han svårt att se hennes ansikte framför sig. Den stämma som kom emot honom ur telefonen var främmande.

Sedan hade hon framfört sitt ärende.

Hon ville att Wallander skulle vara med på begravningen. Eftersom nästan ingen annan skulle komma. Det var bara hon kvar nu och Stefans yngre bror Jens. Trots allt hade Wallander varit en vänlig man som velat väl. Och han lovade att delta. Något som han ångrade i samma ögonblick han sa det. Men då var det redan för sent.

Efteråt hade han försökt ta reda på vad som egentligen hade hänt med pojken efter gripandet. Han talade med en läkare på det sjukhus där Stefan varit intagen. Under de år som gått hade Stefan varit nästan helt stum och stängt alla sina inre dörrar. Men Wallander fick veta att pojken som legat död på asfalten hade haft krigsmålning i ansiktet och att färger och blod hade runnit ut och bildat en skrämmande mask som kanske berättade mera om det samhälle Stefan hade levt i än om den kluvna personlighet han hade varit.

Wallander körde långsamt. När han satt på sig den mörka kostymen på morgonen hade han till sin förvåning märkt att byxorna passade. Alltså hade han gått ner i vikt. Efter det att han något år tidigare fått veta att han drabbats av diabetes hade han tvingats lägga om sina matvanor, börja motionera och hålla ett vakande öga på sin vikt. Till en början hade han i överdrivet och otåligt nit ställt sig på badrumsvågen flera gånger om dagen. Till sist hade han i vredesmod kastat ut den. Klarade han inte att banta utan denna ständiga övervakning kunde det lika gärna vara.

Men den läkare han besökte med jämna mellanrum hade inte gett sig utan ihärdigt manat på Wallander att inte fortsätta sitt slarviga liv, med oregelbundna, osunda måltider och en näst intill obefintlig dos motion. Till sist hade det gett resultat. Wallander hade köpt en träningsoverall och ett par gymnastikskor och börjat ta regelbundna promenader. När Martinsson föreslog att de skulle börja springa tillsammans hade Wallander dock vresigt sagt nej. Det fanns en gräns. Och den gick vid promenaderna. Nu hade han lagt upp en slinga på en timme som gick från Mariagatan, genom Sandskogen och tillbaka. Minst fyra gånger i veckan tvingade han sig ut. Han hade också dragit ner på sina ständiga besök vid olika hamburgerbarer. Och hans läkare hade sett resultat. Blodsockret hade gått ner och Wallander hade minskat i vikt. En morgon när han rakade sig hade han också upptäckt att hans utseende hade förändrats. Kinderna var insjunkna. Det hade varit som att se sitt eget ansikte återvända efter att det under lång tid varit begravt i onödigt fett och dålig hy. Hans dotter Linda hade blivit glatt överraskad när hon såg honom. Men på polishuset var det ingen som någonsin kommenterade det faktum att han magrat.

Det är som om vi egentligen aldrig ser varandra, hade Wallander tänkt. Vi arbetar tillsammans. Men vi ser inte varandra.

Wallander passerade Mossby strand som låg övergiven nu på hösten. Han mindes den gång för sex år sedan när en gummiflotte med två döda män flutit iland på stranden.

Han tvärbromsade och svängde av från huvudvägen. Fortfarande hade han gott om tid. Han slog av motorn och steg ur bilen. Det var vindstilla, några plusgrader. Han knäppte rocken och följde en stig som ringlade mellan sanddynerna. Där var havet. Och den tomma stranden. Spår av människor och hundar. Och hovarna av en häst. Han såg ut över vattnet. Ett fågelsträck var på väg söderut.

Fortfarande kunde han minnas exakt den punkt där flotten hade drivit iland. Senare hade den besvärliga utredningen fört Wallander till Lettland, till Riga. Och där hade Baiba funnits. Änka efter en mördad lettisk kriminalpolis, en man han hunnit lära känna och hålla av.

Sedan hade det blivit Baiba och han. Länge hade han trott att det skulle bli de två. Att hon skulle flytta till Sverige. Vid ett tillfälle hade de till och med sett på ett hus utanför Ystad. Men så hade hon börjat dra sig undan. Wallander hade svartsjukt undrat om hon hade en annan. Vid ett tillfälle hade han rest till Riga utan att ens tala om för henne att han var på väg. Men där hade inte funnits någon annan man. Det var bara Baiba som tvekade om hon kunde tänka sig att gifta om sig med en polisman och lämna sitt hemland där hon hade ett dåligt betalt men utmanande arbete som översättare. Sedan hade det tagit slut.

Wallander gick längs stranden och tänkte att det nu var mer än ett år sedan han senast hade talat med henne. Det hände fortfarande att hon dök upp i hans drömmar. Men han lyckades aldrig få tag på henne. När han gick emot henne eller sträckte ut sin hand var hon alltid redan försvunnen. Han frågade sig om han egentligen saknade henne. Själva svartsjukan var borta. Nu kunde han föreställa sig henne nära en annan man utan att det högg till.

Det är den förlorade gemenskapen, tänkte han. Med Baiba slapp jag ifrån en ensamhet jag tidigare egentligen inte varit medveten om. Saknar jag henne så är det gemenskapen jag saknar.

Han gick tillbaka mot bilen. Ensamma, övergivna stränder borde han akta sig för. Särskilt om hösten. De kunde lätt utlösa en stor och tung dysterhet hos honom.

En gång hade han inrättat ett ensamt och ödsligt polisdistrikt åt sig själv längst ut på Jyllands nordspets. Det var under en period av hans liv då han varit sjukskriven för en djup depression och aldrig trott att han skulle återvända till polishuset i Ystad igen. Åren hade gått, men han kunde fortfarande med förfäran erinra sig hur han känt sig den gången. Och det ville han inte återuppleva. Det var ett landskap som bara väckte hans rädsla.

Han satte sig i bilen och fortsatte mot Malmö. Runt honom hade hösten djupnat. Han undrade hur vintern skulle bli. Om de stora snöfallen skulle komma och tillsammans med vinden ställa till kaos. Eller om det skulle bli regnigt. Han funderade också på vad han skulle göra av den semestervecka han måste ta ut någon gång i november. Han hade talat med Linda, sin dotter, om att de kanske kunde göra en charterresa till värmen. Han ville gärna bjuda henne. Men hon, som fanns i Stockholm och studerade något han inte visste vad det var, hade sagt att hon nog inte kunde vara borta. Även om hon hade velat. Han hade då försökt tänka ut någon annan han skulle kunna resa med. Men det fanns ingen. Hans vänner var så få att de nästan var obefintliga. Sten Widén var en. Han hade en hästgård utanför Skurup. Men Wallander tvivlade på om han egentligen hade lust att resa med honom. Inte minst på grund av Widéns stora alkoholproblem. Han drack konstant, medan Wallander hade dragit ner på sin tidigare alltför vidlyftiga spritkonsumtion, därtill strängt förmanad av sin läkare. Han kunde naturligtvis fråga Gertrud, hans fars änka. Men vad han skulle tala med henne om i en hel vecka kunde han inte räkna ut.

Sedan fanns det ingen mer.

Alltså skulle han stanna hemma. Pengarna skulle han istället använda till att byta bil. Hans Peugeot började bli dålig. Nu när han körde mot Malmö hörde han ett envist missljud från motorn.

Han kom till förorten Rosengård strax efter tio. Begravningen skulle börja klockan elva. Kyrkan var nybyggd. Några pojkar höll på att sparka fotboll mot en stenmur strax intill. Han satt i bilen och såg på dem. De var sju stycken. Tre av dem var svarta. Tre andra såg också ut att kunna härstamma från invandrarfamiljer. Sedan fanns där ytterligare en, fräknig och med ljust yvigt hår. Pojkarna sparkade på bollen med stor energi och många skratt. Ett kort ögonblick kände Wallander en våldsam lust att vara med. Men han satt kvar. En man kom ut från kyrkan och tände en cigarett. Wallander lämnade bilen och gick fram till den rökande mannen.

– Är det här Stefan Fredman ska begravas? frågade han.

Mannen nickade.

– Är du släkt?

– Nej.

– Vi räknar inte med att det ska komma så många, sa mannen. Jag antar att du vet vad han ställde till med.

– Ja, sa Wallander. Jag vet.

Mannen betraktade sin cigarett.

– För en sån är det nog bäst att vara död.

Wallander blev upprörd.

– Stefan blev inte ens arton år gammal. Det är aldrig bäst för nån som är så ung att vara död.

Wallander märkte att han hade rutit. Den rökande mannen såg förvånat på honom. Wallander skakade ilsket på huvudet och vände sig om. Samtidigt kom den svarta begravningsbilen körande upp mot kyrkan. Den bruna kistan lyftes ut tillsammans med en ensam krans. I samma ögonblick insåg han att han borde ha haft blommor med sig. Han gick bort mot de fotbollssparkande pojkarna.

– Är det nån av er som vet om det finns nån blomsteraffär i närheten? frågade han.

En av pojkarna pekade.

Wallander tog upp sin plånbok och letade reda på en hundralapp.

– Spring dit och köp en blombukett, sa han. Rosor. Och skynda dig tillbaka hit. Du får en tia för besväret.

Pojken såg undrande på honom. Men han tog pengarna.

– Jag är polis, sa Wallander. En farlig polis. Om du sticker med pengarna kommer jag att jaga rätt på dig.

Pojken skakade på huvudet.

– Du har ingen uniform, sa han på bruten svenska. Dessutom ser du inte ut som en polis. I alla fall inte en som är farlig.

Wallander tog fram sin legitimation. Pojken begrundade den ett ögonblick. Sedan nickade han och gav sig iväg. De andra fortsatte att sparka fotboll.

Möjligheten är stor att han ändå inte kommer tillbaka, tänkte Wallander dystert. Det är länge sedan respekten för en polisman var något självklart i det här landet.

Men pojken kom tillbaka med rosor. Wallander gav honom tjugo kronor. Tio för att han hade lovat, tio för att pojken verkligen kommit tillbaka. Naturligtvis var det alldeles för mycket. Men nu kunde han inte ändra sig. Strax efteråt körde en taxi upp framför kyrkan. Han kände igen Stefans mamma. Men hon hade åldrats och var så mager att hon nästan verkade utmärglad. Bredvid henne stod den pojke som hette Jens och var ungefär sju år. Han var mycket lik sin bror. Ögonen var stora och uppspärrade. Rädslan från den gången fanns kvar. Wallander gick fram och hälsade.

– Det blir bara vi, sa hon. Och prästen.

Det måste väl i alla fall finnas en kantor som spelar orgel, tänkte Wallander. Men han sa ingenting.

De gick in i kyrkan. Prästen som var ung satt och läste en tidning på en av stolarna som stod närmast kistan. Wallander kände hur Anette Fredman plötsligt högg tag i hans arm.

Han förstod henne.

Prästen stoppade undan tidningen. De satte sig till höger om kistan. Fortfarande hade hon inte släppt hans arm.

Först miste hon sin man, tänkte Wallander. Björn Fredman var en obehaglig och brutal person som slog henne och skrämde vettet ur sina barn. Men han var trots allt deras far. Sedan blev han dödad av sin egen son. Därefter dör hennes äldsta barn, Louise. Och nu sitter hon här och ska begrava sin son. Vad har hon kvar? Ett halvt liv? Om ens det?

Någon kom in i kyrkan. Anette Fredman tycktes inte höra. Eller var hon så koncentrerad på att orka ta sig igenom situationen. Det var en kvinna som kom längs kyrkgången. Hon var i Wallanders ålder. Nu hade också Anette Fredman märkt henne. Hon nickade. Kvinnan satte sig några rader bakom dem.

– Hon är läkare, viskade Anette Fredman. Hon heter Agneta Malmström. En gång tog hon sig an Jens när han mådde dåligt.

Wallander kände igen namnet. Det dröjde en stund innan han kom ihåg. Sedan slog det honom att det faktiskt varit Agneta Malmström och hennes man som gett honom en av de viktigaste ledtrådarna när det gällde att styra efterforskningen mot Stefan Fredman. Wallander mindes hur han en natt hade talat med henne via Stockholm Radio. Hon hade befunnit sig på en segelbåt långt ute i havet någonstans vid Landsort.

Orgelmusik började flöda genom kyrkorummet. Wallander insåg att den inte kom från någon osynlig kantor. Prästen hade satt på en bandspelare.

Wallander undrade varför inga klockor hade hörts. Började inte en begravningsakt alltid med klockringning? Tanken lämnade honom när han kände hur greppet om hans arm hårdnade. Han kastade en blick på pojken som satt vid Anette Fredmans sida. Var det rätt att ta med en sjuåring på en begravning? Wallander var tveksam. Men pojken tycktes samlad.

Musiken dog bort. Prästen började tala. Hans utgångspunkt var Jesu ord om de allra yngsta som skulle komma till honom. Wallander satt och såg på kistan, försökte räkna blommorna i kransen för att inte få en klump i halsen.

Begravningsakten var kort. Efteråt gick de fram till kistan. Anette Fredman andades häftigt, som om hon kämpade de sista metrarna av ett upplopp. Agneta Malmström hade förenat sig med dem. Wallander vände sig till prästen som verkade otålig.

– Klockor, sa Wallander bistert. Det ska ringas i klockor när vi går ut. Och det ska helst inte vara nån inspelad klockringning.

Prästen nickade motvilligt. Wallander undrade hastigt vad som hade hänt om han dragit fram sin polislegitimation. Anette Fredman och Jens gick först ut ur kyrkan. Wallander hälsade på Agneta Malmström.

– Jag kände igen dig, sa hon. Vi har aldrig träffats. Men du har förekommit i tidningarna.

– Hon bad mig komma. Ringde hon till dig också?

– Nej. Jag ville vara här ändå.

– Vad kommer att hända nu?

Agneta Malmström skakade långsamt på huvudet.

– Jag vet inte. Hon har börjat dricka alldeles för mycket. Hur det ska gå med Jens vet jag inte.

De hade under det lågmälda samtalet nått fram till vapenhuset där Anette och Jens väntade. Klockorna ringde. Wallander öppnade dörren. Han kastade en blick mot kistan i bakgrunden. Begravningsentreprenörerna höll redan på att bära ut den.

Plötsligt slog en fotoblixt emot honom. Utanför kyrkan stod en fotograf. Anette Fredman försökte dölja sitt ansikte. Fotografen böjde sig ner och riktade kameran mot pojkens ansikte. Wallander försökte hinna emellan. Men fotografen var snabbare. Han tog sin bild.

– Kan ni inte lämna oss ifred? skrek Anette Fredman.

Pojken började genast gråta. Wallander grep fotografen i armen och drog honom åt sidan.

– Vad håller du på med? röt han.

– Det ska du ge fan i, svarade fotografen. Han var i Wallanders ålder och hade dålig andedräkt.

– Jag tar vilka bilder jag vill, fortsatte han. Seriemördaren Stefan Fredmans begravning. Dom bilderna säljer jag. Tyvärr kom jag för sent till själva begravningen.

Wallander var på väg att ta fram sin polislegitimation. Men sedan ändrade han sig och slet med ett enda ryck till sig kameran. Fotografen försökte ta den tillbaka. Men Wallander höll honom ifrån sig. Han lyckades få upp bakstycket och tog ut filmen.

– Det får finnas gränser, sa han och lämnade tillbaka kameran.

Fotografen stirrade på honom. Sedan tog han upp sin mobiltelefon ur fickan.

– Jag ringer efter polisen, sa han. Det här är övergrepp.

– Gör det, sa Wallander. Gör det. Jag är kriminalpolis och heter Kurt Wallander. Jag arbetar i Ystad. Ring gärna kollegorna i Malmö och anmäl mig för precis vad du vill.

Wallander släppte filmen på marken och trampade sönder den. I samma ögonblick slutade klockorna att ringa.

Wallander hade blivit svettig. Fortfarande var han upprörd. Anette Fredmans skrikande vädjan om att bli lämnad ifred ekade i hans huvud. Fotografen stirrade på sin söndertrampade film. Småpojkarna spelade oberört fotboll.

Redan vid sitt telefonsamtal hade hon frågat om Wallander ville följa med hem och dricka kaffe efteråt. Han hade inte kunnat förmå sig till att tacka nej.

– Det blir inga bilder i tidningarna, sa Wallander.

– Varför kan dom inte lämna oss ifred?

Wallander hade inget svar. Han såg på Agneta Malmström. Men inte heller hon hittade något att säga.

Lägenheten på fjärde våningen i det illa medfarna hyreshuset var som Wallander mindes den. Agneta Malmström hade följt med. Medan de väntade på att kaffet skulle bli klart satt de tysta. Wallander tyckte sig höra hur en flaska klirrade ute i köket.

Pojken satt på golvet och lekte tyst för sig själv med en bil. Wallander insåg att han delade sin beklämning med Agneta Malmström. Men det fanns ingenting att säga.

De satt där med sina kaffekoppar. Anette Fredmans ögon var glansiga. Agneta Malmström försökte fråga hur hon klarade sin ekonomi eftersom hon var arbetslös. Anette Fredman svarade korthugget.

– Det går. På nåt sätt går det. En dag i sänder.

Samtalet dog bort. Wallander såg på klockan. Den närmade sig ett. Han reste sig och tog Anette Fredman i hand. I samma ögonblick började hon gråta. Wallander kände sig handfallen.

– Jag stannar en stund, sa Agneta Malmström. Gå du.

– Jag ska försöka ringa vid tillfälle, sa Wallander. Sedan klappade han pojken lite tafatt på huvudet och gick.

I bilen blev han sittande en stund innan han startade motorn. Han tänkte på fotografen som varit säker på att kunna sälja sina bilder av den döde seriemördarens begravning.

Jag kan inte förneka att det här händer, tänkte han. Men jag kan heller inte förneka att jag inte förstår det.

Han for genom den skånska hösten mot Ystad.

Upplevelsen han haft tyngde honom.

Strax efter två parkerade han bilen och gick in genom polishusets port.

Det hade börjat blåsa. Vinden var ostlig. Ett molntäcke drog långsamt in över kusten.

3

När Wallander kom in i sitt rum hade han fått huvudvärk. Han började leta igenom sina skrivbordslådor för att se om han hade några tabletter. Från korridoren utanför kunde han höra Hansson som visslande gick förbi. Längst inne i den nedersta lådan hittade han till slut en tillknycklad förpackning Dispril. Han gick ut i matrummet och hämtade ett glas vatten och en kopp kaffe. Några av de unga, nya polismän som kommit till Ystad de senaste åren satt och talade högljutt vid ett bord. Wallander nickade och hälsade. Han hörde att de talade om sin tid på Polishögskolan. Han återvände till sitt rum och satt sedan sysslolös och stirrade på vattenglaset där de två tabletterna långsamt löste upp sig.

Han tänkte på Anette Fredman. Försökte föreställa sig hur pojken som suttit med sin tysta lek på golvet i lägenheten i Rosengård skulle klara sig i framtiden. Det var som om han hade gömt sig för världen. Med minnet av en död far och två lika döda syskon.

Wallander tömde glaset och tyckte genast att huvudvärken lättade. På bordet framför honom låg en pärm som Martinsson lagt in med påskriften »Bråttom som fan« på en röd klisterlapp. Wallander visste vad som fanns i pärmen. De hade talat om det före helgen. En händelse som inträffat natten till onsdagen veckan innan. Då hade Wallander befunnit sig i Hässleholm, dit Lisa Holgersson skickat honom på ett seminarium där rikspolisstyrelsen skulle presentera nya riktlinjer för samordning när det gällde kontroll och övervakning av olika motorcykelligor. Wallander hade bett att få slippa, men Lisa Holgersson hade stått på sig. Det var han och ingen annan som borde åka. En av ligorna hade redan köpt en avstyckad gård utanför Ystad. De måste räkna med att få problem med dem i framtiden.

Wallander bestämde sig med en suck för att bli polis igen. Han slog upp pärmen och läste igenom innehållet och kunde konstatera att Martinsson hade skrivit ett klart och överskådligt referat av vad som inträffat. Han lutade sig bakåt i stolen och tänkte igenom det han läst.

Två flickor, den ena 19, den andra inte mer än 14, hade strax efter klockan tio på tisdagskvällen beställt en taxi från en av stadens restauranger. De hade sedan begärt att få bli körda till Rydsgård. En av flickorna hade suttit i framsätet. I utkanten av Ystad hade hon bett chauffören stanna eftersom hon ville flytta över till baksätet. Taxin hade stannat intill vägkanten. Flickan i baksätet hade då plockat fram en hammare och slagit chauffören i huvudet. Samtidigt hade flickan i framsätet dragit fram en kniv och stuckit honom i bröstet. Sedan hade de tagit chaufförens plånbok och mobiltelefon och lämnat bilen. Taxichauffören hade trots sina skador lyckats slå larm. Han hette Johan Lundberg och var drygt 60 år. Taxi hade han kört i hela sitt vuxna liv. Han hade kunnat ge ett gott signalement på de två flickorna. Martinsson som var den som ryckt ut hade utan större svårigheter fått fram deras namn genom att tala med olika gäster på restaurangen. Båda flickorna hade sedan kunnat gripas i sina hem. Nittonåringen hade fått stanna i häkte. Eftersom brottet var så grovt hade man bestämt att även 14-åringen skulle hållas kvar. Johan Lundberg hade varit vid medvetande när han togs in på sjukhuset. Men där hade han plötsligt blivit sämre. Nu låg han medvetslös och läkarna var osäkra om utgången. Enligt Martinsson hade de två flickorna angett »behov av pengar« som skäl till överfallet.

Wallander grimaserade. Han hade aldrig tidigare varit med om något liknande. Två unga flickor som visade prov på ett sådant besinningslöst våld. Enligt Martinssons anteckningar gick den yngre flickan i skolan och hade utmärkta betyg. Den äldre, som satt anhållen, hade tidigare arbetat som receptionist på ett hotell och varit barnflicka i London. Just nu väntade hon på att börja en språkutbildning. Ingen av de två var tidigare känd hos vare sig polis eller sociala myndigheter.

Jag förstår det inte, tänkte Wallander uppgivet. Detta totala förakt för människoliv. De kunde ha dödat den där taxichauffören. Det kanske visar sig att de har gjort det, om han nu ligger och dör där på sjukhuset. Två flickor. Hade det varit pojkar kunde jag kanske ha förstått det. Av gammal vana om inte annat.

Han avbröts i sina tankar av att det knackade på dörren. Det var Ann-Britt Höglund som stod där. Som vanligt var hon blek och såg trött ut. Wallander tänkte på den förändring hon genomgått sedan hon kommit till Ystad. Hon hade varit en av de bästa eleverna i sin kull på Polishögskolan och kommit till Ystad med stor energi och höga ambitioner. Idag hade hon fortfarande kvar sin vilja. Men hon var ändå förändrad. Blekheten i hennes ansikte kom inifrån.

– Stör jag? frågade hon.

– Nej.

Hon satte sig försiktigt i Wallanders rangliga besöksstol. Wallander pekade på den uppslagna pärmen.

– Vad säger du om det här? frågade han.
– Är det taxiflickorna?
– Ja.
– Jag har pratat med den som är anhållen. Sonja Hökberg. Klar och redig. Svarar tydligt och precist på alla frågor. Och verkar helt utan ånger. Den andra flickan har dom sociala myndigheterna hand om sen igår.
– Förstår du det?
Ann-Britt Höglund satt tyst en stund innan hon svarade.
– Både ja och nej. Att våldet gått ner i åldrarna vet vi ju.
– Jag kan inte påminna mig att vi tidigare har varit med om att två tonårsflickor gått till anfall med hammare och kniv. Var dom berusade?
– Nej. Men frågan är om man egentligen ska bli förvånad. Om man inte istället borde ha insett att det förr eller senare skulle hända nåt sånt.
Wallander lutade sig fram över bordet.
– Det där får du förklara för mig.
– Jag vet inte om jag kan.
– Försök!
– Kvinnor behövs inte på arbetsmarknaden längre. Den tiden är förbi.
– Det förklarar inte att unga flickor griper till hammare och kniv mot en taxichaufför?
– Alltså måste det finnas nåt annat om man letar. Varken du eller jag tror att det finns några människor som föds med ondskan inom sig.
Wallander skakade på huvudet.
– Jag försöker i alla fall tro det, sa han. Även om det emellanåt är svårt.
– Det räcker om man tittar i dom veckotidningar som flickor i den där åldern läser. Nu handlar det bara om skönhet igen. Ingenting annat. Om att skaffa sig en pojkvän och förverkliga sitt liv genom hans drömmar.
– Har det inte alltid varit så?
– Nej. Se på din egen dotter. Har inte hon sina egna tankar om vad hon vill göra med sitt liv?
Wallander visste att hon hade rätt. Ändå skakade han på huvudet.
– Jag förstår fortfarande inte varför dom gav sig på Lundberg.
– Det borde du göra. När dom här flickorna långsamt börjar genomskåda vad som händer. Att dom inte bara är obehövda utan nästan ovälkomna. Då reagerar dom. På samma sätt som pojkarna. Bland annat med våld.

Wallander satt tyst. Han förstod nu vad Ann-Britt Höglund försökte säga.

– Jag tror inte jag kan förklara det bättre än så, sa hon. Ska du inte tala med henne själv?

– Martinsson tyckte också det.

– Jag kom egentligen hit för en helt annan sak. Jag behöver din hjälp.

Wallander väntade på fortsättningen.

– Jag har lovat att hålla ett föredrag för en kvinnoförening här i Ystad. På torsdag kväll. Men jag känner att jag inte orkar. Jag kan inte koncentrera mig. Det är för mycket som händer.

Wallander visste att hon befann sig mitt inne i en upprivande skilsmässa. Hennes man var ständigt borta eftersom han var resemontör med världen som sitt arbetsfält. Det hela drog därför dessutom ut på tiden. Redan året innan hade hon berättat för Wallander att äktenskapet var på väg att ta slut.

– Be Martinsson, sa Wallander avvärjande. Du vet att jag inte kan hålla föredrag.

– Du behöver bara tala en halvtimme, sa hon. Om hur det är att vara polis. Trettio kvinnor. Dom kommer att älska dig.

Wallander skakade bestämt på huvudet.

– Martinsson skulle mer än gärna göra det, sa han. Han har ju dessutom varit politiker. Han är van vid att tala.

– Jag har frågat honom. Men han kan inte.

– Lisa Holgersson då?

– Samma sak. Det finns bara du.

– Vad med Hansson?

– Efter några minuter kommer han att börja tala om hästar. Det går inte.

Wallander förstod att han inte kunde säga nej. Han måste hjälpa henne.

– Vad är det för kvinnoförening?

– Det är en sorts litterär studiegrupp som har vuxit ut till en förening. Dom har hållit på att träffas i mer än tio år.

– Och jag ska bara tala om hur det är att vara polis?

– Inget annat. Sen har dom kanske några frågor.

– Jag vill inte. Men jag ska göra det eftersom det är du som frågar.

Hon tycktes lättad när hon la en lapp på hans bord.

– Här är namn och adress till kontaktpersonen.

Wallander drog till sig lappen. Adressen var till ett hus i centrum av staden. Inte så långt från Mariagatan. Hon reste sig.

– Du får inget betalt, sa hon. Men kaffe och kakor.

– Jag äter inte kakor.

– Det är i alla fall helt i överensstämmelse med vad rikspolischefen önskar. Att vi håller oss väl med allmänheten. Och ständigt söker nya vägar att informera om vårt arbete.

Wallander tänkte att han skulle fråga hur hon mådde. Men han lät det bero. Ville hon tala om sina problem fick hon ta upp det själv.

I dörren vände hon sig om.

– Skulle inte du åka på Stefan Fredmans begravning?

– Jag har varit där. Och det var precis så förfärligt som man kunde föreställa sig.

– Hur var det med mamman? Jag minns inte längre vad hon hette.

– Anette. Det tycks inte finnas några gränser för hennes prövningar. Men jag tror trots allt hon tar rätt väl vara på den son hon har kvar. Åtminstone försöker hon nog.

– Vi får väl se.

– Hur menar du?

– Vad heter pojken?

– Jens.

– Vi får se om en person vid namn Jens Fredman börjar dyka upp i polisrapporterna om tio år.

Wallander nickade. Risken fanns naturligtvis.

Ann-Britt Höglund lämnade rummet. Kaffet hade kallnat. Wallander hämtade nytt. De unga poliserna hade försvunnit. Wallander gick längs korridoren till Martinssons rum. Dörren stod på vid gavel, men rummet var tomt. Wallander återvände till sitt eget. Huvudvärken var nu borta. Några kajor skränade vid vattentornet. Han stod vid fönstret och försökte förgäves räkna dem.

Telefonen ringde och han svarade utan att sätta sig. Det var från bokhandeln. Någon ringde och meddelade att den bok han hade beställt nu hade kommit. Wallander kunde inte påminna sig att han hade beställt någon bok. Men han sa ingenting. Han lovade att komma in dagen efter och hämta den.

När han hade lagt på luren mindes han. Det skulle vara en present till Linda. En fransk bok om hur man renoverade gamla möbler. Wallander hade läst om den i en veckotidning han hittat en gång i väntrummet hos sin läkare. Fortfarande trodde han att Linda, trots sina egendomliga utflykter till andra yrkesområden, skulle hålla fast vid sitt intresse för gamla möbler. Han hade beställt boken och sedan glömt bort det. Han ställde ifrån sig kaffekoppen och bestämde sig för att ringa Linda samma kväll. Det var flera veckor sedan de senast hade pratat med varandra.

Martinsson kom in i rummet. Han hade alltid bråttom och knackade sällan. Wallander hade under årens lopp blivit mer och mer övertygad om att Martinsson var en bra polisman. Hans svaghet var att han nog egentligen ville göra något annat. Vid flera tillfällen under de senaste åren hade han allvarligt övervägt att sluta. Inte minst i samband med en händelse då hans dotter blivit överfallen på skolgården av den enda orsaken att hon hade en pappa som var polis. Ingenting mer. Men det hade varit tillräckligt. Den gången hade Wallander lyckats övertyga honom om att fortsätta. Martinsson var envis och kunde emellanåt även visa prov på ett visst skarpsinne. Men envisheten kunde ibland förvandlas till otålighet och skarpsinnet kom inte till sin rätt, genom att han vid enstaka tillfällen släppte ifrån sig ett dåligt grundarbete.

Martinsson lutade sig mot dörrkarmen.

– Jag försökte ringa dig, sa han. Men du hade inte telefonen påslagen.

– Jag var i kyrkan, svarade Wallander. Sen glömde jag att slå på den igen.

– På Stefans begravning?

Wallander upprepade vad han hade sagt till Ann-Britt Höglund. Att det hade varit en förfärlig upplevelse.

Martinsson nickade mot pärmen som låg uppslagen på skrivbordet.

– Jag har läst, sa Wallander. Och jag förstår inte vad som fick dom här flickorna att börja slåss med hammare och sticka med kniv.

– Det står där, svarade Martinsson. Dom var ute efter pengar.

– Men våldet? Hur är det med honom?

– Lundberg?

– Vem annars?

– Han är fortfarande medvetslös. Dom har lovat att ringa om nånting händer. Antingen klarar han sig. Eller så dör han.

– Förstår du det här?

Martinsson satte sig i besöksstolen.

– Nej, sa han. Jag förstår det inte. Och jag är inte heller säker på att jag verkligen vill förstå.

– Det måste vi. Om vi ska fortsätta att vara poliser.

Martinsson såg på Wallander.

– Du vet att jag ofta tänkt på att sluta. Senast det begav sig lyckades du övertyga mig om att stanna. Men nästa gång vet jag inte. Det kommer i alla fall inte att vara lika enkelt.

Martinsson kunde mycket väl ha rätt. Det gjorde Wallander orolig. Han ville inte förlora honom som kollega. Lika lite som han ville att Ann-Britt Höglund en dag skulle komma och meddela att också hon skulle sluta.

– Vi kanske ska gå och tala med flickan, sa Wallander. Sonja Hökberg.

– Jag har en sak till först.

Wallander hade rest sig ur stolen. Han satte sig igen. Martinsson hade några papper i handen.

– Jag vill att du läser igenom det här. Det hände i natt. Jag tog hand om utryckningen. Jag såg ingen anledning att väcka dig.

– Vad hände?

Martinsson kliade sig i pannan.

– Vid ettiden slog en nattvakt larm om att det låg en död man vid bankomaten uppe vid varuhusen.

– Vilka varuhus?

– Där skattemyndigheten har sitt kontor.

Wallander nickade.

– Vi for dit. Där låg mycket riktigt en man framstupa på asfalten. Enligt läkaren som kom hade han inte varit död särskilt länge. Ett par timmar högst. Vi får naturligtvis besked om några dagar.

– Vad hade hänt?

– Det var just det som var frågan. Han hade ett stort sår i huvudet. Men hade han blivit slagen eller hade han fått såret när han föll mot asfalten? Det kunde vi inte avgöra omedelbart.

– Hade han blivit rånad?

– Plånboken fanns kvar. Med pengar.

Wallander funderade.

– Fanns det inga vittnen?

– Nej.

– Vem var han?

Martinsson bläddrade bland sina papper.

– Han hette Tynnes Falk. 47 år. Han bodde alldeles i närheten. Apelbergsgatan 10. En hyreslägenhet högst upp i huset.

Wallander lyfte handen och avbröt Martinsson.

– Apelbergsgatan 10?

– Ja.

Wallander nickade långsamt. Han erinrade sig hur han några år tidigare, precis efter skilsmässan från Mona, hade träffat en kvinna under en danskväll på Saltsjöbadens Hotell. Wallander hade blivit mycket berusad. Han hade följt henne hem på natten och morgonen därpå vaknat i en säng bredvid en sovande kvinna han i nyktert tillstånd knappt kunde känna igen. Inte heller visste han vad hon hette. Han hade hastigt klätt sig och begett sig därifrån och aldrig träffat henne igen. Men av någon anledning var han säker på att adressen varit Apelbergsgatan 10.

– Är det nåt särskilt med adressen? undrade Martinsson.

– Jag hörde bara inte vad du sa.

Martinsson såg förvånat på honom.

– Talar jag så otydligt?

– Fortsätt nu.

– Tydligen var han ensamstående. Frånskild. Ex-frun bor kvar här i stan. Men barnen finns på olika håll i landet. En pojke som är nitton och studerar i Stockholm. Flickan är sjutton och arbetar som barnflicka på en ambassad i Paris. Frun har naturligtvis fått besked om att mannen har avlidit.

– Vad arbetade han med?

– Han hade tydligen nåt enmansbolag. Konsult i databranschen.

– Och han hade inte blivit rånad?

– Nej. Men han hade tagit fram ett saldobesked ur bankomaten precis innan han dog. Han höll det fortfarande i handen när vi hittade honom.

– Han hade alltså inte gjort nåt uttag?

– Inte enligt lappen han höll i handen.

– Annars hade man ju kunnat tänka sig att nån stod och lurade på honom och slog till när han tagit ut pengarna.

– Jag har tänkt på den möjligheten. Men han tog senast ut pengar i lördags. En mindre summa.

Martinsson sträckte över en plastpåse till Wallander. Den innehöll det blodfläckade pappret. Wallander såg att klockan varit två minuter över midnatt när automaten registrerat saldobeskedet. Han lämnade tillbaka påsen till Martinsson.

– Vad säger Nyberg?

– Ingenting utom såret i huvudet tyder på nåt brott. Förmodligen har han fått en hjärtinfarkt och dött.

– Han kanske hade räknat med att där skulle ha funnits mer pengar, sa Wallander fundersamt.

– Varför skulle han ha gjort det?

Wallander undrade själv vad han menat. Han reste sig på nytt ur stolen.

– Vi avvaktar alltså vad läkarna säger. Men vi utgår från att nåt brott inte har blivit begånget. Vi lägger det på hög.

Martinsson samlade ihop sina papper.

– Jag ska ringa till advokaten som Hökberg fått sig anvisad. Du får besked om när han kan vara här så du kan tala med henne.

– Inte för att jag vill, svarade Wallander. Men jag måste väl.

Martinsson lämnade rummet. Wallander gick på toaletten. Tänkte att den tiden i alla fall var förbi, när han ständigt var tvungen att kissa eftersom hans blodsocker var alldeles för högt.

Sedan ägnade han den närmaste timmen åt att arbeta vidare med sitt tröstlösa material om de insmugglade cigaretterna. I bakhuvudet malde hela tiden tankarna på det löfte han gett Ann-Britt Höglund.

Två minuter över fyra ringde Martinsson och sa att Sonja Hökberg och advokaten var på plats.

– Vem är advokaten? frågade Wallander.

– Herman Lötberg.

Wallander visste vem det var. En äldre man som var lätt att samarbeta med.

– Jag kommer om fem minuter, sa Wallander och la på.

Han ställde sig vid fönstret igen. Kajorna var borta. Det blåste kraftigare nu. Han tänkte på Anette Fredman. På pojken som suttit på golvet och lekt. Hans rädda ögon. Sedan ruskade han på huvudet och försökte tänka igenom sina inledande frågor till Sonja Hökberg. I Martinssons pärm hade han kunnat läsa att det var hon som suttit i baksätet och slagit Lundberg i huvudet med en hammare. Många slag. Inte ett. Som om hon drabbats av ett alldeles okontrollerat raseri.

Wallander letade reda på ett anteckningsblock och en penna. I korridoren kom han på att han saknade sina glasögon. Han gick tillbaka igen. Sedan var han klar.

Det finns bara en fråga, tänkte han på vägen till förhörsrummet. En enda fråga som är viktig att få besvarad.

Varför gjorde de det?

Svaret att de varit ute efter pengar är inte nog.

Det måste finnas ett annat svar, ett som ligger djupare.

4

Sonja Hökberg såg inte alls ut som Wallander hade föreställt sig. Vad han hade sett framför sig kunde han inte helt reda ut för sig själv. Men det var i vilket fall inte den person han nu mötte. Sonja Hökberg satt på en stol inne i förhörsrummet. Hon var liten till växten, verkade tunn, nästan genomskinlig. Hon hade ljust halvlångt hår och blå ögon. Wallander fick en känsla av att hon kunde ha varit syster till pojken på kaviartuben. En syster till Kalle, tänkte han. Barnslig, livsglad. Minst av allt en vettvilling med en hammare dold under jackan eller i handväskan.

Wallander hade hälsat på flickans advokat i korridoren.

– Hon är mycket samlad, sa denne. Men jag är inte alldeles säker på att hon inser vad hon misstänks för.

– Hon är inte misstänkt. Hon har erkänt, sa Martinsson bestämt.

– Hammaren? frågade Wallander. Har vi hittat den?

– Den hade hon lagt under sängen i sitt rum. Hon hade inte ens torkat av blodet. Men den andra flickan slängde kniven. Vi letar fortfarande efter den.

Martinsson gick sin väg. Wallander steg in i rummet tillsammans med advokaten. Flickan såg nyfiket på dem. Hon verkade inte alls nervös. Wallander nickade och satte sig. En bandspelare stod på bordet. Advokaten satte sig så att Sonja Hökberg kunde se honom. Wallander betraktade henne länge. Hon mötte hans blick.

– Har du ett tuggummi? frågade hon plötsligt.

Wallander skakade på huvudet. Han såg på Lötberg, som också skakade på huvudet.

– Vi ska se om vi kan ordna fram det om en stund, sa Wallander och slog på bandspelaren. Men först ska vi tala med varandra.

– Jag har redan sagt som det var. Varför kan jag inte få ett tuggummi? Jag kan betala för det. Jag säger ingenting om jag inte får ett tuggummi.

Wallander drog till sig telefonen och ringde ut till receptionen. Ebba kan säkert ordna det, tänkte han. Men när en främmande kvinnoröst svarade kom han ihåg att Ebba inte längre fanns där. Hon hade gått i pension. Trots att det var över ett halvår sedan hade Wallander fortfarande inte vant sig. Den nya receptionisten hette Irene och var i 30-årsåldern. Hon hade tidigare varit läkarsekreterare och på kort tid gjort sig omtyckt på polishuset. Men Wallander saknade Ebba.

– Jag behöver ett tuggummi, sa Wallander. Vet du nån som använder det?
– Jag vet en, sa Irene. Jag själv.
Wallander la på luren och gick ut i receptionen.
– Är det flickan? frågade Irene.
– Du tänker snabbt, sa Wallander.
Han återvände till förhörsrummet, gav Sonja Hökberg tuggummit och insåg sedan att han hade glömt att slå av bandspelaren.
– Då börjar vi, sa han. Klockan är 16.15 den 6 oktober 1997. Förhör hålls nu av Kurt Wallander med Sonja Hökberg.
– Ska jag berätta samma sak en gång till? frågade flickan.
– Ja. Och du ska försöka tala så tydligt att det hörs in i mikrofonen.
– Jag har ju redan sagt allting?
– Det kan hända att jag har några ytterligare frågor.
– Jag har ingen lust att säga allting en gång till.
Wallander kom för ett ögonblick av sig. Han förstod inte hennes totala avsaknad av oro eller nervositet.
– Det blir du nog tvungen till, sa han. Du har blivit åtalad för ett mycket grovt brott. Och du har erkänt. Du är åtalad för grov misshandel. Och eftersom taxichauffören är mycket dålig kan det bli ännu värre.
Lötberg såg ogillande på Wallander. Men han sa ingenting.
Wallander började från början.
– Du heter alltså Sonja Hökberg och är född den 2 februari 1978.
– Jag är Vattuman. Vad är du?
– Det har inte med saken att göra. Du ska bara svara på mina frågor. Ingenting annat. Förstår du?
– Jag är väl för fan inte dum.
– Du bor med dina föräldrar på Trastvägen 12 här i Ystad.
– Ja.
– Du har en yngre bror som heter Emil, född 1982.
– Det är han som borde sitta här. Inte jag.
Wallander såg undrande på henne.
– Varför det?
– Vi bråkar jämt. Han lämnar aldrig mina saker ifred. Han snokar i mina lådor.
– Det kan säkert vara besvärligt med yngre syskon. Men jag tror att vi lämnar det tills vidare.
Fortfarande lika lugn, tänkte Wallander. Han märkte att hennes oberördhet gjorde honom illa till mods.
– Kan du nu berätta vad som hände i tisdags kväll?

– Det är så jävla tråkigt att säga samma sak två gånger.
– Det kan inte hjälpas. Eva Persson och du gick alltså ut?
– Det finns ingenting att göra i den här stan. Jag skulle vilja bo i Moskva.
Wallander betraktade henne häpet. Även Lötberg verkade förvånad.
– Varför just Moskva?
– Jag såg nånstans att det är spännande där. Det händer mycket. Har du varit i Moskva nån gång?
– Nej. Svara bara på mina frågor. Ingenting annat. Ni gick alltså ut?
– Det vet du ju redan?
– Eva och du är alltså goda vänner?
– Annars hade vi väl inte gått ut? Tror du jag är tillsammans med såna jag inte gillar?
För första gången tyckte Wallander sig kunna märka en spricka i hennes likgiltiga attityd. Hennes lugn höll på att övergå i otålighet.
– Har ni känt varandra länge?
– Inte särskilt.
– Hur länge?
– Ett par år.
– Hon är fem år yngre än du.
– Hon ser upp till mig.
– Vad menar du med det?
– Hon säger det själv. Hon ser upp till mig.
– Varför gör hon det?
– Det får du väl fråga henne om.
Det ska jag göra också, tänkte Wallander. Det är mycket jag ska fråga henne om.
– Kan du nu berätta vad som hände?
– Men herregud!
– Du blir tvungen att göra det vare sig du vill eller inte. Vi kan sitta här tills i kväll om det blir nödvändigt.
– Vi gick och tog en öl.
– Eva Persson är bara 14 år?
– Hon ser äldre ut.
– Vad hände sen?
– Vi tog en öl till.
– Och efter det?
– Beställde vi en taxi. Du vet ju allt det här? Varför frågar du?
– Ni hade alltså bestämt er för att överfalla en taxichaufför?
– Vi behövde pengar.

– Till vad då?

– Inget särskilt.

– Ni behövde pengar. Men ni behövde dom inte till nånting speciellt? Är det rätt?

– Ja.

Nej du, det är inte riktigt, tänkte Wallander hastigt. Han hade lagt märke till ett svagt stråk av osäkerhet hos henne. Genast blev han vaksam.

– Man brukar behöva pengar till nånting särskilt?

– Men så var det inte.

Det var just precis vad det var, tänkte Wallander. Men han bestämde sig för att tills vidare lämna frågan.

– Hur kom ni på tanken att ge er på en taxichaufför?

– Vi pratade om det.

– När ni satt på restaurangen?

– Ja.

– Ni hade alltså inte talat om det tidigare?

– Varför skulle vi ha gjort det?

Lötberg satt och såg på sina händer.

– Om jag försöker sammanfatta det du säger så hade ni inte bestämt att överfalla taxichauffören innan ni gick på den där restaurangen och drack öl. Vem var det som fick idén?

– Det var jag.

– Och Eva hade ingenting att invända?

– Nej.

Det här stämmer inte, tänkte Wallander. Hon ljuger. Men hon gör det skickligt.

– Ni beställde taxin från restaurangen. Sen satt ni kvar tills den kom. Stämmer det?

– Ja.

– Men var fick ni hammaren ifrån? Och kniven? Om ni inte hade planlagt det här tidigare?

Sonja Hökberg såg på Wallander. Hennes blick vek inte undan.

– Jag har alltid en hammare med mig i handväskan. Eva har en kniv.

– Varför det?

– Man kan aldrig vara säker på vad som händer.

– Vad menar du med det?

– Gatorna är fulla med dårar. Man måste kunna försvara sig.

– Har du alltså alltid en hammare med dig?

– Ja.

– Har du använt den tidigare nån gång?

Advokaten ryckte till.
– Den frågan är knappast relevant.
– Vad betyder det? frågade Sonja Hökberg.
– Relevant? Att frågan inte är viktig.
– Jag kan svara i alla fall. Jag har aldrig använt den. Men Eva skar en kille i armen en gång. När han började kladda på henne.
En tanke slog Wallander. Han vek av från det spår han hittills hade följt.
– Träffade ni nån på den där restaurangen? Hade ni stämt möte med nån?
– Vem skulle det ha varit?
– Det vet i så fall du.
– Nej.
– Det satt till exempel inga killar där som ni skulle träffa?
– Nej.
– Du har ingen pojkvän då?
– Nej.
Det svaret kom för snabbt, tänkte Wallander. Alldeles för snabbt. Han noterade det i sitt minne.
– Taxin kom och ni gick ut.
– Ja.
– Vad gjorde ni då?
– Vad brukar man göra i en taxi? Man säger vart man vill åka.
– Och ni sa att ni ville bli körda till Rydsgård? Varför just dit?
– Det vet jag inte. Det var väl bara en tillfällighet. Nåt måste vi ju säga.
– Eva satte sig fram och du där bak. Hade ni bestämt det på förhand?
– Det var det som var planen.
– Vilken plan?
– Att vi skulle säga åt gubben att stanna för att Eva ville sitta bak. Och då skulle vi ta honom.
– Ni hade alltså redan från början bestämt er för att använda vapnen?
– Inte om han som körde var yngre.
– Vad skulle ni ha gjort då?
– Då skulle vi ha fått honom att stanna genom att dra upp kjolen och komma med förslag.
Wallander märkte att han hade börjat svettas. Hennes oberörda förslagenhet plågade honom.
– Vad för sorts förslag?
– Vad tror du?

– Ni skulle alltså försöka locka honom med att han kunde få sex?
– Vilket jävla språk.
Lötberg böjde sig hastigt fram.
– Du behöver inte svära så mycket.
Sonja Hökberg såg på sin advokat.
– Jag svär precis så mycket jag själv vill.
Lötberg drog sig tillbaka. Wallander hade bestämt sig för att raskt gå vidare.
– Men nu var det alltså en äldre man som körde taxin. Ni fick honom att stanna. Vad hände då?
– Jag slog honom i huvudet. Eva stack honom med kniven.
– Hur många gånger slog du honom?
– Jag vet inte. Några gånger. Jag räknade inte.
– Var du inte rädd att han skulle dö?
– Vi behövde ju pengar.
– Det var inte det jag frågade om. Jag undrade om du inte var klar över att han skulle kunna dö.
Sonja Hökberg ryckte på axlarna. Wallander väntade men hon sa ingenting mer. Han kände att han för ögonblicket inte orkade upprepa frågan.
– Du säger att ni behövde pengar. Till vad då?
Nu såg han det igen. Det svaga stråket av osäkerhet innan hon svarade.
– Inte till nåt särskilt, har jag ju sagt.
– Vad hände sen?
– Vi tog plånboken och en mobil och sen gick vi hem.
– Vad hände med plånboken?
– Vi delade pengarna. Eva kastade den sen.
Wallander bläddrade i Martinssons papper. Johan Lundberg hade haft ungefär 600 kronor i sin plånbok. Den hade hittats i en papperskorg efter anvisningar av Eva Persson. Mobiltelefonen hade Sonja Hökberg tagit. Den hade återfunnits i hennes hem.
Wallander stängde av bandspelaren. Sonja Hökberg följde hans rörelser.
– Kan jag gå hem nu?
– Nej, sa Wallander. Du är nitton år gammal. Det betyder att du är straffmyndig. Du har begått ett grovt brott. Du kommer att bli häktad.
– Vad innebär det?
– Att du kommer att få stanna kvar här.
– Varför det?
Wallander såg på Lötberg. Sedan reste han sig.

– Det tror jag din advokat kan förklara för dig.

Wallander lämnade rummet. Han mådde illa. Sonja Hökberg hade inte gjort sig till. Hon var verkligen alldeles oberörd. Wallander gick in till Martinsson som talade i telefon men pekade på sin besöksstol. Wallander satte sig och väntade. Han kände plötsligt ett behov av att röka. Det hände sällan. Men mötet med Sonja Hökberg hade varit plågsamt.

Martinsson avslutade samtalet.

– Hur gick det?

– Hon erkänner ju allt. Och hon är alldeles iskall.

– Eva Persson är likadan. Och hon är bara 14 år.

Wallander såg nästan vädjande på Martinsson.

– Vad är det som händer?

– Jag vet inte.

Wallander märkte att han var upprörd.

– Det är ju för fan två småtjejer?

– Jag vet. Och dom tycks inte ångra sig.

De satt tysta. Wallander kände sig för ett ögonblick alldeles tom. Till sist var det Martinsson som bröt den tryckta stämningen.

– Förstår du nu varför jag så ofta tänker på att sluta?

Wallander vaknade till liv igen.

– Förstår du nu varför det är så viktigt att du inte gör det?

Han reste sig och gick fram till fönstret.

– Hur är det med Lundberg?

– Oförändrat kritiskt.

– Vi måste gå till botten med det här. Oavsett om han dör eller inte. Dom överföll honom för att dom behövde pengar till nånting speciellt. Om det nu inte berodde på nånting helt annat.

– Vad skulle det ha varit?

– Jag vet inte. Det är bara en känsla jag har. Att det kanske går djupare. Utan att vi ännu kan svara på vad det är.

– Det troliga är väl ändå att dom blivit lite fulla? Och bestämt sig för att skaffa pengar? Utan att tänka på konsekvenserna.

– Varför tror du det?

– Jag är i alla fall säker på att det inte var ett behov i största allmänhet.

Wallander nickade.

– Du kan ha rätt. Jag har varit inne på samma banor själv. Men jag vill veta vad det var. I morgon vill jag tala med Eva Persson. Föräldrarna. Hade ingen av dom nån pojkvän?

– Eva Persson sa att hon hade nån kille.

– Men inte Hökberg?

– Nej.
– Jag tror hon ljuger. Hon har nån. Honom ska vi leta reda på.
Martinsson antecknade.
– Vem ska hålla i det? Du eller jag?
Wallander betänkte sig inte.
– Jag. Jag vill veta vad som håller på att hända i det här landet.
– Om jag slipper är jag bara glad.
– Du slipper inte helt. Inte du, inte Hansson och inte Ann-Britt. Vi måste ta reda på vad som låg bakom den här misshandeln. Det var ett mordförsök. Och dör Lundberg så var det mord.
Martinsson pekade på de papperstravar som fyllde hans bord.
– Jag förstår inte hur jag ska hinna med allt som ligger här. Jag har utredningar som påbörjades för två år sen. Ibland har jag mest lust att skicka upp allt till rikspolischefen och be honom förklara hur jag ska hinna med.
– Han kommer att avfärda det som gnäll och dålig planering. När det gäller planeringen kan jag delvis hålla med honom.
Martinsson nickade.
– Det hjälper ibland om man får klaga.
– Jag vet, sa Wallander. Jag har det likadant själv. Det är länge sen vi hann allt som vi borde. Nu får vi välja ut det som är viktigast. Jag ska tala med Lisa.
Wallander hade nästan hunnit ut ur rummet när Martinsson stoppade honom.
– Det var en sak jag tänkte på igår kväll innan jag somnade. Hur länge sen är det du var på nån skytteträning?
Wallander tänkte efter.
– Nästan två år.
– Det är lika illa för mig. Hansson tränar på egen hand. Han är ju med i en skytteförening. Hur det är med Ann-Britt vet jag inte. Annat än att hon väl fortfarande är skotträdd efter det som hände häromåret. Men enligt reglerna ska den här träningen ske regelbundet. På arbetstid.
Wallander insåg vart Martinsson ville komma. Att inte träna på sitt vapen under flera år kunde knappast betraktas som att man tränade regelbundet. Dessutom kunde det i ett utsatt läge bli farligt.
– Jag har inte tänkt på det, sa Wallander. Men det är naturligtvis inte bra.
– Jag tvivlar på att jag skulle träffa en vägg, sa Martinsson.
– Vi har för mycket att göra. Vi hinner bara det viktigaste. Om ens det.
– Säg det till Lisa, sa Martinsson.

– Hon är nog medveten om problemet, sa Wallander tveksamt. Men frågan är vad hon kan göra åt det.

– Jag har inte fyllt 40 än, sa Martinsson. Men jag kommer ändå på mig med att tänka på hur bra det var förr. Åtminstone att det var bättre. Inte det helvete som det är nu.

Wallander fann inget lämpligt svar. Martinssons gnäll kunde ibland bli tröttande. Han återvände till sitt rum. Klockan var halv sex. Han ställde sig vid fönstret och såg ut i mörkret. Tänkte på Sonja Hökberg och på varför de två flickorna varit i så stort behov av pengar. Eller om det låg något annat bakom. Sedan dök Anette Fredmans ansikte upp.

Wallander kände att han inte orkade vara kvar längre, trots att han hade mycket arbete som väntade. Han tog sin jacka och gick. Höstvinden slog emot honom. Missljudet i motorn återkom när han startade bilen. Han svängde ut från parkeringen och tänkte att han borde stanna och handla. Kylskåpet var i det närmaste tomt. Där fanns egentligen bara en flaska champagne som han vunnit på en vadslagning med Hansson. Vad de hade slagit vad om kom han inte längre ihåg. Han bestämde sig hastigt för att ta en titt på den bankomat där en man segnat ner och dött kvällen innan. Då kunde han passa på att handla i något av varuhusen som låg intill.

När han hade parkerat och kom fram till bankomaten stod en kvinna där med en barnvagn och gjorde ett uttag. Asfalten var hård och skrovlig. Wallander såg sig omkring. Några bostäder fanns inte i närheten. Mitt i natten var platsen säkert alldeles övergiven. Även om det fanns kraftig gatubelysning skulle en man som ramlade ihop och kanske skrek till varken kunna höras eller synas av några kringboende.

Wallander gick in i det varuhus som låg närmast och letade upp matavdelningen. Som vanligt drabbades han av leda när han skulle bestämma sig. Han plockade ihop en korg, betalade och for hem. Missljudet i motorn tycktes hela tiden öka. När han kom upp i sin lägenhet tog han av sig den mörka kostymen. Efter att ha duschat och insett att tvålen nästan var slut lagade han till en grönsakssoppa. Till hans förvåning smakade den gott. Han kokade kaffe och tog med sig koppen in i vardagsrummet. Han märkte att han var trött. Efter att ha bläddrat mellan de olika tevekanalerna utan att hitta något som intresserade honom drog han till sig telefonen och slog numret till Linda i Stockholm. Hon delade lägenhet på Kungsholmen med två väninnor som Wallander inte kände annat än till namnet. För att få ihop pengar arbetade hon ibland som servitris på en kvartersrestaurang. Wallander hade ätit middag där senast han var i Stockholm. Maten hade varit god. Men han hade förvånats över att hon stod ut med den högt uppskruvade musiken.

Linda var nu 26 år. Fortfarande tyckte han att de hade bra kontakt, men han sörjde att hon var så långt borta. Han saknade den regelbundna samvaron.

En telefonsvarare kopplades på. Varken Linda eller någon av hennes vänner var hemma. Meddelandet upprepades på engelska. Wallander sa sitt namn och att det inte var något viktigt.

Efteråt blev han sittande. Kaffet hade kallnat.

Jag kan inte leva så här längre, tänkte han irriterat. Jag är 50 år. Men jag känner det som om jag vore urgammal och kraftlös.

Sedan tänkte han att han borde gå sin kvällspromenad. Han försökte hitta något bra skäl att låta bli. Till slut reste han sig ändå, satte på sig sina gymnastikskor och gick ut.

Klockan var halv nio när han kom tillbaka. Promenaden hade trängt undan missmodet han känt tidigare.

Telefonen ringde. Wallander trodde att det var Linda. Men det var Martinsson.

– Lundberg är död. Dom ringde nyss.

Wallander stod tyst.

– Det betyder att Hökberg och Persson har begått mord, fortsatte Martinsson.

– Ja, sa Wallander. Det betyder dessutom att vi har fått en riktigt jävlig historia på halsen.

De bestämde att de skulle träffas dagen efter klockan åtta.

Sedan fanns det inte så mycket mer att säga.

Wallander blev sittande i soffan. Han såg förstrött på Aktuellt. Noterade att dollarkursen var på väg uppåt. Det enda som egentligen fångade hans intresse var historien om Trustor. Hur enkelt det tycktes vara att rensa ett aktiebolag på alla tillgångar. Utan att någon egentligen ingrep förrän det var för sent.

Linda ringde aldrig. När klockan blivit elva gick han och la sig.

Det dröjde länge innan han lyckades somna.

5

När Wallander vaknade strax efter sex på tisdagsmorgonen den 7 oktober kände han att han hade svårt att svälja. Han var svettig och förstod att han höll på att bli sjuk. Han låg kvar i sängen och tänkte att han borde stanna hemma. Men tanken på att taxichauffören Johan Lundberg dagen innan avlidit till följd av den brutala misshandeln drev upp honom ur sängen. Han duschade, drack kaffe och tog ett par febernedsättande tabletter. Burken stoppade han sedan i fickan. Innan han gick hemifrån tvingade han också i sig en tallrik filmjölk. Gatlyktan utanför köksfönstret vajade i den byiga vinden. Det var mulet och några få plusgrader. Wallander letade fram en tjock tröja ur sin garderob. Sedan stod han med handen på telefonen och tvekade om han skulle ringa till Linda. Men han bestämde sig för att det var för tidigt på dagen. När han kommit ner på gatan och satt sig i bilen kom han ihåg att det hade legat en lapp på köksbordet. Han hade skrivit upp att han skulle köpa någonting. Men vad det var mindes han inte. Han orkade inte heller med tanken på att gå tillbaka och hämta lappen. Istället bestämde han sig för att i fortsättningen ringa till sin egen telefonsvarare på polishuset när det var någonting han behövde handla. Då skulle han så fort han kom till jobbet kunna höra efter vad det var som skulle köpas.

Han körde den vanliga vägen till polishuset, via Österleden. Varje gång drabbades han av dåligt samvete. För att hålla nere sitt blodsocker borde han ha gått till fots. Sjukare var han inte heller än att han kunde ha låtit bilen stå.

Hade jag haft en hund hade det aldrig varit något problem, tänkte han. Men jag har ingen hund. För ett år sedan besökte jag en kennel utanför Sjöbo och såg på några labradorvalpar. Men det blev aldrig någonting. Det blev inget hus, ingen hund och ingen Baiba. Det blev ingenting.

Han parkerade utanför polishuset och steg in på sitt rum när klockan var sju. Just när han satt sig vid bordet kom han ihåg vad han hade skrivit på lappen. Tvål. Han skrev upp det på sitt kollegieblock. Sedan använde han de följande minuterna till att tänka igenom det som hade hänt. En taxichaufför hade blivit mördad. De hade två flickor som erkänt, de hade ett av de två vapen som använts. En av flickorna var minderårig, den andra var åtalad och skulle komma att häktas under dagen.

Olusten från gårdagen återvände. Sonja Hökbergs fullständiga känslokyla. Han försökte intala sig att hon trots allt hade hyst åtminstone lite medkänsla och att det var han som inte hade lyckats upptäcka den. Men förgäves. Hans erfarenhet sa honom att han tyvärr inte tog miste. Wallander reste sig, hämtade kaffe i matrummet och gick bort till Martinsson som också brukade vara morgontidig. Dörren till hans rum stod öppen. Wallander undrade hur Martinsson stod ut med att arbeta utan att någonsin dra igen sin dörr. För Wallander var det en trängande nödvändighet, om han skulle kunna koncentrera sig, att hans dörr mot omvärlden för det mesta hölls stängd.

Martinsson nickade.

– Jag trodde nog du skulle komma, sa han.

– Jag känner mig inte riktigt bra, svarade Wallander.

– Förkyld?

– Jag får alltid ont i halsen i oktober.

Martinsson som ständigt oroade sig för att själv bli sjuk drog sig bakåt på stolen.

– Du kunde nog ha stannat hemma, sa han. Den här bedrövliga historien med Lundberg är ju redan uppklarad.

– Bara delvis, invände Wallander. Vi har inget motiv. Att dom bara var ute efter pengar i största allmänhet tror jag inte på. Har ni förresten hittat kniven?

– Det är Nyberg som håller i det. Jag har inte talat med honom än.

– Ring honom.

Martinsson grimaserade.

– Han kan vara rätt ilsken av sig på morgnarna.

– Då ringer jag själv.

Wallander tog Martinssons telefon och försökte först hemma hos Nyberg. Efter ett ögonblicks väntan blev han omkopplad till en mobiltelefon. Nyberg svarade. Men linjen var dålig.

– Det är Kurt. Jag bara undrar om ni har hittat den där kniven än.

– Hur fan ska vi hitta nånting när det är mörkt? svarade Nyberg vresigt.

– Jag trodde Eva Persson hade gett besked om var hon slängde den?

– Ändå är det flera hundra kvadratmeter vi ska leta igenom. Hon påstod att den skulle ligga nånstans på Gamla Kyrkogården.

– Varför tar ni inte dit henne då?

– Ligger den där så hittar vi den, sa Nyberg.

Samtalet tog slut.

– Jag har sovit dåligt, sa Martinsson. Min dotter Terese vet mycket väl vem Eva Persson är. Dom är nästan jämngamla. Eva Persson har också föräldrar. Vad upplever dom just nu? Så vitt jag har förstått är Eva deras enda barn.

De begrundade tysta under ett ögonblick det som blivit sagt. Sedan började Wallander nysa. Han lämnade genast rummet. Samtalet blev hängande i luften.

Klockan åtta hade de samlats i ett av mötesrummen. Wallander satte sig som vanligt på sin plats vid kortänden. Hansson och Ann-Britt Höglund hade redan kommit. Martinsson stod vid ett fönster och talade i telefon. Eftersom han var fåordig och talade med låg röst visste alla att han talade med sin fru. Wallander hade många gånger undrat hur de kunde ha så mycket att tala om när de hade träffats vid frukostbordet bara någon timme tidigare. Kanske kände Martinsson ett behov av att lufta sin oro över att Kurt Wallanders förkylning skulle drabba honom själv. Stämningen var trött och glåmig. Lisa Holgersson kom in i rummet. Martinsson avslutade sitt telefonsamtal. Hansson reste sig och stängde dörren.

– Ska inte Nyberg vara med? frågade han.

– Han letar efter kniven, svarade Wallander. Vi räknar med att han hittar den.

Sedan såg han på Lisa Holgersson. Hon nickade. Ordet var hans. Wallander undrade hastigt hur många gånger han hade upplevt just den här situationen. Tidig morgon, omgiven av kollegor, ett brott som ska utredas. De hade under årens lopp fått ett nytt polishus, nya möbler, andra gardiner för fönstren. Telefonerna hade ändrat utseende, liksom overheadapparaten. Och inte minst hade allting datoriserats. Ändå var det som om de olika personerna alltid hade suttit där. Och han själv allra längst.

Ordet var hans.

– Johan Lundberg är alltså död, började han. Om nu nån inte visste om det.

Han pekade på Ystads Allehanda som låg på bordet. Första sidan hade mordet på taxichauffören stort uppslaget.

Wallander fortsatte.

– Det betyder alltså att dom här två flickorna Hökberg och Persson har begått mord. Rånmord. Nånting annat kan det inte kallas. Framförallt Hökberg har i sin förklaring varit mycket tydlig. Dom hade planerat det, dom hade utrustat sig med vapen. Dom skulle överfalla den taxichaufför som tillfälligheten skickade i deras väg. Eftersom Eva Persson är minderårig blir hon en fråga inte bara för oss utan även för andra. Hammaren har vi, dessutom Lundbergs tomma plånbok och mobiltelefonen. Det enda som fattas är kniven. Ingen av flickorna nekar. Ingen skyller heller på den andra. Jag antar att vi kan lämna över materialet till åklagaren senast i morgon. Den rättsmedicinska undersökningen är naturligtvis ännu inte klar. Men för vår del är det här en bedrövlig historia som i stort sett redan nu kan avslutas.

Wallander tystnade. Ingen sa något.

– Varför gjorde dom det? frågade Lisa Holgersson till sist. Det hela verkar ju så oändligt onödigt.

Wallander nickade. Han hade hoppats på just den frågan för att slippa formulera den själv.

– Sonja Hökberg är mycket bestämd, sa han. Både i Martinssons förhör och i mitt eget. »Vi behövde pengar.« Ingenting annat.

– Till vad då?

Frågan hade kommit från Hansson.

– Det vet vi inte. Det svarar dom inte på. Ska man tro Hökberg så visste dom det inte själva. Dom behövde pengar. Inte för nåt speciellt ändamål. Bara just det: pengar.

Wallander såg på dem som satt runt bordet innan han fortsatte.

– Jag tror inte det är sant. Åtminstone Hökberg ljuger. Det är jag övertygad om. Eva Persson har jag inte talat med än. Men pengarna skulle användas till nåt särskilt. Det är jag ganska säker på. Jag misstänker dessutom att Eva Persson gjorde som Sonja Hökberg sa. Det minskar inte hennes skuld. Men det ger ändå en bild av deras förhållande.

– Spelar det nån roll? frågade Ann-Britt Höglund. Om det var till kläder eller nånting annat pengarna skulle användas?

– Egentligen inte. Åklagaren kommer att ha mer än nog för att fälla Hökberg. Vad som sker med Eva Persson är som sagt inte bara en fråga för oss.

– Dom har aldrig förekommit hos oss tidigare, sa Martinsson. Det har jag undersökt. Ingen av dom har heller haft några svårigheter i skolan.

Wallander hade fått tillbaka känslan av att de kanske befann sig på alldeles fel spår. Eller att de åtminstone var för tidigt ute med att avskriva möjligheten av att det existerade en helt annan förklaring till mordet på Lundberg. Men eftersom han fortfarande inte kunde sätta ord på sin känsla sa han ingenting. Fortfarande var det mycket arbete som återstod. Sanningen kunde vara ett penningbegär. Men det kunde också vara någonting helt annat. De måste fortsätta att se åt flera håll samtidigt.

Telefonen ringde. Hansson svarade. Han lyssnade och la sedan på luren.

– Det var Nyberg. Dom har hittat kniven.

Wallander nickade och slog igen pärmen han hade framför sig.

– Vi måste naturligtvis prata med föräldrarna och se till att det görs ordentliga personundersökningar. Men underlaget till åklagaren kan vi sätta ihop nu genast.

Lisa Holgersson höjde handen.

– Vi måste ha en presskonferens. Massmedierna ligger på oss. Trots allt är det ovanligt att två unga flickor begår ett sånt här våldsbrott.

Wallander såg på Ann-Britt Höglund. Hon skakade på huvudet. Under de senaste åren hade hon ofta låtit Wallander slippa de presskonferenser han tyckte så illa om. Men nu ville hon inte. Wallander förstod henne.

– Jag kan ta hand om det, sa han. Finns det nåt klockslag?

– Klockan ett är mitt förslag.

Wallander noterade på sitt block.

Mötet var snart över. Arbetsuppgifterna fördelades. Alla delade känslan av att det var bråttom att slutföra polisutredningen. Brottet var beklämmande. Ingen ville gräva i det mer än nödvändigt. Wallander skulle göra ett besök hemma hos Sonja Hökberg. Martinsson och Ann-Britt Höglund skulle tala med Eva Persson och hennes föräldrar.

Rummet blev tomt. Wallander märkte att hans förkylning höll på att bryta ut. I bästa fall klarar jag att smitta ner någon journalist, tänkte han medan han letade i fickorna efter en pappersnäsduk.

I korridoren mötte han Nyberg, klädd i stövlar och en tjock overall. Håret stod på ända och han var på dåligt humör.

– Jag hörde att ni hittat kniven, sa Wallander.

– Kommunen har tydligen inte råd att städa undan på hösten längre, svarade Nyberg. Vi har stått på huvudet där ute och grävt bland löven. Men vi hittade den till slut.

– Vad var det för kniv?

– En kökskniv. Ganska lång. Hon måste ha huggit med sån kraft att spetsen brutits av mot ett revben. Å andra sidan var kniven av riktigt usel kvalitet.

Wallander skakade på huvudet.

– Man tror inte att det är sant, sa Nyberg. Finns det ingen respekt för människoliv längre? Hur mycket pengar fick dom med sig?

– Vi vet inte än. Ungefär 600 kronor. Knappast mycket mer. Lundberg hade just börjat köra. Han brukade aldrig ha mycket växelpengar med sig när han startade sitt skift.

Nyberg muttrade något ohörbart och försvann. Wallander återvände till sitt rum. Han blev sittande obeslutsam. Halsen värkte. Med en suck slog han upp utredningspärmen. Sonja Hökberg bodde i stadens västra del. Han noterade adressen, reste sig och tog jackan. När han kommit ut i korridoren ringde telefonen. Han gick tillbaka igen. Det var Linda. I bakgrunden kunde han höra slamret från ett kök.

– Jag hörde ditt meddelande i morse, sa hon.

– I morse?

– Jag sov inte hemma i natt.

Wallander hade vett nog att inte fråga var hon hade tillbringat natten. Han visste mer än väl att det kunde innebära att hon blev arg och bara la på luren.

– Det var inget viktigt, sa han. Jag ville bara höra hur du mådde.

– Bra. Och du?

– Lite förkyld. Annars är det som vanligt. Jag tänkte fråga om du inte kommer ner och hälsar på snart.

– Jag hinner inte.

– Men jag kan betala din resa.

– Jag säger ju att jag inte hinner. Det handlar inte om pengar.

Wallander insåg att han inte skulle kunna övertala henne. Hon var lika envis som han själv.

– Hur mår du egentligen? frågade hon igen. Har du ingen kontakt alls med Baiba längre?

– Det är över för länge sen. Det måste du veta.

– Du mår inte bra av att gå omkring så här.

– Vad menar du med det?

– Du vet vad jag menar. Du börjar till och med låta klagande på rösten. Det gjorde du inte tidigare.

– Jag gnäller väl inte?

– Precis som nu. Men jag har ett förslag. Jag tycker att du ska leta reda på en kontaktförmedling.

– Kontaktförmedling?

– Där du kan hitta nån. Annars kommer du bara att bli en gnällig gubbe som undrar varför jag inte sover hemma på nätterna.

Hon ser rakt igenom mig, tänkte Wallander. Rakt igenom.

– Du menar alltså att jag skulle sätta in en annons i nån tidning?

– Ja. Eller ta kontakt med nån förmedling.

– Det kommer jag aldrig att göra.

– Varför inte?

– Jag tror inte på det.

– Varför inte det?

– Det vet jag inte.

– Det var bara ett råd. Tänk på det. Nu måste jag arbeta.
– Var är du?
– På krogen. Vi öppnar klockan tio.
Hon sa hej och samtalet var över. Wallander undrade var hon hade sovit under natten. För några år sedan hade Linda haft sällskap med en pojke från Kenya som studerade till läkare i Lund, men det hade tagit slut. Efter det hade han aldrig vetat särskilt mycket om hennes pojkvänner. Annat än att de tydligen växlade med jämna mellanrum. Han kände ett styng av irritation och svartsjuka. Sedan lämnade han rummet. Tanken på att sätta in en kontaktannons eller anmäla sig till någon förmedling hade faktiskt föresvävat honom tidigare. Men han hade alltid slagit bort den. Det skulle vara som att nedlåta sig till något han höll sig för god för.
Den byiga vinden slog emot honom. Han satte sig i bilen, startade motorn och lyssnade på knackningarna som bara blev värre och värre. Sedan for han hem till det radhus där Sonja Hökberg hade bott med sina föräldrar. I rapporten han fått från Martinsson hade han kunnat läsa att Sonja Hökbergs far sysslade med »eget företagande«. Vad det egentligen innebar hade inte framgått. Wallander lämnade bilen. Den lilla trädgården var välskött. Han ringde på ytterdörren. Efter ett ögonblick öppnades den av en man. Wallander visste genast att han hade träffat honom tidigare. Han hade gott minne för ansikten. Men han visste inte när eller var. Mannen som stod i dörren hade också genast känt igen Wallander.
– Är det du? sa han. Jag förstod ju att polisen skulle komma. Men inte att det skulle vara just du.
Han gick åt sidan och Wallander steg in. Någonstans ifrån kunde han höra ljudet från en teve. Fortfarande visste han inte vem mannen var.
– Jag antar att du känner igen mig, sa Hökberg.
– Ja, svarade Wallander. Men jag måste erkänna att jag inte minns i vilket sammanhang vi har träffats.
– Erik Hökberg?
Wallander letade i minnet.
– Och Sten Widén?
Wallander kom ihåg. Sten Widén med sin hästgård i Stjärnsund. Och Erik. De tre hade en gång för många år sedan haft en gemensam vurm för opera. Mest intresserad hade Sten varit. Men Erik som varit barndomsvän till Sten hade varit med några gånger när de samlats runt en grammofon och lyssnat till Verdis operor.
– Jag minns, sa Wallander. Men inte hette du Hökberg den gången?
– Jag tog min frus namn. Den gången hette jag Erik Eriksson.

Erik Hökberg var en storvuxen man. Galgen som han räckte fram mot Wallander såg liten ut i hans hand. Wallander mindes honom som mager. Nu hade han en kraftig övervikt. Det var därför Wallander inte kunnat placera honom.

Wallander hängde av sig jackan och följde efter Hökberg in i vardagsrummet. Där stod en teve. Men ljudet kom från en annan apparat, i ett annat rum. De satte sig. Wallander kände sig brydd. Ärendet var svårt nog som det var.

– Det är hemskt det som hänt, sa Hökberg. Jag förstår naturligtvis inte vad som flugit i henne.

– Hon har aldrig varit våldsam tidigare?

– Aldrig.

– Din fru? Finns hon hemma?

Hökberg hade sjunkit ihop i sin stol. Bakom ansiktet med de tjocka valkarna anade Wallander ett annat ansikte, det som han kom ihåg från en tid som nu verkade oändligt avlägsen.

– Hon tog med sig Emil och for till sin syster i Höör. Hon stod inte ut med att vara kvar här. Journalister som ringer. Utan hänsyn. Mitt i natten om det passar dom.

– Jag måste nog ändå tala med henne.

– Det förstår jag. Jag har sagt till henne att polisen kommer att höra av sig.

Wallander var osäker på hur han skulle fortsätta.

– Ni måste ha talat om det? Du och din fru?

– Hon förstår lika lite som jag. Det kom som en chock.

– Du hade alltså bra kontakt med Sonja?

– Det var aldrig några problem.

– Och hennes mor?

– Samma sak. Dom grälade ibland. Men bara om sånt som är naturligt. Under alla år jag har känt henne har det aldrig varit några problem.

Wallander rynkade pannan.

– Vad menar du med det?

– Jag trodde du visste att hon var min styvdotter?

Det hade inte framgått av utredningen. Wallander skulle ha kommit ihåg om så varit fallet.

– Ruth och jag har Emil tillsammans, fortsatte Hökberg. Sonja var väl två år när jag kom in i bilden. Det blir sjutton år nu i december. Ruth och jag träffades vid ett julbord.

– Vem är Sonjas riktiga pappa?

– Han hette Rolf. Han brydde sig aldrig om henne. Ruth var aldrig gift med honom.

– Vet du var han finns?
– Han är död sen några år. Han söp ihjäl sig.
Wallander hade letat efter en penna i sin jacka. Han hade redan insett att han glömt både glasögon och anteckningsblock. Det låg en trave med tidningar på glasbordet.
– Kan jag riva av ett hörn?
– Har polisen inte råd med anteckningsböcker längre?
– Det kan man undra. Men i det här fallet är det jag som har glömt.
Wallander tog en tidning som skrivunderlag. Han såg att det var en engelskspråkig finanstidning.
– Får jag fråga vad du arbetar med?
Svaret överraskade Wallander.
– Jag spekulerar.
– I vad då?
– Aktier. Optioner. Valutor. Dessutom tar jag in en del på vadslagning. Engelsk cricket mest. Lite amerikansk baseball ibland.
– Du spelar alltså?
– Inte på hästar. Jag tippar inte ens. Men jag antar att man kan säga att börsmarknaden också är en sorts spel.
– Sköter du det här hemifrån?
Hökberg reste sig och gav tecken till Wallander att följa med. När de kom in i det angränsande rummet stannade Wallander på tröskeln. Det var inte bara en teve som stod på, det var tre. På skärmarna fladdrade sifferkolumner förbi. Dessutom fanns där ett antal datorer och skrivare. På en vägg satt klockor som visade tiden i olika världsdelar. Wallander fick en känsla av att han hade stigit in i ett flygledartorn.
– Man brukar säga att den nya tekniken har gjort världen mindre, sa Hökberg. Det kan ifrågasättas. Men att min värld blivit större är ställt utom allt tvivel. Från det här dåligt byggda radhuset i Ystads utkant kan jag vara med på världens alla marknader. Jag kan koppla upp mig till vadslagningskontor i London eller Rom. Jag kan köpa en option på Hongkong-börsen och sälja undan amerikanska dollar i Jakarta.
– Är det verkligen så enkelt?
– Inte riktigt. Det krävs tillstånd och kontakter och kunskap. Men i det här rummet befinner jag mig mitt i världen. När som helst. Styrkan och sårbarheten går hand i hand.
De återvände till vardagsrummet.
– Jag skulle gärna vilja se Sonjas rum, sa Wallander.
Hökberg ledde honom uppför en trappa. De gick förbi ett rum

som Wallander antog tillhörde den pojke som hette Emil. Hökberg pekade på en dörr.

– Jag väntar där nere, sa han. Om du inte behöver mig?

– Nej, det går bra.

Hökbergs tunga steg försvann i trappan. Wallander sköt upp dörren. Rummet hade snedtak och i det fanns ett fönster som var halvöppet. En tunn gardin rörde sig sakta i vinden. Wallander stod orörlig och såg sig långsamt runt. Han visste av erfarenhet att det första intrycket alltid var viktigt. Senare iakttagelser kunde avslöja en dramatik som inte genast var synlig. Men det första intrycket skulle ändå alltid vara det han återvände till.

I det här rummet bodde en människa. Det var henne han sökte. Sängen var bäddad. Överallt fanns rosa och blommiga kuddar. Ena kortväggen var täckt av en hög hylla där det fanns en oändlig mängd leksaksbjörnar. På garderobsdörren satt en spegel, på golvet låg en tjock matta. Under fönstret stod ett skrivbord. Bordsskivan var tom. Wallander stod länge i dörröppningen och betraktade rummet. Här bodde Sonja Hökberg. Han gick in i rummet, knäböjde intill sängen och tittade in under den. Där var dammigt. Men på ett ställe hade ett föremål ritat ett mönster i dammet. Wallander rös till. Han anade att det var där hammaren hade legat. Han reste sig upp och slog sig ner på sängen. Den var oväntat hård. Sedan kände han på sin panna. Han hade nog feber igen. Burken med tabletter fanns i hans ficka. Halsen var fortfarande sträv. Han reste sig och öppnade lådorna i skrivbordet. Ingen var låst. Där fanns inte ens någon nyckel. Vad han letade efter visste han inte. Kanske en dagbok eller något fotografi. Men ingenting som fanns i lådorna fångade hans uppmärksamhet. Han satte sig på sängen igen. Tänkte på sitt möte med Sonja Hökberg.

Känslan hade infunnit sig omedelbart. Redan när han stått på tröskeln till rummet.

Det var någonting som inte stämde. Sonja Hökberg och hennes rum passade inte ihop. Han kunde inte se henne här, bland alla de rosa björnarna. Ändå var det hennes rum. Han försökte förstå vad det kunde betyda. Vilket talade mest sanning? Sonja Hökberg som han mött på polishuset? Eller det rum där hon bott och gömt en blodig hammare under sin säng?

Rydberg hade för många år sedan lärt honom att lyssna. *Varje rum har sin andning. Du måste lyssna. Ett rum berättar många hemligheter om den människa som bor där.*

Till en början hade Wallander varit ytterst tveksam till Rydbergs råd. Men efterhand hade han insett att Rydberg hade gett honom en avgörande lärdom.

Wallander började få huvudvärk nu. Det dunkade bakom tinningarna. Han reste sig och öppnade garderobsdörren. På galgarna kläder, på golvet skor. På garderobsgolvet fanns inget annat än skorna och en trasig björn. På insidan av dörren satt en affisch från någon film. »Djävulens advokat.« Huvudrollen spelades av Al Pacino. Wallander mindes honom från »Gudfadern«. Han stängde garderobsdörren igen och satte sig på stolen vid skrivbordet. Därifrån kunde han se rummet från ett annat håll.

Det är någonting som fattas, tänkte han. Han påminde sig Lindas rum från det hon blivit tonåring. Visst hade det funnits leksaksdjur. Men framförallt bilder av de heliga idolerna som kunde växla men som alltid fanns där i någon skepnad.

I Sonja Hökbergs rum fanns ingenting. Hon var nitton år. Allt hon hade var en filmaffisch inne i en garderob.

Wallander satt kvar ytterligare några minuter. Sedan lämnade han rummet och gick nerför trappan. Erik Hökberg väntade på honom i vardagsrummet. Wallander bad om ett glas vatten och tog sina tabletter. Hökberg betraktade honom med forskande blick.

– Hittade du nånting?

– Jag ville bara se mig omkring.

– Vad kommer att hända med henne?

Wallander skakade på huvudet.

– Hon är straffmyndig och hon har erkänt. Så hon får det inte lätt.

Hökberg sa ingenting. Wallander kunde se att han var plågad.

Wallander skrev upp telefonnumret till Hökbergs svägerska i Höör.

Sedan lämnade han radhuset. Vinden hade tagit i. Byarna kom och gick. Wallander for tillbaka mot polishuset. Han mådde inte bra. Efter presskonferensen skulle han åka direkt hem och lägga sig.

När han kom in i receptionen vinkade Irene honom till sig. Wallander märkte att hon var blek.

– Vad är det som har hänt? frågade han.

– Jag vet inte, svarade hon. Men man har sökt dig. Och du hade som vanligt inte telefonen med dig.

– Vem har sökt mig?

– Alla.

Wallander tappade tålamodet.

– Vilka alla? Var lite mer precis!

– Martinsson. Och Lisa.

Wallander gick raka vägen till Martinssons rum. Där fanns också Hansson.

– Vad är det som har hänt? frågade Wallander.

Det var Martinsson som svarade.
– Sonja Hökberg har rymt.
Wallander stirrade vantroget på honom.
– Rymt?
– Det hände för en knapp timme sen. Vi har all upptänklig personal ute och letar efter henne. Men hon är borta.
Wallander såg på sina kollegor.
Sedan tog han av sig jackan och satte sig ner.

6

Det tog inte många minuter för Wallander att förstå vad som hade hänt.

Någon hade slarvat. Någon hade på ett ytterst flagrant sätt brutit mot sina tjänsteföreskrifter. Men framför allt hade någon glömt att Sonja Hökberg inte bara var en ung flicka med troskyldigt utseende. Hon hade några dagar tidigare begått ett brutalt mord.

Händelseförloppet var lätt att rekonstruera. Sonja Hökberg skulle flyttas från ett rum till ett annat. Hon hade haft ett samtal med sin advokat och skulle föras tillbaka till arrestavdelningen. Medan hon väntade hade hon bett att få besöka toaletten. När hon kom ut därifrån hade hon upptäckt att den vakt som följt med henne stod med ryggen mot henne och pratade med någon som befann sig inne i ett kontorsrum. Då hade hon gått åt andra hållet. Ingen hade försökt stoppa henne. Hon hade promenerat rakt ut genom receptionen. Ingen hade sett henne. Inte Irene, inte någon. Efter ungefär fem minuter hade vakten gått in på toaletten och upptäckt att Sonja Hökberg inte var där. Han hade då gått tillbaka till rummet där hon haft sitt möte med advokaten. Först när han insett att hon inte hade återvänt dit hade han slagit larm. Sonja Hökberg hade då haft tio minuter på sig att försvinna. Och det var tillräckligt.

Wallander stönade invärtes. Huvudvärken återkom.

– Jag har skickat ut all tillgänglig personal, sa Martinsson. Och jag har ringt till hennes far. Du hade just gått. Kom det fram nåt som gör att du kan tänka dig vart hon kan vara på väg?

– Hennes mamma befinner sig hos en syster i Höör.

Han gav Martinsson lappen med telefonnumret.

– Hon kan knappast gå dit, sa Hansson.

– Sonja Hökberg har körkort, sa Martinsson med telefonluren mot örat. Hon kan lifta, hon kan stjäla en bil.

– Framförallt är det Eva Persson vi ska tala med, sa Wallander. Och det ska ske omedelbart. Jag struntar i om hon är minderårig. Nu ska hon tala om vad hon vet.

Hansson lämnade rummet. I dörren höll han på att kollidera med Lisa Holgersson som varit på ett möte utanför polishuset och just fått veta att Sonja Hökberg hade försvunnit. Medan Martinsson talade i telefon med mamman i Höör förklarade Wallander hur rymningen kunnat ske.

– Så här får det bara inte gå till, sa hon när Wallander tystnat.
Lisa Holgersson var arg. Wallander tyckte om det. Han tänkte tillbaka på hur deras tidigare chef, Björk, genast skulle ha börjat oroa sig för hur hans eget anseende skulle kunna utsättas för påfrestningar.
– Det får inte gå till så här, sa Wallander. Ändå gör det det. Men viktigast nu är att vi får tag på henne. Sen får vi se vilka rutiner som brustit. Och vem som ska ställas till svars.
– Tror du att det är risk för att hon kan bli våldsam?
Wallander tänkte efter. Han såg hennes rum framför sig. Alla de uppstoppade djuren.
– Vi vet för lite om henne, sa han. Men alldeles omöjligt är det inte.
Martinsson la på luren.
– Jag har talat med mamman, sa han. Och med kollegorna i Höör. Dom vet vad som gäller.
– Det tror jag ingen av oss gör, invände Wallander. Men jag vill ha tag på den där flickan så fort som möjligt.
– Hade hon planerat flykten? frågade Lisa Holgersson.
– Inte enligt vakten, sa Martinsson. Jag tror hon bara grep tillfället när det uppstod.
– Nog var det planerat, sa Wallander. Hon sökte ett tillfälle. Hon ville härifrån. Är det nån som har talat med advokaten? Kan han hjälpa oss?
– Jag tror inte det är nån som har hunnit tänka på det, sa Martinsson. Han åkte härifrån så fort han hade avslutat sitt samtal med henne.
Wallander reste sig.
– Jag ska tala med honom.
– Presskonferensen, sa Lisa Holgersson. Vad gör vi med den?
Wallander såg på sitt armbandsur. Tjugo minuter över elva.
– Vi håller den som vi har bestämt. Men vi måste ge dom nyheten. Även om vi helst skulle velat slippa.
– Jag inser att jag måste vara med, sa Lisa Holgersson.
Wallander svarade inte. Han gick till sitt rum. Huvudet dunkade. Varje gång han svalde gjorde det ont.
Jag borde ligga i min säng, tänkte han. Inte springa omkring här och jaga tonårsflickor som slår ihjäl taxichaufförer.
I en av sina skrivbordslådor hittade han några pappersnäsdukar. Han torkade av sig innanför skjortan. Han hade feber och svettades. Sedan ringde han advokat Lötberg och berättade vad som hade hänt.
– Det var oväntat, sa Lötberg när Wallander talat till punkt.

– Framförallt är det inte bra, sa Wallander. Kan du hjälpa mig?
– Jag tror inte det. Vi talade om vad som skulle hända nu. Att hon måste ha tålamod.
– Hade hon det?
Lötberg tänkte efter innan han svarade.
– Ärligt talat så vet jag inte. Hon var svår att få kontakt med. På ytan verkade hon lugn. Men hur det var därunder kan jag inte uttala mig om.
– Hon sa ingenting om nån pojkvän? Nån hon ville ha besök av?
– Nej.
– Ingen alls?
– Hon undrade hur det var med Eva Persson.
Wallander tänkte efter.
– Frågade hon ingenting om sina föräldrar?
– Faktiskt inte.
Wallander tänkte att det var anmärkningsvärt. Lika egendomligt som hennes rum hade varit. Känslan av att det var något underligt med Sonja Hökberg blev allt starkare.
– Jag kommer naturligtvis att höra av mig om hon kontaktar mig, sa Lötberg.
De avslutade samtalet. Wallander såg fortfarande hennes rum framför sig. Det var en barnkammare, tänkte han. Inte ett rum där det bodde en nittonårig flicka. Det var ett rum för en tioåring. Någonstans på vägen har rummet stannat upp, medan Sonja hela tiden blev äldre.
Han kunde inte helt reda ut sin tankegång. Men han visste att den var viktig.

Det tog mindre än en halvtimme för Martinsson att se till att Eva Persson var klar att möta Wallander. Wallander häpnade när han såg flickan. Hon var kortvuxen och såg knappast ut att vara mer än tolv år. Han såg på hennes händer och lyckades inte föreställa sig att hon hade hållit i en kniv som hon med kraft kört in i bröstet på en medmänniska. Men han upptäckte snart att det fanns något hos henne som påminde om Sonja Hökberg. Först kunde han inte identifiera likheten. Sedan insåg han vad det var.
Ögonen. Samma oberördhet.
Martinsson hade lämnat dem. Helst av allt hade Wallander velat ha Ann-Britt Höglund med vid samtalet med Eva Persson. Men hon fanns ute någonstans i staden och försökte få sökaktionen efter Sonja Hökberg att fungera så effektivt som möjligt.
Eva Perssons mor hade rödgråtna ögon. Wallander tyckte genast

synd om henne. Han våndades vid tanken på vad hon just nu gick igenom.

Han gick rakt på sak.

– Sonja har rymt. Nu vill jag fråga dig om du vet vart hon kan ha tagit vägen. Jag vill att du tänker efter noga. Och jag vill att du svarar ärligt. Har du förstått?

Eva Persson nickade.

– Vart tror du alltså hon har tagit vägen?

– Hon har väl gått hem? Vart skulle hon annars ha gått?

Wallander kunde inte avgöra om flickan var ärlig eller arrogant. Han insåg att huvudvärken också gjorde honom otålig.

– Om hon gått hem hade vi redan tagit henne, sa han och höjde rösten. Mamman kröp ihop på sin stol.

– Jag vet inte var hon är.

Wallander slog upp ett kollegieblock.

– Vad har hon för vänner? Vem brukar hon umgås med? Känner hon nån som har bil?

– Det brukar vara hon och jag.

– Hon måste väl ha andra vänner?

– Kalle.

– Vad heter han mer?

– Ryss.

– Heter han Kalle Ryss?

– Ja.

– Jag vill inte höra ett ord som inte är sant. Har du förstått?

– Vad fan skriker du för? Jävla gubbe. Han heter det. Kalle Ryss.

Wallander var nära att explodera. Han tyckte inte om att bli kallad »gubbe«.

– Vem är det?

– Han surfar. Mest är han i Australien. Men han är hemma nu och jobbar hos sin farsa.

– Var då?

– Dom har en järnhandel.

– Kalle är alltså en av Sonjas vänner?

– Dom har varit ihop.

Wallander fortsatte med sina frågor. Men Eva Persson kom inte på någon annan som Sonja Hökberg kunde tänkas ta kontakt med. Hon visste inte heller vart Sonja kunde ha tagit vägen. I ett sista försök att få fram något att utgå ifrån vände Wallander sig till Eva Perssons mor.

– Jag kände henne inte, sa hon med så låg röst att Wallander var tvungen att luta sig fram över bordet för att uppfatta vad hon sa.

– Du måste väl ha känt din dotters bästa väninna?

– Jag tyckte inte om henne.

Eva Persson vände sig blixtsnabbt om och slog till sin mamma i ansiktet. Det gick så fort att Wallander inte hann reagera. Mamman började skrika. Eva Persson fortsatte att slå samtidigt som hon skrek okvädingsord. Wallander blev biten i handen men lyckades med viss möda skilja Eva Persson från hennes mor.

– Ta ut kärringen! skrek hon. Jag vill inte se henne!

Det var i det ögonblicket Wallander alldeles tappade kontrollen. Han gav Eva Persson en kraftig örfil. Slaget var så hårt att flickan ramlade omkull. Med handen smärtande vacklade Wallander ut ur rummet. Lisa Holgersson som kom skyndande genom korridoren stirrade häpet på dem.

– Vad är det som har hänt?

Wallander svarade inte. Han såg på sin hand. Den brände efter slaget.

Vad ingen av dem la märke till var en journalist från en kvällstidning som kommit i god tid till presskonferensen. Under tumultet hade han med en liten diskret kamera osedd tagit sig ända fram till händelsernas centrum. Han knäppte flera bilder och noterade vad han såg och hörde. En rubrik höll redan på att formuleras i hans huvud. Hastigt återvände han till receptionen.

När presskonferensen äntligen kom igång hade den blivit en halvtimme försenad. Lisa Holgersson hade in i det längsta hoppats att någon polispatrull skulle hitta Sonja Hökberg. Wallander som inte hade några illusioner om detta ville hålla tiden. Delvis därför att han ansåg att Lisa Holgersson hade fel. Men lika mycket på grund av den förkylning som nu tycktes vara på väg att bryta ut på allvar.

Till sist lyckades han övertyga henne om att det inte fanns någon anledning att vänta längre. Journalisterna skulle bara bli irriterade. Det skulle bli tillräckligt besvärligt ändå.

– Vad vill du att jag ska säga? frågade hon innan de gick in i det stora mötesrum där presskonferensen skulle hållas.

– Ingenting, svarade Wallander. Jag tar det. Men jag vill att du är med.

Wallander gick in på en toalett och tvättade ansiktet med kallvatten. När han sedan kom in i mötesrummet hajade han till. Det var fler journalister än han hade föreställt sig. Han gick upp på den lilla avsatsen, tätt följd av sin chef. De satte sig ner. Wallander såg ut över församlingen. En del ansikten kände han igen. Några av journalisterna visste han namnet på, men många var helt okända.

Vad säger jag nu? tänkte han. Även om man har bestämt sig blir det aldrig så att man berättar precis som det är.

Lisa Holgersson hälsade journalisterna välkomna och lämnade ordet till Wallander.

Jag hatar det här, tänkte han uppgivet. Jag inte bara tycker illa om det. Jag hatar dessa möten med massmedierna. Även om jag vet att de är nödvändiga.

Han räknade tyst till tre innan han började.

– För några dagar sen blev en taxichaufför rånad och misshandlad här i Ystad. Han har som ni redan vet tyvärr avlidit av sina skador. Två personer har kunnat bindas till brottet. Dom har också erkänt. Eftersom en av gärningsmännen är minderårig kommer vi inte att lämna ut namnet vid den här presskonferensen.

En av journalisterna lyfte handen.

– Varför säger du gärningsmän när det handlar om två kvinnor?

– Jag kommer till det, sa Wallander. Om du bara lugnar dig lite.

Journalisten var ung och enveten.

– Presskonferensen skulle börja klockan ett. Klockan är redan över halv två. Tar ni ingen hänsyn alls till att vi har tider att passa?

Wallander förbigick frågan med tystnad.

– Det är med andra ord mord, fortsatte han. Rånmord. Det finns heller ingen orsak att inte säga som det är, nämligen att det var ett sällsynt brutalt mord. Därför är det naturligtvis tillfredsställande att vi så snabbt kunde klara upp det som hänt.

Sedan tog han sats. Det var som att dyka på en plats där han inte visste om det fanns några osynliga grund.

– Tyvärr har situationen komplicerats av att den ena av förövarna har rymt. Men vi hoppas kunna gripa henne inom kort.

Det blev tyst i salen. Så kom alla frågor på samma gång.

– Vad heter hon som rymde?

Wallander såg på Lisa Holgersson. Hon nickade.

– Sonja Hökberg.

– Varifrån rymde hon?

– Här ifrån polishuset.

– Hur kunde det ske?

– Vi håller just nu på att utreda saken.

– Vad menas med det?

– Precis det jag säger. Att vi utreder hur Sonja Hökberg kunde rymma.

– Det är med andra ord en farlig kvinna som har rymt.

Wallander tvekade.

– Ja, svarade han till sist. Men det är inte säkert.

– Antingen är hon väl farlig eller också inte. Kan du inte bestämma dig?

Wallander tappade tålamodet. För vilken gång i ordningen denna dag visste han inte längre. Han ville avsluta det hela så fort som möjligt och sedan gå hem och lägga sig.

– Nästa fråga.

Journalisten gav sig inte.

– Jag vill ha ett ordentligt svar. Är hon farlig eller inte?

– Du har fått det svar jag kan ge. Nästa fråga.

– Har hon vapen?

– Inte vad vi vet.

– På vilket sätt blev taxichauffören dödad?

– Med kniv och hammare.

– Har ni hittat mordvapnen?

– Ja.

– Kan vi få se dom?

– Nej.

– Varför inte?

– Av spaningstekniska skäl. Nästa fråga.

– Har det gått ut rikslarm efter henne?

– Än så länge räcker det med ett regionalt larm. Och det var allt vi hade att säga för närvarande.

Wallanders sätt att markera att presskonferensen var slut möttes av våldsamma protester. Wallander visste att det fanns ett oändligt antal mer eller mindre viktiga frågor kvar i rummet. Men han reste sig och ryckte nästan upp Lisa Holgersson från hennes stol.

– Det räcker nu, väste han.

– Borde vi inte stanna en stund till?

– Då får du ta hand om det. Dom har fått veta det dom behöver veta. Resten fyller dom i lika bra själva.

Teve och radio ville göra intervjuer. Wallander banade sig fram genom en skog av mikrofoner och kameraögon.

– Det här får du ta dig an, sa han till Lisa Holgersson. Eller be Martinsson. Nu måste jag hem.

De hade kommit ut i korridoren. Hon såg förvånat på honom.

– Går du hem?

– Om du vill kan du få tillstånd att lägga handen på min panna. Jag är sjuk. Jag har feber. Det finns andra poliser här som kan leta reda på Hökberg. Och svara på alla dessa förbannade frågor.

Han lämnade henne utan att invänta något svar. Jag gör fel, tänkte han. Jag borde stanna och hålla ordning på det här kaoset. Men just nu orkar jag inte.

Han kom in på sitt rum och hade satt på sig jackan, då en lapp på bordet fångade hans uppmärksamhet. Stilen var Martinssons.

»Läkarna säger att Tynnes Falk dog av naturliga orsaker. Inget brott. Vi kan alltså avskriva ärendet.«

Det tog några sekunder innan Wallander mindes att detta handlade om mannen som legat död utanför bankomaten vid varuhusen.

Då slipper vi i alla fall det, tänkte han.

Han lämnade polishuset genom garaget för att slippa möta några journalister. Det blåste hårt nu. Han hukade i motvinden på väg mot bilen. När han vred på tändningen hände ingenting. Han försökte flera gånger men motorn var alldeles död.

Han tog av sig säkerhetsbältet och lämnade bilen utan att bry sig om att låsa. På väg mot Mariagatan påminde han sig boken han lovat hämta i bokhandeln. Men det fick vänta. Allting fick vänta. Just nu ville han bara sova.

När han vaknade gjorde han det som ett språng ur en dröm.

Han hade varit på presskonferensen igen, men den hade hållits i det radhus där Sonja Hökberg bodde. Wallander hade inte kunnat svara på en enda av journalisternas frågor. Sedan hade han plötsligt upptäckt sin far längst bak i rummet. Fadern satt till synes oberörd bland tevekamerorna och målade sitt ständigt återkommande höstlandskap.

Det var då Wallander hade vaknat. Han låg stilla och lyssnade. Vinden tryckte mot fönstret. Han vred på huvudet. Klockan på bordet intill sängen visade halv sju. Han hade sovit i nästan fyra timmar. Han prövade att svälja. Halsen var fortfarande svullen och sträv. Men febern hade gått ner. Han anade att de ännu inte hade fått tag på Sonja Hökberg. I så fall borde någon redan ringt. Han steg upp och gick ut i köket. Där låg lappen om att han skulle köpa tvål. Han skrev dit att han hade en bok att hämta i bokhandeln. Sedan kokade han te. Förgäves letade han efter en citron. I grönsakslådan fanns bara några missfärgade tomater och en halvrutten gurka som han kastade. Han tog med sig tekoppen in i vardagsrummet. Överallt i hörnen låg det damm. Han gick tillbaka till köket och skrev upp att han skulle köpa nya påsar till dammsugaren.

Helst av allt borde han förstås köpa en ny dammsugare.

Han drog till sig telefonen och ringde polishuset. Den enda han fick tag på var Hansson.

– Hur går det?

Hansson lät trött.

– Hon är spårlöst försvunnen.

– Ingen som har sett henne?
– Ingenting. Rikspolischefen har ringt och ställt sig frågande till det som har hänt.
– Det tror jag säkert. Men det föreslår jag att vi struntar i för ögonblicket.
– Jag hörde att du var sjuk?
– Det är bra i morgon.
Hansson redogjorde för hur sökandet var upplagt. Wallander hade inget att invända. Ett regionalt larm hade gått ut. Rikslarm var förberett. Hansson lovade att höra av sig om något hände.
Wallander avslutade samtalet och tog fjärrkontrollen. Han borde se nyheterna. Säkert skulle Sonja Hökbergs rymning vara den stora nyheten i Sydnytt. Kanske den till och med skulle anses vara värd att bli en riksnyhet? Men han la ifrån sig fjärrkontrollen igen. Istället satte han på en CD med Verdis »La Traviata«. Han la sig på soffan och slöt ögonen. Tänkte på Eva Persson och hennes mor. Flickans våldsamma utbrott. Och de oberörda ögonen. Sedan ringde telefonen. Han satte sig upp, skruvade ner musiken och svarade.
– Kurt?
Han kände genast igen rösten. Det var Sten Widén. Bland Wallanders fåtaliga vänner var Sten den äldste.
– Det var länge sen.
– Det är alltid länge sen när vi talar med varandra. Hur mår du? På polishuset talade jag med nån som sa att du var sjuk.
– Halsont. Inget märkvärdigt.
– Jag tänkte vi skulle träffas.
– Just nu är det besvärligt. Du kanske har sett på nyheterna?
– Jag varken ser på nyheter eller läser tidningar. Annat än resultat från galoppbanor och vädret.
– Vi har en person på rymmen. Jag måste ha tag på den personen. Sen kan vi ses.
– Jag tänkte säga adjö.
Wallander kände hur någonting knöt sig i hans mage. Var Sten sjuk? Hade han supit sönder sin lever för gott?
– Varför det? Varför adjö?
– Jag säljer gården och ger mig iväg.
De senaste åren hade Sten Widén alltid talat om att han ville bryta upp. Den gård han ärvt efter sin far hade alltmer blivit en tröstlös börda som inte längre lönade sig. Långa kvällar hade Wallander lyssnat på hans drömmar om att starta ett annat liv innan han blev för gammal. Wallander hade aldrig tagit Widéns drömmar på större allvar än sina egna. Tydligen hade det varit ett misstag. När Sten var

berusad, vilket han ofta var, kunde han överdriva. Men han verkade nykter nu och full av energi. Den normalt så släpiga rösten var förändrad.

– Menar du allvar?

– Ja. Jag reser.

– Vart?

– Det har jag inte bestämt än. Men snart.

Knuten i magen hade lösts upp. Istället kände Wallander avund. Sten Widéns drömmar hade trots allt visat sig bärkraftigare än hans egna.

– Jag kommer ut så fort jag hinner. I bästa fall om några dar.

– Jag är hemma.

När samtalet var över blev Wallander länge sittande overksam. Han kunde inte förneka sin avund. Hans egna drömmar om ett uppbrott från polisyrket kändes oändligt avlägsna. Det Sten Widén nu gjorde skulle han själv aldrig klara av.

Han drack upp resten av teet och bar ut koppen i köket. Termometern utanför fönstret visade plus en grad. Det var kallt för att vara början av oktober.

Han gick tillbaka till soffan. Musiken hördes svagt. Han sträckte sig efter fjärrkontrollen och riktade den mot musikanläggningen.

I samma ögonblick gick strömmen.

Först trodde han det var en säkring. Men när han trevat sig fram till fönstret såg han att även gatlyktorna hade slocknat.

Han återvände till soffan och mörkret och väntade.

Vad han då inte visste var att en stor del av Skåne hade blivit mörklagd.

7

Olle Andersson sov. Telefonen ringde.

När han försökte tända sänglampan kom det inget ljus. Då visste han vad samtalet betydde. Han tände den starka ficklampa som han alltid hade stående vid sängen och lyfte telefonluren. Som han redan gissat kom samtalet från Sydkrafts driftcentral som var bemannad dygnet runt. Det var Rune Ågren som ringde. Olle Andersson visste redan att det var han som hade jouren denna natt, den 8 oktober. Han var från Malmö och hade arbetat för olika kraftbolag i mer än trettio år. Nästa år skulle han pensioneras. Han gick rakt på sak.

– Det är spänningsfall och strömavbrott i en fjärdedel av Skåne.

Olle Andersson blev förvånad. Även om det hade börjat blåsa några dagar tidigare hade vindarna knappast kommit upp i stormstyrka.

– Det vete fan vad som har hänt, fortsatte Ågren. Men det är transformatorstationen utanför Ystad som har slagits ut. Du får ta på dig kläderna i en farlig fart och åka dit.

Olle Andersson visste att det var bråttom. I det komplicerade ledningsnät där elektriciteten spreds ut över städer och landsbygd var just transformatorstationen utanför Ystad en av knutpunkterna. Om någonting hände där kunde det leda till att en stor del av Skåne blev utan ström. Det fanns alltid personal som hade jour om någonting hände på ledningsnätet. Just den här veckan var det Olle Andersson som hade ansvaret för Ystadsområdet.

– Jag hade somnat, sa han. När kom avbrottet?

– För fjorton minuter sen. Det tog en stund innan vi hittade fram till vad som hänt. Du får skynda dig på. Polisen i Kristianstad har dessutom fått fel på sina reservaggregat. Deras larmanläggning har slagits ut.

Olle Andersson visste vad det innebar. Han la på luren och började klä sig. Hans hustru Berit hade vaknat.

– Vad är det som har hänt?

– Jag måste ut. Det är svart i Skåne.

– Blåser det så mycket?

– Nej. Det måste vara nåt annat. Sov nu.

Med ficklampan i handen gick han nerför trappan. Huset låg i Svarte. Det skulle ta honom tjugo minuter att köra upp till transformatorstationen. Medan han satte på sig ytterkläderna undrade han vad som hade hänt.

Oron fanns också att felet skulle vara så komplicerat att han inte skulle klara av det på egen hand. Om strömavbottet var omfattande gällde det att få upp spänningen så fort som möjligt.

Det blåste hårt när han kom ut på gården. Men han var ändå säker på att det inte var vinden som hade orsakat skadan. Han satte sig i bilen som var en rullande verkstad, slog på radion och anropade Ågren.

– Jag är på väg.

Det tog honom nitton minuter att komma fram till transformatorstationen. Landskapet var helt mörklagt. Varje gång strömmen bröts och han var ute för att söka efter felet tänkte han samma tanke. Att bara för hundra år sedan hade detta kompakta mörker varit det naturliga. Elektriciteten hade förändrat allt. Ingen människa levde idag som mindes hur det varit den gången. Men han brukade också tänka på hur sårbart samhället hade blivit. Om det ville sig illa kunde ett enkelt fel i en av de viktigaste knutpunkterna för kraftförsörjningen slå ut en halv landsända.

– Jag är framme, rapporterade han till Ågren.

– Skynda dig på nu.

Transformatorstationen stod ute på en åker. Den var omgärdad av ett högt stängsel. Överallt satt skyltar som talade om att det var förbjudet område och förenat med livsfara att göra intrång. Han hukade i vinden. I handen hade han nyckelknippor. Han hade satt på sig ett par glasögon som han hade konstruerat själv. Istället för glas hade han monterat två små men kraftiga ficklampor ovanför ögonen. Han letade fram rätt nycklar. När han kom fram till grinden tvärstannade han. Den var uppbruten. Han såg sig omkring. Där fanns ingen bil, ingen människa. Han tog upp radion och ropade på Ågren.

– Grinden är uppbruten, sa han.

Ågren hade svårt att höra i blåsten. Han fick upprepa det han hade sagt.

– Det ser tomt ut, fortsatte han. Jag går in.

Det var inte första gången han varit med om att grindar till transformatorstationer blivit uppbrutna. Det gjordes alltid polisanmälan. Ibland lyckades också polisen få tag på förövarna. Oftast var det ungdomar som gjort det av rent okynne. Men de hade talat om det ibland, om vad som kunde hända ifall någon på allvar bestämde sig för att sabotera ledningsnätet. Han hade själv så sent som i september suttit i ett möte där en av Sydkrafts säkerhetsansvariga tekniker hade talat om att de skulle börja införa helt nya säkerhetsrutiner.

Han vred på huvudet. Eftersom han hade sin stora ficklampa i handen var det tre ljuspunkter som spelade över transformatorstationens stålskelett. Mitt inne bland ståltornen fanns ett litet grått hus som var själva hjärtpunkten. Där fanns en ståldörr som öppnades med två olika nycklar och som annars bara kunde forceras med en kraftig sprängladdning. På sin nyckelknippa hade han markerat de olika nycklarna med små färgade tejpbitar. Den röda nyckeln var till grinden. Gult och blått var till ståldörren. Han såg sig omkring. Allt var öde. Bara vinden som ven. Han började gå. Efter några steg stannade han. Någonting hade fångat hans uppmärksamhet. Han såg sig omkring. Fanns det någonting bakom honom? Ågrens raspande stämma hördes i radion som han hade häktat fast vid jackan. Han svarade inte. Vad var det som hade fått honom att stanna? Där fanns ingenting i mörkret. I alla fall ingenting han kunde se. Däremot något som luktade. Det måste komma från åkrarna, tänkte han, någon lantbrukare som lagt ut gödselslam. Han fortsatte fram mot den låga byggnaden. Lukten fanns kvar. Plötsligt tvärstannade han. Ståldörren var öppen. Han tog några steg bakåt och tog upp radion.

– Dörren är öppen, sa han. Hör du mig?

– Jag hör dig. Vad menar du med att dörren är öppen?

– Precis det jag säger.

– Är det nån där?

– Jag vet inte. Men den verkar inte uppbruten.

– Hur kan den då vara öppen?

– Jag vet inte.

Det blev tyst i radion. Han kände sig plötsligt mycket ensam. Ågren återkom.

– Menar du att den är upplåst?

– Det ser så ut. Dessutom luktar det konstigt här.

– Du får se efter vad det är. Det är bråttom nu. Jag har cheferna över mig. Dom ringer som fan här och undrar vad som har hänt.

Han drog ett djupt andetag och gick fram till dörren, öppnade den och lyste in. Först förstod han inte vad det var han såg. Stanken som slog emot honom var förfärande. Men han begrep nu vad som hade hänt. Att strömmen brutits och mörklagt Skåne denna oktobernatt berodde på det svartbrända lik som låg bland samlingsskenorna. Det var en människa som hade åstadkommit strömavbrottet.

Han snubblade baklänges ut ur huset och ropade på Ågren.

– Det ligger ett lik inne i transformatorhuset.

Det dröjde några sekunder innan Ågren svarade.

– Upprepa vad du sa.

– Det ligger ett sönderbränt lik därinne. Det är en människa som har kortslutit trakten.
– Är det där verkligen sant?
– Du hör väl vad jag säger! Det måste ha blivit nåt fel på reläskyddet.
– Då larmar vi polisen. Vänta där du är. Vi måste försöka koppla om hela ledningsnätet härifrån.
Radion dog bort. Han märkte att han skakade. Det som hade hänt var obegripligt. Varför gick en människa in i en transformatorstation och tog livet av sig genom att köra starkström genom kroppen? Det var som att sätta sig i en elektrisk stol.
Han mådde illa. För att inte kräkas gick han tillbaka till bilen. Vinden var byig och hård. Nu hade det också börjat regna.

Larmet kom till Ystads mörklagda polishus strax efter midnatt. Den som tog emot samtalet från Sydkraft antecknade vad som sades och gjorde en hastig värdering. Eftersom det fanns en död människa med i bilden ringde han till Hansson som hade krimjouren och lovade att genast åka dit. Han hade ett stearinljus vid telefonen. Martinssons nummer kunde han utantill. Det dröjde länge innan han fick svar, eftersom Martinsson hade sovit och inte märkt att det var strömavbrott. Han lyssnade på vad Hansson hade att säga. Han förstod genast att det var allvarligt. När samtalet var över trevade han sig fram över telefonknapparna och slog ett nummer han kunde utantill.
Wallander hade somnat på soffan medan han väntade på att strömmen skulle komma tillbaka. Men när telefonsignalerna väckte honom var det fortfarande svart runt honom. Han rev ner telefonen på golvet när han skulle gripa luren.
– Det är Martinsson. Hansson ringde.
Wallander anade genast att det hade hänt något allvarligt. Han höll andan.
– Dom har hittat ett lik i en av Sydkrafts anläggningar utanför Ystad.
– Är det därför det är mörkt?
– Jag vet inte. Men jag tänkte att du borde informeras. Även om du är sjuk.
Wallander svalde. Halsen var fortfarande svullen. Men han hade ingen feber.
– Min bil är trasig, sa han. Du får hämta upp mig.
– Jag är där om tio minuter.
– Fem, sa Wallander. Inte mer. Om hela trakten är svart.

Han klädde på sig i mörkret och gick ner på gatan. Det regnade. Martinsson kom efter sju minuter. De for genom den mörklagda staden. Hansson väntade vid en av utfartsrondellerna.

– Det är en transformatorstation strax norr om sopstationen, sa Martinsson.

Wallander visste var den låg. Han hade gått därute i ett närliggande skogsparti för några år sedan, när Baiba var på besök.

– Vad är det exakt som har hänt?

– Jag vet inte mer än det jag har sagt. Det kom ett larm från Sydkraft. Dom hittade det där liket när dom var ute för att klara av strömavbrottet.

– Är det omfattande?

– Enligt Hansson är ungefär en fjärdedel av hela Skåne mörklagt.

Wallander såg vantroget på honom. Det var mycket sällan ett elavbrott var så omfattande. Det kunde hända någon enstaka gång när svåra vinterstormar dragit fram. Eller som efter orkanen hösten 1969. Men inte när det blåste som nu.

De svängde av från huvudvägen. Regnet hade tilltagit. Martinssons vindrutetorkare arbetade för fullt. Wallander ångrade att han inte hade satt på sig en regnjacka, och gummistövlarna skulle han inte komma åt. De låg i bagageluckan på bilen som stod vid polishuset.

Hansson bromsade in. Ficklampor lyste i mörkret. Wallander såg en man i overall som vinkade åt dem.

– Det här är en högspänningsstation, sa Martinsson. Det kommer inte att vara nån vacker syn. Om det stämmer att nån har bränt ihjäl sig.

De steg ut i regnet. Vinden var hårdare här ute på de öppna fälten. Mannen som mötte dem var uppskakad. Wallander tvivlade inte längre på att något allvarligt verkligen hade hänt.

– Det är därinne, sa mannen och pekade.

Wallander gick först. Regnet som piskade honom i ansiktet gjorde det svårt att se. Martinsson och Hansson fanns bakom honom. Den uppskrämde mannen gick vid sidan av.

– Därinne, sa han när de stannade vid transformatorhuset.

– Är det nånting som fortfarande är strömförande? frågade Wallander.

– Ingenting. Inte nu längre.

Han tog ficklampan från Martinsson och lyste in. Det luktade nu. Stanken från bränt människokött. Det var en lukt han aldrig kunnat vänja sig vid. Även om han känt den många gånger vid eldsvådor där människor brunnit inne. Han tänkte hastigt att Hansson säkert skulle spy. Han tålde inte lukten av lik.

Kroppen var svartbränd. Ansiktet var borta. Det var ett sotigt kadaver han hade framför sig. Kroppen låg inklämd bland säkringar och ledningar.

Han flyttade sig åt sidan så att Martinsson kunde se.

– Fy fan, stönade Martinsson.

Wallander ropade till Hansson att han skulle ringa till Nyberg och begära full utryckning.

– Dom måste ha med sig en generator, sa han. Om vi ska få nåt ljus här.

Han vände sig till Martinsson.

– Vad heter han som upptäckte kroppen?

– Olle Andersson.

– Vad gjorde han här?

– Sydkraft hade skickat ut honom. Dom har naturligtvis reparatörer som kan rycka ut dygnet runt.

– Tala med honom. Se om du kan få fram ett tidsschema. Och trampa inte omkring här. Nyberg blir bara förbannad.

Martinsson tog med sig Andersson till en av bilarna. Wallander var plötsligt ensam. Han satte sig på huk och lyste med ficklampan mot kroppen. Det fanns ingenting kvar av kläderna. Wallander fick en känsla av att han betraktade en mumie. Eller en kropp som hade upptäckts efter tusen år i en torvmosse. Men det här var en modern transformatorstation. Han försökte tänka efter. Strömmen hade gått någon gång vid elvatiden. Nu var klockan snart ett. Om det var den här människan som förorsakat mörkläggningen så hade det hänt för ungefär två timmar sedan.

Wallander reste sig upp. Ficklampan lät han stå på cementgolvet. Vad var det som hade hänt? En människa tar sig in på en avsides belägen transformatorstation och förorsakar ett strömavbrott. Genom att ta livet av sig. Wallander grimaserade. Det kunde inte vara så enkelt. Frågorna tornade redan upp sig. Han böjde sig efter lampan och såg sig runt i rummet. Det enda han kunde göra nu var att invänta Nyberg.

Samtidigt var det någonting som oroade honom. Han lät ljuset från ficklampan vandra över den svartbrända kroppen. Var känslan kom ifrån visste han inte. Men det var som om han kände igen någonting som inte längre fanns. Men som funnits tidigare.

Han gick ut ur huset och betraktade den kraftiga ståldörren. Någon åverkan kunde han inte upptäcka. Där fanns två kraftiga lås. Han gick tillbaka samma väg han kommit. Han försökte att gå enbart där marken var orörd. När han kom till staketet undersökte han grinden. Den hade brutits upp. Vad betydde det? En grind är uppbruten, en ståldörr har kunnat öppnas utan åverkan. Martinsson hade satt sig i linjereparatörens bil. Hansson telefonerade från sin egen. Wallander skakade av sig regnvattnet och satte sig i Martinssons bil. Motorn var på, vindrutetorkarna arbetade. Han skruvade upp värmen. Halsen värkte. Han slog på radion där det pågick en extra nyhetssändning mitt i natten. Han lyssnade och fick allvaret i situationen klar för sig.

En fjärdedel av hela Skåne var strömlöst. Från Trelleborg till Kristianstad var det mörkt. Sjukhusen använde sina generatorer, men överallt annars var strömavbrottet totalt. En direktör på Sydkraft blev intervjuad och kunde meddela att felet hade lokaliserats. Man räknade med att ha spänning inom en halvtimme. Även om vissa områden fortfarande skulle tvingas vänta.

Här kommer det inte att finnas någon ström om en halvtimme, tänkte Wallander. Han undrade också om mannen som blev intervjuad i radion visste vad som hade hänt.

Lisa Holgersson måste informeras, tänkte han. Han tog Martinssons mobiltelefon och slog numret. Det dröjde innan hon svarade.

– Wallander här. Du märker att det är mörkt?

– Är det strömavbrott? Jag sov.

Wallander berättade det viktigaste. Hon blev genast klarvaken.

– Vill du att jag ska komma?

– Jag tror du bör ta kontakt med Sydkraft. Så dom förstår att deras strömavbrott också innebär en polisutredning.

– Vad är det som har hänt? Är det självmord?

– Jag vet inte.

– Kan det vara sabotage? En terroraktion?

– Det går inte att svara på. Vi kan inte utesluta nånting.

– Jag ringer till Sydkraft. Håll mig underrättad.

Wallander avslutade samtalet. Hansson kom springande genom regnet. Wallander öppnade dörren.

– Nyberg är på väg. Hur såg det ut därinne?

– Det var ingenting kvar. Det fanns inget ansikte.

Hansson svarade inte. Han försvann i regnet mot sin egen bil.

Tjugo minuter senare kunde Wallander se ljusen från Nybergs bil i backspegeln. Han steg ut ur bilen och tog emot honom. Nyberg såg trött ut.

– Vad är det som har hänt? Hansson var som vanligt alldeles obegriplig.

– Vi har en död människa där inne. Ihjälbränd. Det finns ingenting kvar.

Nyberg såg sig runt.

– Det brukar bli så om man bränner ihjäl sig på högspänning. Är det därför det är svart överallt?

– Förmodligen.

– Innebär det att halva Skåne nu väntar på att jag ska bli färdig? För att få tillbaka strömmen?

– Det är i så fall ingenting vi kan ta hänsyn till. Men jag tror dom håller på att få igång strömmen. Kanske bara inte just här.

– Vi lever i ett sårbart samhälle, sa Nyberg och började genast kommendera sin medföljande tekniker.

Samma sak sa Erik Hökberg, tänkte Wallander. Att vi lever i ett sårbart samhälle. Hans datorer har slocknat. Om han nu sitter uppe och knappar på dem på nätterna för att tjäna pengar.

Nyberg arbetade fort och effektivt. Snart var strålkastare uppriggade och kopplade till en slamrande generator. Martinsson och Wallander hade satt sig i bilen. Martinsson bläddrade bland sina anteckningar.

– Han blev alltså uppringd av nån driftsansvarig som heter Ågren. Dom hade lokaliserat strömavbrottet hit. Andersson bor i Svarte. Det tog honom tjugo minuter att ta sig hit. Han upptäckte genast att grinden var uppbruten. Ståldörren var däremot upplåst. När han tittade in såg han vad som hänt.

– Hade han gjort några iakttagelser?

– Det var ingen här när han kom och han mötte inte nån.

Wallander tänkte efter.

– Vi måste få klarhet i det här med nycklarna, sa han.

Andersson satt och pratade med Ågren när Wallander steg in i bilen. Han avslutade genast samtalet.

– Jag förstår att du är uppskakad, sa Wallander.

– Jag har aldrig sett nåt så jävligt. Vad är det som har hänt?

– Det vet vi inte. När du kom var grinden alltså uppbruten, men ståldörren stod på glänt utan åverkan. Hur förklarar du det?

– Det förklarar jag inte alls.

– Vem är det mer som har nycklar dit?

– En annan reparatör som heter Moberg. Han bor i Ystad. Huvudkontoret har förstås nycklar. Det är noggrann kontroll.

– Men nån har alltså låst upp?

– Det verkar så.

– Jag antar att det här är nycklar som inte går att kopiera?

– Låsen är tillverkade i USA. Dom ska vara omöjliga att forcera med falska nycklar.

– Vad heter Moberg i förnamn?

– Lars.
– Kan nån ha glömt att låsa?
Andersson skakade på huvudet.
– Det vore detsamma som avsked. Kontrollen är hård. Det har naturligtvis med säkerheten att göra. Och den har skärpts dom senaste åren.
Wallander hade tills vidare inget mer att fråga om.
– Det är nog bäst att du väntar, sa han. Om vi behöver fråga nåt mer. Jag vill också att du ringer till Lars Moberg.
– Varför det?
– Du kan till exempel be honom kontrollera att han har sina nycklar kvar. Dom som går hit till den här dörren.
Wallander lämnade bilen. Det regnade mindre nu. Samtalet med Andersson hade ökat hans oro. Det kunde naturligtvis vara en tillfällighet att en människa som ville ta livet av sig hade valt just den här transformatorstationen. Men mycket talade emot det. Inte minst att ståldörren blivit öppnad med nycklar. Wallander insåg att det pekade åt ett helt annat håll: att någon blivit mördad. Och sedan inkastad bland de strömförande ledningarna för att dölja vad som egentligen hade skett.
Wallander gick in i strålkastarljuset. Fotografen var just färdig med sina bilder och videofilmen. Nyberg stod på knä vid den döda kroppen. Han muttrade irriterat när Wallander råkade skugga för honom.
– Vad säger du?
– Att det tycks ta en otrolig tid för läkaren att komma hit. Jag måste flytta på kroppen för att se om det finns nånting där bakom.
– Vad tror du har hänt?
– Du vet att jag inte tycker om att gissa.
– Ändå är det vad vi håller på med hela tiden. Vad tror du?
Nyberg tänkte efter innan han svarade.
– Om nån har valt det här sättet att ta livet av sig är det minst sagt makabert. Om det är mord är det naturligtvis sällsynt brutalt. Det är som att avrätta nån i elektriska stolen.
Alldeles riktigt, tänkte Wallander. Det leder oss till möjligheten att någon har utkrävt hämnd. Genom att placera en människa i en mycket speciell form av elektrisk stol.
Nyberg återvände till arbetet. En kriminaltekniker hade börjat söka igenom området innanför stängslet. Läkaren kom. Det var en kvinna som Wallander hade träffat många gånger tidigare. Hon hette Susann Bexell och var fåordig. Hon gick genast till verket. Nyberg hämtade sin termos och hällde upp kaffe. Han bjöd Wallander som

tackade ja. Någon mer sömn under natten skulle det ändå inte bli. Martinsson dök upp vid deras sida. Han var våt och frusen. Wallander gav honom sin kaffemugg.

– Dom har börjat få igång strömmen nu, sa Martinsson. Dom tänder upp runt Ystad. Fan vet hur dom bär sig åt.

– Har Andersson talat med sin kollega Moberg? Om nycklarna?

Martinsson gick för att höra efter. Wallander såg att Hansson satt orörlig bakom ratten i sin bil. Han gick bort och sa åt Hansson att återvända till polishuset. Ystad var fortfarande mörklagt. Han kunde göra mer nytta där än här. Hansson nickade tacksamt och for därifrån. Wallander gick bort till läkaren.

– Kan du säga nånting om honom?

Susann Bexell såg på honom.

– I alla fall så mycket som att du har fel. Det är ingen man. Det är en kvinna.

– Är du säker?

– Ja. Men nåt annat tänker jag inte svara på.

– Jag har ändå en fråga till. Var hon död när hon hamnade här? Eller var det strömmen som dödade henne?

– Det vet jag inte än.

Wallander vände sig fundersamt om. Han hade hela tiden förutsatt att det var en man som legat där.

I samma ögonblick såg han den kriminaltekniker som undersökt området vid stängslet komma fram till Nyberg med ett föremål i handen. Wallander gick dit.

Det var en handväska.

Wallander stirrade på den.

Först trodde han att han tog miste.

Sedan visste han med bestämdhet att han hade sett den tidigare. Närmare bestämt dagen innan.

– Jag hittade den vid nordänden av staketet, sa teknikern som hette Ek.

– Är det en kvinna som ligger där inne? frågade Nyberg förvånat.

– Inte bara det, sa Wallander. Nu vet vi också vem det är.

Väskan hade nyligen stått inne på bordet i förhörsrummet. Den hade haft ett spänne som påminde om ett eklöv.

Han tog inte miste.

– Den här väskan tillhör Sonja Hökberg, sa han. Det är alltså hon som ligger död därinne.

Klockan hade blivit tio minuter över två. Regnet hade åter tilltagit.

8

Strax efter tre på morgonen återvände ljuset till Ystad.

Wallander befann sig då fortfarande tillsammans med teknikerna vid transformatorstationen. Hansson ringde från polishuset och berättade nyheten. På avstånd kunde Wallander också se ytterbelysningen tändas på en lagård långt ute på slätten.

Läkaren hade avslutat sitt arbete, kroppen hade förts bort och Nyberg hade kunnat fortsätta den tekniska undersökningen. Han hade tagit Olle Andersson till hjälp för att få det komplicerade transformatornätet inne i huset förklarat för sig. Samtidigt pågick arbetet med att säkra eventuella spår runt det inhägnade och avspärrade området. Det regnade fortfarande och arbetet var besvärligt. Martinsson hade halkat omkull i leran och slagit hål på ena armbågen. Wallander frös så han skakade och längtade efter sina gummistövlar.

Strax efter det att strömmen hade kommit tillbaka till Ystad tog Wallander med sig Martinsson till en av polisbilarna. Där gjorde de tillsammans en översikt av vad de hittills visste. Sonja Hökberg hade rymt från polishuset ungefär tretton timmar innan hon dog i transformatorhuset. Hon kunde ha tagit sig dit till fots. Tiden var tillräcklig. Men varken Wallander eller Martinsson ansåg det sannolikt. Trots allt var avståndet från Ystad åtta kilometer.

– Nån borde ha sett henne, sa Martinsson. Våra bilar for omkring och letade efter henne.

– För säkerhets skull bör det kontrolleras, sa Wallander. Att nån bil verkligen for den här sträckan utan att upptäcka henne.

– Vad är alternativet?

– Att nån har kört henne hit. Nån som sen har lämnat henne och försvunnit med bilen.

Båda visste vad det betydde. Frågan om hur Sonja Hökberg hade dött var avgörande. Hade hon begått självmord eller blivit mördad?

– Nycklarna, sa Wallander. Grinden var uppbruten. Men inte den inre dörren. Varför?

De letade under tystnad efter en möjlig förklaring.

– Vi måste ha fram en lista på alla som har tillgång till nycklar, fortsatte Wallander. Jag vill ha en redovisning av varenda nyckel. Vilka som har dom. Och var dom befann sig sent igår kväll.

– Jag har svårt att få det att hänga ihop, sa Martinsson. Sonja

Hökberg begår ett mord. Sen blir hon själv mördad. För mig ligger ett självmord trots allt närmare till hands.

Wallander svarade inte. Han hade många tankar i huvudet. Men han lyckades inte få dem att haka i varandra. Gång på gång gick han igenom det samtal med Sonja Hökberg som varit både hans första och sista.

– Du talade med henne först, sa Wallander. Vad hade du för intryck av henne?

– Samma som du. Att hon inte ångrade sig. Hon kunde lika gärna ha dödat en insekt som en gammal taxichaufför.

– Det talar emot självmord. Varför skulle hon ta livet av sig om hon inte hade dåligt samvete?

Martinsson stängde av vindrutetorkarna. Genom rutan skymtade de Olle Andersson som satt orörlig i sin bil och där bortom Nyberg som just höll på att flytta en strålkastare. Hans rörelser var ryckiga. Wallander förstod att han var både arg och otålig.

– Skulle det vara mord? Vad talar för det?

– Ingenting, svarade Wallander. Lika lite som att Sonja Hökberg skulle ta livet av sig. Vi måste hålla båda möjligheterna öppna. Men att det skulle ha varit en olycka kan vi glömma.

Samtalet dog bort. Efter en stund bad Wallander Martinsson se till att en spaningsgrupp samlades klockan åtta på morgonen. Sedan lämnade han bilen. Regnet hade upphört. Han kände hur trött han var. Och frusen. Halsen värkte. Han gick bort till Nyberg som höll på att avsluta arbetet i transformatorhuset.

– Har du hittat nånting?

– Nej.

– Hade Andersson nån åsikt?

– Om vad då? Mitt sätt att sköta arbetet?

Wallander räknade tyst till tio innan han fortsatte. Nyberg var på mycket dåligt humör. Blev han retad kunde han bli omöjlig att tala med.

– Han kan inte avgöra vad som har hänt, sa Nyberg efter en stund. Kroppen har förorsakat strömavbrottet. Men var det en död kropp som kastades in här bland ledningarna? Eller var det en levande människa? Det kan bara rättsläkarna svara på. Om ens dom.

Wallander nickade. Han såg på sitt armbandsur. Halv fyra. Det var ingen mening med att han var kvar längre.

– Jag åker nu. Men vi ska ha möte klockan åtta.

Nyberg muttrade något ohörbart. Wallander tolkade det som att han skulle komma. Sedan återvände han till bilen där Martinsson satt och gjorde anteckningar.

– Nu far vi, sa han. Du får köra mig hem.
– Vad är det för fel på bilen?
– Motorn är död.

De återvände till Ystad under tystnad. När Wallander kommit upp i sin lägenhet tappade han upp ett bad. Medan badkaret fylldes tog han sina sista värktabletter och skrev till det på den växande listan som låg på köksbordet. Han undrade uppgivet när han skulle få tid att gå till apoteket.

Kroppen tinade upp i det varma vattnet. Under några minuter dåsade han bort. Huvudet var tomt. Men sedan återkom bilderna. Av Sonja Hökberg. Och Eva Persson. I tankarna vandrade han långsamt igenom händelserna. Han rörde sig varsamt för att inte glömma något. Ingenting hängde ihop. Varför hade Johan Lundberg blivit dödad? Vad var det egentligen som hade drivit Sonja Hökberg? Och som fått Eva Persson att vara med? Han var säker på att det inte bara rörde sig om ett plötsligt uppflammande behov av pengar. Pengarna skulle användas till någonting. Om det inte låg något helt annat bakom.

I Sonja Hökbergs handväska som de hittat vid transformatorstationen hade inte funnits mer än trettio kronor. Pengarna från rånet hade beslagtagits av polisen.

Hon rymde, tänkte han. Plötsligt uppstår en möjlighet för henne att komma undan. Då är klockan tio på dagen. Ingenting kan ha varit förberett. Hon lämnar polishuset och är sedan försvunnen i tretton timmar. Hennes kropp blir återfunnen åtta kilometer från Ystad.

Hur kom hon dit? tänkte han. Hon kan ha liftat. Men hon kan också ha tagit kontakt med någon som hämtar henne. Och vad händer sedan? Ber hon om att bli körd till en plats där hon har bestämt sig för att begå självmord? Eller blir hon mördad? Vem har nycklarna till den inre dörren men inte till grindarna?

Wallander steg upp ur badkaret. Det finns två varför, tänkte han. Två frågor som just nu är avgörande och som pekar åt två olika håll. Om hon har bestämt sig för att begå självmord, varför väljer hon då en transformatorstation? Och hur får hon tag på nycklarna? Och om hon har blivit dödad: varför har det skett?

Wallander kröp ner i sängen. Klockan var halv fem. Tankarna snurrade runt i hans huvud. Han insåg att han var för trött för att tänka. Han måste sova. Innan han släckte ljuset satte han klockan på ringning. Han sköt klockan så långt ut på golvet att han skulle bli tvungen att stiga ur sängen för att komma åt att stänga av den.

När han vaknade hade han en känsla av att han bara sovit några få minuter. Han prövade att svälja. Halsen var fortfarande öm men mindre än dagen innan. Han kände på pannan. Febern var borta. Däremot var näsan täppt. Han gick ut i badrummet och snöt sig. Han undvek att se sig i spegeln. Tröttheten värkte i kroppen. Medan kaffevattnet kokade upp såg han ut genom fönstret. Det blåste fortfarande. Men regnmolnen var borta. Plus 5 grader. Han undrade vagt när han skulle få tid att göra någonting åt sin bil.

Strax efter åtta var de samlade i ett av mötesrummen på polishuset. Wallander betraktade Martinssons och Hanssons trötta ansikten och undrade hur han själv såg ut. Lisa Holgersson som inte heller hade sovit många timmar verkade däremot oberörd. Det var också hon som inledde mötet.

– Vi måste ha klart för oss att det strömavbrott som drabbade Skåne i natt var ett av dom svåraste och mest omfattande hittills. Det visar på sårbarheten. Det som hände ska egentligen vara omöjligt. Ändå skedde det. Nu kommer myndigheterna, kraftbolagen och civilförsvaret på nytt att gå igenom hur säkerheten kan förbättras. Det här bara sagt som en inledning.

Hon nickade åt Wallander att fortsätta. Han gjorde en sammanfattning.

– Vi vet med andra ord inte vad som hände, sa han till slut. Om det var en olycka, självmord eller mord. Även om vi i rimlighetens namn kan utesluta olyckshändelse. Hon ensam eller tillsammans med nån har brutit upp den yttre grinden. Sen har dom haft tillgång till nycklar. Det hela är minst sagt underligt.

Han såg sig om runt bordet. Martinsson kunde meddela att han fått bekräftat att polisbilar vid flera tillfällen åkt den aktuella vägen när de letade efter Sonja Hökberg.

– Då vet vi det, sa Wallander. Nån har kört henne dit. Hur var det med bilspår?

Frågan hade han riktat till Nyberg som satt rödögd längst ner vid bordsänden med håret på ända. Wallander visste att han längtade efter pensioneringen.

– Frånsett våra egna och linjearbetaren Anderssons däckmönster hittade vi två avvikande. Men det var ju ett jävla regnande i natt. Avtrycken var otydliga.

– Två andra bilar har alltså varit där?

– Andersson trodde att den ena kunde tillhöra kollegan som heter Moberg. Vi håller på att undersöka det.

– Då återstår en bil med okänd chaufför?

– Ja.

– Man kunde naturligtvis inte avgöra när den där bilen kommit till platsen?

Nyberg såg förvånat på honom.

– Hur skulle det vara möjligt?

– Jag har stor tilltro till din förmåga. Det vet du.

– Nånstans går det ändå en gräns.

Ann-Britt Höglund hade hittills inte sagt någonting. Nu lyfte hon handen.

– Kan det egentligen vara nåt annat än mord? frågade hon. Jag har lika svårt som ni att förstå varför Sonja Hökberg skulle ha begått självmord. Även om hon hade bestämt sig för att göra slut på det hela skulle hon väl aldrig ha valt att *bränna* sig till döds.

Wallander påminde sig en händelse några år tidigare. Då hade en flicka från Centralamerika bränt sig till döds genom att hälla bensin över sig i en rapsåker. Det tillhörde hans allra värsta minnen. Han hade varit närvarande. Han hade sett flickan flamma upp. Och han hade ingenting kunnat göra.

– Kvinnor tar tabletter, fortsatte Ann-Britt. Dom skjuter sig sällan. Inte heller kastar dom sig väl mot en strömförande ledning?

– Jag tror du har rätt, svarade Wallander. Men vi måste ändå avvakta vad rättsläkarna säger. Vi som var därute i natt kunde inte avgöra vad som hänt.

Några fler frågor fanns inte.

– Nycklarna, sa Wallander. Det är det viktigaste av allt. Kontroll av att inga har blivit stulna. Det är det första vi måste koncentrera oss på. Och så har vi en mordutredning på gång. Sonja Hökberg är visserligen död. Men Eva Persson finns kvar och även om hon är minderårig måste arbetet slutföras.

Martinsson åtog sig att kontrollera nycklarna. Sedan bröt de upp och Wallander gick in på sitt rum. På vägen hämtade han kaffe. Telefonen ringde. Det var Irene ute i receptionen.

– Du har besök, sa hon.

– Av vem då?

– Han heter Enander och är läkare.

Wallander letade i minnet utan att komma på vem det kunde vara.

– Vad vill han?

– Tala med dig.

– Vad gäller det?

– Det säger han inte.

– Skicka honom till nån annan.

– Det har jag försökt. Men det är dig han vill tala med. Och det är angeläget.

Wallander suckade.
– Jag kommer ut, sa han och la på luren.
Mannen som väntade ute i receptionen var i medelåldern. Han hade kort stubbat hår och var klädd i en träningsoverall. Han hade ett kraftigt handslag när han presenterade sig som David Enander.
– Jag har mycket att göra, sa Wallander. Vad gäller saken?
– Det tar inte lång tid. Men det är angeläget.
– Strömavbrottet i natt har ställt till oreda. Jag kan ge dig tio minuter. Ska du göra en anmälan?
– Jag vill bara rätta till ett missförstånd.
Wallander väntade på en fortsättning. Den kom aldrig. De gick till hans kontor. Armstödet lossnade när Enander satte sig i besöksstolen.
– Låt det ligga, sa Wallander. Stolen är trasig.
David Enander gick rakt på sak.
– Det gäller Tynnes Falk som dog för några dagar sen.
– Ärendet är avskrivet för vår del. Han dog en naturlig död.
– Det är just det missförståndet jag vill rätta till, sa Enander och strök sig över sitt stubbade hår.
Wallander märkte att mannen som satt mitt emot honom var angelägen.
– Jag lyssnar.
David Enander tog god tid på sig. Han valde sina ord med omsorg.
– Jag har varit Tynnes Falks läkare i många år. Han blev min patient 1981. Det är med andra ord mer än 15 år sen. Den gången sökte han mig för några allergiska utslag på händerna. Då arbetade jag på sjukhusets hudmottagning. 1986 öppnade jag egen praktik, när Nya kliniken etablerades. Tynnes Falk följde mig dit. Han var sällan eller aldrig sjuk. Dom allergiska problemen hade försvunnit, men jag gjorde regelbundna hälsokontroller. Tynnes Falk var en man som ville veta hur han mådde. Han förde också ett exemplariskt liv och skötte sig utmärkt. Åt bra, motionerade, hade regelbundna vanor.
Wallander undrade vart Enander ville komma. Han kände sin otålighet växa.
– Jag var bortrest när han avled, fortsatte Enander. Jag fick veta det först igår när jag kom hem.
– Hur fick du veta det?
– Hans tidigare hustru ringde mig.
Wallander nickade åt honom att fortsätta.
– Hon sa att dödsorsaken skulle ha varit en kraftig hjärtinfarkt.
– Det är vad vi också har fått veta.
– Saken är bara den att det inte kan stämma.

Wallander höjde på ögonbrynen.

– Varför inte det?

– Det är mycket enkelt. Så sent som för tio dagar sen gjorde jag en grundlig hälsoundersökning av Falk. Hans hjärta var i utmärkt skick. Han hade en kondition som en tjugoåring.

Wallander tänkte efter.

– Vad är det egentligen du vill säga? Att läkarna har begått ett misstag?

– Jag är medveten om att en hjärtinfarkt i sällsynta fall kan inträffa även på en fullt frisk person. Men jag vägrar att tro att det hände i Falks fall.

– Vad skulle han ha dött av istället?

– Det vet jag inte. Men jag ville rätta till missförståndet. Hjärtat var det inte.

– Jag ska framföra det du har sagt, sa Wallander. Var det nåt annat?

– Nånting måste ha hänt, sa Enander. Om jag har förstått saken rätt hade han ett sår i huvudet. Jag tror han har blivit överfallen. Dödad.

– Ingenting talar för det. Han har inte blivit rånad.

– Det var inte hjärtat, upprepade Enander bestämt. Jag är varken rättsläkare eller obducent. Jag kan inte berätta vad han dog av. Men det var inte hjärtat. Det är jag säker på.

Wallander gjorde några anteckningar och skrev upp Enanders adress och telefonnummer. Sedan reste han sig. Samtalet var över. Han hade inte tid mer.

De skildes ute i receptionen.

– Jag är säker på min sak, sa Enander. Det var inte hjärtat som dödade min patient Tynnes Falk.

Wallander återvände till sitt rum. Han la sina anteckningar om Tynnes Falk i en låda och använde den närmaste timmen till att skriva en redogörelse för nattens händelser.

Året innan hade Wallander fått en dator. Han hade ägnat en dag åt att gå på kurs. Men därefter hade det tagit honom lång tid att hjälpligt lära sig använda apparaten. Till för bara någon månad sedan hade han betraktat den med motvilja. Men plötsligt en dag hade han insett att hans arbete underlättades av den. Skrivbordet svämmade inte längre över av lösa lappar där han kladdat ner olika tankar och iakttagelser. Med datorn hade han fått bättre ordning. Fortfarande skrev han dock med två fingrar och det blev ofta fel. Men nu slapp han ändå att sitta och måla över alla felskrivningar. Bara det var en lättnad.

När klockan blivit elva kom Martinsson in med listan över dem som hade nycklar till transformatorstationen. Det var sex personer. Wallander ögnade igenom namnen.

– Alla kan redovisa sina nycklar, sa Martinsson. Ingen har släppt dom ur sikte. Frånsett Moberg har ingen heller varit ute vid transformatorstationen dom senaste dagarna. Ska jag börja kontrollera vad dom haft för sig under den tid Sonja Hökberg var försvunnen?

– Vi väntar med det, sa Wallander. Innan rättsläkarna har sagt sitt kan vi inte göra mycket annat än att vänta.

– Vad gör vi med Eva Persson?

– Det ska hållas ordentliga förhör med henne.

– Ska du göra det?

– Nej tack. Jag tänkte vi skulle lämna över den uppgiften till Ann-Britt. Jag ska tala med henne.

Strax efter tolv hade Wallander gått igenom Lundbergutredningen med henne. Halsen kändes bättre nu. Han var fortfarande trött. Efter att förgäves ha försökt starta sin bil ringde han till en verkstad och bad dem hämta den. Han lämnade nycklarna hos Irene i receptionen och gick ner till centrum för att äta på en av lunchrestaurangerna. Vid borden intill kommenterades nattens strömavbrott. Efteråt gick han till apoteket. Där köpte han tvål och värktabletter. Han hade just kommit tillbaka till polishuset när han påminde sig boken han skulle ha hämtat på bokhandeln. Ett ögonblick övervägde han om han skulle gå tillbaka igen. Men vinden var besvärande, så han lät det bero. Bilen var borta från parkeringsplatsen. Han ringde till verkmästaren, men de hade ännu inte hittat felet. När han undrade om reparationen skulle bli dyr fick han inget tydligt svar. Han avslutade samtalet och bestämde sig samtidigt för att nu fick det vara nog. Han skulle byta bil.

Sedan blev han sittande. Plötsligt var han säker på att Sonja Hökberg inte hade hamnat på den där transformatorstationen av en tillfällighet. Och det var heller ingen tillfällighet att den var en av de sårbaraste knutpunkterna för hela Skånes elnät.

Nycklarna, tänkte han. Det var någon som tog med henne dit. Någon som hade de viktigaste nycklarna.

Frågan var varför grinden hade blivit uppbruten.

Han drog till sig den lista som Martinsson tidigare hade gett honom. Fem personer, fem par nycklar.

Olle Andersson, linjereparatör.

Lars Moberg, linjereparatör.

Hilding Olofsson, driftchef.

Artur Wahlund, säkerhetsansvarig.

Stefan Molin, teknisk direktör.

Namnen sa honom lika lite som när han tidigare hade sett igenom listan. Han slog numret till Martinsson som genast svarade.

– Dom här nyckelmännen, sa han. Du har händelsevis inte slagit i våra största register om vi har nånting på dom?

– Skulle jag ha gjort det?

– Inte alls. Men jag är van vid att du är noggrann.

– Jag kan göra det nu.

– Vi avvaktar. Inget nytt från patologerna?

– Jag tvivlar på att dom kommer att kunna säga nånting förrän tidigast i morgon.

– Kör namnen då. Om du har tid.

I motsats till Wallander älskade Martinsson sina datorer. Om någon på polishuset hade problem med den nya tekniken var det till Martinsson han eller hon gick.

Wallander fortsatte att arbeta sig igenom materialet kring mordet på taxichauffören. När klockan blev tre hämtade han kaffe. Snuvan var lindrig, halsen som vanligt igen. Av Hansson fick han höra att Ann-Britt höll på att tala med Eva Persson. Det flyter bra, tänkte Wallander. För en gångs skull hinner vi med det vi ska.

Han hade åter lutat sig över sina papper när Lisa Holgersson uppenbarade sig i dörren. Hon höll en av kvällstidningarna i handen. På hennes ansikte kunde Wallander genast se att något hade hänt.

– Har du sett det här? frågade hon och gav honom tidningen med mittuppslaget uppvikt.

Wallander stirrade på bilden. Den föreställde Eva Persson på golvet i förhörsrummet. Hon såg ut att ha ramlat omkull.

Han kände hur det knöt sig i magen när han läste texten.

Känd polisman misshandlade tonårsflicka. Vi har bilderna.

– Vem har tagit bilden? sa Wallander vantroget. Det var väl ingen journalist där?

– Det måste det ha varit.

Wallander mindes vagt att dörren stått på glänt och att en skugga skymtat till bakom honom.

– Det var innan presskonferensen, sa Lisa Holgersson. Kanske nån hade kommit tidigt och smugit sig in i en av våra korridorer?

Wallander var alldeles lamslagen. Under sina trettio år som polis hade han vid många tillfällen varit inblandad i slagsmål. Men det hade varit vid besvärliga gripanden. Aldrig hade han gett sig på någon under ett förhör, hur retad han än hade blivit.

En enda gång hade det skett. Och då hade alltså en fotograf varit närvarande.

– Det här kommer det att bli bråk om, sa Lisa Holgersson. Varför sa du ingenting?

– Hon angrep sin mamma. Jag slog till henne för att skydda mamman.

– Det framgår inte av bilden.

– Det var så det var.

– Varför sa du ingenting?

Wallander hade inget svar.

– Jag hoppas du förstår att vi måste göra en utredning av det här?

Wallander kunde höra att hon lät besviken. Det gjorde honom upprörd. Hon misstror mig, tänkte han.

– Du kanske tänker stänga av mig från arbetet?

– Nej. Men jag vill veta exakt vad som hände.

– Det har jag redan talat om.

– Eva Persson sa nånting annat till Ann-Britt. Att ditt överfall var helt omotiverat.

– Då ljuger hon. Fråga mamman.

Lisa Holgersson dröjde med svaret.

– Det har vi gjort, sa hon till sist. Och hon förnekar att dottern skulle ha slagit henne.

Wallander satt tyst. Jag slutar, tänkte han. Jag slutar som polis. Jag går härifrån. Och jag kommer aldrig mer tillbaka.

Lisa Holgersson väntade. Men Wallander sa ingenting.

Då lämnade hon rummet.

9

Wallander försvann genast från polishuset.

Om det var en flykt eller bara ett sätt att försöka lugna ner sig kunde han inte helt reda ut för sig själv. Han visste naturligtvis att det gått till på det sätt han sagt. Men Lisa Holgersson hade inte trott honom, och det var det som hade gjort honom upprörd.

När han kom ut från polishuset svor han över att han inte hade någon bil. Ofta när han av någon anledning blivit upprörd tog han bilen och körde runt på vägarna tills han lugnat sig igen.

Han gick ner till Systembolaget och köpte en flaska whisky. Sedan fortsatte han raka vägen hem, drog ur telefonjacket och satte sig vid köksbordet. Han öppnade flaskan och tog några djupa klunkar. Det smakade illa. Men han tyckte han behövde det. Om det var något han alltid kände sig försvarslös inför var det orättvisa beskyllningar. Lisa Holgersson hade inte sagt det direkt. Men hennes misstänksamhet hade inte varit att ta miste på. Kanske Hansson trots allt haft rätt hela tiden, tänkte han ilsket. Att man aldrig ska ha en kärring som chef. Han tog ytterligare en klunk. Det kändes bättre nu. Redan ångrade han att han gått hem. Det skulle kunna tolkas som att han på något sätt erkände sig skyldig. Han satte i telefonjacket igen. Med barnslig otålighet irriterade han sig genast över att ingen ringde. Han slog numret till polishuset. Irene svarade.

– Jag ville bara säga att jag gått hem, sa Wallander. Jag är förkyld.

– Hansson frågade efter dig. Och Nyberg. Och flera tidningar.

– Vad ville dom?

– Tidningarna?

– Hansson och Nyberg?

– Det sa dom inte.

Hon har säkert tidningen framför sig, tänkte Wallander. Hon och alla andra. Just nu pratas det förmodligen inte om annat på Ystads polishus. Några kommer dessutom att känna skadeglädje över att den där jävla Wallander får sig en smäll.

Han bad att få bli kopplad till Hansson. Det dröjde innan han svarade. Wallander misstänkte att Hansson satt lutad över några av sina invecklade spelsystem. Som alltid skulle ge honom den stora vinsten. Men som aldrig innebar annat än att det till nöds gick jämnt ut. Hansson svarade.

– Hur går det med hästarna? frågade Wallander.

Det var för att avväpna. För att markera att det som stått i tidningen inte bringat honom ur fattningen.

– Vilka hästar?

– Spelar du inte på hästar?

– Inte just nu. Hur så?

– Det var bara ett försök att skämta. Vad var det du ville?

– Är du på ditt rum?

– Jag är hemma och förkyld.

– Jag ville bara tala om att jag har gått igenom vid vilka tider som våra bilar for längs den där vägen. Jag har talat med dom som körde. Ingen har sett Sonja Hökberg. Fyra gånger for dom fram och tillbaka den där sträckan.

– Då vet vi att hon inte gick. Hon måste alltså ha blivit hämtad. Det första hon gjorde när hon lämnade polishuset var att ta sig till en telefon. Eller så har hon gått hem till nån. Jag hoppas Ann-Britt hade klart för sig att hon skulle fråga Eva Persson om det.

– Om vad?

– Sonja Hökbergs andra vänner. Vem som kunde ha kört henne.

– Har du talat med Ann-Britt?

– Jag har inte hunnit än.

Det uppstod en paus. Wallander bestämde sig för att själv ta initiativet.

– Det var ingen vacker bild i tidningen.

– Nej.

– Frågan är hur en fotograf kunde ta sig in i våra korridorer. När vi har presskonferens lotsar vi ju in dom i grupp.

– Det är konstigt att du inte märkte nån fotoblixt.

– Med dagens kameror behövs det knappast.

– Vad var det som hände egentligen?

Wallander sa som det var. Han använde exakt samma ord som han använt när han talade med Lisa Holgersson. Han varken la till eller drog ifrån någonting.

– Det fanns ingen utomstående som såg det hela? frågade Hansson.

– Inte frånsett fotografen. Han kommer naturligtvis att ljuga. Annars har ju hans bild inget värde.

– Du får väl framträda och säga som det är.

– Det är precis vad jag gör just nu.

– Du får tala med tidningen.

– Hur tror du det skulle gå? En gammal polis mot en mamma och hennes dotter? Det är dömt att misslyckas.

– Du glömmer att flickan trots allt har begått mord.

Wallander undrade om det skulle hjälpa. En polisman som begick övervåld var en allvarlig händelse. Det var också hans egen åsikt. Sedan hjälpte det knappast att det hade existerat en mycket speciell omständighet.

– Jag ska tänka på saken, sa han och bad Hansson försöka koppla honom vidare till Nyberg.

När Nyberg kom till telefonen hade det gått flera minuter. Wallander hade tagit ytterligare några klunkar ur whiskyflaskan. Han började känna sig berusad. Men trycket hade lättat.

– Nyberg.

– Har du sett tidningen? frågade Wallander.

– Vilken tidning?

– Bilden? På Eva Persson?

– Jag läser inte kvällstidningar, men jag hörde om det. Fast om jag förstått saken rätt hade hon angripit sin mamma.

– Det framgår inte av bilden.

– Vad har det med saken att göra?

– Jag kommer att få problem med det här. Lisa ska utreda händelsen.

– Det är väl bra att sanningen kommer fram?

– Frågan är bara om tidningarna kommer att köpa den. Vem bryr sig om en gammal polis när det finns en ung fräsch mörderska i närheten?

Nyberg lät förvånad.

– Du har väl aldrig brytt dig om vad som står i tidningarna?

– Kanske inte. Men det har heller aldrig funnits nån bild där det framgått att jag slagit ner en ung flicka.

– Hon har ju begått mord?

– Jag tycker naturligtvis det är obehagligt.

– Det blåser över. Jag hade annars bara tänkt bekräfta att ett av däckavtrycken var från Mobergs bil. Det innebär att vi har identifierat alla avtryck utom ett. Men däcket från den bil som är okänd är av standardmodell.

– Då vet vi att nån körde henne dit. Och sen for därifrån.

– Det är en sak till, sa Nyberg. Hennes handväska.

– Vad är det med den?

– Jag försökte förstå varför den låg där den låg. Vid staketet.

– Han har väl kastat dit den?

– Men varför? Han kan ju knappast ha trott att vi inte skulle hitta den?

Wallander insåg att Nyberg hade rätt. Det han sa var viktigt.

– Du menar: varför tog han den inte med sig? Om han hoppades att kroppen inte skulle gå att identifiera?

– Ungefär så.
– Vad skulle vara svaret?
– Det är ditt jobb. Jag bara säger som det var. Väskan låg femton meter från ingången till transformatorhuset.
– Nånting annat?
– Nej. Vi säkrade inga andra spår.
Samtalet var över. Wallander lyfte whiskyflaskan. Men ställde den genast ifrån sig igen. Det räckte nu. Om han fortsatte att dricka skulle han passera en gräns. Det ville han inte. Han gick ut i vardagsrummet. Att vara hemma mitt på dagen kändes ovanligt. Skulle det bli så när han någon gång gick i pension? Tanken gav honom rysningar. Han ställde sig vid fönstret och såg ut över Mariagatan. Redan skymning. Han tänkte på läkaren som hade besökt honom och på mannen som legat död vid en bankomat. Han bestämde sig för att dagen efter ringa till rättsläkaren och berätta om Enanders besök. Om hans vägran att acceptera en hjärtinfarkt som orsaken till att Falk hade dött. Det skulle inte förändra någonting. Men han skulle i alla fall ha fört informationen vidare. Längre borde han inte vänta.

Han började tänka på det Nyberg hade sagt om Sonja Hökbergs handväska. Egentligen fanns det bara en slutsats som var möjlig att dra. Och den väckte plötsligt alla hans spanarinstinkter till liv. Väskan låg kvar eftersom någon hade velat att den skulle hittas.

Wallander satte sig i soffan och gick i huvudet igenom det hela. En kropp kan brännas till oigenkännlighet, tänkte han. Särskilt om den utsätts för kraftiga elströmmar som inte genast bryts. En människa som avrättas i en elektrisk stol kokas ihjäl inifrån. Den som dödade Sonja Hökberg visste att det kanske skulle bli svårt att identifiera henne. Därför lämnades väskan kvar.

Men det förklarade ändå inte varför den hade legat vid staketet.

Wallander gick igenom alltsammans en gång till. Men frågan om väskans placering förblev obesvarad. Han övergav tills vidare tanken. Han gick för fort fram. Först måste de få bekräftat att Sonja Hökberg verkligen hade blivit mördad.

Han gick tillbaka till köket och kokade kaffe. Telefonen var tyst. Klockan hade blivit fyra. Han satte sig vid bordet med kaffekoppen och ringde till polishuset igen. Irene kunde berätta att tidningar och teve fortsatte att höra av sig. Men hon hade inte gett dem hans telefonnummer. Sedan några år tillbaka var det hemligt. Wallander tänkte igen att hans frånvaro skulle tolkas som att han var skyldig, eller åtminstone besvärad av det som hänt. Jag borde ha stannat kvar, tänkte han, jag borde ha talat med varenda journalist och sagt som det var. Att både Eva Persson och mamman ljög.

Svagheten var över. Han märkte att han höll på att bli arg. Han bad Irene koppla honom till Ann-Britt. Egentligen borde han ha börjat med Lisa Holgersson och sagt ifrån på allvar. Att han inte accepterade hennes misstänksamhet.

Innan han fått svar la han hastigt på luren.

Just nu ville han inte tala med någon av dem. Istället slog han numret till Sten Widén. En flicka svarade. Ute på gården i Stjärnsund växlade hästskötarna hela tiden. Wallander hade ofta haft en misstanke om att Sten kanske inte alltid lät flickorna vara ifred. När han kom till telefonen hade Wallander nästan hunnit ångra att han ringt. Men trots allt kunde han vara ganska säker på att Sten Widén inte hade sett bilden i tidningen.

– Jag hade tänkt komma över, sa Wallander. Men min bil är trasig.

– Om du vill kan jag hämta dig.

De bestämde att ses vid sjutiden. Wallander såg på whiskyflaskan. Men han lät den stå.

Det ringde på dörren. Han hajade till. Sällan eller aldrig kom någon hem till honom på besök. Säkert var det någon journalist som hade letat reda på hans adress. Han ställde in whiskyflaskan i ett skåp och öppnade. Men det var ingen journalist som stod där. Det var Ann-Britt Höglund.

– Stör jag?

Han släppte in henne och höll ansiktet bortvänt så att hon inte skulle märka att han luktade sprit. De satte sig i vardagsrummet.

– Jag är förkyld, sa Wallander. Jag orkar inte arbeta.

Hon nickade. Men hon trodde honom säkert inte. Det hade hon heller ingen anledning att göra. Alla visste att Wallander ofta arbetade både med feber och krämpor i kroppen.

– Hur har du det? frågade hon.

Svagheten är över, tänkte Wallander. Även om den finns kvar. Längst därinne. Men jag tänker inte visa den.

– Om du menar bilden i tidningen så tycker jag naturligtvis det är illa. Hur kan en fotograf ta sig in oupptäckt ända till våra förhörsrum?

– Lisa är väldigt bekymrad.

– Hon borde lyssna på vad jag säger, sa Wallander. Hon borde stötta mig. Inte genast tro att tidningen har rätt.

– Man kan ju knappast förneka bilden.

– Det gör jag inte heller. Jag slog till henne. Eftersom hon angrep sin mamma.

– Du vet förstås att dom säger nånting annat.

– Dom ljuger. Men du kanske tror dom?
Hon skakade på huvudet.
– Frågan är bara hur man ska kunna avslöja att dom ljuger.
– Vem ligger bakom det?
Hennes svar kom fort och bestämt.
– Mamman. Jag tror hon är slug. Hon ser det här som en möjlighet att vända bort uppmärksamheten från det flickan har gjort. Om Sonja Hökberg dessutom är död kan dom ju skylla allt på henne.
– Inte den blodiga kniven.
– Den med. Även om den hittades genom Eva så kan hon ju påstå att det var Sonja som stack ner Lundberg.
Wallander insåg att Ann-Britt hade rätt. De döda kunde inte tala. Och det fanns en stor färgbild som visade en polisman som slagit en flicka till golvet. Bilden var oskarp. Men ingen behövde tvivla på vad den föreställde.
– Åklagaren har begärt en snabbutredning.
– Vem av dom?
– Viktorsson.
Wallander tyckte inte om honom. Han hade kommit till Ystad så sent som i augusti. Men Wallander hade redan haft några ordentliga sammanstötningar med honom.
– Det kommer att bli ord mot ord.
– Frånsett att det är två ord mot ett.
– Det egendomliga är att Eva Persson tycker illa om sin mor, sa Wallander. Det var alldeles uppenbart när jag talade med flickan.
– Hon har väl insett att hon trots allt kommer att råka illa ut. Även om hon är minderårig och inte hamnar i fängelse. Alltså sluter hon en tillfällig fred med sin mamma.
Wallander kände plötsligt att han inte orkade tala mer om saken. Inte just nu.
– Varför kom du hit?
– Jag hörde att du var sjuk.
– Men inte döende. Jag är tillbaka i morgon igen. Berätta hellre om vad du fick ut av samtalet med Eva Persson.
– Hon har ändrat sig.
– Men hon kan omöjligt veta att Sonja Hökberg är död?
– Det är just det som är konstigt.
Det tog ett ögonblick för Wallander att inse vad Ann-Britt just hade sagt. Sedan gick det upp för honom. Han såg på henne.
– Du tänker nåt?
– Varför ändrar man en berättelse? Man har erkänt ett brott man har begått tillsammans med nån annan. Alla bitar stämmer. Vad den

ena säger sammanfaller med den andras ord. Varför börjar man då ta tillbaka alltihop?

– Just det. Varför? Men kanske framförallt en annan sak: När?

– Det var därför jag kom. Eva Persson kunde inte veta att Sonja Hökberg var död när jag började förhöra henne. Men hon ändrar hela sitt erkännande. Nu är det Sonja Hökberg som har gjort allt. Eva Persson är oskyldig. Dom skulle inte alls råna nån taxichaufför. Dom skulle inte åka till Rydsgård. Sonja hade föreslagit att dom skulle hälsa på en morbror som bor i Bjäresjö.

– Existerar han?

– Jag har ringt honom. Han påstod att han inte hade sett Sonja på fem eller sex år.

Wallander tänkte efter.

– Då finns det bara en förklaring, sa han. Eva Persson skulle aldrig ha kunnat ta tillbaka sitt erkännande och ljuga ihop en historia om hon inte varit säker på att Sonja inte skulle kunna säga emot henne.

– Jag kan heller inte förklara det på nåt annat sätt. Jag frågade henne naturligtvis varför hon tidigare sagt nånting helt annat.

– Vad svarade hon?

– Att hon inte velat att Sonja skulle få hela skulden.

– Eftersom dom var väninnor?

– Just det.

Båda visste vad det betydde. Det fanns bara en förklaring. Eva Persson kände till att Sonja Hökberg var död.

– Vad tänker du? frågade Wallander.

– Att det finns två möjligheter. Sonja kan ha ringt till Eva efter det att hon lämnat polishuset. Hon kan ha sagt att hon tänkt ta livet av sig.

Wallander skakade på huvudet.

– Det låter inte troligt.

– Det tycker inte jag heller. Jag tror inte hon ringde till Eva Persson. Hon ringde nån annan.

– Som senare ringde till Eva Persson och sa att Sonja var död?

– Så kan det ha gått till.

– Det betyder i så fall att Eva Persson vet vem som dödade Sonja Hökberg. Om det nu var mord.

– Kan det egentligen ha varit nånting annat?

– Knappast. Men vi måste vänta på rättsläkarens utlåtande.

– Jag försökte få fram ett preliminärt resultat. Men tydligen tar det tid att arbeta med sönderbrända kroppar.

– Jag hoppas dom har klart för sig att det är bråttom?

– Är det inte alltid det?

Hon såg på klockan och reste sig.

– Jag måste hem till ungarna.

Wallander tänkte att han borde säga någonting. Han visste av egen erfarenhet hur svårt det var att bryta upp ur ett äktenskap.

– Hur går det med skilsmässan?

– Du har själv gått igenom det. Du vet att det är ett helvete från början till slut.

Wallander följde henne till dörren.

– Ta dig en whisky, sa hon. Det kan du behöva.

– Det har jag redan gjort, svarade Wallander.

Klockan sju hörde Wallander hur det tutade nere på gatan. Genom köksfönstret kunde han se Sten Widéns rostiga skåpbil. Wallander stoppade whiskyflaskan i en plastpåse och gick ner.

De for ut till gården. Som vanligt ville Wallander börja sitt besök med att gå en runda genom stallet. Många boxar var tomma. En flicka i sjuttonårsåldern höll just på att hänga upp en sadel. Hon gick och de var ensamma. Wallander satte sig på en höbal. Sten Widén stod lutad mot väggen.

– Jag reser, sa han. Gården är till salu.

– Vem tror du vill köpa?

– Nån som är tillräckligt galen för att tro att det ska bära sig.

– Får du ett bra pris?

– Nej, men troligen tillräckligt. Lever jag billigt kan jag klara mig på räntorna.

Wallander ville veta hur mycket pengar det kunde röra sig om. Men kom sig inte för med att fråga.

– Har du bestämt dig för vart du ska åka? sa han istället.

– Först måste jag få sålt. Sen ska jag bestämma mig.

Wallander tog fram whiskyflaskan. Sten tog en klunk.

– Du kommer aldrig att klara dig utan hästar, sa Wallander. Vad ska du göra?

– Jag vet inte.

– Du kommer att supa ihjäl dig.

– Eller kanske tvärtom. Kanske jag då kommer att sluta att dricka helt.

De lämnade stallet och gick över gårdsplanen mot bostadshuset. Kvällen var kylig. Wallander kände hur den gnagande avundsjukan hade återkommit. Hans gamle vän Per Åkeson, åklagaren, befann sig sedan flera år i Sudan. Wallander började bli alltmer övertygad om att han aldrig skulle komma tillbaka. Och nu var Sten på väg.

Mot någonting okänt men annorlunda. Själv förekom han i en kvällstidning där det framgick att han slagit ner en 14-årig flicka.

Sverige har blivit ett land som många människor flyr ifrån, tänkte han. De som har råd. Och de som inte har råd jagar pengar för att kunna ansluta sig till skaran av utvandrare.

Hur har det blivit så? Vad är det egentligen som har hänt?

De satte sig i det ostädade vardagsrummet som också användes som kontor. Sten Widén hällde upp ett glas konjak åt sig själv.

– Jag har funderat på att bli scenarbetare, sa han.

– Vad menar du med det?

– Precis det jag säger. Jag kunde åka till La Scala-operan i Milano och söka arbete som ridåhalare.

– Inte fan drar man ridåer för hand längre?

– En och annan kuliss flyttar man väl fortfarande för hand. Tänk dig att vara bakom scenen varje kväll. Och höra sången. Utan att betala ett öre. Jag kunde erbjuda mig att arbeta gratis.

– Är det vad du har bestämt dig för?

– Nej. Jag har många tankar. Ibland undrar jag till och med om jag inte skulle bege mig uppåt Norrland. Och begrava mig i nån riktigt kall och otrevlig snöhög. Jag vet inte än. Jag bara vet att gården ska säljas och att jag ger mig av. Men vad gör du?

Wallander ryckte på axlarna utan att säga någonting. Han hade druckit för mycket nu. Huvudet började bli tungt.

– Du fortsätter att jaga hembrännare?

Sten Widéns röst var spydig. Wallander blev arg.

– Mördare, svarade han. Folk som slår ihjäl andra människor. Med hammare i huvudet. Jag antar att du har hört om taxichauffören?

– Nej.

– Två småtjejer slog och stack med kniv ihjäl en taxichaufför häromkvällen. Det är dom jag jagar. Inte hembrännare.

– Jag förstår inte att du orkar.

– Inte jag heller. Men nån måste göra det och jag gör det förmodligen bättre än en del andra.

Sten Widén såg på honom med ett leende.

– Du behöver inte ta i så. Jag tror visst att du är en bra polis. Det har jag alltid trott. Frågan är bara om du ska hinna med nåt annat i livet.

– Jag är inte en sån som smiter.

– En sån som jag?

Wallander svarade inte. Det hade uppstått en klyfta mellan dem. Plötsligt blev han osäker på hur länge den egentligen hade funnits.

Utan att de hade märkt det. En gång i ungdomen hade de varit nära vänner. Sedan hade de gått åt olika håll. När de återsågs många år senare hade de tagit fasta på den vänskap som en gång funnits. Men de hade aldrig upptäckt att förutsättningarna blivit helt annorlunda. Först nu såg Wallander hur det var. Förmodligen hade Sten Widén också insett samma sak.

– En av flickorna som slog ihjäl taxichauffören har en styvfar, sa Wallander. Erik Hökberg.

Sten Widén såg förvånat på honom.

– Allvarligt talat?

– Allvarligt talat. Och förmodligen har den här flickan nu själv blivit mördad. Jag tror inte jag har tid att ge mig av. Även om jag hade velat.

Han stoppade tillbaka whiskyflaskan i påsen.

– Kan du ringa efter en taxi?

– Ska du hem redan?

– Jag tror det.

Ett stråk av besvikelse drog över Sten Widéns ansikte. Wallander kände samma sak. En vänskap hade tagit slut. Rättare sagt: de hade äntligen upptäckt att den för länge sedan var över.

– Jag kör dig hem.

– Nej, sa Wallander. Du har druckit.

Sten Widén sa ingenting. Han gick till telefonen och beställde en taxi.

– Den kommer om tio minuter.

De gick ut. Höstkvällen var klar och vindstilla.

– Vad var det man trodde? sa Sten Widén plötsligt. När man var ung?

– Det har jag glömt. Men jag ser inte så ofta bakåt. Jag har nog med det som händer just nu. Och nog med oro inför framtiden.

Taxin kom.

– Skriv och berätta, sa Wallander. Vad det blev.

– Det ska jag göra.

Wallander kröp in i baksätet.

Bilen for genom mörkret mot Ystad.

Wallander hade just kommit in i sin lägenhet när telefonen ringde. Det var Ann-Britt.

– Har du kommit hem nu? Jag har försökt ringa flera gånger. Varför har du aldrig mobilen påslagen?

– Vad är det som har hänt?

– Jag gjorde ett nytt försök med Patologen i Lund. Jag talade med obducenten. Han ville inte lova nånting. Men han hade hittat en sak. Sonja Hökberg hade en fraktur i bakhuvudet.

– Hon var alltså död när hon fick ström genom kroppen?

– Kanske inte. Men medvetslös.

– Hon kan inte ha skadat sig?

– Han var ganska säker på att det var ett slag som hon inte kunde ha tillfogat sig själv.

– Då vet vi det, sa Wallander. Att hon blev mördad.

– Har vi inte vetat det hela tiden?

– Nej, sa Wallander. Vi har misstänkt det. Men vi har inte vetat det förrän nu.

Någonstans i bakgrunden skrek ett barn. Hon hade bråttom att avsluta samtalet. De avtalade att träffas vid åttatiden dagen efter.

Wallander satte sig vid köksbordet. Han tänkte på Sten Widén. Och på Sonja Hökberg. Men framförallt på Eva Persson.

Hon måste veta, tänkte han. Hon måste veta vem det var som dödade Sonja Hökberg.

10

Wallander slungades ut ur sömnen strax efter fem på torsdagsmorgonen. Så fort han slog upp ögonen i mörkret visste han vad som hade väckt honom. Någonting han hade glömt: löftet till Ann-Britt. Att han samma kväll skulle tala inför en litterär kvinnoförening i Ystad om hur det var att arbeta som polis.

Han låg orörlig i mörkret. Det hade fallit honom helt ur minnet. Han hade ingenting förberett. Inte ens skrivit ner några stolpar.

Han kände hur oron satte sig i magen. Kvinnorna han skulle tala inför hade naturligtvis sett bilden av Eva Persson. Ann-Britt måste också vid det här laget ha ringt och sagt att det var han och inte hon själv som skulle komma.

Jag klarar det inte, tänkte han. De kommer bara att se en brutal kvinnomisshandlare framför sig. Inte den jag verkligen är. Vem nu det än är.

Han låg kvar i sängen och försökte hitta en flyktväg. Den enda som kanske kunde haft tid var Hansson. Men det var en omöjlighet. Ann-Britt hade redan sagt varför. Hansson kunde inte uttrycka sig om han talade om annat än hästar. Han levde sitt liv mumlande. Bara de som kände honom väl förstod vad han egentligen försökte uttrycka.

Klockan halv sex steg Wallander upp. Det fanns ingen möjlighet för honom att undkomma. Han satte sig vid köksbordet och drog till sig anteckningsblocket. Överst skrev han *Föredrag*. Han frågade sig vad Rydberg skulle ha berättat om sitt yrke för en grupp kvinnor om han hade levat. Men han misstänkte att Rydberg aldrig skulle ha låtit sig övertalas till något framträdande av detta slag.

När klockan blivit sex hade han fortfarande bara skrivit detta enda ord. Han var just på väg att ge upp när han plötsligt kom på vad han kunde göra. Han skulle berätta om det de höll på med just nu. Utredningen av taximordet. Kanske kunde han till och med börja med Stefan Fredmans begravning? Några dagar ur en polismans liv? Precis som det var, utan omskrivningar. Han skrev ner några stolpar. Han skulle heller inte undvika att beröra händelsen med fotografen. Det skulle kunna uppfattas som ett försvarstal. Vilket det naturligtvis också var. Men trots allt var det han som visste vad som verkligen hade hänt.

Kvart över sex la han ifrån sig pennan. Obehaget inför det som väntade hade inte minskat. Men nu kände han sig inte alldeles utlämnad längre. När han klädde sig kontrollerade han att han hade en ren skjorta som han kunde använda på kvällen. Det fanns en kvar längst inne i garderoben. Resten låg i en stor hög på golvet. Det var länge sedan han hade tvättat.

Strax före sju ringde han till verkstaden och frågade om bilen. Samtalet var nerslående. Tydligen höll de på att överväga om de skulle bli tvungna att riva upp hela motorn. Verkmästaren lovade att ge honom ett kostnadsförslag under dagen. Termometern utanför fönstret visade sju plusgrader. Svag vind, moln men inget regn. Med blicken följde Wallander en gammal man som långsamt rörde sig längs gatan. Vid en papperskorg stannade han och rotade runt med ena handen utan att hitta något. Wallander tänkte på kvällen innan. Avundsjukan var borta nu. Den hade ersatts av en vag känsla av vemod. Sten Widén skulle försvinna ur hans tillvaro. Vilka fanns egentligen kvar som kunde binda honom samman med hans tidigare liv? Snart fanns det inga alls.

Han tänkte på Mona, Lindas mor. Hon hade också brutit upp. Den gången hade han blivit alldeles handfallen när hon meddelat att hon tänkte gå ifrån honom. Även om han innerst inne nog hade anat att det var på väg. För något år sedan hade hon gift om sig. Då hade Wallander i flera år med jämna mellanrum försökt övertala henne att komma tillbaka. Att de skulle börja om. Nu i efterhand kunde han inte alls förstå sig själv. Han hade inte velat börja om. Det var ensamheten han inte klarade av. Med Mona skulle han aldrig mer ha kunnat leva ihop. Deras uppbrott hade varit nödvändigt och kommit alldeles för sent. Nu var hon omgift med en golfspelande konsult i försäkringsbranschen. Wallander hade aldrig träffat honom, även om deras röster hade mötts någon gång i telefon. Linda var heller inte särskilt förtjust i honom. Men Mona tycktes ha det bra. Där fanns ett hus någonstans i Spanien. Mannen hade tydligen pengar, vilket Wallander aldrig hade haft.

Han övergav tankarna och lämnade lägenheten. På vägen upp mot polishuset fortsatte han att fundera över vad han skulle säga under kvällen. En patrullbil körde upp vid hans sida och frågade om han ville åka. Men Wallander tackade nej. Han föredrog att gå.

Det stod en man utanför polishusets reception. När Wallander skulle gå in vände han sig emot honom. Wallander kände igen hans ansikte utan att kunna placera honom.

– Kurt Wallander, sa mannen. Har du tid ett ögonblick?

– Det beror på. Vem är du?

– Harald Törngren.

Wallander skakade på huvudet.

– Det var jag som tog bilden.

Wallander insåg att han kände igen mannens ansikte från den senaste presskonferensen.

– Du menar att det var du som smög dig in i korridoren?

Harald Törngren var i trettioårsåldern. Han hade avlångt ansikte och kortklippt hår. Han log.

– Jag letade faktiskt efter en toalett och ingen stoppade mig.

– Vad är det du vill?

– Jag tänkte du skulle få kommentera bilden. Jag vill göra en intervju.

– Du kommer ändå inte att skriva det jag säger.

– Hur vet du det?

Wallander övervägde om han skulle be Törngren försvinna. Samtidigt innebar situationen en möjlighet.

– Jag vill ha nån med mig, sa han. Nån som lyssnar.

Törngren fortsatte att le.

– Ett intervjuvittne?

– Jag har dålig erfarenhet av journalister.

– Du kan få ha tio vittnen om du vill.

Wallander såg på klockan. Den var fem minuter i halv åtta.

– Du kan få en halvtimme. Inte mer.

– När då?

– Nu.

De gick in. Irene kunde upplysa om att Martinsson redan var där. Wallander sa åt Törngren att vänta medan han gick bort till Martinssons rum. Där satt han och slog efter någonting på sin dator. Wallander förklarade hastigt situationen.

– Vill du att jag ska ta med bandspelare?

– Det räcker med att du är där. Och efteråt minns vad jag sagt.

Martinsson blev plötsligt tveksam.

– Du vet inte vad han kommer att fråga om?

– Nej. Men jag vet vad som hände.

– Bara du inte brusar upp.

Wallander blev förvånad.

– Brukar jag säga saker jag inte menar?

– Det händer.

Wallander insåg att Martinsson hade rätt.

– Jag ska tänka på det. Nu går vi.

De satte sig i ett av de mindre mötesrummen. Törngren ställde upp sin lilla bandspelare på bordet. Martinsson höll sig i bakgrunden.

– Jag talade med Eva Perssons mamma igår kväll, sa Törngren. Dom har bestämt sig för att anmäla dig.

– För vad då?

– Misshandel. Vad säger du om det?

– Det var aldrig fråga om nån misshandel.

– Det är inte deras åsikt. Dessutom har jag min bild.

– Vill du veta vad som hände?

– Jag vill gärna höra din version.

– Det är inte en version. Det är sanningen.

– Ord står mot ord.

Wallander insåg det hopplösa i vad han gett sig in i och ångrade sig. Men nu var det för sent. Han sa som det var. Eva Persson hade plötsligt angripit sin mor. Wallander hade försökt gå emellan. Flickan hade varit vild. Då hade han gett henne en örfil.

– Både mamman och dottern förnekar att det gick till så.

– Det var i alla fall vad som hände.

– Verkar det rimligt att en flicka slår till sin mor?

– Eva Persson hade just erkänt ett mord. Situationen var pressande. Då kan oväntade saker inträffa.

– Eva Persson sa till mig igår att hon blivit tvingad att erkänna.

Wallander och Martinsson stirrade på varandra.

– Tvingad?

– Det var vad hon sa.

– Vem skulle ha tvingat henne?

– Dom som förhörde henne.

Martinsson var upprörd nu.

– Det var det jävligaste jag har hört, sa han. Vi håller faktiskt inga förhör med tvångsmetoder.

– Det var vad hon sa. Nu har hon tagit tillbaka allting. Hon menar att hon är oskyldig.

Wallander såg stint på Martinsson som inte sa någonting mer. Wallander själv hade nu blivit alldeles lugn.

– Förundersökningen är långtifrån klar än, sa han. Eva Persson är bunden vid brottet. Om hon får för sig att dra tillbaka sitt erkännande så ändrar det ingenting i sak.

– Du menar alltså att hon ljuger?

– Jag vill inte svara på det.

– Varför inte?

– Därför att det vore att lämna ut uppgifter om en pågående förundersökning. Uppgifter som inte kan lämnas ut.

– Men du påstår att hon ljuger?

– Det är dina ord. Jag bara berättar vad som egentligen hände.

Wallander började se rubrikerna framför sig. Men han visste att han gjorde rätt nu. Att Eva Persson och hennes mamma visade förslagenhet skulle inte hjälpa dem. Inte heller att de kanske fick överdrivna och känslosamma kvällstidningsreportage till hjälp.

– Flickan är mycket ung, sa Törngren. Hon hävdar att hon drogs in i allt det tragiska som hände av sin äldre kamrat. Verkar inte det vara troligast? Att Eva Persson faktiskt talar sanning?

Wallander värderade hastigt om han skulle berätta sanningen om Sonja Hökberg. Den hade ännu inte blivit offentliggjord. Men han kunde inte göra det. Ändå gav det honom ett övertag.

– Vad menar du med »troligast«? frågade han.

– Att det är som Eva Persson säger. Att hon blivit förledd av sin äldre kamrat?

– Det är inte du och din tidning som utreder mordet på Lundberg. Det gör vi. Om ni vill dra era slutsatser och avge era domslut kan naturligtvis ingen hindra er från att göra det. Verkligheten kommer nog att visa sig vara annorlunda. Men det kommer naturligtvis inte att få så stort utrymme i tidningen.

Wallander slog handflatorna i bordet som tecken på att intervjun var över.

– Tack för att du tog dig tid, sa Törngren och plockade ner sin bandspelare.

– Martinsson följer dig ut, sa Wallander och reste sig.

Han tog inte i hand utan lämnade bara rummet. Medan han hämtade sin post försökte han tänka igenom hur samtalet med Törngren egentligen hade gått. Var det något han borde ha sagt men inte fått med? Var det något han borde ha uttryckt på ett annat sätt? Med posten under armen bar han in en kaffekopp på sitt rum. Han bestämde sig för att samtalet med Törngren varit bra. Även om han naturligtvis inte kunde svara på hur referatet skulle se ut i tidningen. Han satte sig vid bordet och bläddrade igenom posten. Inget var så viktigt att det inte kunde vänta. Sedan påminde han sig läkaren som hade besökt honom dagen innan. Wallander letade reda på sina minnesanteckningar i skrivbordslådan och ringde sedan Patologen i Lund. Han hade tur och fick genast tag på den läkare han sökte. Wallander berättade kortfattat om Enanders besök. Patologen lyssnade och noterade de uppgifter Wallander lämnade. Efter att han lovat höra av sig till Wallander om de nya uppgifterna på något sätt skulle påverka den redan utförda rättsmedicinska undersökningen, avslutade de samtalet.

När klockan var åtta reste Wallander sig och gick till mötesrummet. Lisa Holgersson var där, liksom den åklagare som hette Lennart Viktorsson. Wallander kände hur adrenalinet rann till när han såg åklagaren. Många skulle säkert huka om de hade hamnat på mittuppslaget i en kvällstidning. Wallander hade haft sitt anfall av svaghet dagen innan när han lämnade polishuset. Nu var han på stridshumör. Han satte sig ner i sin stol och grep omedelbart ordet.

– Som alla vet förekom det igår en bild i en kvällstidning av Eva Persson sen jag gett henne en örfil. Trots att både flickan och hennes mamma säger nåt annat var det så att jag gick emellan när flickan gav sig till att slå sin mamma i ansiktet. För att lugna ner henne gav jag henne en örfil. Inte särskilt hård. Men hon snubblade till och ramlade. Det har jag också sagt till den journalist som lyckades smita in här på polishuset. Jag har träffat honom nu på morgonen. Martinsson var med som vittne.

Han gjorde en paus och såg sig runt bordet innan han fortsatte. Lisa Holgersson verkade missnöjd. Han anade att hon helst själv hade velat ta upp saken.

– Jag har fått besked om att det ska göras en intern utredning om vad som hände. Gärna för mig. Och nu tycker jag att vi går över till att tala om det som är mer bråttom: mordet på Lundberg och vad som egentligen hände med Sonja Hökberg.

Lisa Holgersson tog genast ordet när han tystnat. Wallander tyckte inte om hennes ansiktsuttryck. Fortfarande hade han en känsla av att hon svek honom.

– Det är naturligtvis så att du inte får hålla några vidare förhör med Eva Persson, sa hon.

Wallander nickade.

– Det förstår till och med jag.

Egentligen borde jag ha sagt något annat, tänkte han. Att en polischefs första skyldighet är att stödja sin personal. Inte okritiskt, inte till varje pris. Men så länge som ord står mot ord. Hon tycker det är bekvämare att luta sig mot en lögn. Istället för att lita på en obekväm sanning.

Viktorsson lyfte handen och avbröt hans tankar.

– Jag kommer naturligtvis att följa upp den här interna utredningen mycket noga. Och beträffande Eva Persson så är det möjligt att vi bör ta hennes nya uppgifter på stort allvar. Förmodligen har det gått till som hon säger. Att Sonja Hökberg ensam var den som planerade och utförde dådet.

Wallander trodde inte sina öron. Han såg sig runt bordet och sökte medhåll från sina närmaste kollegor. Hansson satt i sin rutiga flanellskjorta och verkade försvunnen i avlägsna tankar. Martinsson gnuggade sig på hakan, Ann-Britt satt hopsjunken i stolen. Ingen mötte hans blick. Men han tolkade ändå det han såg som medhåll.

– Eva Persson ljuger, sa han. Det första hon sa var sanningen. Det ska vi också klara av att bevisa. Om vi skärper oss.

Viktorsson ville fortsätta att tala. Men Wallander släppte inte in honom. Han tvivlade på att alla redan visste det Ann-Britt hade ringt honom om kvällen innan.

– Sonja Hökberg blev mördad, sa han. Patologen meddelar att man har funnit skador som efter ett kraftigt slag mot hennes bakhuvud. Det kan ha varit dödande. Hon har åtminstone blivit medvetslös eller omtöcknad. Sen har nån slängt in henne bland elledningarna. Men att hon blev mördad behöver vi alltså inte längre tveka om.

Han hade haft rätt. Det kom som en överraskning för alla i rummet.

– Jag vill betona att det är rättsläkarens preliminära bedömning, fortsatte Wallander. Det kan alltså komma mer. Men det kommer knappast mindre.

Ingen sa någonting. Han kände att han hade kommandot nu. Bilden i tidningen retade honom och gav honom förnyad energi. Men allra värst tyckte han det var med Lisa Holgerssons öppna misstroende.

Han gick vidare och gjorde en grundlig genomgång av läget.

– Johan Lundberg blir mördad i sin taxi. På ytan verkar det vara ett hastigt planerat och utfört rånmord. Flickorna uppger att dom behövde pengar. Men inte i nåt bestämt syfte. Dom gör inga ansträngningar att komma undan efter dådet. När vi griper dom bekänner dom nästan genast båda två. Deras berättelser överensstämmer och dom visar ingen avläsbar ånger. Vi hittar dessutom mordvapnen. Sen rymmer Sonja Hökberg. Det måste ha varit en impulshandling. Tolv timmar senare hittas hon mördad i en av Sydkrafts transformatorstationer. Hur hon har kommit dit är en avgörande fråga att få besvarad. Varför hon blir mördad vet vi inte heller. Samtidigt sker dock nåt som måste anses vara viktigt. Eva Persson tar tillbaka sitt erkännande. Hon skyller nu allt på Sonja Hökberg. Hon ger uppgifter som inte kan kontrolleras eftersom Sonja Hökberg nu är död. Frågan är hur Eva Persson visste om det. Rättare sagt: hon måste ha vetat om det. Men mordet har faktiskt ännu inte offentliggjorts. Dom som kände till det är ett mycket begränsat antal människor. Ännu färre kände till det igår, när Eva Persson ändrade sin berättelse.

Wallander tystnade. Vaksamheten hade skärpts i rummet. Wallander hade ringat in de avgörande frågorna.

– Vad gjorde Sonja Hökberg när hon lämnade polishuset? sa Hansson. Det är det vi ska ta reda på.
– Vi vet att hon inte gick till fots ut till transformatorstationen, sa Wallander. Även om det inte går att bevisa till hundra procent. Men vi kan utgå från att hon åkte dit.
– Går vi inte för fort fram nu? invände Viktorsson. Hon kan ju faktiskt ha varit död när hon kom till platsen.
– Jag har inte talat till punkt än, svarade Wallander. Möjligheten föreligger naturligtvis.
– Finns det nåt som talar emot det?
– Nej.
– Är det då inte troligast att Hökberg faktiskt var död när hon fördes till platsen? Vad talar för att hon begett sig dit frivilligt?
– Att hon kände den som körde henne.
Viktorsson skakade på huvudet.
– Varför skulle nån bege sig till en av Sydkrafts anläggningar mitt ute på en åker? Regnade det inte också? Säger inte det här oss att hon förmodligen dödades nån annanstans?
– Nu tycker jag det är du som går för fort fram, sa Wallander. Vi håller på att ringa in dom alternativ som finns. Vi väljer inte. Inte än.
– Vem körde henne? insköt Martinsson. Vet vi det så vet vi vem som dödade henne. Men vi vet inte varför.
– Det får komma sen, sa Wallander. Min tanke är att Eva Persson knappast kan ha fått reda på att Sonja var död genom nån annan än den som dödade henne. Eller nån som visste vad som hänt.
Han såg på Lisa Holgersson.
– Det betyder att Eva Persson är nyckeln till det hela. Hon är minderårig och hon ljuger. Men nu måste hon sättas under press. Jag vill veta hur hon kände till att Sonja Hökberg var död.
Han reste sig.
– Eftersom det inte är jag som ska tala med Eva Persson tänker jag ägna mig åt andra saker under tiden.
Han lämnade hastigt rummet, mycket nöjd med sin sorti. Det var en barnslig uppvisning, det visste han. Men om han inte misstog sig skulle den ha effekt. Han antog att det var Ann-Britt som skulle få ansvaret att tala med Eva Persson. Hon visste vad hon skulle fråga om. Henne behövde han inte förbereda. Wallander tog sin jacka. Han skulle använda sin tid till att försöka få svar på en annan sak han grubblade över. I förlängningen hoppades han att de skulle kunna ringa in den person som dödat Sonja Hökberg från två olika håll. Innan han lämnade kontoret plockade han ut två fotografier ur en av utredningspärmarna och stoppade i fickan.

Han gick ner mot stan. Det var något egendomligt med hela historien som fortsatte att oroa honom. Varför hade Sonja Hökberg blivit dödad? Varför hade det skett på ett sådant sätt att en stor del av Skåne blivit mörklagt? Hade det verkligen varit en tillfällighet?

Han sneddade över Torget och kom ner på Hamngatan. Restaurangen där Sonja Hökberg och Eva Persson druckit öl hade ännu inte öppnat. Han kikade in genom ett fönster. Det fanns någon därinne i lokalen. Någon som han kände igen. Han knackade på rutan. Mannen fortsatte att plocka med någonting bakom bardisken. Wallander knackade hårdare. Mannen såg mot fönstret. Wallander vinkade och mannen kom närmare. När han kände igen Wallander log han och öppnade dörren.

– Klockan är ännu inte nio på morgonen, sa han. Och du längtar redan efter en pizza?

– Ungefär, sa Wallander. En kopp kaffe vore gott. Och jag behöver tala med dig.

István Kecskeméti hade kommit från Ungern till Sverige 1956. I många år hade han haft olika restauranger i Ystad. Ibland när Wallander inte orkade laga middag brukade han besöka István. Han kunde vara mycket pratsam, men Wallander tyckte om honom. Dessutom visste han nu att Wallander hade diabetes.

István var ensam i restauranglokalen. Från köket hördes någon banka kött. Först klockan elva skulle lunchserveringen börja. Wallander satte sig vid ett bord långt inne i lokalen. Medan han väntade på att István skulle komma med kaffet funderade han på var de två flickorna hade suttit och druckit öl den kvällen, innan de beställde en taxi. István satte ner två koppar på bordet.

– Du kommer inte ofta, sa han. Och när du kommer är det stängt. Det betyder att du vill ha nånting annat än mat.

István slog ut med armarna och suckade.

– Alla vill ha hjälp av István. Här ringer idrottsföreningar och hjälporganisationer. Och nån som vill starta en kyrkogård för djur. Alla vill ha bidrag. Alla vill att István ska bidra. Så han får lite reklam. Men hur gör man reklam för en pizzeria på en hundkyrkogård?

Han suckade igen innan han fortsatte.

– Kanske du också vill ha nånting? Ska István ge ett bidrag till den svenska polisen?

– Det räcker så bra om du svarar på några frågor, sa Wallander. Förra onsdagen. Var du här då?

– Jag är alltid här. Men förra onsdagen är länge sen.

Wallander la upp de två fotografierna på bordet. Det var skumt i lokalen.

– Se om du känner igen dom.

István tog med sig fotografierna till bardisken. Han studerade dem länge innan han återvände.

– Jag tror det.

– Du har hört om taximordet?

– Förfärliga saker. Att sånt kan hända. Och ungdomar dessutom.

I samma ögonblick förstod István sammanhanget.

– Var det dom här två?

– Ja. Och dom var här den där kvällen. Det är viktigt att du minns. Var dom satt. Om dom hade sällskap av nån annan.

Wallander kunde se att István verkligen ville hjälpa till. Han ansträngde sig. Wallander väntade. István tog de två fotografierna och började gå runt bland borden. Han sökte sig fram, långsamt, tvekande. Han letar efter sina gäster, tänkte Wallander. Han gör precis som jag själv skulle ha gjort. Frågan är bara om han hittar dem i minnet.

István stannade. Det var vid ett bord nere vid fönstret. Wallander reste sig och gick dit.

– Jag tror dom satt här.

– Är du säker på det?

– Ganska.

– Vem satt var?

István blev osäker. Wallander väntade medan István gick runt bordet, en gång, två gånger innan han stannade. Som om han lagt ut två menyer placerade han Sonja Hökbergs och Eva Perssons fotografier.

– Är du säker?

– Ja.

Men Wallander såg att István rynkade pannan. Han letade fortfarande efter något i minnet.

– Det hände nånting under kvällen, sa han. Att jag minns dom beror på att jag tvekade om den ena verkligen var arton år.

– Det var hon inte, sa Wallander. Men glöm det.

István ropade efter någon som hette Laila och befann sig i köket. En överviktig kallskänka kom vaggande.

– Sätt dig här, sa István och pekade. Flickan var ljushårig. Han placerade henne på Eva Perssons plats.

– Vad är det fråga om? sa flickan som hette Laila. Hennes skånska var svårbegriplig till och med för Wallander.

– Bara sitt, sa István. Bara sitt.

Wallander väntade. Han såg hur István försökte minnas.
– Det hände nånting under kvällen, sa han igen.
Sedan kom han på vad det var. Han bad Laila sätta sig på den andra stolen.
– Dom bytte plats, sa István. Nån gång under kvällen bytte dom sida.
Laila återvände till köket. Wallander satte sig på den plats där Sonja Hökberg suttit under första delen av kvällen. Från sin plats såg han en vägg. Och fönstret mot gatan. Men resten av restauranglokalen fanns bakom honom. När han bytte sida fick han ytterdörren framför sig. Eftersom en pelare och ett sällskapsbås skärmade av restaurangen kunde han bara se ett enda bord. Ett tvåmansbord.
– Satt det nån vid det bordet? frågade han och pekade. Kan du påminna dig om det kom nån ungefär samtidigt som flickorna bytte plats med varandra?
István tänkte efter.
– Ja, sa han. Det gjorde faktiskt det. Det kom nån och satte sig där. Men om det var samtidigt som flickorna bytte plats vet jag inte.
Wallander märkte att han höll andan.
– Kan du beskriva honom? Vet du vem han är?
– Jag hade aldrig sett honom förut. Men han är lätt att beskriva.
– Varför det?
– Därför att han hade sneda ögon.
Wallander förstod inte.
– Vad menar du med det?
– Att han var kines. Eller åtminstone asiat.
Wallander tänkte efter. Han var i närheten av något viktigt.
– Satt han kvar efter det att flickorna försvunnit i taxin?
– Ja. Säkert en timme.
– Hade dom nån kontakt med varandra?
István skakade på huvudet.
– Det vet jag inte. Jag märkte ingenting. Men det är möjligt.
– Minns du hur den där mannen betalade sin räkning?
– Jag tror det var med kreditkort. Men jag är inte säker.
– Bra, sa Wallander. Jag vill att du letar reda på den notan.
– Den har jag redan skickat. Jag tror det var American Express.
– Då ska vi leta fram din kopia, sa Wallander.
Kaffet hade kallnat. Han märkte att han hade bråttom. Sonja Hökberg såg någon komma på gatan, tänkte han. Då bytte hon plats för att kunna se honom. Han var asiat.
– Vad är det egentligen du letar efter? frågade István.

– Jag försöker först bara förstå vad som hände, svarade Wallander. Längre har jag inte kommit.

Han sa adjö till István och lämnade restaurangen.

En man med sneda ögon, tänkte han.

Plötsligt kom oron tillbaka. Han ökade farten. Nu hade han bråttom.

11

När Wallander kom fram till polishuset var han andfådd. Han hade gått fort eftersom han visste att Ann-Britt just nu höll på att tala med Eva Persson. Det var viktigt att han kunde ge henne sina iakttagelser från Istváns restaurang och få svar på de nya frågor som uppstått. Irene gav honom en hög med telefonlappar som han olästa stoppade i fickan. Han ringde till det rum där Ann-Britt satt med Eva Persson.

– Jag börjar just bli färdig, sa hon.

– Nej, sa Wallander. Det har tillkommit ett par frågor. Gör en paus. Jag kommer.

Hon förstod att det var viktigt och lovade att göra som han sa. Wallander väntade otåligt på henne när hon kom ut i korridoren. Han gick rakt på sak. Berättade om stolsbytet på restaurangen och den man som suttit vid det enda bord som Sonja Hökberg kunde ha sett. När han slutat såg han att hon var tveksam.

– En asiat?

– Ja.

– Tror du verkligen att det är viktigt?

– Sonja Hökberg bytte plats. Hon ville ha ögonkontakt med honom. Det måste betyda nånting.

Hon ryckte på axlarna.

– Jag ska tala med henne. Men vad är det egentligen du vill att jag ska fråga?

– Varför dom bytte plats med varandra. Och när? Se efter om hon ljuger. La hon märke till mannen som satt bakom hennes rygg?

– Det är mycket svårt att märka nånting alls på henne.

– Vidhåller hon sin historia?

– Sonja Hökberg både slog och knivhögg Lundberg. Eva Persson visste ingenting i förväg.

– Vad säger hon när du påpekar att hon faktiskt har erkänt en gång?

– Hon förklarar sig med att hon var rädd för Sonja.

– Varför var hon rädd?

– Det svarar hon inte på.

– *Var* hon rädd?

– Nej. Hon ljuger.

– Hur reagerade hon när hon fick veta att Sonja Hökberg är död?

– Hon blev tyst. Men det var en dålig tystnad. Dåligt spelad. Egentligen tror jag hon blev bestört.

– Hon visste alltså ingenting?

– Knappast.

Ann-Britt var tvungen att gå tillbaka. Hon reste sig. I dörren vände hon sig om.

– Mamman har skaffat henne en advokat. Han har redan författat en anmälan mot dig. Han heter Klas Harrysson.

Wallander kände inte igen namnet.

– En ung, ärelysten advokat från Malmö. Han verkar mycket segerviss.

Wallander överfölls för ett ögonblick av en stor trötthet. Sedan återvände ilskan. Känslan av att han blev utsatt för en oförrätt.

– Har du fått ur henne nåt som vi inte visste tidigare?

– Jag tror uppriktigt sagt att Eva Persson är lite dum. Men hon håller fast vid sin historia. Den senare versionen. Hon rubbar den inte. Hon låter som en maskin.

Wallander skakade på huvudet.

– Det här mordet på Lundberg går djupare, sa han. Det är jag övertygad om.

– Jag hoppas du har rätt. Att det inte bara var så att dom behövde pengar och godtyckligt slog ihjäl en taxichaufför.

Ann-Britt gick tillbaka till Eva Persson och Wallander återvände till sitt rum. Han sökte Martinsson utan att hitta honom. Inte heller Hansson var inne. Sen bläddrade han igenom telefonlapparna han fått av Irene. De flesta som sökt honom var journalister. Men där fanns också ett meddelande från Tynnes Falks före detta fru. Wallander la den lappen åt sidan och ringde ut till Irene och bad henne att inte släppa igenom några samtal. Genom nummerupplysningen fick han tag på American Express. Han förklarade sitt ärende och kopplades vidare till någon som hette Anita. Hon bad att få kontrollringa. Wallander la på luren och väntade. Efter några minuter kom han ihåg att han bett Irene att inte släppa igenom några samtal. Han svor till och ringde tillbaka till American Express. Den här gången lyckades kontrollringningen. Wallander förklarade sitt ärende och gav henne alla uppgifter.

– Du förstår att det kommer att ta lite tid? sa Anita.

– Bara du förstår att det är mycket viktigt.

– Jag ska göra vad jag kan.

Samtalet tog slut. Wallander slog genast numret till bilverkstaden. Efter några minuters väntan kom verkmästaren. Det pris han uppgav gjorde Wallander nästan mållös. Samtidigt fick han löfte om att bilen skulle kunna vara klar redan nästa dag. Det var reservdelarna som kostade, inte arbetet. Wallander lovade att hämta bilen klockan tolv dagen efter.

Han blev för ett ögonblick sittande overksam. I tankarna befann han sig inne i det rum där Ann-Britt höll på att tala med Eva Persson. Det irriterade honom att det inte var han själv som satt där. Ann-Britt kunde vara lite vek när det gällde att sätta press på någon i ett förhör. Dessutom hade han tillfogats en orättvisa. Och Lisa Holgersson hade öppet visat sin misstro. Det kunde han inte förlåta henne. För att få väntetiden att gå slog han numret till Tynnes Falks fru. Hon svarade nästan genast.

– Mitt namn är Wallander. Talar jag med Marianne Falk?

– Vad bra att du ringde. Jag har väntat.

Hennes röst var ljus och behaglig. Wallander tänkte att hon lät precis som Mona. Något avlägset, kanske sorgset, drog hastigt igenom honom.

– Har doktor Enander varit i kontakt med dig? frågade hon.

– Jag har talat med honom.

– Då vet du att Tynnes inte dog av nån hjärtinfarkt.

– Det kanske är en farlig slutsats att dra.

– Varför det? Han blev överfallen.

Hon lät mycket bestämd. Wallander märkte att han plötsligt blev intresserad.

– Det låter nästan som om du inte var förvånad.

– Över vad då?

– Att han råkat illa ut? Att han blivit överfallen?

– Det är jag inte heller. Tynnes hade många fiender.

Wallander drog till sig ett kollegieblock och en penna. Glasögonen hade han redan på sig.

– Vad för sorts fiender?

– Det vet jag inte. Men han var alltid orolig.

Wallander letade i minnet efter något som stått i Martinssons rapport.

– Han var datakonsult, eller hur?

– Ja.

– Det låter inte som nåt särskilt farligt arbete?

– Det beror nog på vad man gör.

– Och vad gjorde han?

– Jag vet inte.

– Du vet inte?

– Nej.

– Ändå tror du att han har blivit överfallen?

– Jag kände min man. Även om vi inte kunde leva tillsammans. Det senaste året var han orolig.

– Men han sa aldrig varför?

– Tynnes pratade inte i onödan.
– Du sa nyss att han hade fiender.
– Det var hans egna ord.
– Vilka fiender?
Det dröjde innan hon svarade.
– Jag vet att det låter märkligt, sa hon. Att jag inte kan vara tydligare. Trots att vi levde ihop så länge och har två barn.
– Man använder inte ordet »fiende« utan att det betyder nånting.
– Tynnes reste mycket. Över hela världen. Det hade han alltid gjort. Vilka människor han mötte då kan jag inte svara på. Men ibland kom han hem och var upprymd. Vid andra tillfällen när jag mötte honom på Sturup var han orolig.
– Men han måste ha sagt nånting mer? Varför hade han fiender? Vilka var dom?
– Han var tystlåten. Men jag såg det på honom. Hans oro.
Wallander började misstänka att kvinnan han talade med var överspänd.
– Var det nåt mer du ville säga?
– Det var ingen hjärtinfarkt. Jag vill att polisen ska utreda vad som egentligen hände.
Wallander tänkte efter innan han svarade.
– Jag har noterat det du har sagt. Vi kommer att höra av oss igen om det blir nödvändigt.
– Jag förväntar mig att ni tar reda på vad som hände. Vi var skilda, Tynnes och jag. Men jag älskade honom fortfarande.
Samtalet var över. Wallander undrade frånvarande om det också var så att Mona fortfarande älskade honom. Trots att hon nu var omgift med en annan man. Han tvivlade starkt på det. Däremot undrade han om Mona någonsin hade älskat honom. Han slog irriterat bort tankarna på Mona och gick istället i huvudet igenom det Marianne Falk hade sagt. Hennes oro hade verkat äkta. Men det hon sagt hade knappast varit särskilt klargörande. Vem Tynnes Falk egentligen varit framstod fortfarande som mycket osäkert. Han letade reda på Martinssons rapport och slog sedan numret till Patologen i Lund. Hela tiden lyssnade han efter Ann-Britts steg ute i korridoren. Det var vad som hände i samtalet med Eva Persson som egentligen intresserade honom. Tynnes Falk hade dött av en hjärtinfarkt. Det förändrades inte av en orolig hustru som såg inbillade fiender runt sin döde man. Han talade ännu en gång med den läkare som obducerat Tynnes Falk och berättade om sitt samtal med frun.
– Det är inte ovanligt att hjärtinfarkter kommer som från ingen-

stans, sa patologen. Den man som fördes hit hade dött av just det. Det visade obduktionen. Varken det du sagt tidigare eller det du säger nu förändrar den bilden.

– Och såret i huvudet?

– Det fick han när han slog i asfalten.

Wallander tackade och la på. För ett ögonblick gnagde någonting i honom. Marianne Falk hade varit övertygad om att Tynnes Falk varit orolig.

Sedan slog Wallander igen Martinssons rapport. Han hade inte tid att grubbla över människors inbillningar.

Han hämtade kaffe i matrummet. Klockan närmade sig halv tolv. Martinsson och Hansson var fortfarande ute. Ingen visste var de befann sig. Wallander gick tillbaka till sitt rum. Ännu en gång bläddrade han igenom bunten med telefonbesked. Anita från American Express hörde inte av sig. Han ställde sig vid fönstret och såg ut mot vattentornet. Några kråkor väsnades. Han var otålig och irriterad. Sten Widéns beslut att bryta upp oroade honom. Det var som om han själv hade hamnat sist i något lopp han kanske inte trott sig om att kunna vinna fast där han heller inte ville bli sist. Tanken var oklar. Men han visste vad som störde honom. Känslan av att tiden bara rusade ifrån honom.

– Jag kan inte ha det så här, sa han högt ut i rummet. Nu måste nånting hända snart.

– Vem talar du med?

Wallander vände sig om. Det var Martinsson som stod i dörröppningen. Wallander hade inte hört honom komma. Ingen på polishuset hade så tyst gång som Martinsson.

– Jag talar med mig själv, sa Wallander bestämt. Händer det aldrig dig?

– Jag pratar i sömnen, säger min fru. Det kanske är samma sak?

– Vad var det du ville?

– Jag har gjort en slagning på dom som hade nycklar till transformatorstationen. Ingen av dom finns i våra register.

– Det hade vi heller inte väntat oss, sa Wallander.

– Jag har försökt förstå varför grinden bröts upp, sa Martinsson. Som jag kan se det finns bara två möjligheter. Antingen att nyckeln till grinden fattades. Eller att nån ville ge sken av nånting vi ännu inte förstår.

– Vad skulle det vara?

– Härverk. Vandalisering. Vad vet jag.

Wallander skakade på huvudet.

– Ståldörren var upplåst. Så vitt jag kan se finns det ytterligare en möjlighet: att den som bröt upp grinden inte var samma person som den som öppnade ståldörren.

Martinsson var oförstående.

– Hur förklarar du det?

– Jag förklarar det inte. Jag bara erbjuder ett alternativ.

Samtalet dog ut. Martinsson försvann. Klockan hade blivit tolv. Wallander fortsatte att vänta. Fem i halv ett kom Ann-Britt.

– Man kan inte beskylla den där flickan Persson för att ha bråttom, sa hon. Hur kan en ung människa tala så långsamt?

– Hon kanske var rädd för att säga fel, sa Wallander.

Ann-Britt hade satt sig i hans besöksstol.

– Jag frågade om det du bad om, började hon. Nån kines hade hon inte sett.

– Jag sa inte kines. Jag sa asiat.

– Hon hade i alla fall inte sett nån. Dom hade bytt plats eftersom Sonja påstod att det drog från fönstret.

– Hur reagerade hon på frågan?

Ann-Britt såg bekymrad ut.

– Precis som du hade föreställt dig. Hon hade inte väntat sig den frågan. Och hennes svar var en ren lögn.

Wallander slog handflatan i bordet.

– Då vet vi det, sa han. Det finns en koppling till den där mannen som kom in på restaurangen.

– Vilken koppling?

– Det vet vi inte än. Men nåt vanligt taximord var det inte.

– Jag förstår bara inte hur vi ska kunna komma vidare.

Wallander berättade om det samtal han väntade från American Express.

– Det ger oss ett namn, sa han. Och har vi namnet så har vi tagit ett stort steg framåt. Under tiden vill jag att du gör ett hembesök hos Eva Persson. Jag vill att du tittar på hennes rum. Och var finns hennes pappa?

Ann-Britt bläddrade bland sina papper.

– Han heter Hugo Lövström. Dom var aldrig gifta.

– Bor han här i stan?

– Han lär bo i Växjö.

– Vad menas med »lär bo«?

– Att han enligt dottern är ett fyllo som lever som uteliggare. Hon är full av hat, den där flickan. Om hon avskyr sin pappa mer än sin mamma är svårt att svara på.

– Har dom ingen kontakt med varandra?

– Det verkar inte så.

Wallander tänkte efter.

– Vi bottnar inte, sa han. Vi måste hitta det som ligger bakom. Antingen är det så att jag har fel. Att unga människor idag, inte bara pojkar, verkligen anser att mord inte är nåt märkvärdigt. Då ger jag mig. Men jag gör det inte riktigt än. Nånting måste helt enkelt ha drivit dom.

– Vi borde kanske se det som ett triangeldrama, sa Ann-Britt.

– Hur menar du?

– Kanske vi skulle undersöka Lundberg lite närmare?

– Varför det? Dom kunde ju inte veta vilken taxichaufför som skulle hämta dom.

– Du har naturligtvis rätt.

Wallander märkte att hon funderade på något. Han väntade.

– Man kanske kan vända på det, sa hon eftertänksamt. Om det trots allt var nåt impulsivt. Dom hade beställt en taxi. Vart dom skulle åka kanske vi kan lyckas ta reda på. Men anta att nån av dom, eller kanske båda två, reagerar när dom upptäcker att det är just Lundberg som kör dom.

Wallander förstod vad hon menade.

– Du har rätt, sa han. Den möjligheten finns.

– Flickorna var beväpnade. Det vet vi. Med hammare och kniv. Något slags vapen tillhör snart standardutrustningen i ungdomars väskor eller fickor. Flickorna ser att det är Lundberg som kör. Och dom dödar honom. Det kan ha gått till så. Även om det är väldigt långsökt.

– Inte mer än nåt annat, avbröt Wallander. Låt oss se om vi har haft med Lundberg att göra tidigare.

Ann-Britt reste sig och lämnade rummet. Wallander drog till sig sitt anteckningsblock och försökte göra en sammanställning av vad Ann-Britt hade sagt. Klockan blev ett utan att han tyckte att han hade kommit någonvart. Han kände att han var hungrig och gick ut i matrummet för att se om det fanns några smörgåsar kvar. Där var tomt. Han tog sin jacka och lämnade polishuset. Den här gången hade han tagit med sig sin mobiltelefon och instruerat Irene att koppla samtal från American Express vidare. Han gick till den lunchrestaurang som låg närmast polishuset. Han märkte att han blev igenkänd. Bilden i tidningen hade säkert diskuterats bland många Ystadsbor. Det gjorde honom besvärad och han åt fort. Han hade precis kommit ut på gatan igen när telefonen ringde. Det var Anita.

– Vi har hittat den, sa hon.

Wallander letade förgäves efter ett papper och någonting att skriva med.

– Kan jag ringa dig tillbaka? sa han. Om tio minuter.

Hon gav honom sitt direktnummer. Wallander skyndade tillbaka till sitt kontor. Sedan ringde han henne.

– Kortet är utställt på nån som heter Fu Cheng.

Wallander skrev.

– Kortet är utställt i Hongkong, fortsatte hon. Han har en adress i Kowloon.

Wallander bad henne bokstavera.

– Det är bara ett problem, fortsatte hon. Kortet är falskt.

Wallander hajade till.

– Det är alltså spärrat?

– Det är värre än så. Det är inte stulet. Det är helt igenom förfalskat. American Express har aldrig nånsin ställt ut ett kreditkort på Fu Cheng.

– Vad betyder det?

– För det första att det var bra att upptäcka det så fort som möjligt. Och att restaurangägaren tyvärr inte kommer att få sina pengar. Om han inte har nån försäkring.

– Det betyder alltså att det inte finns nån Fu Cheng?

– Det finns det säkert. Men hans kreditkort är förfalskat. På samma sätt som hans adress.

– Varför sa du inte det på en gång?

– Jag försökte.

Wallander tackade henne för hjälpen och avslutade samtalet. En man som kanske var från Hongkong hade dykt upp på Istváns restaurang i Ystad med ett falskt kreditkort. Där hade han haft ögonkontakt med Sonja Hökberg.

Wallander försökte hitta något samband som kunde leda dem vidare. Men han hittade ingenting. Där fanns inga länkar. Jag kanske inbillar mig, tänkte han. Sonja Hökberg och Eva Persson är kanske den nya tidens monster, som ser på andras liv med total likgiltighet.

Han hajade till inför sitt eget ordval. Han hade kallat dem för monster. En flicka som var nitton och en annan som var fjorton.

Han makade undan pappren. Snart kunde han inte skjuta upp det längre. Att förbereda det föredrag han lovat hålla på kvällen. Trots att han bestämt sig för att bara berätta rakt upp och ner om det arbete och den mordutredning han just nu var inblandad i, måste han bygga ut de stolpar han ställt upp. Annars skulle nervositeten ta överhanden.

Han började skriva men hade svårt att koncentrera sig. Sonja Hökbergs svartbrända kropp dök upp för hans inre blick. Han drog till sig telefonen och ringde till Martinsson.

– Se om du hittar nånting på Eva Perssons pappa, sa han. Hugo Lövström. Han ska finnas i Växjö. Alkoholist och uteliggare.

– Då är det nog lättare att hitta honom genom ett samtal till kollegorna i Växjö, svarade Martinsson. Jag håller förresten på med Lundberg.

– Kom du på det själv?

Wallander blev förvånad.

– Det var Ann-Britt som bad mig. Hon har åkt hem till Eva Persson. Jag undrar vad hon tror att hon ska hitta där.

– Jag har ett namn till för dina datorer, sa Wallander. Fu Cheng.

– Vad sa du?

Wallander bokstaverade.

– Vad är det för nån?

– Det ska jag förklara sen. Vi bör ha ett möte nu i eftermiddag. Jag föreslår att vi ses klockan halv fem. Helt kort.

– Heter han verkligen Fu Cheng? frågade Martinsson vantroget.

Wallander svarade inte.

Resten av eftermiddagen använde Wallander till att tänka igenom vad han skulle säga på kvällen. Redan efter en kort stund hade han kommit att hata det han hade framför sig. Året innan hade han vid ett tillfälle besökt Polishögskolan och hållit något som han själv bedömde som en misslyckad föreläsning om sina erfarenheter som brottsutredare. Men flera elever hade kommit fram efteråt och tackat honom. Vad de hade tackat för hade han dock aldrig förstått.

När klockan var halv fem gav han upp sina förberedelser. Nu fick det gå som det ville. Han samlade ihop sina papper och gick in i mötesrummet. Ingen var där. Han försökte göra en sammanfattning i huvudet. Men tankarna stretade åt olika håll.

Det hänger inte ihop, tänkte han. Mordet på Lundberg hänger inte ihop med de två flickorna. Och de hänger i sin tur inte ihop med Sonja Hökbergs död i transformatorstationen. Hela den här utredningen saknar en botten. Trots att vi vet vad som har hänt. Vi saknar ett stort och avgörande »varför«.

Hansson kom i sällskap med Martinsson, strax efter dem även Ann-Britt. Wallander var glad över att Lisa Holgersson inte visade sig.

Mötet blev kort. Ann-Britt hade gjort ett besök i Eva Perssons hem.

– Allt verkade normalt, sa hon. En lägenhet på Stödgatan. Mamman arbetar som kokerska på sjukhuset. Flickans rum såg ut som man kunde förvänta sig.

– Hade hon affischer på väggen? frågade Wallander.

– Popband som jag inte känner till, svarade Ann-Britt. Men inget som verkade avvikande. Varför frågar du det?

Wallander svarade inte.

Utskriften av samtalet med Eva Persson var redan klar. Ann-Britt skickade runt kopior. Wallander berättade om sitt besök hos István som lett till upptäckten av det falska kreditkortet.

– Vi ska hitta den där mannen, slutade han. Om inte annat så för att kunna avföra honom från utredningen.

De fortsatte att gå igenom resultatet av dagens arbete. Martinsson först, sedan Hansson, som hade talat med Kalle Ryss som utpekats som en av Sonja Hökbergs pojkvänner. Men han hade inte haft något att säga. Annat än att han egentligen visste väldigt lite om Sonja Hökberg.

– Han sa att hon var hemlighetsfull, slutade Hansson. Vad som nu kan menas med det.

Efter tjugo minuter gjorde Wallander en kort sammanfattning.

– Lundberg dödades av en av flickorna eller båda, började han. Motivet påstås vara pengar. Pengar i allmänhet. Men jag tror inte det är så enkelt och därför ska vi söka vidare. Sonja Hökberg blev mördad. Det måste existera ett samband mellan dom här händelserna som vi inte har upptäckt än. En okänd botten. Därför måste vi fortsätta arbeta förutsättningslöst. Men vissa frågor är naturligtvis viktigare än andra. Vem körde Sonja Hökberg till transformatorstationen? Varför blev hon ihjälslagen? Vi måste fortsätta att kartlägga varenda person i deras bekantskapskrets. Jag tror att det kommer att ta längre tid än vi trott. Innan vi förmår hitta en heltäckande lösning.

Strax före fem var mötet över. Ann-Britt önskade honom lycka till inför kvällen.

– Dom kommer att anklaga mig för kvinnomisshandel, klagade Wallander.

– Det tror jag inte. Du har ett gott rykte sen tidigare.

– Det trodde jag var förstört för länge sen.

Wallander gick hem. Det hade kommit brev från Per Åkeson i Sudan. Han la det på köksbordet. Det fick vänta. Sedan duschade han och bytte kläder. Halv sju lämnade han bostaden och gick till den adress där han skulle möta alla dessa okända kvinnor. Han stod i mörkret och såg mot den upplysta villan en stund innan han tog mod till sig och gick in.

När han kom ut från huset var klockan över nio. Han märkte att han var svettig. Han hade talat längre än planerat. Frågorna efteråt hade också varit fler än väntat. Men kvinnorna som hade samlats hade inspirerat honom. De flesta hade varit i hans egen ålder och deras uppmärksamhet hade smickrat honom. När han nu bröt upp

hade han egentligen haft lust att stanna kvar ytterligare en stund.
Långsamt gick han hemåt. Vad han hade sagt visste han knappt längre. Men de hade lyssnat. Det var det viktigaste.
Där hade dessutom funnits en kvinna i hans egen ålder han särskilt lagt märke till. Just innan han gått hade han växlat några ord med henne. Hon hade sagt att hon hette Solveig Gabrielsson. Wallander hade svårt att släppa tankarna på henne.
När han kom hem skrev han upp hennes namn på blocket i köket. Varför han gjorde det visste han inte.
Telefonen ringde. Han hade ännu inte tagit av sig jackan när han svarade.
Det var Martinsson.
– Hur gick föredraget? undrade han.
– Bra. Men det är väl inte för att fråga om det som du ringer?
Martinsson drog på fortsättningen.
– Jag sitter och arbetar, sa han. Det kom ett samtal här som jag inte riktigt vet vad jag ska göra med. Från Patologen i Lund.
Wallander höll andan.
– Tynnes Falk, fortsatte Martinsson. Du minns honom?
– Mannen vid bankomaten. Det är klart jag minns.
– Det verkar som om hans kropp har försvunnit.
Wallander rynkade pannan.
– En död kropp kan väl bara försvinna ner i en kista?
– Man kan tycka det. Men det ser inte bättre ut än att nån har stulit liket.
Wallander hittade ingenting att säga. Han försökte tänka.
– Det är en sak till, sa Martinsson. Det är inte bara det att liket försvunnit. På båren i kylrummet hade nånting tillkommit.
– Vad?
– Ett trasigt relä.
Wallander var inte säker på att han visste vad ett relä egentligen var för någonting. Annat än att det hade med elektricitet att göra.
– Det var inget vanligt relä, fortsatte Martinsson. Utan ett stort.
Wallander märkte att hjärtat slog fortare. Han anade svaret.
– Ett stort relä som används var då?
– På transformatorstationer. Såna som den där vi hittade Sonja Hökbergs kropp.
Wallander stod tyst ett kort ögonblick.
Ett samband hade uppstått.
Men inte av det slag han hade förväntat sig.

12

Martinsson satt i matrummet och väntade.

Klockan hade blivit tio på torsdagskvällen. Från operationsrummet, där alla inkommande nattlarm togs emot, hördes det svaga ljudet av en radio. Annars var det tyst. Martinsson drack te och tuggade på en skorpa. Wallander satte sig mitt emot honom utan att ta av sig jackan.

– Hur gick föredraget?

– Det har du redan frågat om.

– Förr tyckte jag själv om att tala inför folk. Idag vet jag inte om jag skulle klara det.

– Säkert mycket bättre än jag. Men om du vill veta så räknade jag till nitton kvinnor i medelåldern som lyssnade andäktigt om än med ett visst obehag när jag kom till dom mera blodiga sidorna av vårt samhällsnyttiga arbete. Dom var mycket snälla och ställde hövliga och intetsägande frågor som jag besvarade på ett sätt som säkert skulle ha tilltalat vår rikspolischef. Räcker det?

Martinsson nickade och borstade bort skorpsmulorna från bordet innan han drog till sig sitt anteckningsblock.

– Jag ska ta det från början. Nio minuter i nio ringer telefonen här ute i ledningsrummet. Vakthavande skickar samtalet vidare till mig eftersom det inte är fråga om nån utryckning och han vet att jag är kvar. Hade jag inte varit här hade den som ringde blivit uppmanad att höra av sig i morgon igen. Mannen som ringde hette Pålsson. Sture Pålsson. Vad han har för titel fick jag aldrig klart för mig. Men han ansvarar för bårhuset på Patologen i Lund. Det heter förmodligen inte bårhus längre. Men du vet vad jag menar. Kylrummet där kropparna förvaras i väntan på obduktion eller på att en begravningsbyrå ska hämta dom. Vid åttatiden hade han lagt märke till att ett av kylfacken inte var helt stängt. När han drog ut båren upptäckte han att kroppen var borta men att där istället låg ett elektriskt relä. Han ringde då till den vaktmästare som varit i tjänst tidigare under dagen. Nån som heter Lyth. Han var säker på att kroppen hade funnits där vid sextiden, när han gick hem för dagen. Kroppen hade alltså försvunnit nån gång mellan sex och åtta. Det finns ett intag direkt från gården på baksidan av bårhuset. Pålsson undersöker dörren och upptäcker då att låset brutits upp. Han ringer genast till polisen i Malmö. Det hela går mycket fort. En polispatrull kommer dit inom femton minuter. När dom får höra att den kropp som försvunnit kommit från Ystad och varit föremål för rättsmedicinsk undersökning säger dom åt Pålsson att kontakta oss. Vilket han gör.

Martinsson la ifrån sig blocket.

– Det är alltså ett ärende för kollegorna i Malmö, fortsatte han. Att leta reda på kroppen. Men man får nog säga att det också är nåt som angår oss.

Wallander funderade en stund. Hela situationen var ytterst märklig. Men den var också obehaglig. Han kände hur oron hela tiden blev starkare.

– Vi får förutsätta att kollegorna i Malmö tänker på fingeravtryck, sa han. Jag vet inte hur man ska brottsrubricera bortförande av ett lik. Egenmäktigt förfarande, kanske. Eller störande av griftefrid. Men risken är att dom inte tar det på allvar. Nyberg måste väl ha säkrat några fingeravtryck ute på transformatorstationen?

Martinsson tänkte efter.

– Jag tror det. Vill du jag ska ringa honom?

– Inte nu. Men det vore bra om kollegorna i Malmö kunde leta fingeravtryck på det där reläet och inne i kylrummet.

– Nu genast?

– Jag tror det är bäst.

Martinsson gick för att ringa. Wallander hämtade kaffe och försökte förstå vad som hade hänt. Ett samband hade uppstått. Men ingenting som han hade föreställt sig. Det kunde fortfarande vara en egendomlig tillfällighet. Sådant hade han varit med om tidigare. Men någonting sa honom att så inte var fallet den här gången. Någon hade brutit sig in på ett bårhus för att ta med sig ett lik. I utbyte hade ett elektriskt relä blivit kvarlämnat. Wallander tänkte på något som Rydberg hade sagt många år tidigare, alldeles i början av deras tid tillsammans. *Brottslingar lämnar ofta hälsningar på en brottsplats. Ibland är dom avsiktliga. Men lika ofta är deras hälsningar misstag.*

Det här är inget misstag, tänkte han. Man går inte omkring och bär på ett stort elektriskt relä av en tillfällighet. Man glömmer det inte på en bår i ett bårhus. Meningen var att det skulle upptäckas. Och det var knappast en hälsning till patologerna. Det var en hälsning till oss.

Den andra frågan var också given. Varför för man bort ett lik? Det hände visserligen ibland att döda som tillhörde avvikande och udda sekter fördes bort. Men Tynnes Falk tillhörde knappast någon sådan rörelse. Även om de naturligtvis inte kunde vara helt säkra. Då fanns det bara en förklaring. Liket hade förts bort för att någonting skulle döljas.

Martinsson kom tillbaka.
– Vi hade tur, sa han. Reläet hade stoppats i en plastsäck. Inte bara slängts i ett hörn.
– Fingeravtrycken?
– Dom håller på med dom.
– Inga spår av kroppen?
– Nej.
– Inga vittnen?
– Inte som jag vet.
Wallander berättade vad han hade tänkt medan Martinsson telefonerade. Martinsson höll med om slutsatserna. Reläet var ingen tillfällighet. Kroppen hade förts bort för att någonting skulle döljas. Wallander berättade också om Enanders besök och samtalet från Falks hustru.
– Jag tog det inte helt på allvar, erkände han. Man måste ju kunna lita på patologerna.
– Bara för att kroppen förts bort behöver det ju inte betyda att Tynnes Falk blev mördad.
Wallander insåg att Martinsson naturligtvis kunde ha rätt.
– Ändå har jag svårt att se nån annan orsak än att man är rädd för att den egentliga dödsorsaken ska upptäckas, sa han.
– Han kanske hade svalt nånting?
Wallander höjde på ögonbrynen.
– Vad då?
– Diamanter. Narkotika. Vad vet jag.
– Det hade obducenten upptäckt.
– Vad gör vi då?
– Vem var Tynnes Falk? sa Wallander. Eftersom vi avskrev det hela behövde vi inte undersöka honom och hans liv närmare. Men Enander gjorde sig besväret att komma hit och ifrågasätta dödsorsaken. När jag talade med hustrun sa hon att Falk varit orolig. Och att han hade många fiender. Hon sa överhuvudtaget många saker. Som kan tyda på att mannen varit en komplicerad person.
Martinsson grimaserade.
– En datakonsult med fiender?
– Det var vad hon sa. Och ingen av oss har talat närmare med henne.
Martinsson hade tagit med sig utredningspärmen som innehöll de magra uppgifterna om Tynnes Falk.
– Vi talade aldrig med barnen, sa han. Vi talade aldrig med nån. Eftersom vi trodde att han hade dött en naturlig död.
– Det tror vi fortfarande, sa Wallander. Åtminstone är det lika

tänkbart som nåt annat. Vad vi däremot måste erkänna är att det föreligger ett samband mellan honom och Sonja Hökberg. Kanske även med Eva Persson.

– Varför inte också med Lundberg?

– Det är riktigt. Kanske även med taxichauffören.

– Vi kan i alla fall vara säkra på att Tynnes Falk var död när Sonja Hökberg brändes ihjäl, sa Martinsson. Han kan alltså inte ha dödat henne.

– Om man tänker tanken att nån trots allt mördade Falk så kan det vara samma person som dödade Sonja Hökberg.

Wallanders känsla av olust blev starkare. De snuddade vid något som de inte alls förstod. Det finns en annan botten, tänkte han igen. Vi måste dyka djupare.

Martinsson gäspade. Wallander visste att han oftast sov vid den här tiden.

– Frågan är om vi kommer så mycket längre, sa han. Det är inte vår sak att skicka ut folk för att leta efter ett bortsprunget lik.

– Vi borde ta oss en titt på Falks lägenhet, sa Martinsson och kvävde en ny gäspning. Han bodde ensam. Vi borde börja med det och sen tala med hans fru.

– Hans före detta fru. Han var frånskild.

Martinsson reste sig.

– Jag går hem och sover. Hur går det med bilen?

– Den är klar i morgon.

– Ska jag köra dig hem?

– Jag sitter kvar en stund.

Martinsson blev hängande vid bordet.

– Jag förstår att du är upprörd, sa han. Över den där bilden i tidningen.

Wallander betraktade honom inträngande.

– Vad anser du?

– Om vad då?

– Är jag skyldig eller inte?

– Att du gav henne en örfil är väl klart. Men jag tror ju att det var som du sa. Att hon först hade gett sig på sin morsa.

– Jag har i alla fall bestämt mig, sa Wallander. Blir jag prickad så slutar jag.

Han blev förvånad över sina egna ord. Tanken att han skulle begära avsked om den interna utredningen gick honom emot hade aldrig tidigare slagit honom.

– Då får vi ombytta roller, sa Martinsson.

– Hur då?

– Det blir jag som får övertyga dig om att du ska stanna kvar.

– Det klarar du inte.

Martinsson svarade inte. Han tog sin pärm och gick. Wallander satt kvar. Efter en stund kom två nattarbetande poliser in i rummet. De nickade åt varandra. Wallander lyssnade förstrött på deras samtal. En av dem funderade på att köpa en ny motorcykel till våren.

När de hämtat sitt kaffe lämnade de rummet. Wallander var ensam igen. Utan att han egentligen var klar över det höll ett beslut på att ta form i hans huvud.

Han såg på klockan. Snart halv tolv. Egentligen borde han vänta till nästa morgon. Men oron drev på honom.

Strax före midnatt lämnade han polishuset.

I fickan hade han då sina dyrkar som han brukade förvara i skrivbordets nedersta låda.

Det tog honom tio minuter att gå upp till Apelbergsgatan. Det blåste en svag vind och var några plusgrader. Himlen var molntäckt. Staden kändes övergiven. Några tunga lastbilar for förbi honom på sin väg mot färjorna till Polen. Wallander tänkte att det var just vid den här tiden kring midnatt som Tynnes Falk hade dött. Det hade stått på det blodiga kontoutdrag han hållit i handen.

Wallander stannade i skuggorna och betraktade huset som hade adressen Apelbergsgatan 10. Den översta våningen var mörk. Det var där Falk hade bott. Våningen under var också mörk. Men i lägenheten nedanför lyste det i ett fönster. Wallander rös till. Det var där han en gång hade somnat i armarna på en främmande kvinna, så berusad att han inte ens vetat var han befann sig.

Han kände på dyrkarna och tvekade. Vad han gjorde nu var både olagligt och onödigt. Han kunde vänta till på morgonen och ordna nycklar till lägenheten. Men oron fortsatte att driva på honom. Och den hade han respekt för. Den infann sig bara när hans intuition sa honom att något brådskade.

Porten var olåst. Han hade kommit ihåg att ta med sig en ficklampa från kontoret. Trappuppgången var mörk. Han lyssnade efter ljud innan han försiktigt gick uppför trapporna. Han försökte komma ihåg den gång han varit här, i den okända kvinnans sällskap. Men alla minnesbilder var borta. Han kom upp till den översta trappavsatsen. Där fanns två dörrar. Falks var den till höger. Han lyssnade igen. La örat intill den vänstra dörren. Ingenting. Sedan satte han den lilla ficklampan mellan tänderna och tog fram sina dyrkar. Hade Falk haft en säkerhetsdörr hade han tvingats ge upp redan nu. Men där fanns bara ett vanligt patentlås. Det stämmer inte med det frun sa, tänkte han. Att Falk var orolig, att han hade fiender. Hon måste ha inbillat sig det.

Det tog honom längre tid än väntat att öppna dörren. Det kanske inte bara var träning på skjutvapen han behövde. Han märkte att han började svettas. Fingrarna kändes fumliga, dyrkarna ovana. Men till slut fick han ändå upp låset. Försiktigt öppnade han dörren och lyssnade. Ett ögonblick tyckte han sig höra hur andetag kom emot honom ur mörkret. Sedan var de borta. Han steg in i tamburen och stängde försiktigt dörren bakom sig.

Det första han la märke till när han steg in i en främmande lägenhet var alltid lukten. Men här i tamburen fanns ingen doft alls. Som om lägenheten varit nybyggd och ännu inte bebodd. Han la känslan på minnet och började försiktigt gå igenom lägenheten med ficklampan i handen, hela tiden beredd på att där trots allt skulle finnas någon. När han var säker på att han var ensam tog han av sig skorna och drog för alla gardiner innan han tände någon lampa.

Wallander befann sig i sovrummet när telefonen ringde. Han hajade till. Signalen återkom. Han höll andan. Sedan slogs en telefonsvarare på i mörkret inne i vardagsrummet och han skyndade dit. Men ingen lämnade något meddelande. En lur lades på någonstans. Vem hade ringt? Mitt i natten till en död människa?

Wallander gick fram till ett av de fönster som vette ut mot gatan. Han tittade försiktigt ut i gardinspringan. Gatan var öde. Han försökte tränga in med blicken i skuggorna. Men det fanns ingen där.

Han började med att gå igenom vardagsrummet efter att ha tänt en lampa på skrivbordet. Sedan ställde han sig mitt på golvet och såg sig omkring. Här hade det bott en man som hette Tynnes Falk, tänkte han. Berättelsen om honom börjar med ett nystädat vardagsrum där allting tycks vara välordnat, så långt från kaos man kan komma. Skinnmöbler, marinmotiv på väggarna. Längs ena väggen en bokhylla.

Han gick fram till skrivbordet. Där stod en gammal mässingskompass. Det gröna skrivunderlägget var tomt. Pennor låg i en jämn rad intill en antik oljelampa av lera.

Wallander gick vidare ut i köket. På diskbänken stod en kaffekopp. På köksbordets rutiga vaxduk låg ett block. Wallander tände kökslampan och läste. *Balkongdörren.* Tynnes Falk och jag kanske påminner om varandra, tänkte han. Vi har båda anteckningsblock i köket. Han gick tillbaka till vardagsrummet och öppnade balkongdörren. Den gick trögt att stänga. Tynnes Falk hade alltså aldrig fått tid att göra något åt den. Han fortsatte in i sovrummet. Dubbelsängen var bäddad. Han la sig på knä och kikade under den. Där fanns ett par tofflor. Han öppnade garderoben och drog ut lådorna i en byrå. Allting som mötte honom var välordnat. Han återvände till vardagsrummet och skrivbordet. Under telefonsvararen låg en instruktionsbok. Han hade kommit ihåg att ta med sig ett par plasthandskar. När han var säker på att han kunde lyssna på den blinkande telefonsvararen utan att radera de meddelanden som fanns där tryckte han på uppspelningsknappen.

Först var det någon som hette Janne som frågade hur han mådde. Han angav ingen tidpunkt för samtalet. Därefter kom två samtal där allt som hördes var en människa som andades. Wallander fick en känsla av att det var samma person bägge gångerna. Det fjärde samtalet kom från en skräddare i Malmö som meddelade att hans byxor nu var klara. Wallander noterade namnet på skrädderiet. Sedan ett nytt samtal från någon som bara andades. Det var det samtal som kommit alldeles nyss. Wallander lyssnade igenom bandet igen och undrade om det var möjligt för Nyberg och hans tekniker att avgöra om andningen kom från samma person alla tre gångerna.

Han la tillbaka instruktionsboken. Det stod tre fotografier på skrivbordet, två av dem föreställde troligen Falks barn. En pojke och en flicka. Pojken satt på en sten i ett tropiskt landskap och log. Han kunde vara ungefär arton år gammal. Wallander vände på fotografiet. *Jan 1996, Amazonas.* Alltså var det sonen som hade ringt på telefonsvararen. Flickan var yngre. Hon satt på en bänk omgiven av duvor. Wallander vände på fotografiet. *Ina, Venedig 1995.* Det tredje fotografiet föreställde en grupp män som stod framför en vit mur. Bilden var oskarp. Wallander vände på den, men där stod ingenting skrivet. Han öppnade den översta skrivbordslådan och hittade ett förstoringsglas. Han studerade männens ansikten. De var i olika åldrar. Längst ut i bildens vänstra kant stod en man med asiatiskt utseende. Wallander la ifrån sig bilden och försökte tänka. Men ingenting hakade i vartannat. Han stoppade bilden i innerfickan.

Sedan lyfte han på skrivbordsunderlägget. Där fanns ett matrecept som klippts ur en tidning. Fiskfondue. Han började gå igenom lådorna. Överallt samma exemplariska ordning. I den tredje lådan fanns en tjock bok. Wallander tog fram den. På skinnpärmen stod det med guldskrift att det var en loggbok. Wallander slog upp den och gick till den sista sidan. Söndagen den 5 oktober hade Tynnes Falk gjort sina sista anteckningar i det som uppenbarligen var hans dagbok. Han noterar att vinden har mojnat och att det är 3 plusgrader. Dessutom klar himmel. Han har städat lägenheten. Det har tagit 3 timmar och 25 minuter, vilket är tio minuter snabbare än senast.

Wallander rynkade pannan. Anteckningarna om städtiden förbryllade honom.

Sedan läste han den sista raden: »*På kvällen kort promenad.*«

Wallander blev förvånad. Klockan hade varit några minuter över midnatt den sjätte oktober när Falk hade dött vid bankomaten. Betydde anteckningen att han redan varit ute på en kvällspromenad? Och nu gjorde en till?

Wallander gick tillbaka till anteckningarna för den 4 oktober: »*Lördagen den 4 oktober 1997. Vinden har hela dagen varit byig. Enligt* SMHI *har det blåst 8–10 meter per sekund. Söndertrasade moln har jagat fram över himlen. Temperaturen klockan sex på morgonen var 7 grader. Klockan två har den gått upp till 8. För att sedan på kvällen gå ner till 5. Rymden idag är tom och övergiven. Inga meddelanden.* C *svarar inte på anrop. Allt är lugnt.*«

Wallander läste om de sista meningarna. Han förstod dem inte. Där fanns ett gåtfullt budskap han inte kunde tolka. Han bläddrade vidare. Varje dag angav Falk vilka väderförhållanden som rådde. Dessutom talade han om »rymden«. Ibland var den tom. Ibland mottog han meddelanden. Men vad för sorts meddelanden kunde Wallander inte tyda. Till slut slog han ihop boken.

Där fanns även något annat som var märkligt. Ingenstans nämnde mannen som skrev några personnamn. Inte ens sina barn.

Loggboken handlade i sin helhet om väder och inställda eller mottagna budskap från rymden. Däremellan noterar han på minuten hur lång tid han använder till sin söndagsstädning.

Wallander la tillbaka loggboken i lådan.

Samtidigt undrade han om Tynnes Falk var riktigt klok. Anteckningarna verkade vara skrivna av en manisk eller förvirrad person.

Wallander reste sig och gick fram till fönstret igen. Gatan var fortfarande tom. Klockan var redan över ett.

Han återvände till skrivbordet och fortsatte att gå igenom lådorna. Tynnes Falk hade haft ett aktiebolag där han varit ensam aktieägare. I en pärm hittade han en kopia av bolagsordningen. Tynnes Falk sysslade med rådgivning om och uppföljning av nyinstallerade datasystem. Vad det innebar i detalj framgick inte, åtminstone var det obegripligt för Wallander. Men han noterade att bland kunderna fanns flera banker och även Sydkraft.

Ingenstans fann han något som överraskade honom.

Han sköt igen den sista lådan.

Tynnes Falk är en människa som inte lämnar några spår, tänkte han. Allt är exemplariskt och opersonligt, välstädat och odramatiskt. Jag hittar honom inte.

Wallander reste sig och studerade innehållet i bokhyllan. Det var en blandning av skönlitteratur och faktaböcker på svenska, engelska och tyska. Där fanns också nästan en hyllmeter poesi. Wallander tog ut en bok på måfå. Sidorna föll upp. Boken hade blivit läst mer än en gång. På ett annat ställe hittade han tjocka volymer om religionshistoria och filosofi. Men också böcker om astronomi och om konsten att fiska lax. Han lämnade bokhyllan och satte sig på huk framför stereoanläggningen. Tynnes Falk hade en mycket blandad skivsamling. Där fanns både opera och kantater av Bach. Dessutom samlingsutgåvor med Elvis Presley och Buddy Holly. Och inspelade ljud från rymden och havets botten. I ett ställ intill fanns ett antal äldre LP-skivor. Wallander skakade undrande på huvudet. Där fanns bland annat Siw Malmkvist och saxofonisten John Coltrane. Ovanpå videoapparaten låg några köpfilmer. En handlade om björnar i Alaska, en annan hade utgivits av NASA och beskrev Challengerepoken i amerikansk rymdhistoria. Mitt i högen fanns också en pornografisk film.

Wallander reste sig upp. Knäna ömmade. Han kom inte längre. Något ytterligare samband hade han inte hittat. Ändå var han övertygad om att det existerade.

På något sätt hängde mordet på Sonja Hökberg ihop med Tynnes Falks egen död. Och med att hans kropp nu var försvunnen.

Kanske det också fanns ett samband med Johan Lundberg?

Wallander tog fram fotografiet han stoppat i fickan. Sedan ställde han tillbaka det. Han ville inte att någon skulle veta om hans nattliga besök. Om Falks hustru hade nycklar och släppte in dem vid något senare tillfälle ville han inte att hon skulle upptäcka att något var borta.

Wallander gick runt och släckte lamporna. Sedan drog han ifrån gardinerna. Han lyssnade innan han försiktigt öppnade dörren. Dyrkarna hade inte efterlämnat några repor.

Ute på gatan stod han stilla ett ögonblick och såg sig omkring. Det fanns ingen där, staden var tyst. Han började gå ner mot centrum. Klockan var fem minuter i halv två.

Han märkte aldrig den skugga som ljudlöst följde honom på avstånd.

13

Wallander väcktes av telefonen.

Han rycktes upp ur sömnen som om han egentligen bara legat och väntat på att signalerna skulle komma. I samma ögonblick han grep luren såg han på klockan. Kvart över fem.

Rösten i telefonen var främmande.

– Kurt Wallander?

– Det är jag.

– Jag ber om ursäkt om jag väckte dig.

– Jag var vaken.

Varför ljuger man om något sådant? tänkte Wallander. Vad skulle det vara för skamligt i att fortfarande sova när klockan bara är fem?

– Jag skulle gärna vilja ställa några frågor till dig angående misshandeln.

Wallander blev genast klarvaken. Han hade satt sig upp i sängen. Mannen som ringde sa sitt namn och vilken tidning han arbetade för. Wallander tänkte att han genast borde ha insett möjligheten. Att en journalist skulle kunna ringa honom tidigt på morgonen. Han borde ha låtit bli att svara. Om någon av hans kollegor ville ha tag på honom i ett brådskande ärende skulle de ha ringt om igen på hans mobiltelefon. Det numret hade han hittills lyckats hålla hemligt för utomstående.

Men nu var det för sent. Han var tvungen att svara.

– Jag har redan klargjort att det inte var nån misshandel.

– Du menar alltså att en bild kan ljuga?

– Den berättar inte hela sanningen.

– Kan inte du berätta den då?

– Inte så länge det pågår en utredning.

– Nåt måste du väl kunna säga?

– Det har jag redan gjort. Det var ingen misshandel.

Sedan la han på luren och drog hastigt ur jacket. Han kunde redan se rubriken framför sig: »Vår reporter fick luren i örat. Polisen tiger envist.« Han sjönk tillbaka mot kuddarna igen. Gatlyktan utanför fönstret vajade i vinden. Ljuset som trängde in genom gardinen vandrade längs väggen.

Han hade drömt något när han blev väckt. Bilderna återkom långsamt i hans medvetande.

Det var året innan på hösten, när han gjorde en resa till Östergöt-

lands skärgård. Han hade blivit bjuden att besöka en man som bodde på en av öarna och skötte posttrafiken i skärgården. De hade träffats under en av de värsta utredningar Wallander någonsin varit inblandad i. Full av tvekan hade han tagit emot erbjudandet och gjort sitt besök. En tidig morgon hade han blivit ilandsläppt på ett av de yttersta skären, där klipporna stack upp ur havet som förstenade urtidsdjur. Han hade vandrat runt på det karga skäret, upplevt en egendomlig känsla av klarsyn och överblick. Ofta hade han i tankarna återvänt till den där ensamma timmen, när båten låg ute på fjärden och väntade. Vid flera tillfällen hade han känt ett stort behov av att någon gång kunna återuppleva det som hänt den gången.

Det är någonting som drömmen försöker berätta, tänkte han. Frågan är bara vad.

Han låg kvar i sängen tills klockan blivit en kvart i sex. Då satte han i telefonjacket igen. Termometern utanför fönstret visade 3 plusgrader. Vinden var byig. Medan han drack sitt kaffe tänkte han ännu en gång igenom det som hade hänt. Det hade uppstått ett samband som han inte väntat sig mellan överfallet på taxichauffören, Sonja Hökbergs död och den man vars lägenhet han hade besökt kvällen innan. Han gick igenom händelserna i huvudet. Vad är det jag inte ser? tänkte han. Det finns en botten som jag inte kan urskilja. Vilka frågor är det jag egentligen borde ställa?

När klockan blivit sju gav han upp. Det enda som hänt var att han hade ringat in det som var viktigast av allt: att få Eva Persson att börja tala sanning. Varför hade hon och Sonja Hökberg bytt plats på restaurangen? Vem var den man som kommit in? Varför hade de egentligen dödat taxichauffören? Hur hade hon kunnat veta att Sonja Hökberg var död? Det var de fyra frågor som han måste börja med.

Han gick upp till polishuset. Det var kallare än han trott. Ännu hade han inte vant sig vid att det var höst. Han ångrade att han inte hade satt på sig en varmare tröja. Medan han gick märkte han att den vänstra foten blev blöt. När han stannade och såg på sulan fanns där ett hål. Upptäckten gjorde honom ursinnig. Han fick behärska sig för att inte slita av sig skorna och fortsätta barfota.

Det är vad jag har kvar, tänkte han. Efter alla dessa år som polis. Ett par trasiga skor.

En man som gick förbi honom på gatan såg undrande på honom. Wallander insåg att han talat högt med sig själv.

När han kom fram stannade han hos Irene och frågade vilka som kommit. Martinsson och Hansson var där. Wallander bad henne skicka in dem till honom. Sedan ändrade han sig till ett av mötesrummen. Och bad henne samtidigt att dirigera Ann-Britt Höglund åt samma håll när hon kom.

Martinsson och Hansson steg in i rummet samtidigt.

– Hur gick föredraget? frågade Hansson.

– Vi struntar i det, svarade Wallander vresigt och ångrade genast att han låtit sitt dåliga humör gå ut över Hansson.

– Jag är trött, ursäktade han sig.

– Vem fan är inte trött? sa Hansson. Särskilt när man läser sånt här.

Han hade en dagstidning i handen. Wallander tänkte att han borde avbryta honom genast. De hade inte tid att ägna sig åt något Hansson läst i en tidning. Men han sa ingenting utan satte sig bara på sin plats vid bordet.

– Justitieministern har uttalat sig, sa Hansson. »En nödvändig omställning av landets polisverksamhet pågår. Det är ett reformarbete som inneburit stora påfrestningar. Men polisen är nu på rätt väg.«

Hansson slängde förbittrat tidningen i bordet.

– Rätt väg? Vad fan menar hon? Vi snurrar omkring vid ett vägskäl utan att veta vart vi ska. Vi får ständiga besked om nya prioriteringar. Just nu är det våldsbrott, våldtäkter, brott med barn inblandade och ekonomiska brott. Men ingen vet vad som ska prioriteras i morgon.

– Det är inte det som är problemet, invände Martinsson. Allting ändras så fort att det är svårt att säga vad som för tillfället inte är prioriterat. Men eftersom vi hela tiden också måste skära ner så borde man samtidigt tala om för oss vilka områden vi ska strunta i.

– Jag vet, sa Wallander. Men jag vet också att vi här i Ystad just nu har 1 465 ärenden outredda och jag vill inte ha fler.

Han lät handflatorna slå i bordet som tecken på att klagostunden var över. Att både Martinsson och Hansson hade rätt visste han bättre än någon annan. Men samtidigt fanns det inom honom en stark vilja att bita ihop tänderna och arbeta vidare.

Kanske berodde det på att han var på väg att bli så utsliten att han inte längre orkade protestera när de ständiga förändringarna inom polisen kom allt tätare?

Ann-Britt Höglund öppnade dörren.

– Vilken blåst, sa hon medan hon tog av sig jackan.

– Det är höst, sa Wallander. Nu börjar vi. Det hände nånting igår kväll som ganska dramatiskt förändrar utredningsarbetet.

Han nickade åt Martinsson som berättade om Tynnes Falks försvunna kropp.

– Det är i alla fall nåt nytt, sa Hansson när Martinsson tystnat. Ett lik som försvunnit har vi väl knappast varit med om tidigare. En gummiflotte minns jag. Men inte en död kropp.

Wallander grimaserade. Även han mindes hur gummiflotten som drivit iland vid Mossby Strand sedan av någon fortfarande outredd orsak hade försvunnit från polishuset.

Ann-Britt såg på honom.

– Det skulle alltså existera ett samband mellan den där mannen som dog vid automaten och mordet på Lundberg? Det verkar ju alldeles orimligt.

– Ja, svarade Wallander. Men vi kommer inte ifrån att vi nu måste börja arbeta även utifrån den möjligheten. Jag tror också vi ska vara klara över att det här inte blir lätt. Vi trodde att vi hade ett ovanligt brutalt men ändå uppklarat mord på en taxichaufför. Vi fick sen se hur det här löste upp sig. När Sonja Hökberg lyckades rymma och sen hittades död på den här transformatorstationen. Vi visste att en man fått en hjärtinfarkt och ramlat ihop utanför en bankomat. Men det hade vi avskrivit eftersom ingenting tydde på brott. Fortfarande kan det inte uteslutas. Så försvinner kroppen. Och nån har planterat ett relä för högspänning på den tomma båren.

Wallander avbröt sig och tänkte på de fyra frågor han formulerat för sig själv samma morgon. Nu insåg han att det egentligen var på ett helt annat ställe de borde börja.

– Nån bryter sig in på ett bårhus och för bort en kropp. Vi kan inte vara säkra, men vi kan gissa att det beror på att nån vill dölja nåt. Samtidigt lämnas reläet kvar. Det har inte blivit kvarglömt, det har inte hamnat där av misstag. Den som förde bort kroppen ville att vi skulle hitta det.

– Vilket i sin tur bara kan betyda en sak, sa Ann-Britt.

Wallander nickade.

– Att nån vill att vi ska koppla ihop Sonja Hökberg med Tynnes Falk.

– Kan det inte vara ett villospår? invände Hansson. Nån som har läst om flickan som brände ihjäl sig.

– Om jag har förstått kollegorna i Malmö rätt var reläet tungt, sa Martinsson. Det är knappast nånting man bär med sig i sin portfölj.

– Vi måste ta det hela steg för steg, avbröt Wallander. Nyberg måste undersöka om reläet kommer från just vår transformatorstation. Om det gör det är saken klar.

– Inte nödvändigtvis, sa Ann-Britt. Det kan vara ett symboliskt spår.

Wallander skakade på huvudet.

– Jag tror det är som jag tänker.

Martinsson ringde till Nyberg medan de andra gick och hämtade kaffe. Wallander berättade om journalisten som hade ringt och väckt honom.

– Det kommer att blåsa över, sa Ann-Britt.

– Jag hoppas du har rätt. Men jag är långtifrån säker.

De återvände till mötesrummet.

– Två saker, sa Wallander. Eva Persson. Det spelar ingen roll längre att hon är minderårig. Nu ska hon förhöras på allvar. Det måste bli Ann-Britts sak. Du vet vilka frågor som är viktiga. Och du ska inte ge dig förrän du har fått riktiga svar istället för undanflykter.

De fortsatte under ytterligare en timme med att lägga upp spaningsarbetet. Wallander upptäckte plötsligt att förkylningen redan gått över. Krafterna hade börjat återvända. De bröt upp strax efter halv tio. Hansson och Ann-Britt försvann längs korridoren. Wallander och Martinsson skulle göra ett besök i Tynnes Falks lägenhet. Wallander var frestad att avslöja att han redan varit där, men han lät det bero. Det hade alltid varit hans svaghet att han ibland inte berättade för sina kollegor om alla de steg han tog. Men han hade för länge sedan gett upp hoppet om att han någonsin skulle lyckas ändra på denna sin egenhet.

Medan Martinsson försökte få tag på nycklar till Tynnes Falks lägenhet gick Wallander in på sitt rum med den tidning som Hansson tidigare dängt i bordet. Han bläddrade igenom den för att se om det stod något om honom själv. Det enda han hittade var en liten notis om att en polisman med lång yrkeserfarenhet misstänktes för övervåld mot en minderårig. Hans namn var inte utsatt men upprördheten återkom.

Han skulle just lägga undan tidningen när blicken föll på en sida med kontaktannonser. Han började förstrött läsa. Där var en frånskild kvinna som just hade fyllt femtio och kände sig ensam när barnen blivit vuxna. Hon angav resor och klassisk musik som sina största intressen. Wallander försökte se henne framför sig, men det enda ansikte han såg tillhörde en kvinna som hette Erika. Henne hade han träffat året innan, på ett café utanför Västervik. Då och då hade han tänkt på henne, utan att han egentligen visste varför. Han slängde irriterat tidningen i papperskorgen. Men just innan Martinsson kom in i rummet tog han upp den igen, rev ur sidan och la den i en skrivbordslåda.

– Hustrun kommer med nycklarna, sa Martinsson. Ska vi ta en promenad eller åka?

– Åka. Jag har hål i en sko.

Martinsson betraktade honom intresserat.

– Vad tror du rikspolischefen skulle säga om det?

– Vi har redan infört systemet med närpoliser, svarade Wallander. Nästa steg kunde väl vara barfotapoliser.

De lämnade polishuset i Martinssons bil.

– Hur har du det? frågade Martinsson.

– Jag är förbannad, svarade Wallander. Man tror man vänjer sig, men det gör man inte. Jag har under alla mina år som polis blivit angripen för nästan allting. Möjligen med undantaget att jag skulle vara lat. Man tror att man bygger upp nån sorts säkerhetshud, men det gör man inte. Åtminstone inte på det sätt man kanske skulle önska.

– Menade du det du sa igår?

– Vad sa jag?

– Att du skulle sluta om du blev prickad?

– Jag vet inte. Just nu orkar jag inte tänka på det.

Martinsson förstod att Wallander inte ville tala mer om saken. De stannade utanför Apelbergsgatan 10. En kvinna stod vid en bil och väntade på dem.

– Marianne Falk, sa Martinsson. Hon behöll hans namn även efter skilsmässan.

Martinsson skulle just öppna bildörren när Wallander höll tillbaka honom.

– Vet hon om vad som har hänt? Att kroppen är borta?

– Nån hade tydligen tänkt på att underrätta henne.

– Hur verkade hon när du talade med henne? Var hon förvånad över att du ringde?

Martinsson tänkte efter innan han svarade.

– Jag tror inte det.

De steg ur bilen. Kvinnan som stod där i blåsten var mycket välklädd. Hon var lång och slank och påminde Wallander vagt om Mona. De hälsade. Wallander fick en känsla av att hon var orolig. Genast skärptes hans vaksamhet.

– Har dom hittat kroppen? Hur kan såna här saker hända?

Wallander lät Martinsson svara.

– Det är naturligtvis beklagligt när det sker.

– »Beklagligt«? Det är upprörande. Vad har vi egentligen polisen till?

– Det kan man fråga sig, avbröt Wallander. Men inte just nu.

De gick in i huset och uppför trapporna. Wallander kände obehag. Hade han trots allt glömt något där kvällen innan?

Marianne Falk var den som gick först. När hon kommit upp till den översta våningen tvärstannade hon och pekade. Martinsson var alldeles bakom henne. Wallander sköt honom åt sidan. Sedan såg han: Dörren till lägenheten stod öppen. Det lås han kvällen innan haft så stora problem att öppna med sina dyrkar utan att lämna några rispor efter sig hade brutits upp med ett kraftigt järn. Dörren stod på glänt. Han lyssnade. Martinsson fanns alldeles intill honom. Ingen av dem hade något vapen med sig. Wallander var tveksam. Han gav tecken att de skulle gå ner till våningen under.

– Det kan vara nån därinne, sa han med låg röst. Det är bäst att vi får hit förstärkningar.

Martinsson tog fram sin telefon.

– Jag vill att du väntar där nere i bilen, sa Wallander till Marianne Falk.

– Vad är det som har hänt?

– Gör som jag säger nu. Vänta i bilen.

Hon försvann nerför trappan. Martinsson talade med polishuset.

– Dom kommer.

De väntade orörliga i trappan. Från lägenheten kom inga ljud.

– Jag sa till att dom inte skulle ha sirener, viskade Martinsson.

Wallander nickade.

Efter åtta minuters väntan kom Hansson uppför trappan tillsammans med tre andra poliser. Hansson hade vapen med sig. Wallander lånade en pistol av en av de övriga.

– Då går vi in, sa han.

De grupperade sig i trappan och utanför dörren. Wallander märkte att handen som höll vapnet skakade. Han var rädd. Lika rädd som alltid när han var på väg in i en situation där vad som helst kunde hända. Han sökte ögonkontakt med Hansson. Sedan sköt han försiktigt upp dörren med tåspetsen och ropade in i lägenheten. Det kom inget svar. Han ropade igen. När dörren bakom honom öppnades ryckte han till. En äldre kvinna tittade försiktigt fram. Martinsson föste in henne i lägenheten igen. Wallander ropade för tredje gången utan att få svar.

Sedan gick de in.

Lägenheten var tom. Men det var inte samma lägenhet som den han hade besökt kvällen innan då ett av hans första intryck varit den pedantiska ordning som hade rått. Nu var lådor utdragna och innehållet utkastat på golvet. Tavlor hängde på sned och skivsamlingen låg spridd över golvet.

– Det är ingen här, sa han. Men Nyberg och hans tekniker ska hit så fort det bara är möjligt. Innan dess vill jag inte att nån trampar omkring här i onödan.

Hansson och de övriga poliserna försvann. Martinsson gick för att tala med grannarna. Wallander stod ett ögonblick alldeles stilla i dörröppningen till vardagsrummet. Hur många gånger han stått inför en lägenhet som varit utsatt för inbrott visste han inte. Utan att han kunde säga vad det var tänkte han att det här var annorlunda. Han lät blicken vandra runt i rummet. Det var något som fattades. Han kunde inte se vad det var. Långsamt gjorde han om sin vandring med ögonen. När han för andra gången betraktade skrivbordet upptäckte han vad som var borta. Han tog av sig skorna och gick fram till bordet.

Fotografiet var borta. Gruppbilden. Männen, varav en hade varit asiat, som hade stått framför en vit mur i starkt solsken. Han böjde sig ner och tittade under skrivbordet. Försiktigt sökte han bland de papper som låg utströdda på golvet. Bilden var borta.

I samma ögonblick insåg han också att någonting annat hade försvunnit. Loggboken som han bläddrat i kvällen innan.

Han tog ett steg tillbaka och drog ett djupt andetag. Någon visste om att jag var här, tänkte han. Någon såg mig komma och såg mig gå.

Var det den instinktiva aningen om detta som hade gjort att han vid två tillfällen kvällen innan gått fram till fönstret och spejat ut mot gatan? Där hade funnits någon han inte hade upptäckt. Någon som gömt sig djupt inne i skuggorna.

Han blev avbruten i sina tankar av Martinsson.

– Grannfrun är änka och heter Håkansson. Hon har ingenting hört och ingenting sett.

Wallander tänkte på den gång han berusad hade tillbringat en natt i våningen under.

– Tala med alla som bor i huset. Kanske är det nån som har gjort några iakttagelser.

– Kan vi inte sätta nån annan på det? Jag har rätt mycket att göra.

– Det är viktigt att det blir grundligt gjort, sa Wallander. Här bor dessutom inte så mycket folk.

Martinsson försvann. Wallander väntade. Efter tjugo minuter dök en kriminaltekniker upp.

– Nyberg är på väg, sa han. Men han höll på med nånting ute vid transformatorstationen som tydligen var viktigt.

Wallander nickade.

– Telefonsvararen, sa han sedan. Jag vill veta allt om vad som finns på den.

Polismannen antecknade.

– Allt ska videofilmas, fortsatte Wallander. Jag vill ha den här lägenheten dokumenterad in i minsta detalj.

– Är dom som bor här bortresta? frågade polismannen.
– Här bodde den man som dog vid bankomaten häromnatten, svarade Wallander. Det är viktigt att den här tekniska undersökningen blir grundligt gjord.
Han lämnade lägenheten och gick ner på gatan. Himlen var alldeles molnfri nu. Marianne Falk satt i sin bil och rökte. När hon fick syn på Wallander steg hon ur.
– Vad var det som hade hänt?
– Inbrott.
– Tänk att nån kan vara så fräck att man går in i en lägenhet där en människa nyss har dött.
– Jag vet att ni var skilda, sa han. Men kände du till hans lägenhet?
– Vi hade ett bra förhållande. Jag besökte honom här många gånger.
– Senare idag kommer jag att be dig om att återvända hit, sa Wallander. När teknikerna är klara vill jag att du går igenom lägenheten tillsammans med mig. Det kan hända att du upptäcker om nånting är borta.
Hennes svar kom mycket bestämt.
– Det tror jag inte.
– Varför inte det?
– Jag var gift med honom i många år. Under den första tiden kände jag honom nog ganska väl. Men inte sen.
– Vad hände?
– Ingenting. Men han förändrades.
– På vilket sätt?
– Jag visste inte längre vad han tänkte.
Wallander betraktade henne fundersamt.
– Ändå borde du kunna se om nåt är borta från hans lägenhet. Du sa nyss att du besökte honom många gånger.
– En tavla eller en lampa kanske jag skulle sakna. Men ingenting annat. Tynnes hade många hemligheter.
– Vad menar du med det?
– Kan man mena annat än en enda sak? Jag visste varken vad han tänkte eller vad han gjorde. Jag försökte förklara det här redan under vårt telefonsamtal.
Wallander påminde sig det han hade läst i loggboken kvällen innan.
– Vet du om din man förde dagbok?
– Det är jag säker på att han inte gjorde.
– Aldrig nånsin?

– Aldrig.
Så långt stämmer det, tänkte Wallander. Hon visste inte vad hennes man höll på med. Åtminstone inte att han förde dagbok.
– Intresserade sig din före detta man för rymden?
Hennes förvåning verkade helt igenom äkta.
– Varför skulle han ha gjort det?
– Jag bara undrar.
– När vi var unga kanske vi stod och såg upp mot stjärnhimlen nån gång. Men aldrig efter det.
Wallander förde samtalet in på ett nytt spår.
– Du menade att din före detta man hade många fiender. Och att han var orolig.
– Det sa han faktiskt till mig.
– Vad sa han mer i detalj?
– Att såna som han hade fiender.
– Var det allt?
– Ja.
– »Såna som jag har fiender«?
– Ja.
– Vad menade han med det?
– Jag har redan sagt att jag inte kände honom längre.
En bil bromsade in vid trottoarkanten och Nyberg steg ur. Wallander bestämde sig för att för tillfället avsluta samtalet. Han noterade hennes telefonnummer och sa att han skulle höra av sig senare under dagen.
– En sista fråga. Kan du tänka dig nån orsak till att nån skulle röva bort hans döda kropp?
– Naturligtvis inte.
Wallander nickade. Han hade för ögonblicket inga fler frågor.
När hon hade satt sig i bilen och backade ut på gatan kom Nyberg fram till honom.
– Vad är det som har hänt här? frågade han.
– Ett inbrott.
– Har vi tid med det just nu?
– På nåt sätt har det ett samband med dom andra händelserna. Men just nu är jag mest intresserad av vad du hittade där ute.
Nyberg snöt sig i näven innan han svarade.
– Du hade rätt. När kollegorna kom från Malmö med det där reläet var saken klar. Linjearbetarna kunde visa var det hade suttit.
Wallander kände spänningen.
– Inga tvivel?
– Inga som helst.

Nyberg försvann in genom porten. Wallander såg över gatan, bort mot varuhusen och bankomaten.

Sambandet mellan Sonja Hökberg och Tynnes Falk var bekräftat. Men vad det betydde kunde han inte alls förstå.

Långsamt började han gå tillbaka mot polishuset. Men efter bara några meter ökade han farten.

Oron drev honom.

14

Efter återkomsten till polishuset ägnade sig Wallander åt att försöka skapa en provisorisk reda i det myller av detaljer som hade hopat sig. Men de olika händelseförloppen befann sig i något som i det närmaste liknade fritt fall. De stötte emot varandra och skingrades genast igen åt olika håll.

Strax före elva gick han ut på toaletten och tvättade ansiktet i kallt vatten. Även det var en vana som Rydberg lärt honom.

Ingenting bättre finns när otåligheten tränger sig på. Ingenting bättre än kallt vatten.

Sedan fortsatte han ut i matrummet för att hämta kaffe. Som så många gånger tidigare var kaffeautomaten trasig. Martinsson hade vid något tillfälle föreslagit att de skulle gå ut med en vädjan till allmänheten om bidrag till en ny kaffeautomat. Argumentet skulle vara att inget vettigt polisarbete var möjligt utan att en obruten tillgång till kaffe var säkrad. Wallander betraktade missmodigt apparaten och påminde sig att han hade en burk med snabbkaffe någonstans i sina skrivbordslådor. Han återvände till sitt rum och började leta igenom dem. Till sist hittade han den, längst inne i den nedersta lådan, tillsammans med en skoborste och ett par gamla trasiga handskar.

Sedan gjorde han en uppställning över de olika händelserna. I marginalen skrev han in ett tidsschema. Hela tiden försökte han i tankarna tränga igenom händelsernas yta. Han var vid det här laget säker på att det fanns en annan botten därunder. Det var den de måste komma åt.

Till sist satt han igen med något som såg ut som en ond och obegriplig saga. Två flickor går en kväll ut på en restaurang och dricker öl. Den ena av flickorna är så ung att hon överhuvudtaget inte borde bli serverad. Någon gång under kvällen byter de plats med varandra. Det sker samtidigt som en okänd man med asiatiskt utseende kommer in på restaurangen och sätter sig vid ett bord. Denne man betalar med ett förfalskat kreditkort, utställt på en man vid namn Fu Cheng, bosatt i Hongkong.

Efter några timmar beställer flickorna en taxi, begär att få bli körda till Rydsgård och slår därefter ihjäl taxichauffören. De rånar honom och går sedan var och en hem till sitt. När de grips erkänner de omedelbart, tar gemensamt på sig skulden och anger som motiv behov av pengar. Den äldre av de två flickorna rymmer i ett obevakat ögonblick från polishuset. Senare återfinns hon ihjälbränd i en transformatorstation utanför Ystad. Med all sannolikhet har hon blivit mördad. Transformatorstationen är viktig för kraftförsörjningen i en stor del av Skåne. När Sonja Hökberg dör mörklägger hon en stor del av landskapet, från Trelleborg till Kristianstad. Samtidigt ändrar den andra flickan sin historia. Hon tar tillbaka sitt erkännande.

Parallellt med dessa händelser finns en bihandling. Möjligheten existerar att det är denna bihandling som egentligen är avgörande, det centrum vi söker. En ensamstående datakonsult vid namn Tynnes Falk städar sin lägenhet under några söndagstimmar och tar sedan en eller möjligen två kvällspromenader. Han hittas under natten död utanför en bankomat i närheten av sin bostad. Efter en preliminär undersökning av platsen samt ett rättsmedicinskt utlåtande avskrivs alla misstankar om brott. Senare blir kroppen bortförd från bårhuset och ett elektriskt relä som härstammar från transformatorstationen utanför Ystad återfinns på båren. Mannens lägenhet blir utsatt för ett inbrott där åtminstone en dagbok och ett fotografi försvinner.

I utkanten av dessa händelser, som en av männen på detta fotografi och som gäst vid ett restaurangbord, finns en asiatisk man.

Wallander läste igenom vad han hade skrivit. Han visste naturligtvis att det var alldeles för tidigt att dra ens några provisoriska slutsatser. Ändå gjorde han det. Han hade under arbetet med att ställa samman materialet slagits av något han inte tänkt på tidigare.

Om Sonja Hökberg blivit mördad måste det ha skett för att någon ville hindra henne från att tala. Tynnes Falks kropp hade knappast förts bort om det inte varit för att något skulle höljas i dunkel. Där fanns en gemensam nämnare. Två händelser som handlade om behovet av att dölja någonting.

Frågan är alltså vad som ska döljas, tänkte Wallander. Och av vem.

Han prövade sig fram, långsamt och försiktigt, som om han rörde sig på minerad mark. Hela tiden sökte han efter sitt centrum utan att kunna hitta det. Av Rydberg hade han lärt sig att händelseförlopp inte nödvändigtvis ska tolkas utifrån sin kronologi. Det viktigaste kunde alltid hända både först och sist. Eller någonstans där emellan.

Wallander skulle just skjuta undan pappren när något dök upp i hans huvud. Först visste han inte vad det var. Sedan mindes han. Något som Erik Hökberg hade sagt. Om det sårbara samhället. Han drog till sig anteckningarna igen och började om från början. Vad hände om han placerade transformatorstationen i centrum? Någon hade med hjälp av en människokropp brutit strömmen i stora delar av Skåne. Mörkläggningen hade varit total. Det kunde tolkas som sabotage av någon som visste var han skulle slå till. Varför hade egentligen det elektriska reläet placerats på båren när Tynnes Falks kropp hade förts bort? Den enda rimliga förklaringen var att sambandet mellan Sonja Hökberg och Tynnes Falk skulle framstå som alldeles klart. Men vad innebar egentligen detta samband?

Irriterat sköt Wallander undan sina anteckningar. Det var för tidigt att tro att en tolkning var möjlig. Fortfarande måste de leta vidare, förutsättningslöst och grundligt.

Han drack sitt kaffe, medan han frånvarande gungade på stolen. Sedan drog han till sig den utrivna tidningssidan och fortsatte att läsa igenom kontaktannonserna. Hur skulle min egen annons se ut? tänkte han. Vem skulle egentligen vara intresserad av en 50-årig polisman som lider av diabetes och tilltagande olust över sitt arbete? Som varken är intresserad av skogspromenader, kvällar framför brasan eller segling?

Han la undan tidningssidan och började skriva.

Det första annonsförslaget blev delvis lögnaktigt: *50-årig polisman, frånskild, vuxen dotter, söker bryta sin ensamhet. Utseende och ålder spelar ingen roll. Men du ska vara huslig och tycka om operamusik. Svar till »Polis 97«.*

Lögn, tänkte han. Utseendet spelar stor roll. Inte är jag heller ute efter att bryta min ensamhet. Det är gemenskap jag söker. Det är något helt annat. Jag vill ha någon att ligga med, någon som finns där när jag vill. Och någon som lämnar mig ifred när jag hellre vill det. Han rev sönder pappret och började om igen. Den här gången blev annonsen alltför sannfärdig. *50-årig polisman, diabetiker och frånskild, vuxen dotter, önskar någon att vara tillsammans med när det passar. Den kvinna jag söker ska vara snygg, ha fin figur och vara intresserad av erotik. Svar till »Gammal Hund«.*

Vem skulle svara på det här? tänkte han. Knappast någon som var riktigt klok.

Han bläddrade fram en ny sida och började om igen. Han blev nästan genast avbruten av att det knackade på dörren. Klockan var redan tolv. Det var Ann-Britt. För sent insåg han att kontaktannonserna fortfarande låg på bordet. Han rev undan tidningssidan och stoppade den i papperskorgen. Men han anade att hon hade hunnit se vad han haft framför sig. Det gjorde honom irriterad.

Jag ska aldrig skriva någon kontaktannons, tänkte han ilsket. Risken är att en sådan som Ann-Britt skulle svara.

Hon såg trött ut.
– Jag är precis färdig med Eva Persson, sa hon och satte sig tungt.
Wallander sköt undan alla tankar på kontaktannonser.
– Hur var hon?
– Hon ändrade sig inte. Hon vidhåller att det var Sonja Hökberg ensam som slog och stack ihjäl Lundberg.
– Jag frågade om hur hon var.
Ann-Britt tänkte efter innan hon svarade.
– Hon var annorlunda. Hon verkade vara mer förberedd.
– Hur märkte du det?
– Hon talade fortare. Många av hennes svar gav intryck av att vara tillverkade i förväg. Det var först när jag började ställa frågor hon inte väntat sig som den där långsamma likgiltigheten kom tillbaka. Hon skyddar sig med den. Ger sig själv tid att tänka efter. Om hon är särskilt intelligent vet jag inte men knappast virrig. Hon håller reda på sina lögner. Jag kom inte på henne en enda gång med att motsäga sig själv trots att jag satt med henne i över två timmar. Det är ganska anmärkningsvärt.
Wallander drog till sig sitt kollegieblock.
– Vi tar bara det viktigaste nu, dina intryck. Resten kan jag läsa igenom när utskriften är klar.
– För mig är det alltså fullständigt klart att hon ljuger. Jag förstår ärligt talat inte hur nån som är 14 år kan vara så förhärdad.
– Eftersom hon är flicka?
– Det är till och med fortfarande sällsynt att pojkar är så hårda.
– Du lyckades inte rubba henne?
– Egentligen inte. Hon vidhåller att hon inte var inblandad. Och att hon var rädd för Sonja Hökberg. Jag försökte få ur henne varför hon var rädd. Men det gick inte. Det enda hon sa var att Sonja var väldigt tuff.
– Vilket hon säkert hade rätt i.
Ann-Britt bläddrade bland sina anteckningar.
– Hon förnekade att Sonja hade ringt efter det att hon smitit från polishuset. Ingen annan hade heller ringt.
– När hade hon fått reda på att Sonja var död?
– Hennes mamma hade blivit uppringd av Erik Hökberg och talat om det.
– Men Sonjas död måste ha skakat henne?
– Hon påstår det. Men jag kunde inte märka nånting. Även om hon naturligtvis var förvånad. Hon hade ingen som helst förklaring till varför Sonja hade begett sig till den där transformatorstationen. Inte heller kunde hon tänka sig vem som hade kört henne dit.

Wallander reste sig från bordet och ställde sig vid fönstret.
– Reagerade hon verkligen inte alls? Inget tecken på sorg eller smärta?
– Det är som jag sagt. Hon är kontrollerad och kall. Många svar var tillverkade på förhand, andra var ren lögn. Men jag fick en känsla av att hon inte alls var förvånad över det som hade hänt. Trots att hon påstod motsatsen.
Wallander slogs av en tanke som genast föreföll honom viktig.
– Verkade hon rädd för att nånting skulle kunna hända henne själv?
– Nej. Jag tänkte på det. Det som hände Sonja var ingenting som hade gjort henne orolig för egen del.
Wallander återvände till bordet.
– Låt oss anta att det här stämmer. Vad innebär det?
– Att Eva Persson kanske delvis talar sanning. Inte om mordet på Lundberg. Där är jag övertygad om att hon var med. Men att hon kanske inte visste så mycket om vad Sonja Hökberg höll på med i övrigt.
– Vad skulle det vara?
– Jag vet inte.
– Varför hade dom bytt plats på restaurangen?
– För att Sonja tyckte att det drog. Det upprepar hon envetet.
– Och mannen där bakom?
– Hon envisas med att hon inte sett nån. Hon hade heller inte lagt märke till att Sonja haft kontakt med nån annan än henne själv.
– Såg hon ingenting när dom lämnade restaurangen?
– Nej. Det kan nog också vara sant. Jag tror inte man ska beskylla Eva Persson för att vara världens mest uppmärksamma person.
– Frågade du om hon kände Tynnes Falk?
– Hon påstod att hon aldrig hade hört namnet.
– Talade hon sanning?
Ann-Britt dröjde med svaret.
– Kanske fanns där nån sorts tveksamhet hos henne. Jag vet faktiskt inte.
Jag borde ha hållit det där förhöret själv, tänkte Wallander uppgivet. Hade Eva Persson tvekat så hade jag sett det.
Ann-Britt tycktes ha läst hans tankar.
– Jag har inte samma säkerhet som du. Jag önskar jag kunde ha gett dig ett bättre svar.
– Förr eller senare tar vi reda på det. Om huvudingången är stängd får man ta sig in bakvägen.
– Jag försöker förstå, sa Ann-Britt. Men ingenting hänger ihop.

– Det kommer att ta tid, sa Wallander. Frågan är om vi inte skulle behöva hjälp. Vi är alldeles för få. Även om vi naturligtvis prioriterar det här och låter allt annat ligga.

Ann-Britt betraktade honom förvånat.

– Tidigare har du alltid hävdat att vi ska klara våra utredningar själva. Har du ändrat dig?

– Kanske.

– Är det nån som vet vad den omorganisering som nu pågår egentligen innebär? Jag gör det inte.

– Nåt vet vi trots allt, invände Wallander. Ystads polisdistrikt har upphört. Idag ingår vi i det som kallas Södra Skånes polisområde.

– Som ska innefatta 220 polistjänster. Men som samtidigt omfattar åtta kommuner. Från Simrishamn till Vellinge. Ingen vet hur det här kommer att fungera. Om det överhuvudtaget kommer att bli bättre.

– Det där bryr jag mig inte om just nu. Jag tänker på hur vi ska klara allt fotarbete i den här utredningen. Ingenting annat. Jag ska ta upp det med Lisa vid tillfälle. Om hon nu inte stänger av mig.

– Eva Persson hävdar för övrigt fortfarande att det var som hon och mamman sagt. Att du slog till henne utan anledning.

– Det tror jag säkert. Ljuger hon om annat så ljuger hon om det också.

Wallander reste sig. Samtidigt berättade han om inbrottet i Tynnes Falks lägenhet.

– Har liket dykt upp?

– Inte så vitt jag vet.

Ann-Britt hade blivit sittande i stolen.

– Förstår du nånting av det här?

– Ingenting, svarade Wallander. Men jag är orolig. Glöm inte att en stor del av Skåne blev mörklagt.

De gjorde sällskap genom korridoren. Hansson stack ut huvudet från sitt rum och meddelade att Växjöpolisen hade lokaliserat Eva Perssons pappa.

– Enligt vad dom kunde berätta bor han i ett fallfärdigt ruckel nånstans mellan Växjö och Vislanda. Nu undrar dom vad det är vi vill veta.

– Tills vidare ingenting, sa Wallander. Andra frågor är viktigare.

De bestämde att ha ett möte i spaningsgruppen halv två när Martinsson kommit tillbaka. Wallander återvände till sitt rum och ringde till verkstaden. Han kunde komma och hämta bilen genast. Han lämnade polishuset och gick Fridhemsgatan ner mot Surbrunnsplan. Den byiga vinden kom och gick.

Verkmästaren hette Holmlund och hade sett om Wallanders bilar i många år. Han hyste stor kärlek till motorcyklar och talade en nästan obegriplig skånska genom sin tandlösa mun. Under alla år hade Holmlund sett likadan ut. Wallander kunde fortfarande inte avgöra om han var närmare sextio än femtio år gammal.

– Det blev dyrt, sa Holmlund och log sitt tandlösa leende. Men det lönar sig. Om du säljer bilen så snart som möjligt.

Wallander körde därifrån. Missljudet var borta. Tanken på en ny bil gjorde honom på gott humör. Frågan var nu om han skulle hålla fast vid Peugeot eller byta märke. Han bestämde sig för att rådfråga Hansson som visste lika mycket om bilar som om travhästar.

Han körde ner till en grillbar vid Österleden och åt. Han försökte bläddra igenom en tidning men hade svårt att koncentrera sig. En tanke slog honom. Han hade letat efter ett centrum och prövat olika vägar att komma fram. Det senaste hade varit mörkläggningen. Om det som hade hänt vid transformatorstationen inte bara varit ett mord utan också ett kvalificerat och insiktsfullt sabotage? Men vad hände om han istället försökte hitta ett centrum genom att utgå från den man som dykt upp på restaurangen? Som hade gjort att Sonja Hökberg hade bytt plats. Mannen hade haft en falsk identitet. Dessutom hade fotografiet försvunnit från Tynnes Falks lägenhet. Wallander förbannade nu sig själv för att han inte gjort som han först tänkt och tagit med sig fotografiet. Då kunde kanske István ha känt igen den asiatiske mannen.

Wallander la ifrån sig gaffeln och ringde Nyberg på hans mobiltelefon. Han hade nästan gett upp när Nyberg svarade.

– Ett fotografi av en grupp män, sa Wallander. Har du hittat nåt sånt?

– Jag ska höra mig för.

Wallander väntade. Petade i den stekta fisken som inte smakade någonting.

Nyberg återkom.

– Vi har ett fotografi av tre män som står och håller ett antal laxar i händerna. Taget i Norge 1983.

– Ingenting annat?

– Nej. Hur kan du för övrigt veta att det ska finnas ett sånt fotografi?

Nyberg är inte dum, tänkte Wallander. Men han hade förberett sig på frågan.

– Det visste jag inte. Men jag söker fotografier av Tynnes Falks umgänge.

– Vi är snart färdiga här, sa Nyberg.

– Har du hittat nånting?
– Det verkar vara ett vanligt inbrott. Kan vara knarkare.
– Inga spår?
– Vi har en del fingeravtryck. Men dom kan naturligtvis tillhöra Falk. Hur vi nu ska kunna kontrollera det när kroppen är borta.
– Förr eller senare hittar vi honom.
– Det skulle jag inte vara så säker på. Om man stjäl ett lik gör man det knappast av nåt annat skäl än att man vill begrava det.
Wallander insåg att Nyberg hade rätt. Samtidigt slogs han av en annan tanke. Men Nyberg förekom honom.
– Jag pratade med Martinsson och bad honom göra en slagning på Tynnes Falk. Vi kunde ju inte utesluta att han fanns i våra register.
– Gjorde han det?
– Ja. Men fingeravtryck fanns inga.
– Vad hade han gjort?
– Enligt Martinsson hade han dömts till böter för skadegörelse.
– Vad menade han med det?
– Det får du fråga honom om, sa Nyberg vresigt.
Wallander avslutade samtalet. Klockan var tio minuter över ett. Efter att ha tankat återvände han till polishuset. Martinsson och han kom samtidigt.
– Ingen hade sett eller hört nåt, sa Martinsson medan de gick över parkeringsplatsen. Jag fick tag på alla. Det verkar mest vara äldre i huset och dom är hemma på dagarna. Och en kvinnlig sjukgymnast i din ålder.
Wallander gjorde inga kommentarer. Istället övergick han till det Nyberg hade berättat.
– Nyberg talade om skadegörelse?
– Jag har pappren på mitt rum. Det var nånting med minkar.
Wallander såg undrande på honom. Men han sa ingenting.
Han läste registerutdraget inne i Martinssons rum. 1991 hade Tynnes Falk gripits av polis, strax norr om Sölvesborg. En minkfarmare hade på natten upptäckt att någon höll på att öppna burar. Han hade ringt till polisen som ryckt ut med två bilar. Tynnes Falk hade inte varit ensam. Men han var den ende som blivit gripen. Vid förhör hade han omedelbart erkänt. Som skäl hade han angivit att han var motståndare till att djur dödas för att bli pälsvaror. Han hade dock nekat till att ha varit med i någon organisation och hade heller aldrig uppgivit namnet på någon av dem som lyckats komma undan i mörkret.
Wallander la ifrån sig pappren.
– Jag trodde bara det var ungdomar som höll på med sånt där? 1991 var Tynnes Falk över 40 år.

– Egentligen borde man sympatisera med dom, sa Martinsson. Min dotter är med i Fältbiologerna.

– Det är väl skillnad på att studera fåglar och förstöra för minkfarmare?

– Dom lär sig respekt för djuren.

Wallander ville inte bli alltför djupt indragen i en diskussion som han sannolikt snart skulle ha förlorat. Men att Tynnes Falk varit inblandad i en fritagning av minkar förbryllade honom.

Strax efter halv två samlades de. Det blev ett kort möte. Wallander hade tänkt presentera resultatet av sina funderingar. Men han bestämde sig för att vänta. Det var för tidigt. Kvart över två bröt de upp igen. Hansson skulle ha ett samtal med åklagaren. Martinsson försvann till sina datorer medan Ann-Britt skulle göra ett förnyat besök hemma hos Eva Perssons mamma. Wallander gick in på sitt rum och ringde till Marianne Falk. En telefonsvarare slogs på, men när han sa vem han var lyftes luren. De bestämde att ses vid lägenheten på Apelbergsgatan klockan tre. När Wallander kom dit i god tid hade Nyberg och teknikerna redan försvunnit. En polisbil stod parkerad ute på gatan. När Wallander gick uppför trappan öppnades plötsligt dörren till den lägenhet han helst av allt ville glömma. I dörren stod en kvinna han kände igen. Eller åtminstone trodde sig känna igen.

– Jag såg dig genom fönstret, sa hon och log. Jag tänkte jag ville hälsa. Om du kommer ihåg mig.

– Visst gör jag det, svarade Wallander.

– Men du hörde aldrig av dig som du lovade.

Wallander hade inget minne av något löfte. Men han betvivlade inte att han kunde ha gett ett. När han var tillräckligt berusad och attraherad av en kvinna kunde han lova nästan vad som helst.

– Det kom nånting emellan, sa han. Du vet hur det är.

– Vet jag?

Wallander mumlade något ohörbart till svar.

– Jag kan inte få bjuda på en kopp kaffe?

– Som du vet har det varit inbrott här uppe. Jag hinner nog inte.

Hon pekade på sin dörr.

– Jag skaffade säkerhetsdörr för flera år sen. Nästan alla i huset gjorde det. Utom Falk.

– Kände du honom?

– Han höll sig för sig själv. Vi sa hej i trappan. Ingenting annat.

Wallander fick genast en känsla av att hon kanske inte helt talade sanning. Men han brydde sig inte om att fråga något mer. Det enda han ville var att komma därifrån.

– En annan gång ska du få bjuda på kaffe, sa han.

– Vi får se.

Dörren stängdes. Wallander märkte att han hade blivit svettig. Han skyndade uppför den sista trappan. Samtidigt tänkte han att hon hade gjort ett viktigt påpekande. De flesta som bodde i huset hade låtit installera säkerhetsdörrar. Men inte Tynnes Falk, som av sin hustru hade beskrivits som rädd och omgiven av fiender.

Dörren hade ännu inte blivit reparerad. Han gick in i lägenheten. Nyberg och hans tekniker hade lämnat oredan som den varit.

Han satte sig på en stol i köket och väntade. Lägenheten var mycket tyst. Han såg på sin klocka. Tio minuter i tre. Han tyckte redan han kunde höra henne i trappan. Tynnes Falk kan naturligtvis ha varit snål, tänkte han. En säkerhetsdörr kostar mellan tio och femton tusen. Jag har själv fått reklamlappar nerstuckna i min brevlåda. Men det kan ju också vara så att Marianne Falk tar fel. Att det inte fanns några fiender. Ändå var han tveksam. Han påminde sig de egendomliga anteckningar han hade läst i loggboken. Tynnes Falks döda kropp förs bort från ett bårhus. Ungefär samtidigt gör någon inbrott i hans lägenhet. Åtminstone en personlig dagbok och ett fotografi är borta.

Bilden blev med ens mycket klar. Någon ville inte bli igenkänd eller att loggboken skulle studeras alltför ingående.

Ännu en gång förbannade Wallander tyst det faktum att han inte tagit med sig fotografiet. Anteckningarna i loggboken hade varit egendomliga, som om de hade skrivits av en förvirrad människa. Men något annat kunde ha kommit fram om han fått möjlighet att studera boken mer ingående.

Stegen i trappan hade närmat sig. Dörren sköts upp. Wallander reste sig för att ta emot henne. Han lämnade köket och gick ut i tamburen.

Instinktivt anade han faran och vände sig om.

Men det var för sent. En våldsam smäll dånade genom lägenheten.

15

Wallander kastade sig åt sidan.

Det var först efteråt som han på allvar insåg att den hastiga rörelsen hade räddat hans liv. Då hade Nyberg och hans tekniker redan petat fram kulan som borrat sig in i väggen strax intill ytterdörren. Vid den rekonstruktion som gjordes och framförallt vid undersökningen av Wallanders jacka kunde man slå fast vad som hade hänt. Wallander hade gått ut i tamburen för att möta Marianne Falk. Han hade varit vänd mot ytterdörren men instinktivt uppfattat att det fanns någon bakom honom som utgjorde ett hot. Någon som inte var Marianne Falk. Han hade ryckt till och samtidigt snubblat på en mattkant. Det hade varit tillräckligt för att den kula som samtidigt avlossades mot honom i brösthöjd skulle passera mellan bröstkorgen och hans vänstra arm. Den hade snuddat vid jackan och efterlämnat ett litet men ändå alldeles märkbart spår.

Samma kväll letade han reda på ett måttband hemma. Jackan hade han lämnat till polisen för närmare undersökning. Men han mätte från skjortärmens insida till den punkt där han trodde att hans hjärta började. Avståndet fick han till sju centimeter. Den slutsats han drog, samtidigt som han hällde upp ett glas whisky, var att det var mattkanten som räddat hans liv. Än en gång påminde han sig hur han som ung polisman i Malmö blivit knivskuren. Bladet hade trängt in i bröstet åtta centimeter från hjärtats högra sida. Den gången hade han skapat en besvärjelse åt sig. *Att leva har sin tid, att vara död har sin.* Nu drabbades han av en oroande upplevelse av att marginalen under dessa trettio år hade minskat med exakt en centimeter.

Vad som egentligen hade hänt, vem det var som skjutit mot honom visste han inte. Wallander hade aldrig uppfattat annat än en skugga. Ett hastigt förbiskymtande väsen som rörde sig och upplöstes i den våldsamma smällen och hans eget fall in bland Tynnes Falks upphängda ytterkläder.

Han trodde att han blivit träffad. När han hörde ett skrik, fortfarande med ekot av smällen dånande i öronen, trodde han att det var han själv som skrek. Men det var Marianne Falk som blivit påsprungen och nerslagen av den flyende skuggan. Inte heller hon hade uppfattat hans utseende. När Martinsson talade med henne hade hon sagt att hon alltid såg på sina fötter när hon gick uppför en trappa. Hon hade hört smällen men fått en känsla av att den kommit nerifrån. Därför hade hon stannat och vänt sig om. Hon hade sedan uppfattat att någon varit på väg emot henne. Men när hon vänt sig uppåt igen hade hon fått ett slag i ansiktet och ramlat omkull.

Märkligast var ändå att ingen av de två poliser som satt i bevakningsbilen utanför huset hade uppfattat någonting. Den man som skjutit mot Wallander måste ha lämnat huset genom huvudingången. Dörren till källaren var låst. Men polismännen hade inte sett någon som sprungit ut från huset. De hade noterat när Marianne Falk gått in. Sedan hade de uppfattat smällen utan att genast förstå vad det var och utan att ha sett någon komma ut genom porten.

Martinsson lät sig motvilligt övertygas. Men han letade ändå igenom hela huset, tvingade uppskrämda pensionärer och en något lugnare sjukgymnast att öppna sina dörrar och gav poliserna besked om att de skulle leta igenom varje garderob, titta under varje säng. Men ingenstans fann de några spår. Hade det inte varit för kulan som borrat sig in i väggen hade Wallander själv kunnat börja tro att han inbillat sig allting.

Ändå visste han. Och han visste också något annat som han tills vidare bestämde att hålla för sig själv. Han kunde tacka mattkanten för sitt liv på mer än ett sätt. Inte bara för att han snubblat. Men också för att just det övertygat den man som sköt att han verkligen blivit träffad. Kulan som Nyberg grävt fram ur betongen var av den typ som sliter upp ett kraterliknande sår i en människa som blir träffad. När Nyberg visade Wallander kulan fick han förklaringen till att mannen som skjutit bara avlossat ett enda skott. Han hade varit övertygad om att det skulle vara dödande.

Efter den första förvirringen hade jakten börjat. Trappuppgången hade varit full av beväpnade polismän med Martinsson i spetsen. Men ingen visste vem de letade efter och varken Marianne Falk eller Wallander kunde ge den minsta antydan om ett signalement. Bilarna jagade runt längs Ystads gator, det gick ut ett regionalt larm, men alla visste naturligtvis på förhand att ingen skulle gripas. Martinsson och Wallander höll till i köket medan Nyberg och hans tekniker säkrade spår och karvade ut den söndersprängda kulan ur väggen. Marianne Falk hade åkt hem för att byta kläder. Wallander hade lämnat ifrån sig sin jacka. Han hade fortfarande ont i öronen efter smällen. Lisa Holgersson kom tillsammans med Ann-Britt, och Wallander var tvungen att ännu en gång gå igenom vad som hade hänt.

– Frågan är varför han sköt, sa Martinsson. Här har redan varit inbrott. Nu kommer nån beväpnad tillbaka.

– Det vi kan undra över är naturligtvis om det är samme man, sa Wallander. Varför kommer han tillbaka? Jag kan inte se nån annan orsak än att det är nåt han söker efter. Som han inte fick med sig första gången.

– Finns det inte en fråga till? sa Ann-Britt. Vem var det han sköt efter?

Wallander hade redan från början ställt sig samma fråga. Kunde det som hänt härledas till den natt då han ensam begett sig till lägenheten? Hade han haft rätt när han vid ett par tillfällen gått fram till fönstret och försiktigt spanat ut i mörkret? Att det hade funnits någon där? Han tänkte att han nu borde säga som det var. Men något höll honom fortfarande tillbaka.

– Varför skulle nån skjuta på mig? sa Wallander. Det råkade vara jag som var här när mannen återkom. Vad vi bör fråga oss är vad han letade efter. Vilket i sin tur innebär att Marianne Falk bör komma tillbaka hit så fort som möjligt.

Martinsson lämnade Apelbergsgatan tillsammans med Lisa Holgersson. Teknikerna höll på att avsluta sitt arbete. Ann-Britt blev sittande tillsammans med Wallander i köket. Marianne Falk hade ringt och sagt att hon var på väg.

– Hur känns det? frågade Ann-Britt.

– Det känns för jävligt. Det vet du.

Några år tidigare hade Ann-Britt Höglund blivit nerskjuten på en leråker strax utanför Ystad. Delvis hade det varit Wallanders fel, eftersom han hade beordrat fram henne utan att ha märkt att den person de skulle gripa hade hittat en pistol som Hansson tidigare hade tappat. Hon hade blivit livsfarligt skadad. Det hade tagit lång tid innan hon återvänt. När hon en dag trädde i tjänst igen var hon förändrad. Till Wallander hade hon flera gånger berättat om den rädsla som följde henne ända in i drömmarna.

– Jag klarade mig, fortsatte Wallander. En gång blev jag nerstucken med kniv. Men hittills har jag klarat mig från att få en kula i mig.

– Du borde tala med nån, sa hon. Det finns krisgrupper.

Wallander ruskade otåligt på huvudet.

– Det behövs inte. Och jag vill inte tala mer om det heller.

– Jag förstår inte att du alltid måste vara så tjurig. Du är en bra polis, men du är faktiskt inte mer än människa du heller. Sen kan du gå omkring och inbilla dig vad fan som helst. Men du tar fel.

Wallander blev förvånad över hennes utbrott. Dessutom hade hon alldeles rätt. Den polisroll han tog på sig varje dag dolde en människa som han nästan hade glömt bort.

– Du borde i alla fall gå hem, slutade hon.

– Vad skulle bli bättre av det?

I samma ögonblick kom Marianne Falk in i lägenheten. Wallander såg en möjlighet att bli av med Ann-Britt och hennes besvärande frågor.

– Jag talar helst med henne själv, sa han. Tack för hjälpen.

– Vilken hjälp?

Ann-Britt gick. Wallander drabbades av ett kort yrselanfall när han reste sig upp.

– Vad var det som hände? frågade Marianne Falk.

Wallander såg att en kraftig svullnad höll på att växa fram på hennes vänstra överkäke.

– Jag kom några minuter före tre. Sen hörde jag nån i dörren. Jag trodde det var du. Men det var det alltså inte.

– Vem var det?

– Jag vet inte. Tydligen vet inte du det heller.

– Jag hann aldrig se hur han såg ut.

– Men du är säker på att det var en man?

Hon blev överraskad av frågan och tänkte efter innan hon svarade.

– Ja, sa hon sedan. Det var en man.

Wallander visste att hon hade rätt. Utan att han på något sätt kunde bevisa det.

– Låt oss börja i vardagsrummet, sa han. Jag vill att du går runt i rummet och ser om du kan upptäcka nåt som är borta. Sen fortsätter du med nästa rum. Ta tid på dig. Du kan öppna lådor och titta bakom gardiner.

– Det skulle Tynnes aldrig ha tillåtit. Han var en man med många hemligheter.

– Vi pratar sen, avbröt Wallander. Börja i vardagsrummet.

Han kunde se att hon verkligen ansträngde sig. Från dörröppningen följde han henne med blicken. Ju mer han såg på henne, desto vackrare tyckte han att hon blev. Han undrade hur han skulle ha formulerat en bekantskapsannons för att få henne att svara. Hon fortsatte genom sovrummet. Han letade hela tiden efter tecken på att hon skulle tveka. Att kanske något ändå fattades. När de kom tillbaka till köket hade det gått mer än en halvtimme.

– Du öppnade inte hans garderober, sa Wallander.

– Jag vet ändå inte vad han hade där. Hur skulle jag då kunna säga vad som var borta?

– Var det nånting som verkade fattas i rummen?

– Nej, ingenting.

– Hur pass väl kände du egentligen till hans lägenhet?

– Vi bodde aldrig här tillsammans. Han flyttade hit när vi skilde oss. Han ringde ibland. Det hände nån enstaka gång att vi åt middag tillsammans. Barnen besökte honom oftare än jag.

Wallander försökte erinra sig vad Martinsson sagt när han första gången berättat om den döde mannen vid bankomaten.

– Stämmer det att din dotter bor i Paris?

– Ina är bara sjutton och arbetar som barnflicka på den danska ambassaden. Hon vill lära sig franska.

– Och din son?

– Jan? Han studerar i Stockholm. Han är nitton.

Wallander återförde samtalet till att handla om lägenheten.

– Tror du att du skulle ha lagt märke till om nåt varit borta?

– Bara om det hade det varit nåt som jag sett tidigare.

Wallander nickade. Sedan ursäktade han sig. Han gick tillbaka till vardagsrummet och tog bort en av tre porslinstuppar som stod i ett fönster. När han kom tillbaka till köket bad han henne att gå igenom vardagsrummet ännu en gång.

Hon upptäckte nästan genast att tuppen saknades. Wallander förstod att de inte skulle komma längre. Hennes synminne var gott. Även om hon inte ens kände till innehållet i garderoberna.

De satte sig i köket. Klockan hade blivit närmare fem. Höstmörkret föll över staden.

– Vad gjorde han? frågade Wallander. Jag har förstått att han drev ett enmansföretag inom databranschen.

– Han var konsult.

– Vad innebar det?

Hon såg undrande på honom.

– Det här landet styrs av konsulter idag. Snart kommer partiledarna att vara ersatta av konsulter. Konsulter är högavlönade experter som flyger runt och kommer med lösningar. Går det dåligt får dom också ta på sig rollen som syndabock. Men för det lidandet har dom ganska bra betalt.

– Din man var alltså konsult inom databranschen?

– Jag vore tacksam om du inte kallade Tynnes »min man«. Det var han inte längre.

Wallander blev otålig.

– Kan du berätta mer i detalj om vad han gjorde?

– Han var mycket skicklig på att bygga upp olika interna styrsystem.

– Vad innebär det?

För första gången log hon.

– Jag tror inte jag kan förklara om du inte ens har dom mest elementära kunskaper om hur datorer fungerar.

Wallander insåg att hon hade rätt.

– Vilka var hans kunder?

– Såvitt jag vet arbetade han mycket med banker.

– Nån speciell bank?

– Det vet jag inte.

– Vem kan veta det?

– Han hade ju en revisor.

Wallander letade i fickorna efter ett papper för att skriva upp namnet. Det enda han hittade var fakturan från bilverkstaden.

– Han heter Rolf Stenius och har kontor i Malmö. Hans adress eller telefonnummer har jag inte.

Wallander la ifrån sig pennan. En aning om att han hade förbisett något hade dykt upp i hans huvud. Han försökte gripa fatt i tanken utan att lyckas. Marianne Falk hade tagit upp ett paket cigaretter.

– Stör det om jag röker?

– Inte alls.

Hon hämtade ett fat från diskbänken och tände cigaretten.

– Tynnes skulle vända sig i sin grav. Han hatade cigaretter. Under hela vårt äktenskap jagade han ut mig på gatan för att röka. Nu kan jag i alla fall ta en liten hämnd.

Wallander passade på tillfället att vrida samtalet åt ett annat håll.

– När vi talades vid första gången sa du att han hade fiender. Och att han var orolig.

– Han gav det intrycket.

– Du förstår säkert att det här är mycket viktigt.

– Om jag visste mer skulle jag naturligtvis berätta det. Men sanningen är att jag inte vet.

– Man kan se på en människa att hon är orolig. Men kan man se att hon har fiender? Han måste ha sagt nånting?

Hon dröjde med svaret. Rökte och såg ut genom fönstret. Det var mörkt. Wallander väntade.

– Det började för några år sen, sa hon. Jag märkte att han var orolig. Men också uppspelt. Som om han blivit manisk. Sen började han göra egendomliga uttalanden. Jag kunde komma hit och dricka kaffe. Plötsligt kunde han säga: om folk visste skulle dom slå ihjäl mig. Eller: man kan aldrig veta hur nära förföljarna är.

– Sa han verkligen så?

– Ja.

– Och han gav ingen förklaring?

– Nej.

– Frågade du inte vad han menade?

– Då kunde han brusa upp och be mig vara tyst.

Wallander tänkte efter innan han fortsatte.
– Låt oss tala lite om era två barn.
– Dom vet naturligtvis om att han är död.
– Tror du att nån av dom har upplevt samma sak som du? Att han blivit orolig? Och börjat tala om fiender?
– Det tvivlar jag på. Dom hade mycket lite kontakt med varandra. För det första bodde dom hos mig. Dessutom var nog inte Tynnes särskilt road av att ha dom på besök alltför ofta. Det här säger jag inte för att tala illa om honom. Det kan både Jan och Ina bekräfta.
– Han måste ha haft vänner?
– Mycket få. Jag insåg efterhand att jag hade gift mig med en enstöring.
– Vem kände honom förutom du?
– Jag vet att han brukade träffa en kvinna som också var datakonsult. Hon heter Siv Eriksson. Hennes telefonnummer har jag inte. Men hon har kontor nere på Skansgränd. Alldeles intill Sjömansgatan. Dom utförde en del uppdrag tillsammans.
Wallander gjorde en anteckning. Marianne Falk släckte sin cigarett.
– Jag har en sista fråga, sa Wallander. I alla fall för ögonblicket. För några år sen blev Tynnes Falk tagen av polisen när han släppte ut minkar. Han fick böter.
Hon betraktade honom med en förvåning som verkade äkta.
– Det har jag aldrig hört om.
– Men kan du förstå det?
– Att han släppte ut minkar? Varför i herrans namn skulle han ha gjort det?
– Du vet inte om han hade kontakt med några organisationer som kunde syssla med såna saker?
– Vad skulle det vara?
– Militanta miljöorganisationer. Djurvänner.
– Det här har jag mycket svårt att tro på.
Wallander nickade. Han visste att hon talade sanning. Hon reste sig.
– Jag kommer att behöva tala med dig igen, sa Wallander.
– Min före detta man gav mig ett generöst underhåll när vi skildes. Det betyder att jag slipper göra det jag avskyr mest av allt.
– Vad är det?
– Arbeta. Jag tillbringar mina dagar med att läsa böcker. Och brodera rosor på små linnedukar.
Wallander undrade om hon drev med honom. Men han sa ingenting. Han följde henne ut till dörren. Hon betraktade hålet i väggen intill.

– Har inbrottstjuvar börjat skjuta på folk nuförtiden?
– Det händer.
Hon betraktade honom nerifrån och upp.
– Men du har inget vapen att försvara dig med?
– Nej.
Hon skakade på huvudet, räckte fram handen och tog adjö.
– En sak till, sa Wallander. Hyste Tynnes Falk nåt intresse för rymden?
– Vad menar du med det?
– Rymdskepp, eller astronomi.
– Det har du redan frågat om. Jag svarar samma sak igen. Att han mycket sällan lyfte på huvudet för att se på himlen. Gjorde han det så var det säkert bara för att kontrollera att stjärnorna verkligen fanns kvar. Han var mycket oromantisk till sin läggning.
Hon blev stående i trappan.
– Vem lagar den här dörren?
– Finns det ingen fastighetsskötare?
– Det bör du nog fråga nån annan om.
Marianne Falk fortsatte nerför trappan. Wallander återvände in i lägenheten. Han satte sig på stolen i köket. Samma ställe där han först hade fått känslan av att det var något han förbisåg. Det var Rydberg som hade lärt honom att alltid vara lyhörd för sina inre alarmklockor. I den tekniska och rationalistiska värld där poliser levde, och måste leva, hade ändå alltid det intuitiva sin givna och avgörande betydelse.
Han satt orörlig några minuter. Sedan kom han på vad det var. Återigen handlade det om att ställa saker på huvudet för att få dem på fötterna. Marianne Falk hade inte kunnat se att något fattades. Kunde det betyda att den man som gjort inbrottet och sedan skjutit mot Wallander istället hade kommit för att lämna någonting? Wallander skakade på huvudet åt sin egen tanke. Han skulle just resa sig från stolen när han ryckte till. Någon hade knackat på dörren. Wallander märkte att hjärtat bultade hårt. Först när knackningen återkom insåg han att det knappast var någon som återvänt för att försöka döda honom. Han gick ut i tamburen och sköt upp dörren. Det stod en äldre man där med käpp i handen.
– Jag söker herr Falk, sa han med bestämd röst. Jag har kommit för att klaga.
– Vem är du? frågade Wallander.
– Jag heter Carl-Anders Setterkvist och äger det här huset. Det har kommit upprepade klagomål om oväsen och spring i trapporna av militärer. Om herr Falk är här vill jag tala med honom personligen.

– Herr Falk är död, svarade Wallander, onödigt brutalt.

Setterkvist såg undrande på honom.

– Död? Vad menas med det?

– Jag är polis, sa Wallander. Kriminalpolis. Här har varit inbrott. Men Tynnes Falk är död. Han dog i måndags natt. Det är inte militärer som springer här i trapporna utan poliser.

Setterkvist tycktes för ett ögonblick värdera om Wallander talade sanning eller inte.

– Jag vill se en polisbricka, sa han sedan bestämt.

– Brickorna försvann för många år sen, svarade Wallander. Men du kan få se min legitimation.

Han tog fram den ur fickan. Setterkvist granskade den ingående. Wallander berättade kortfattat vad som hänt.

– Mycket beklagligt, sa Setterkvist. Hur går det då med lägenheterna?

Wallander hajade till.

– Lägenheterna?

– Vid mina år är det alltid besvärligt när det kommer nya hyresgäster. Man vill ju gärna veta vad det är för folk som flyttar in. Särskilt i ett sånt här hus där det mest bor äldre människor.

– Bor du här själv?

Setterkvist blev omedelbart förnärmad.

– Jag bor i en villa utanför stan.

– Du sa »lägenheterna«?

– Vad skulle jag annars ha sagt?

– Betyder det att Tynnes Falk hyr mer än den här lägenheten?

Setterkvist gav tecken med käppen att han ville komma in. Wallander steg åt sidan.

– Jag vill bara påminna om att här har varit inbrott och ser ganska rörigt ut.

– Jag har haft inbrott själv, svarade Setterkvist oberört. Jag vet hur det kan se ut.

Wallander lotsade ut honom i köket.

– Herr Falk var en utmärkt hyresgäst, sa Setterkvist. Aldrig försenad med hyrorna. Vid min ålder brukar man aldrig bli förvånad över nånting. Men jag måste säga att klagomålen som kommit in dom senaste dagarna förvånade mig. Därför for jag hit.

– Han hade alltså mer än en lägenhet, upprepade Wallander.

– Jag äger en mycket förnämlig gammal fastighet vid Runnerströms Torg, sa Setterkvist. Där hyrde Falk en mindre vindslägenhet. Han sa att han behövde den till sitt arbete.

Det kan förklara bristen på datorer, tänkte Wallander. I den här lägenheten finns inte mycket som tyder på att det förekom någon företagsamhet.

– Jag skulle behöva se på den lägenheten, sa Wallander.

Setterkvist tänkte efter ett ögonblick. Sedan drog han upp den största nyckelknippa som Wallander någonsin sett. Men Setterkvist visste direkt vilka nycklar han sökte. Han tog loss dem från nyckelknippan.

– Du ska naturligtvis få ett kvitto, sa Wallander.

Setterkvist skakade på huvudet.

– Man måste kunna lita på folk, sa han. Rättare sagt, man måste kunna lita på sitt eget omdöme.

Setterkvist marscherade iväg. Wallander ringde till polishuset och bad om hjälp med att försegla lägenheten. Sedan gick han raka vägen ner till Runnerströms Torg. Klockan var närmare sju. Vinden var fortfarande byig. Wallander frös. Den jacka han fått låna av Martinsson var tunn. Han tänkte på pistolskottet. Fortfarande var det overkligt. Han undrade hur han skulle reagera om några dagar, när han på allvar insett hur nära döden han egentligen varit.

Huset vid Runnerströms Torg var byggt i början av seklet och hade tre våningar. Wallander ställde sig på andra sidan gatan och såg upp mot takfönstren i vindsvåningen. Inga ljus var tända. Innan han gick fram mot porten såg han sig omkring. En man cyklade förbi. Sedan var han ensam. Han gick över gatan och öppnade porten. Från en lägenhet hördes musik. Han tände trappljuset. När han kom upp till vindsvåningen fanns bara en enda dörr. En säkerhetsdörr utan namnskylt och brevlåda. Wallander lyssnade. Allt var tyst. Sedan låste han upp. I dörröppningen blev han stående och lyssnade in i mörkret. Ett kort ögonblick tyckte han sig höra någon andas där inifrån och gjorde sig beredd att fly innan han förstod att det var inbillning. Han tände ljuset och drog igen dörren bakom sig.

Rummet var stort. Men det var nästan alldeles tomt. Allt som fanns var ett bord och en stol. På bordet stod en stor dator. Wallander gick fram till bordet. Intill datorn låg något som såg ut som en ritning. Wallander tände bordslampan.

Efter ett ögonblick förstod han vad det var.

Ritningen föreställde den transformatorstation där Sonja Hökberg hade hittats död.

16

Wallander höll andan.

Han tänkte att han måste ha sett fel. Ritningen föreställde någonting annat. Sedan försvann tvivlet. Han visste att han hade rätt. Försiktigt la han tillbaka pappret intill den stora datorn med sin mörka skärm. Han kunde se sitt eget ansikte speglas i ljuset från lampan. Det fanns en telefon på bordet. Han tänkte att han borde ringa till någon. Martinsson eller Ann-Britt. Och Nyberg. Men han lyfte inte telefonluren. Istället började han långsamt gå runt i rummet. Här hade Tynnes Falk suttit och arbetat, tänkte han. Bakom en säkerhetsdörr som skulle vara mycket svår att forcera för den som försökte. Här hade han suttit och arbetat som datakonsult. Ännu vet jag ingenting om vad hans arbete innebar. Men en kväll ligger han död utanför en bankomat. Hans kropp försvinner från bårhuset. Och nu hittar jag en ritning över en transformatorstation bredvid hans dator.

Under ett svindlande ögonblick tyckte Wallander att han anade en förklaring. Men myllret av detaljer var alltför stort. Wallander gick runt i rummet. Vad finns? tänkte han, och vad saknas? En dator, en stol, ett bord och en lampa. Det finns en telefon och en ritning. Men inga hyllor. Inga pärmar, inga böcker. Här finns inte ens en penna.

Efter att ha gått ett varv i rummet återvände han till skrivbordet och tog lampskärmen i handen. Sedan vred han upp den och belyste långsamt väggarna. Lampans ljus var starkt. Men han kunde inte upptäcka några tecken på gömställen. Han satte sig på stolen. Tystnaden runt honom var mycket stark. Fönstren och väggarna var tjocka. Genom dörren trängde heller inga ljud. Hade han haft Martinsson med sig hade han bett honom att starta upp datorn. Martinsson skulle ha älskat uppgiften. Men Wallander själv vågade inte röra den. Återigen tänkte han att han borde ringa till Martinsson. Men han tvekade. Jag måste förstå, tänkte han. Det är det viktigaste just nu. På kortare tid än jag vågat hoppas har ett stort antal händelser kopplats ihop. Problemet är bara att jag inte förmår tolka det jag ser.

Klockan hade närmat sig åtta. Han bestämde sig slutligen för att ringa till Nyberg.

Det kunde inte hjälpas att det var kväll och att Nyberg hade arbetat nästan helt utan sömn i flera dygn. Många skulle ha menat att undersökningen av kontoret kunde vänta till dagen efter. Men inte Wallander. Känslan av att någonting var bråttom blev hela tiden starkare. Han ringde Nyberg på sin mobiltelefon. Nyberg lyssnade och gjorde inga kommentarer. När han noterat adressen avslutade Wallander samtalet och gick ner på gatan för att möta honom.

Nyberg kom ensam i sin bil. Wallander hjälpte honom att bära upp hans väskor.

– Vad letar jag efter här? frågade Nyberg när de hade kommit upp i lägenheten.

– Avtryck. Gömställen.

– Då kallar jag tills vidare inte in nån annan. Om fotografering och videoupptagning kan vänta?

– Det räcker om det görs i morgon.

Nyberg nickade och tog av sig skorna. Ur en av väskorna plockade han fram ett par specialtillverkade plastskor. Nyberg hade till för något år sedan ständigt varit missnöjd med de fotskydd som erbjöds. Till slut hade han konstruerat en egen modell och tagit kontakt med en tillverkare. Wallander antog att han hade betalat allt ur egen ficka.

– Är du bra på datorer? frågade han.

– Jag vet lika lite som nån annan om hur dom egentligen fungerar, svarade Nyberg. Men nog kan jag starta den om du vill.

Wallander skakade på huvudet.

– Det är säkrast att Martinsson gör det, sa han. Han kommer aldrig att förlåta mig om jag låter nån annan ta sig an en dator.

Sedan visade han Nyberg pappret som låg på bordet. Nyberg upptäckte genast vad ritningen föreställde. Han såg undrande på Wallander.

– Vad betyder det här? Var det Falk som dödade flickan?

– När hon mördades var han själv redan död, svarade Wallander.

Nyberg nickade.

– Jag är trött, sa han. Jag blandar ihop dagar och timmar och händelser. Nu väntar jag bara på pensionen.

I helvete du gör, tänkte Wallander. Du fruktar den.

Nyberg hämtade ett förstoringsglas ur en av väskorna och satte sig vid skrivbordet. Under några minuter studerade han ritningen i detalj. Wallander stod tyst och väntade.

– Det här är ingen kopia, sa Nyberg till sist. Det är ett original.

– Är du säker?

– Inte helt. Men nästan.

– Det skulle alltså betyda att nån saknar den i ett arkiv?

– Jag vet inte om jag har förstått rätt, sa Nyberg. Men jag talade en del med den där linjereparatören Andersson. Om säkerheten kring kraftlinjerna. Rimligtvis borde det vara omöjligt för utomstående att kopiera den här ritningen. Och än mer besvärligt att komma åt ett original.

Wallander insåg att Nybergs kommentar var viktig. Hade ritningen stulits från ett arkiv kunde det ge nya ledtrådar.

Nyberg riggade upp sitt arbetsljus. Wallander bestämde sig för att lämna honom ifred.

– Jag åker upp till polishuset. Om du behöver mig är jag där.

Nyberg svarade inte. Han var redan i gång med sitt arbete.

När Wallander kom ner på gatan märkte han att ett annat beslut höll på att ta form i hans huvud. Han skulle inte åka till polishuset. I alla fall inte raka vägen. Marianne Falk hade talat om en kvinna som hette Siv Eriksson. Hon skulle kunna svara på vad Tynnes Falk egentligen hade gjort som datakonsult och hon bodde alldeles i närheten. Åtminstone hade hon sitt kontor där. Wallander lät bilen stå. Han följde Långgatan in mot centrum och svängde sedan höger när han kommit fram till Skansgränd. Staden var öde. Två gånger stannade han och vände sig om. Men ingen fanns bakom honom. Vinden var fortfarande byig och han frös. Medan han gick började han tänka på pistolskottet. Han undrade när han på allvar skulle inse hur nära det varit. Han undrade också hur han då skulle reagera.

När han kom fram till det hus som Marianne Falk beskrivit såg han genast skylten som satt intill porten. *Serkon.* »Siv Eriksson konsult«, tänkte han.

Kontoret skulle ligga på andra våningen. Han tryckte på porttelefonen och hoppades på tur. Om det bara var ett kontor skulle han bli tvungen att leta reda på hennes bostadsadress.

Svaret kom nästan genast. Wallander lutade sig fram mot telefonen, sa vem han var och sitt ärende. Kvinnan som svarat var tyst. Sedan surrade det i dörren. Wallander gick in.

Hon stod i dörröppningen och väntade på honom när han kom i trappan. Trots att ljuset från tamburen bländade honom kände han genast igen henne.

Han hade träffat henne kvällen innan, när han hållit sitt föredrag. Han hade också tagit henne i hand. Men naturligtvis inte lagt hennes namn på minnet. Samtidigt tänkte han hastigt att det var egendomligt att hon själv inte hade gett sig till känna. Trots allt måste hon ha vetat om att Falk var död.

Ett ögonblick blev han osäker. Kanske hon trots allt inte visste någonting? Kanske stod han här och var tvungen att framföra ett dödsbud?

– Jag beklagar att jag stör, sa han.

Hon släppte in honom i tamburen. Någonstans ifrån kom doften av brinnande ved. Nu såg han henne tydligt. Hon var i fyrtioårsåldern, hade halvlångt mörkt hår och skarpa anletsdrag. Kvällen innan hade han varit alldeles för nervös för att på allvar lägga märke till hur hon såg ut. Men den kvinna han nu hade framför sig gjorde honom generad. Som han bara blev när han uppfattade en kvinna som tilldragande.

– Jag ska förklara varför jag har kommit, sa han.

– Jag vet redan att Tynnes är död. Marianne ringde mig.

Wallander märkte att hon verkade sorgsen. Själv kände han lättnad. Under alla de år han varit polis hade han aldrig lyckats vänja sig vid att framföra ett dödsbud.

– Som arbetskamrater måste ni ha stått varandra nära, sa han.

– Ja och nej, svarade hon. Vi stod varandra nära. Mycket nära. Men bara när det gällde arbetet.

Wallander undrade om närheten trots allt hade bestått i något mer. En oklar känsla av svartsjuka for hastigt igenom honom.

– Jag antar att det är viktigt om polisen besöker mig på kvällen, sa hon och räckte Wallander en galge.

Han följde efter henne in i ett smakfullt möblerat vardagsrum. I den öppna spisen brann en brasa. Wallander fick en känsla av att möblerna och tavlorna var dyrbara.

– Kan jag bjuda på nåt?

Whisky, tänkte Wallander. Det skulle jag behöva.

– Det är inte nödvändigt, sa han.

Han satte sig i hörnet i en mörkblå soffa. Hon slog sig ner i en fåtölj mitt emot honom. Hon hade vackra ben. Han märkte plötsligt att hon uppfattade hans blick.

– Jag kommer just från Tynnes Falks kontor, sa Wallander. Förutom en dator fanns där ingenting.

– Tynnes var asketisk. Han ville ha det rent omkring sig när han arbetade.

– Egentligen är det därför jag har kommit. För att fråga om vad han gjorde. Eller vad ni gjorde.

– Vi samarbetade. Men inte alltid.

– Låt oss börja med vad han gjorde när han arbetade ensam.

Wallander ångrade att han inte hade ringt till Martinsson. Risken var påtaglig att han skulle få svar som han inte kunde tolka.

Ännu var det heller inte för sent att kontakta honom. Men för tredje gången denna kväll lät han bli att ringa.

– Jag vet inte mycket om datorer, sa Wallander. Därför måste du vara mycket tydlig. Annars är risken stor att jag inte förstår.

Hon betraktade honom leende.

– Det förvånar mig, sa hon. Igår kväll när jag lyssnade på ditt föredrag fick jag en känsla av att polisen idag arbetar med datorer som sina bästa medhjälpare.

– Det gäller inte mig. Fortfarande måste en del av oss ägna tid åt att prata med folk. Inte bara slå i olika register. Eller skicka elektroniska meddelanden fram och tillbaka.

Hon reste sig och gick fram till eldstaden och rörde om bland veden. Wallander betraktade henne. När hon vände sig om såg han hastigt ner på sina händer.

– Vad var det du ville veta? Och varför vill du veta det?

Wallander bestämde sig att besvara den andra frågan först.

– Vi är inte längre säkra på att Tynnes Falk dog av nån form av akut sjukdom. Även om läkarna till en början bedömde att det var en hjärtinfarkt.

– En hjärtinfarkt?

Hennes förvåning verkade alldeles uppriktig. Wallander tänkte genast på den läkare som hade besökt honom för att protestera.

– Det låter märkligt att det skulle ha varit nåt fel på Tynnes hjärta. Han var mycket vältränad.

– Det har jag också hört av andra. Det är ett av skälen till att vi har börjat granska det hela. Frågan är bara vad det skulle ha varit om vi utesluter akut sjukdom. Nån form av övervåld ligger naturligtvis närmast till hands. Eller en ren olyckshändelse. Att han har snubblat och slagit huvudet så olyckligt att han avlidit.

Hon skakade vantroget på huvudet.

– Tynnes skulle aldrig ha låtit nån komma honom nära.

– Vad menar du med det?

– Han var alltid uppmärksam. Han pratade ofta om att han kände sig osäker på gatorna. Så han var beredd. Och han var mycket snabb. Han hade dessutom lärt sig nån asiatisk kampsport som jag har glömt namnet på.

– Han klöv tegelstenar med handen?

– Ungefär.

– Du tror alltså att det var en olyckshändelse?

– Det utgår jag ifrån.

Wallander nickade tyst, innan han fortsatte.

– Det finns också andra skäl till att jag har kommit hit. Men

dom kan jag tyvärr inte gå närmare in på för ögonblicket.
Hon hade hällt upp ett glas rödvin. Försiktigt satte hon ner det på armstödet.
– Du förstår säkert att jag blir nyfiken?
– Jag kan ändå ingenting säga.
Lögn, tänkte Wallander. Ingenting hindrar mig från att säga betydligt mer. Jag sitter bara här och utövar nån besynnerlig makt.
Hon avbröt hans tankar.
– Vad är det du vill veta?
– Vad gjorde han?
– Han var en mycket skicklig systeminnovatör.
Wallander lyfte handen.
– Redan här tar det stopp. Vad innebär det?
– Han konstruerade dataprogram åt olika företag. Eller så anpassade och förbättrade han redan befintliga program. När jag säger att han var skicklig så menar jag vad jag säger. Han fick flera erbjudanden om att utföra kvalificerade uppdrag både i Asien och USA. Men han tackade alltid nej. Trots att han skulle ha kunnat tjäna mycket pengar.
– Varför sa han nej?
Hon såg plötsligt bekymrad ut.
– Jag vet faktiskt inte.
– Men ni talade om det?
– Han berättade om dom erbjudanden han fått. Och vilka löner som erbjöds. Hade det varit jag hade jag tackat ja direkt. Men inte han.
– Sa han varför?
– Han ville inte. Han tyckte inte han behövde det.
– Han hade alltså gott om pengar?
– Det tror jag ändå inte. Det hände att han behövde låna av mig.
Wallander rynkade pannan. Någonting sa honom att de närmade sig något som var betydelsefullt.
– Han sa ingenting mer?
– Ingenting. Han tyckte inte han behövde det. Det var bara så. Försökte jag fråga vidare klippte han av. Han kunde vara häftig ibland. Gränserna gick där han satte dom. Inte jag.
Vad hade han istället? tänkte Wallander hastigt. Vad låg egentligen bakom när han tackade nej?
– Vad var det som avgjorde när ni utförde uppdrag tillsammans?
Hennes svar förvånade honom.
– Graden av tråkighet.
– Det förstår jag inte?

– Det finns alltid delar av ett arbete som är tråkigt. Tynnes kunde vara mycket otålig. Han lät mig ta hand om dom tråkiga delarna. Så kunde han ägna sig åt det som var svårt och spännande. Helst nåt nydanande. Det som ingen hade tänkt ut tidigare.

– Och med det lät du dig nöja?

– Man måste inse sin begränsning. För mig var det inte så tråkigt. Jag hade ingenting av hans kapacitet.

– Hur träffades ni?

– Fram till trettio var jag hemmafru. Sen skilde jag mig och utbildade mig. Tynnes höll en föreläsning en gång. Han fascinerade mig. Jag frågade om han kunde ha användning för mig. Först sa han nej. Men ett år senare ringde han. Vårt första arbete gällde säkerhetssystemet på en bank.

– Vad innebar det?

– Idag förs pengar fram och tillbaka mellan konton i svindlande hastighet. Mellan personer och företag, mellan banker i olika länder. Det finns alltid människor som vill bryta sig in i dom där systemen. Det enda sättet att bjuda motstånd är att hela tiden ligga före. Det är en tvekamp som pågår oavbrutet.

– Det låter mycket avancerat.

– Det är det också.

– Samtidigt måste jag erkänna att det låter märkligt. Att en ensam datakonsult i Ystad kan klara såna komplicerade uppgifter.

– En av dom stora fördelarna med den nya tekniken är att man befinner sig mitt i världen var man än råkar bo. Tynnes konfererade med företag, komponenttillverkare och andra programmerare över hela världen.

– Från sitt kontor här i Ystad?

– Ja.

Wallander kände sig osäker på hur han skulle gå vidare. Fortfarande tyckte han inte att han på allvar hade förstått vad Tynnes Falk gjorde. Men han insåg samtidigt att det var meningslöst att försöka tränga djupare in i elektronikens värld utan att Martinsson fanns med. De borde dessutom med det snaraste ta kontakt med Rikskriminalens IT-avdelning.

Wallander bestämde sig för att byta spår.

– Hade han några fiender?

Han iakttog hennes ansikte när han ställde frågan. Men han kunde inte upptäcka något annat än förvåning.

– Inte vad jag vet.

– Märkte du nåt särskilt hos honom den sista tiden?

Hon tänkte efter innan hon svarade.

– Han var som vanligt.
– Hur var han då?
– Lynnig. Och han arbetade alltid mycket.
– Var träffades ni?
– Här. Aldrig på hans kontor.
– Varför inte?
– Jag tror han hade lite bacillskräck, om jag ska vara ärlig. Dessutom avskydde han att nån smutsade ner hans golv. Jag tror han hade städmani.
– Jag får intryck av att Tynnes Falk var en ganska komplicerad person.
– Inte när man hade vant sig. Han var som män brukar vara.
Wallander betraktade henne intresserat.
– Hur brukar män vara?
Hon log.
– Är frågan privat eller har den med Tynnes att göra?
– Jag ställer inga privata frågor.
Hon genomskådar mig, tänkte Wallander. Men det kan inte hjälpas.
– Män kan vara barnsliga och fåfänga. Trots att dom ihärdigt hävdar motsatsen.
– Det låter som nåt mycket allmänt.
– Jag menar vad jag säger.
– Och sån var Tynnes Falk?
– Ja. Men inte bara. Han kunde också vara generös. Han betalade mig mer än vad han hade behövt göra. Men hans humör kunde man aldrig bli klok på.
– Han hade varit gift och hade barn.
– Familjen var nåt vi aldrig berörde. Det dröjde säkert ett år innan jag insåg att han faktiskt varit gift och hade två barn.
– Hade han några intressen utanför sitt arbete?
– Inte som jag känner till.
– Ingenting?
– Nej.
– Men han måste ha haft vänner?
– Dom han hade talade han med via datorn. Jag såg aldrig att han ens fick ett vykort under dom fyra år vi kände varandra.
– Hur kan du veta det? Om du aldrig besökte honom?
Hon markerade en applåd.
– Det är en bra fråga. Hans post var ställd till mig. Problemet var bara att det aldrig kom nånting.
– Ingenting alls?

– Du ska uppfatta mitt svar bokstavligt. Under alla år kom det aldrig ett enda brev till honom. Inte en räkning. Ingenting.

Wallander rynkade pannan.

– Det här har jag svårt att förstå. Posten är ställd till dig. Men under alla år kommer ingenting?

– Nån enstaka gång damp det ner personlig reklam till Tynnes. Men det var också allt.

– Han måste alltså ha haft en annan postadress?

– Förmodligen. Men jag kände inte till den.

Wallander tänkte på Falks två lägenheter. På Runnerströms Torg hade ingenting funnits. Men han kunde inte heller erinra sig att han sett någon post på Apelbergsgatan.

– Det här måste undersökas, sa Wallander. Han ger onekligen ett väldigt hemlighetsfullt intryck.

– Vissa människor tycker kanske inte om att få post. Medan andra älskar när det smäller till i brevinkastet.

Wallander hade plötsligt inte mer att fråga om. Tynnes Falk framstod som ett mysterium. Jag går för fort fram, tänkte han. Först måste vi se vad som finns i hans dator. Hade han något egentligt liv så lär vi kunna hitta det där.

Hon fyllde på sitt vinglas och frågade om han hade ändrat sig. Wallander skakade på huvudet.

– Du sa att ni stod varandra nära. Men om jag har förstått dig rätt stod han egentligen inte nån nära. Talade han verkligen aldrig om sin fru och sina barn?

– Nej.

– Vad sa han när han nån gång gjorde det?

– Det var bara plötsliga och oväntade kommentarer. Vi kunde hålla på med en arbetsuppgift när han sa att hans dotter fyllde år. Och det var ingen idé att fråga. Då klippte han av.

– Besökte du nånsin hans bostad?

– Aldrig.

Svaret kom fort och bestämt. Lite för fort. Och lite för bestämt, tänkte Wallander. Frågan är nog om det trots allt inte försiggick något mer mellan Tynnes Falk och hans kvinnliga assistent.

Wallander såg att klockan hade blivit nio. Glöden höll långsamt på att sjunka ihop i spisen.

– Jag antar att det inte har kommit nån post till honom dom senaste dagarna heller?

– Ingenting.

– Vad tror du det är som har hänt?

– Jag vet inte. Jag trodde Tynnes skulle bli en gammal man. Det var i alla fall hans ambition. Det måste ha varit en olyckshändelse.

– Han kan inte ha haft nån sjukdom som du inte kände till?

– Jo, naturligtvis, men jag har svårt att tro det.

Wallander övervägde om han skulle berätta för henne att Tynnes Falks kropp hade försvunnit. Men han bestämde sig för att tills vidare låta det vara. Istället vek han av längs ett annat spår.

– Det låg en ritning över en transformatorstation på hans kontor. Känner du till den?

– Jag vet knappt ens vad det är.

– En av Sydkrafts anläggningar utanför Ystad.

Hon tänkte efter.

– Jag vet att han hade en del uppdrag för Sydkraft, sa hon sedan. Men där var jag aldrig inblandad.

En tanke hade slagit Wallander.

– Jag vill att du gör upp en lista, sa han, över dom projekt där ni arbetade tillsammans. Och över dom han hade ensam.

– Hur långt tillbaka då?

– Det senaste året. Börja med det.

– Tynnes kan naturligtvis ha haft uppdrag som jag inte kände till.

– Jag ska tala med hans revisor, sa Wallander. Han måste ha fakturerat sina uppdragsgivare. Men jag vill ändå ha den där listan.

– Nu?

– Det räcker med i morgon.

Hon reste sig och rörde om i glöden. I huvudet försökte Wallander hastigt formulera en kontaktannons som skulle fått Siv Eriksson att svara. Hon återvände till fåtöljen igen.

– Är du hungrig?

– Nej. Jag ska strax gå.

– Det verkar inte som om mina svar har hjälpt dig.

– Jag vet mer om Tynnes Falk nu än jag visste när jag kom hit. Polisarbete kräver tålamod.

Sedan tänkte han att han genast borde gå. Han hade inga fler frågor. Han reste sig.

– Jag kommer att höra av mig igen, sa han. Men jag vore alltså tacksam om jag kunde få den där listan i morgon. Du kan faxa den till mig på polishuset.

– Går det inte lika bra med e-post?

– Det gör det säkert. Men jag vet inte hur man gör eller vad polishuset har för nummer eller adress.

– Det kan jag ta reda på.

Hon följde honom ut i tamburen. Wallander satte på sig jackan.

– Talade Tynnes Falk nånsin med dig om minkar? frågade han.

– Varför i herrans namn skulle han ha gjort det?

– Jag bara undrade.

Hon öppnade ytterdörren. Wallander hade en stark och gnagande känsla av att han helst av allt hade velat stanna kvar.

– Du höll ett bra föredrag, sa hon. Men du var väldigt nervös.

– Man kan bli det, svarade Wallander. När man är ensam och utlämnad till så många kvinnor.

De sa adjö. Wallander gick ner på gatan. Just när han sköt upp porten ringde hans mobiltelefon. Det var Nyberg.

– Var är du?

– I närheten. Hur så?

– Jag tror det är bäst du kommer hit.

Nyberg bröt samtalet. Wallander märkte att hjärtat började slå fortare. Nyberg ringde bara om det var viktigt.

Något hade alltså hänt.

17

Det tog Wallander mindre än fem minuter att återvända till huset vid Runnerströms Torg. När han kom upp till lägenheten stod Nyberg utanför dörren i trappuppgången och rökte. Då insåg Wallander på allvar hur trött Nyberg var. Han rökte aldrig annat än när han hade arbetat så hårt att han var svimfärdig av trötthet. Wallander mindes senast det hade hänt. Det var några år tidigare, under den svåra mordutredning som hade slutat med att de gripit Stefan Fredman. Nyberg hade stått på en brygga någonstans vid en insjö där de just dragit upp ett lik. Plötsligt hade han ramlat framstupa. Wallander hade trott att Nyberg fått en hjärtinfarkt och avlidit. Men efter några få sekunder hade han slagit upp ögonen igen. Han hade bett om en cigarett och sedan rökt den under tystnad. Efteråt hade han fortsatt sin undersökning av brottsplatsen utan ett ord.

Nyberg släckte cigaretten med foten och nickade åt Wallander att följa med in.

– Jag började titta på väggarna, sa Nyberg. Det var nånting som inte stämde. Det kan vara så med gamla hus. Att tillbyggnader har skett som rycker sönder arkitektens ursprungliga plan. Men jag började i alla fall mäta. Och kom fram till det här.

Nyberg tog med Wallander till en av kortsidorna. Där fanns en inskjutande vinkel, som om där tidigare funnits en rökgång.

– Jag knackade runt, fortsatte Nyberg. Det lät ihåligt. Sen hittade jag det här.

Nyberg pekade på golvlisten. Wallander satte sig på huk. Den var delad med en osynlig skarv. Han kunde också se en springa i väggen som var dold av tejp och ett tunt färglager.

– Har du sett vad som finns bakom?

– Jag ville vänta på dig.

Wallander nickade. Nyberg drog försiktigt bort tejpremsan. Där fanns en låg dörr, ungefär en och en halv meter hög. Sedan steg han åt sidan. Wallander sköt upp dörren. Den gick ljudlöst. Nyberg lyste över hans axel med en ficklampa.

Det dolda rummet var större än Wallander föreställt sig. Han undrade om Setterkvist kände till det. Han tog ficklampan från Nyberg och lyste runt. Snart hade han hittat strömbrytaren.

Rummet var kanske åtta kvadratmeter stort. Där fanns inga fönster men däremot en luftventil. Rummet var tomt, bortsett från ett bord som liknade ett altare. På bordet stod två ljusstakar. Bilden som hängde på väggen bakom ljusen föreställde Tynnes Falk. Wallander fick en känsla av att fotografiet hade tagits just i det här rummet. Wallander bad Nyberg hålla ficklampan medan han studerade fotografiet. Tynnes Falk stirrade rakt in i kameran. Hans ansikte var allvarligt.

– Vad är det han har i handen? frågade Nyberg.

Wallander letade reda på sina glasögon och granskade sedan bilden närmare.

– Jag vet inte vad du anser, sa han när han rätade på ryggen. Men för mig ser det mest ut som om han har en fjärrkontroll i handen.

De bytte plats. Nyberg kom snart till samma slutsats. Tynnes Falk hade verkligen en vanlig fjärrkontroll i handen.

– Be mig inte förklara vad det är jag ser, sa Wallander. Jag förstår lika lite som du.

– Tillbad han sig själv? sa Nyberg oförstående. Var mannen galen?

– Jag vet inte, svarade Wallander.

De lämnade altaret och såg sig om i rummet. Där fanns ingenting mer. Bara detta lilla altare. Wallander satte på sig ett par plasthandskar som Nyberg hämtat, innan han försiktigt tog ner bilden och tittade på baksidan. Ingenting stod skrivet där. Han gav bilden till Nyberg.

– Du får titta närmare på den.

– Det här kanske är ett rum som ingår i nåt system, sa Nyberg tveksamt. Som kinesiska askar. Hittar vi ett lönnrum kanske vi hittar ett till.

De sökte sig gemensamt igenom rummet. Men väggarna var solida. Där fanns ingen ytterligare dörr dold.

De återvände till det större rummet igen.

– Har du hittat nånting annat? frågade Wallander.

– Ingenting. Det är som om nån nyligen har städat här.

– Tynnes Falk var en renlig man, sa Wallander. Han erinrade sig både vad som stått i loggboken och vad Siv Eriksson hade sagt.

– Jag tror inte jag kan göra så mycket mer i kväll, sa Nyberg. Men vi fortsätter naturligtvis tidigt i morgon.

– Då ska vi ha hit Martinsson, sa Wallander. Jag vill veta vad som finns i den där datorn.

Wallander hjälpte Nyberg att packa ihop.

– Hur fan kan en människa tillbe sig själv? sa Nyberg upprört när de var färdiga och skulle gå.

– Det finns många exempel på det, svarade Wallander.

– Om några år slipper jag det här, sa Nyberg. Galningar som bygger altare där dom ber böner till sitt eget ansikte.

De lastade in väskorna i Nybergs bil. Blåsten hade tilltagit. Wallander nickade och såg honom köra iväg. Klockan var närmare halv elva. Han var hungrig. Tanken på att åka hem och laga mat var honom motbjudande. Han satte sig i bilen och for upp till en grillbar som fanns öppen på Malmövägen. Några pojkar slamrade med en spelautomat. Wallander hade mest lust att be dem vara tysta. Men han sa ingenting. Försiktigt kastade han en blick på löpsedlarna. Ingenting om honom själv. Men han vågade inte öppna tidningarna. Han ville inte se. Där stod säkert någonting. Kanske fotografen hade lyckats ta mer än den enda bilden? Kanske hade Eva Perssons mamma uttalat sig och kommit med nya lögner.

Han tog med sig korvarna och potatismoset ut till bilen. Vid första tuggan sölade han senap på Martinssons jacka. Hans omedelbara impuls var att öppna bildörren och kasta ut alltsammans. Men han lugnade sig.

När han ätit kunde han inte bestämma sig för om han skulle åka hem eller bege sig till polishuset. Han borde sova. Men oron fanns där hela tiden. Han körde upp till polishuset. I matrummet var det tomt. Kaffeautomaten hade blivit lagad. Men någon hade skrivit ett ilsket meddelande om att man inte fick dra för hårt i spakarna.

Vilka spakar? tänkte Wallander uppgivet. Det enda jag gör är att ställa min kopp på plats och trycka på en knapp. Några spakar har jag aldrig sett. Han tog med sig kaffet. Korridoren var öde. Hur många ensamma kvällar han under alla år hade tillbringat på sitt rum visste han inte.

En gång, när han fortfarande var gift med Mona och Linda ännu liten, hade Mona ursinnigt kommit upp en kväll och sagt att han nu fick välja mellan sitt arbete och sin familj. Den gången hade han genast följt med henne hem. Men många gånger hade han vägrat.

Han tog med sig Martinssons jacka ut på toaletten och försökte göra den ren utan att lyckas. Sedan återvände han till sitt rum och drog till sig ett kollegieblock. Den närmaste halvtimmen använde han till att ur minnet anteckna det han hade talat med Siv Eriksson om. När han var färdig gäspade han länge och stort. Klockan var halv tolv. Han borde åka hem. Skulle han orka så måste han sova. Men han tvingade sig att läsa igenom det han skrivit. Efteråt blev han sittande. Han undrade över Tynnes Falks egendomliga personlighet. Över det hemliga rum där det fanns ett altare med hans eget ansikte som gudabild. Och det faktum att ingen visste var han tog emot sin post. Sedan tänkte han också att Siv Eriksson hade sagt något som bitit sig fast i hans minne.

Tynnes Falk hade inte accepterat något av de lockande erbjudanden han fått. Eftersom han redan hade nog.

Han såg på klockan. Tjugo minuter i tolv. Det var sent att ringa. Men något sa honom att Marianne Falk ännu inte hade lagt sig. Han bläddrade igenom sina papper tills han hittade hennes telefonnummer. Efter femte signalen var han beredd att acceptera att hon sov. I samma ögonblick fick han svar. Wallander presenterade sig och bad om ursäkt för att han ringde så sent.

– Jag lägger mig aldrig före ett, sa Marianne Falk. Men det är naturligtvis sällan nån ringer hit vid midnatt.

– Jag har en fråga, sa Wallander. Hade Tynnes Falk upprättat nåt testamente?

– Inte vad jag vet.

– Kan det hända att det finns ett testamente utan att du känner till det?

– Naturligtvis. Men jag tror det inte.

– Varför inte?

– När vi skilde oss gjorde vi en bodelning som var väldigt fördelaktig för mig. Jag upplevde det nästan som ett förskott på ett arv jag aldrig skulle ha rätt till. Våra barn får ju automatiskt ärva honom.

– Det var bara det jag ville fråga om.

– Har man hittat hans kropp?

– Inte än.

– Och mannen som sköt?

– Inte honom heller. Problemet är att vi inte har nåt signalement. Vi vet inte ens säkert att det verkligen var en man. Även om både du och jag tror det.

– Jag är ledsen att jag inte kunde ge nåt bättre svar.

– Vi ska naturligtvis undersöka om det trots allt finns ett testamente.

– Jag fick mycket pengar, sa hon plötsligt. Många miljoner. Barnen räknar nog också med att få en hel del.

– Tynnes var alltså rik?

– Det kom som en fullständig överraskning att han kunde ge mig så mycket när vi skilde oss.

– Hur förklarade han att han hade en stor förmögenhet?

– Han sa att han hade haft några lukrativa uppdrag i USA. Men det var naturligtvis inte sant.

– Varför inte det?

– Han var aldrig i USA.

– Hur vet du det?

– Jag såg hans pass en gång. Där fanns inget visum. Inga stämplar.

Han kan ha gjort affärer med USA ändå, tänkte Wallander. Erik Hökberg sitter i sin lägenhet och tjänar pengar i fjärran länder. Samma sak måste ha kunnat gälla för Tynnes Falk.

Wallander ursäktade sig ytterligare en gång och avslutade samtalet. Han gäspade. Klockan hade blivit två minuter i midnatt. Han satte på sig jackan och släckte ljuset. När han kom ut i receptionen stack en av de nattarbetande polismännen ut huvudet från operationscentralen.

– Jag tror jag har nånting för dig här, sa han.

Wallander blundade hårt och hoppades att det inte hade hänt något som skulle hålla honom vaken hela natten. Han gick bort till dörröppningen. Polismannen sträckte fram en telefonlur emot honom.

– Det är tydligen nån som har hittat ett lik, sa han.

Inte ett till, tänkte Wallander. Det klarar vi inte. Inte nu.

Han tog emot telefonluren.

– Kurt Wallander här. Vad är det som har hänt?

Mannen som talade var mycket upprörd. Han skrek. Wallander höll luren en bit från örat.

– Tala långsamt, sa Wallander. Lugnt och långsamt. Annars kan vi inte göra nånting.

– Jag heter Nils Jönsson. Det ligger en död karl här på gatan.

– Var nånstans?

– I Ystad. Jag snubblade på honom. Han är naken och han är död. Det ser för jävligt ut. Man ska inte behöva vara med om sånt här. Jag har dåligt hjärta.

– Långsamt, upprepade Wallander. Långsamt och lugnt. Du säger att det ligger en död och naken man på gatan?

– Hör du inte vad jag säger?

– Jo, jag hör. Vilken gata?

– Inte fan vet jag vad parkeringsplatsen heter.

Wallander skakade på huvudet.

– Är det en parkeringsplats du talar om? Inte en gata?

– Det är väl en blandning.

– Var ligger den nånstans?

– Jag är bara på genomresa från Trelleborg. Jag ska till Kristianstad. Jag skulle tanka. Och så låg han där.

– Är det en bensinstation du talar om? Var ringer du ifrån?

– Jag sitter i bilen.

Wallander hade börjat hoppas att mannen var berusad. Att det hela var inbillning. Men mannens upprördhet var äkta.

– Vad ser du genom bilfönstret?
– Det är nåt varuhus.
– Har det nåt namn?
– Det ser jag inte. Men jag körde av vid infarten.
– Vilken infart?
– Mot Ystad förstås.
– Från Trelleborg?
– Från Malmö. Jag körde stora vägen.

En tanke hade långsamt kommit krypande ur Wallanders undermedvetna. Men han hade fortfarande svårt att tro att det kunde vara sant.

– Kan du se nån bankomat från fönstret? frågade han.
– Det är där han ligger. På asfalten.

Wallander höll andan. När mannen fortsatte prata räckte han telefonluren till polismannen som nyfiket hade lyssnat.

– Det är samma ställe där vi hittade Tynnes Falk, sa Wallander. Frågan är nu bara om vi har hittat honom en gång till.
– Stor utryckning alltså?

Wallander skakade på huvudet.

– Ring och väck Martinsson. Och Nyberg. Men han har nog inte somnat än. Hur många bilar har vi ute just nu?
– Två. En är i Hedeskoga och reder ut nåt familjebråk. En födelsedagsfest som spårat ur.
– Och den andra?
– I stan.
– Dom ska till parkeringsplatsen på Missunnavägen så fort som möjligt. Jag tar mig dit själv.

Wallander lämnade polishuset. Han frös i den alltför tunna jackan. Under bilfärden som bara tog några få minuter undrade han vad som väntade honom. Men innerst inne var han redan säker. Det var Tynnes Falk som hade återvänt till den plats där han blivit funnen död.

Wallander och den tillkallade polisbilen kom nästan samtidigt. Samtidigt såg han hur en man hoppade ut ur en röd Volvo och viftade med armarna. Nils Jönsson från Trelleborg. På väg mot Kristianstad. Wallander steg ur. Mannen kom emot honom ropande och pekande. Wallander märkte att han hade dålig andedräkt.

– Vänta här, röt han.

Sedan gick han fram mot bankomaten.

Mannen som låg på asfalten var naken. Och det var Tynnes Falk. Han låg på magen och hade händerna under sig. Huvudet var vridet åt vänster. Wallander sa åt polismännen att spärra av. Han bad också att de skulle ta alla Nils Jönssons uppgifter. Själv orkade han inte. Nils Jönsson skulle heller inte ha något viktigt att säga. De eller den som hade lagt ut den döda kroppen hade säkert valt ett ögonblick då ingen såg vad de gjorde. Men varuhusen hade besök av nattvakter. När Tynnes Falk blivit upptäckt första gången var det just en nattvakt som slagit larm.

Wallander hade aldrig varit med om något liknande. Ett dödsfall som upprepade sig. Ett lik som återvände.

Han förstod ingenting. Långsamt gick han runt kroppen, som om han väntade sig att Tynnes Falk plötsligt skulle resa sig upp.

Egentligen är det en gudabild som ligger här, tänkte han.

Du tillbad dig själv. Och enligt Siv Eriksson tänkte du dig att bli en mycket gammal man. Men du levde inte ens lika länge som jag.

Nyberg kom i sin bil. Han stirrade länge på kroppen. Sedan såg han på Wallander.

– Var inte han död? Hur har han i så fall kommit tillbaka hit? Vill han bli begravd här utanför bankomaten?

Wallander svarade inte. Han visste inte vad han skulle säga. Samtidigt såg han Martinsson bromsa in bakom en av polisbilarna. Han gick honom till mötes.

Martinsson steg ur, klädd i träningsoverall. Ogillande såg han på fläcken på den jacka som Wallander bar. Men han sa ingenting.

– Vad är det som har hänt?

– Tynnes Falk har kommit tillbaka.

– Skämtar du?

– Jag brukar säga som det är. Tynnes Falk ligger på den plats där han dog.

De gick bort mot bankomaten. Nyberg talade i telefon. Han höll på att väcka upp någon av sina tekniker. Wallander undrade dystert om han skulle få se Nyberg svimma av utmattning igen.

– En sak är viktig, sa Wallander. Jag vill att du försöker erinra dig om han låg på samma sätt när ni hittade honom första gången.

Martinsson nickade och gick långsamt runt kroppen. Wallander visste att han hade bra minne. Men Martinsson skakade på huvudet.

– Han låg längre från bankomaten. Och ena benet var krökt.

– Är du säker?

– Ja.

Wallander tänkte efter.

– Egentligen behöver vi inte vänta på nån läkare, sa han efter en stund. Mannen är dödförklarad sen en knapp vecka. Jag tror nog vi kan vända på kroppen utan att bli åtalade för tjänstefel.

Martinsson var osäker. Men Wallander var bestämd. Han såg ingen anledning att vänta. När Nyberg hade tagit några bilder vände de kroppen. Martinsson ryggade tillbaka. Det tog några sekunder innan Wallander upptäckte varför. Ett finger på varje hand var borta. Pekfingret på höger hand, långfingret på vänster. Han reste sig upp.

– Vad är det för folk vi har att göra med? stönade Martinsson. Likplundrare?

– Jag vet inte. Men naturligtvis betyder det nånting. Lika mycket som att nån har gjort sig besvär med att röva bort liket. Och sen lägga tillbaka det här.

Martinsson var blek. Wallander tog honom åt sidan.

– Vi behöver ha tag på nattvakten som hittade honom första gången, sa han. Vi måste också ha reda på deras scheman. När passerar dom den här platsen? Då kommer vi att kunna bestämma när han hamnade här.

– Vem var det som hittade honom den här gången?

– En man som heter Nils Jönsson från Trelleborg.

– Skulle han ta ut pengar?

– Han påstår att han skulle tanka. Dessutom har han dåligt hjärta.

– Det vore fint om han inte dog just här och just nu, sa Martinsson. Det tror jag inte jag orkar med.

Wallander gick och talade med den polisman som tagit Nils Jönssons uppgifter. Som Wallander förutsett hade denne inte haft några iakttagelser att komma med.

– Vad ska vi göra med honom?

– Skicka iväg honom. Vi behöver honom inte mer.

Wallander såg hur Nils Jönsson försvann med en rivstart. Han undrade frånvarande om mannen någonsin skulle komma fram till Kristianstad. Eller om hans hjärta skulle stanna på vägen.

Martinsson hade talat med vaktbolaget.

– Nån passerade här klockan elva, sa han.

Klockan hade nu blivit halv ett. Wallander mindes att det varit midnatt när larmet kommit. Nils Jönsson hade uppgett att klockan varit ungefär kvart i tolv när han upptäckt liket. Det kunde stämma.

– Kroppen har legat här i högst en timme, sa Wallander. Och jag har en bestämd känsla av att dom som la dit honom visste när nattvakterna passerade.

– »Dom«?

– Det måste vara mer än en, sa Wallander. Det är jag övertygad om.

– Vad tror du om möjligheterna att hitta vittnen?
– Små. Här bor ingen som kan ha sett nåt genom sitt fönster. Och vem håller till här sent på kvällen?
– Folk som är ute med sina hundar.
– Kanske.
– Dom kan ha lagt märke till nån bil. Nånting ovanligt. Hundägare är vanemänniskor som gärna går samma runda dag ut och dag in vid samma tid. Dom märker nog om dom ser nåt avvikande en kväll.
Wallander höll med. Det kunde vara värt försöket.
– Vi placerar nån här i morgon kväll, sa han. Som stoppar eventuella hundägare. Eller joggare.
– Hansson är förtjust i hundar, sa Martinsson.
Det är jag också, tänkte Wallander. Men jag är ändå tacksam om jag slipper gå omkring här i morgon kväll.
En bil bromsade in utanför avspärrningarna. En ung man i en träningsoverall som liknade Martinssons steg ur. Wallander undrade om han långsamt höll på att bli omgiven av ett fotbollslag.
– Nattvakten, sa Martinsson. Från söndag natt. Han var ledig ikväll.
Han gick för att tala med honom. Wallander återvände till den döda kroppen.
– Nån har skurit av honom två fingrar, sa Nyberg. Det blir värre och värre.
Wallander nickade.
– Jag vet att du inte är läkare. Men du använde ordet skurit?
– Det är rena snittytor. Det kan naturligtvis ha varit en kraftig tång. Läkaren får avgöra. Hon är på väg.
– Susann Bexell?
– Jag vet inte.
Hon kom efter en halvtimme. Och det var Bexell. Wallander förklarade situationen. Samtidigt kom den hundförare som Nyberg hade ringt efter. Han skulle söka efter fingrarna.
– Jag vet egentligen inte vad jag gör här, sa läkaren när Wallander tystnat. Är han död så är han.
– Jag vill att du tittar på hans händer. Två fingrar är alltså bortskurna.
Nyberg hade börjat röka igen. Wallander förundrades över att han själv inte kände sig tröttare än han gjorde. Hunden hade börjat leta tillsammans med sin förare. Wallander mindes vagt en annan hund som en gång hittat ett svart finger. Hur länge sedan var det? Han mindes inte. Det kunde vara fem år sedan eller tio.

Läkaren arbetade fort.
– Jag tror att nån har knipit av dom med en tång, sa hon. Men om det har skett här eller nån annanstans kan jag inte svara på.
– Här har det inte skett, sa Nyberg bestämt.
Ingen sa emot honom. Men ingen frågade heller hur han kunde vara så säker på sin sak.
Läkaren var klar. Likbilen hade också kommit. Kroppen kunde föras bort.
– Jag vill helst inte att den försvinner från patologerna igen, sa Wallander. Nu vore det bra om den här mannen kunde begravas.
Läkaren och likbilen försvann. Hunden hade också gett upp.
– Ett par fingrar skulle han ha hittat, sa hundföraren. Det går han inte bet på.
– Jag tror ändå vi ska söka igenom hela det här området grundligt i morgon, sa Wallander och tänkte på Sonja Hökbergs handväska. Den som knep av dom kan ha kastat dom en bit bort. För att vi ska få det svårare.
Klockan var kvart i två. Nattvakten hade åkt hem.
– Han höll med, sa Martinsson. Kroppen låg på ett annat sätt.
– Det kan betyda minst två saker, sa Wallander. Antingen brydde dom sig inte om att arrangera kroppen som den legat första gången. Eller så visste dom helt enkelt inte om hur den legat.
– Men varför? Varför skulle kroppen tillbaka hit?
– Det vet jag inte. Och nu är det knappast nån idé att vi stannar kvar här. Vi behöver sova.
Nyberg höll för andra gången denna kväll på att packa sina väskor. Platsen skulle vara avspärrad till dagen efter.
– Vi ses i morgon klockan åtta, sa Wallander.
Sedan skildes de åt.
Wallander for hem och kokade te. Han drack halva koppen och gick sedan och la sig. Ryggen och benen värkte. Gatlyktan vajade utanför fönstret.
Just när han höll på att somna rycktes han upp till ytan igen. Först visste han inte vad det var som väckt hans uppmärksamhet. Han lyssnade. Sedan insåg han att det kom inifrån.
Det var någonting med de avklippta fingrarna.
Han satte sig upp i sängen. Klockan var tjugo minuter över två.
Jag vill veta nu, tänkte han. Jag kan inte vänta till i morgon.
Han steg upp ur sängen och gick ut i köket. Telefonkatalogen låg på bordet.
Efter mindre än en minut hade han hittat det nummer han sökte.

18

Siv Eriksson sov.

Wallander hoppades att han inte rev upp henne ur drömmar hon inte ville lämna. Först vid den elfte signalen lyfte hon luren och svarade.

– Det här är Kurt Wallander.

– Vem?

– Jag besökte dig igår kväll.

Hon tycktes långsamt vakna.

– Åh, polisen. Vad är klockan?

– Halv tre. Jag skulle inte ha ringt om det inte var viktigt.

– Har det hänt nåt?

– Vi har hittat kroppen.

Det skrapade i luren. Han tänkte att hon nu hade satt sig upp i sängen.

– En gång till.

– Vi har hittat Tynnes Falks kropp.

I samma ögonblick insåg Wallander att hon inte visste om att kroppen blivit bortförd. Han var så trött att han glömt att han ingenting sagt när han besökt henne.

Nu berättade han. Och hon lyssnade utan att avbryta honom.

– Ska jag tro på det här? frågade hon när han tystnat.

– Jag inser att det låter konstigt. Men vart ord är sant.

– Vem gör nåt sånt? Och varför?

– Det undrar vi också.

– Och ni har alltså hittat kroppen på samma ställe som där han dog?

– Ja.

– Herregud!

Han hörde hur hon andades.

– Men hur kan han ha hamnat där?

– Det vet vi inte än. Men jag ringer nu eftersom det är nåt jag behöver fråga dig om.

– Tänker du komma hit?

– Det räcker med det här telefonsamtalet.

– Vad är det du vill veta? Sover du aldrig?

– Det är lite hektiskt ibland. Den fråga jag kommer att ställa kanske verkar egendomlig.

– Jag tycker hela du verkar egendomlig. Lika egendomlig som det du berättar. Om du ursäktar att jag är uppriktig så här mitt i natten.

Wallander kom av sig.

– Jag förstår nog inte riktigt vad du menar.

Hon skrattade till.

– Du behöver inte ta det så allvarligt. Men jag tycker människor är underliga som tackar nej till nåt att dricka trots att det lyser om dom att dom är törstiga. Lika underliga som när dom tackar nej till nåt att äta trots att det syns lång väg hur hungriga dom är.

– Jag var faktiskt varken hungrig eller törstig. Om det är mig du menar.

– Vem annars?

Wallander undrade varför han inte sa som det var. Vad var det egentligen han var rädd för? Han betvivlade också att hon trodde honom.

– Blev du stött?

– Inte alls, svarade han. Men kan jag ställa min fråga nu?

– Jag är beredd.

– Kan du beskriva hur det såg ut när Tynnes Falk skrev på datorns tangentbord?

– Var det din fråga?

– Ja. Och jag vill gärna ha ett svar.

– Det såg väl ut som vanligt?

– Människor skriver på olika sätt. Poliser brukar oftast framställas som långsamt knackande med ett finger på en gammal skrivmaskin.

– Då förstår jag hur du menar.

– Använde han alla fingrarna?

– Det är det mycket få som gör när dom arbetar med datorer.

– Han skrev alltså bara med vissa fingrar?

– Ja.

Wallander höll andan. Nu gällde det om han hade haft rätt eller inte.

– Vilka fingrar använde han?

– Jag måste tänka efter. Så att det blir rätt.

Wallander väntade med spänning.

– Han skrev med pekfingrarna, sa hon.

Wallander kände besvikelsen komma.

– Du är alldeles säker?

– Egentligen inte.

– Det är viktigt att svaret blir rätt.

– Jag försöker se honom framför mig.

– Ta tid på dig.

Hon var vaken nu. Han förstod att hon försökte göra sitt bästa.

– Jag vill ringa tillbaka om en stund, sa hon. Nånting gör mig osäker. Jag tror det går lättare om jag sätter mig vid min egen dator. Det kanske hjälper minnet på traven.

Wallander gav henne sitt hemnummer.

Sedan satte han sig vid köksbordet och väntade. Han hade en molande huvudvärk. Kvällen efter måste han lägga sig tidigt och sova en hel natt, tänkte han, vad som än hände. Han undrade frånvarande hur Nyberg hade det. Om han sov eller om han låg vaken och vred sig.

Tio minuter senare ringde hon upp igen. Wallander hajade till inför telefonsignalen. Rädslan för att det kunde vara en journalist återkom. Men det var för tidigt. De brukade sällan ringa före halv fem på morgonen. Han lyfte luren. Hon gick rakt på sak.

– Höger pekfinger och vänster långfinger.

Wallander kände spänningen.

– Är du säker?

– Ja. Det är ett mycket ovanligt sätt att använda fingrarna på ett tangentbord. Men det var så han gjorde.

– Bra, sa Wallander. Det svaret var viktigt.

– Men var det rätt?

– Det bekräftade en misstanke, sa Wallander.

– Du måste förstå att jag blir väldigt nyfiken?

Wallander övervägde om han skulle berätta för henne om de avklippta fingrarna. Men han bestämde sig för att låta bli.

– Jag kan tyvärr inte säga mer. I varje fall inte just nu. Senare kanske.

– Vad är det egentligen som har hänt?

– Det är det vi försöker reda ut, sa Wallander. Glöm inte listan jag bad om. Godnatt.

– Godnatt.

Wallander reste sig och gick fram till fönstret. Temperaturen hade stigit några grader. Plus 7. Vinden var fortfarande byig. Det hade dessutom börjat duggregna. Klockan var fyra minuter i tre. Wallander gick och la sig. De avklippta fingrarna dansade länge framför hans ögon innan han lyckades somna.

*

Mannen som väntade i skuggorna vid Runnerströms Torg räknade långsamt sina andetag. Det hade han lärt sig som barn. Att andning och tålamod hängde ihop. En människa måste veta när väntan var det viktigaste.

Att lyssna till sin egen andning var också ett sätt att kontrollera den oro han kände. Alltför många oplanerade händelser hade inträffat. Han visste att man inte kunde gardera sig mot allt. Men att Tynnes Falk hade dött hade inneburit ett stort avbräck. Nu höll de på att organisera om situationen. Snart skulle de ha allt under kontroll igen. Tiden hade börjat bli knapp. Men om ingenting ytterligare som var oförutsett inträffade skulle de kunna följa sitt planerade tidsschema.

Han tänkte på den man som fanns någonstans långt borta i det tropiska mörkret. Han som hade allt i sin hand. Den man han aldrig träffat. Men som han både respekterade och fruktade.

Ingenting fick misslyckas.

Det skulle han aldrig tolerera.

Men ingenting kunde misslyckas. Ingen skulle kunna ta sig in i den dator som var själva hjärnan. Hans oro var obefogad. En brist i hans självkontroll.

Det hade varit ett misstag att han inte hade lyckats skjuta ihjäl den polisman som gått upp i Falks lägenhet. Men det äventyrade inte säkerheten. Förmodligen visste han ingenting. Även om de inte kunde vara helt säkra.

Falk hade själv yttrat de orden: Ingenting är någonsin alldeles säkert. Nu var han död. Hans död hade gett honom rätt. Ingenting var verkligen alldeles säkert.

De måste vara försiktiga. Den man som nu ensam måste fatta alla beslut hade sagt åt honom att avvakta. Om polismannen blev angripen ännu en gång och dödad skulle det kunna väcka onödig uppståndelse. Det fanns heller ingenting som talade för att poliserna hade den minsta aning om vad som egentligen pågick.

Han hade fortsatt att bevaka huset på Apelbergsgatan. Sedan polismannen lämnat huset hade han följt efter honom till Runnerströms Torg. Det var vad han hade väntat sig. Att det hemliga kontoret nu var upptäckt. Senare hade det kommit ytterligare någon dit. En man som burit in väskor. Polismannen hade sedan lämnat huset för att återkomma efter en timme. Före midnatt hade de sedan lämnat Falks kontor för gott.

Han hade fortsatt att vänta och tålmodigt lyssnat på sina andetag. Nu hade klockan blivit tre på natten och gatan var öde. Han frös i den kyliga vinden. Att någon nu skulle komma bedömde han som osannolikt. Försiktigt lösgjorde han sig ur skuggorna och gick över gatan. Han låste upp porten och sprang med ljudlösa steg högst upp i huset. Han hade handskar på händerna när han låste upp. Han gick in, tände sin ficklampa och lyste runt väggarna. De hade hittat dörren till det inre rummet. Det hade han väntat sig. Utan att riktigt veta varför hade han fått respekt för den polisman han mött i lägenheten. Han hade reagerat mycket fort, trots att han inte längre var ung. Också det var något han lärt sig tidigt i livet. Att underskatta en motståndare var en dödssynd lika svår som girigheten.

Med ficklampan lyste han på datorn. Sedan slog han på den. Skärmen började lysa. Han letade sig fram till en fil som visade när datorn senast varit igång. Det var sex dagar sedan. Alltså hade poliserna inte ens startat upp den.

Ändå var det för tidigt att känna sig säker. Det kunde vara en fråga om tid. Eller kanske de tänkte använda sig av någon specialist. Oron kom tillbaka. Men innerst inne visste han att de aldrig skulle kunna knäcka koderna. Även om de höll på i tusen år. Bara om någon av poliserna hade en extrem intuition skulle de kunna lyckas. Eller ett skarpsinne som gick utanpå allt han någonsin hört talas om. Men det var knappast troligt. Särskilt som de inte visste vad de letade efter. Och de skulle heller inte ens i sina vildaste fantasier kunna föreställa sig vilka krafter som låg samlade i denna dator och väntade på att släppas lösa.

Han lämnade lägenheten lika tyst som han kommit.

Sedan var han åter försvunnen bland skuggorna.

*

Wallander vaknade med en känsla av att han hade försovit sig. Men när han såg på klockan visade den fem minuter över sex. Han hade sovit i tre timmar. Han föll tillbaka mot kudden igen. Huvudet värkte av sömnbrist. Tio minuter till, tänkte han. Eller sju. Jag orkar inte stiga upp redan nu.

Sedan klev han genast ur sängen och raglade in i badrummet. Ögonen var blodsprängda. Han ställde sig under duschen och lutade sig tungt som en häst mot väggen. Långsamt började han vakna.

Fem minuter i sju bromsade han in på parkeringsplatsen utanför polishuset. Duggregnet från natten höll i sig. Hansson var denna morgon ovanligt tidig. Han stod i receptionen och bläddrade i en tidning. Dessutom var han klädd i kostym och slips. Normalt brukade han uppenbara sig i skrynkliga manchesterbyxor och ostrukna skjortor.

– Fyller du år? frågade Wallander förvånat.

Hansson skakade på huvudet.

– Jag råkade se mig själv i spegeln häromdagen. Det var ingen vacker syn. Jag tänkte jag i alla fall kunde försöka bättra mig. Dessutom är det ju lördag idag. Sen får vi se hur länge det varar.

De slog följe mot matrummet och de obligatoriska kaffekopparna. Wallander berättade om nattens händelser.

– Det verkar inte riktigt klokt, sa Hansson när Wallander tystnat. Varför i helvete lägger man tillbaka en död man på gatan?

– Det är det vi har våra lönegrader för att reda ut, sa Wallander. Du ska förresten leta efter hundar ikväll.

– Vad menar du med det?

– Egentligen var det Martinssons idé. Nån som var ute med sin hund kan ha lagt märke till nåt där vid Missunnavägen igår kväll. Nu tänkte vi att du kunde stå där och stoppa eventuella hundägare. Och tala med dom.

– Varför just jag?

– Du tycker ju om hundar? Eller hur?

– Jag skulle faktiskt gå bort ikväll. Det är lördag idag, om du minns.

– Du hinner båda delarna. Det räcker om du är där strax före elva.

Hansson nickade. Även om Wallander aldrig hade tyckt särskilt bra om sin kollega kunde han inte klaga på hans beredvillighet att ställa upp när så verkligen krävdes.

– Klockan åtta, sa Wallander. I mötesrummet. Vi måste gå igenom det som hänt. Grundligt.

– Jag tycker inte vi gör annat. Men vi kommer ingenvart för det.

Wallander satte sig vid skrivbordet. Men efter en stund sköt han undan kollegieblocket. Han visste inte längre vad han skulle skriva. Han kunde inte påminna sig att han någonsin tidigare känt sig så helt i avsaknad av riktlinjer för hur spaningsarbetet egentligen skulle bedrivas. De hade en död taxichaufför och en lika död mördare. De hade en man som avlidit utanför en bankomat, ett lik som försvunnit för att sedan återfinnas utanför samma bankomat. Med två av sina fingrar borta, precis de fingrar han brukat använda när han arbetade med sin dator. De hade dessutom ett omfattande strömavbrott i Skåne och en egendomlig koppling mellan alla dessa dödsfall och händelser. Ändå hängde ingenting ihop. Till detta kom att någon beskjutit Wallander. Att det skulle ha varit ett missriktat skrämskott vore en illusion att tro. Meningen hade varit att han skulle dö.

Ingenting i detta är rimligt, tänkte Wallander. Jag vet inte vad som är början och vad som är slutet. Minst av allt vet jag varför dessa människor dör. Någonstans måste det ändå finnas ett motiv.

Han reste sig och gick fram till fönstret med kaffemuggen i handen.

Vad skulle Rydberg ha gjort? tänkte han. Hade han haft några råd? Hur skulle han ha gått till väga? Eller skulle han ha känt samma vilsenhet som jag själv?

För en gångs skull fick han inga svar. Rydberg var tyst.

Klockan blev halv åtta. Wallander satte sig igen. Han måste förbereda mötet i spaningsgruppen. Trots allt var det han som måste driva på. I ett försök att se på händelserna från ett nytt håll gjorde han ett återtåg. Vilka händelser låg i botten? Vilka kunde betraktas som tänkbara bihang? Det var som att konstruera ett planetsystem där olika satelliter snurrade i olika omloppsbanor kring en kärna. Men han hittade inte kärnan. Där fanns bara ett stort svart hål.

Någonstans existerar alltid en huvudperson, tänkte han. Alla roller är inte lika viktiga. Några av dem som har dött har spelat mindre roll. Men vem är egentligen vem? Och i vilket spel? Vad handlar allt detta om?

Han var tillbaka vid utgångspunkten igen. Det enda han tyckte han kunde känna sig alldeles säker på var att mordförsöket mot honom själv inte var något centrum. Inte heller ansåg han det rimligt att mordet på taxichauffören bildade utgångspunkt för de övriga händelserna.

Då återstod bara Tynnes Falk. Mellan honom och Sonja Hökberg hade funnits en länk. Ett felande relä och en ritning över en transformatorstation. Det var vad de måste hålla sig till. Länken var bräcklig och obegriplig. Men ändå fanns den där.

Han sköt undan kollegieblocket. Jag vet inte vad det är jag ser, tänkte han uppgivet.

Han blev sittande ytterligare några minuter. Utifrån korridoren kunde han höra Ann-Britt skratta. Det var länge sedan. Han samlade ihop sina papper och pärmar och gick till mötesrummet.

De gjorde en grundlig genomgång som tog dem närmare tre timmar denna lördagsmorgon. Långsamt försvann den trötta och glåmiga stämningen runt bordet.

Vid halvniotiden kom Nyberg in i rummet. Utan ett ord satte han sig längst ner vid kortänden. Wallander såg på honom. Han skakade på huvudet. Han hade ingenting att säga som inte kunde vänta.

De prövade olika framkomliga vägar, olika riktningar. Men underlaget sviktade hela tiden.

– Är det nån som lägger ut villospår? sa Ann-Britt när de tog en paus för att sträcka på benen och vädra. Kanske allt i grund och botten är mycket enkelt? Om vi bara hittar motivet.

– Vilket motiv? sa Martinsson. Den som rånar en taxichaufför kan knappast ha samma motiv som en som bränner ihjäl en flicka och mörklägger en stor del av Skåne. Dessutom vet vi inte ens om Tynnes Falk verkligen blev ihjälslagen. Fortfarande är mitt tips att han dog en naturlig död. Eller att det var en olyckshändelse.

– Egentligen hade det varit enklare om han hade blivit mördad, sa Wallander. Då skulle vi inte behövt sväva i tvivelsmål längre om att det här verkligen är en obruten kedja av brottsliga händelser.

De hade stängt fönstren och satt sig ner igen.

– Det allvarligaste är ändå att nån sköt mot dig, sa Ann-Britt. Trots allt är det mycket sällan en inbrottstjuv är beredd att döda nån som dyker upp i hans väg.

– Jag vet inte om det är allvarligare än nåt annat, invände Wallander. Men det berättar i alla fall att det finns en stor hänsynslöshet bland dom människor som ligger bakom. Vad det nu än är dom vill åstadkomma.

De fortsatte att vända och vrida på materialet. Wallander sa inte många ord. Men han lyssnade med stor uppmärksamhet. Det hade många gånger hänt att en motsträvig brottsutredning plötsligt vridit sig runt sin egen axel genom några ord som kastats fram, som en bisats eller en tillfällig kommentar. De letade efter ingångar och utgångar, och inte minst efter ett centrum. En kärna som kunde placeras där det just nu bara var ett stort svart hål. Det var segt och ansträngande, en enda lång och utdragen uppförsbacke. Men det fanns ingen annan väg att gå.

Den sista timmen gjorde de en genomgång. Var och en betade av sina minneslistor och prioriterade de arbetsuppgifter som väntade. Strax före elva insåg Wallander att de knappast orkade mer.

– Det här kommer att ta tid, sa han. Det är möjligt att vi blir tvungna att begära mer personal. Jag ska i alla fall tala med Lisa om saken. Men nu är det knappast nån idé att vi sitter kvar här längre. Fast nån helgledighet kan ingen av oss ta ut. Vi måste streta vidare.

Hansson försvann för att tala med åklagaren som begärt en föredragning. Redan tidigare, under en paus, hade Wallander bett Martinsson följa med till Falks lägenhet vid Runnerströms Torg när spaningsmötet var över. Martinsson gick till sitt kontor för att först ringa hem. Nyberg satt och slet i sina hårtestar vid bordsänden. Sedan reste han sig och lämnade rummet utan ett ord. Kvar fanns nu bara Ann-Britt. Wallander insåg att hon ville tala med honom i enrum. Han sköt igen dörren.

– Jag har tänkt på en sak, började hon. Den där mannen som sköt.

– Vad är det med honom?

– Han såg dig. Och han sköt utan att tveka.

– Jag vill helst inte tänka för mycket på det.

– Det kanske du borde göra.
Wallander betraktade henne uppmärksamt.
– Hur ska jag tolka det?
– Jag tänkte bara att du borde vara lite försiktig. Det kan naturligtvis vara så att han blev överraskad. Men man kan väl inte helt utesluta att han kanske tror att du vet nånting. Och att han kommer att försöka igen.
Wallander förvånades över att han själv inte hade tänkt tanken. Genast blev han rädd.
– Jag vill inte skrämma dig, sa hon. Men jag måste ändå säga det.
Han nickade.
– Jag ska tänka på det. Frågan är bara vad han tror att jag vet.
– Han kanske till och med har rätt? Att du sett nånting du inte är medveten om?
En annan tanke hade slagit Wallander.
– Vi borde kanske sätta Apelbergsgatan och Runnerströms Torg under bevakning. Inga utryckningsfordon, mycket diskret. Bara för säkerhets skull.
Hon höll med honom och gick för att ordna saken. Wallander blev stående kvar med sin rädsla. Han tänkte på Linda. Sedan ruskade han på axlarna och gick ut i receptionen för att vänta på Martinsson.

De steg in i lägenheten vid Runnerströms Torg strax före tolv. Trots att Martinsson genast började intressera sig för datorn ville Wallander först visa honom det inre rum där altaret fanns.
– Den elektroniska rymden förvrider huvudet på människor, sa Martinsson och skakade på huvudet. Hela den här befästa lägenheten får mig att må illa.
Wallander svarade inte. Istället tänkte han på det Martinsson sagt. Ett ord han hade använt. *Rymden.* Samma ord hade Tynnes Falk skrivit om i sin loggbok.
Rymden som varit tyst. Inga budskap från Vännerna.
Vad är det för budskap? tänkte Wallander. Det hade jag just nu gett mycket för att veta.
Martinsson hade tagit av sig jackan och satt sig vid datorn. Wallander stod snett bakom honom.
– Här finns några mycket avancerade program, sa Martinsson sedan han slagit på den. Och den här datorn är förmodligen fruktansvärt snabb. Jag är inte säker på att jag kommer att klara av den.
– Jag vill i alla fall att du försöker. Om inte det går får vi kalla på Rikskrim och deras dataexperter.
Martinsson svarade inte. Han betraktade datorn under tystnad.

Sedan reste han sig och undersökte baksidan. Wallander följde honom med blicken. Martinsson satte sig igen. Skärmen hade tänts. Ett stort antal symboler virvlade förbi. Till sist fastnade en stjärnhimmel på skärmen.

– Det verkar som om den automatiskt kopplar upp sig mot en server, så fort man sätter på den.

Rymden igen, tänkte Wallander. Tynnes Falk är i alla fall konsekvent.

– Vill du att jag ska förklara vad jag gör? frågade Martinsson.

– Jag förstår knappast ändå.

Martinsson tryckte på kommandot för att öppna hårddisken. Ett antal kodade filbeteckningar dök upp. Wallander satte på sig glasögonen och lutade sig fram över Martinssons axel. Men det han såg var bara sifferrader och bokstavskombinationer. Martinsson markerade den översta till vänster och försökte öppna den. Han tryckte på startkommandot. Sedan ryckte han till.

– Vad hände?

Martinsson pekade på skärmen till höger. En liten ljuspunkt hade börjat blinka.

– Jag vet inte om jag har rätt, sa Martinsson långsamt. Men jag tror att nån just nu kunde märka att vi försökte öppna en fil utan att vi har rätt till det.

– Hur kan det gå till?

– Den här datorn är ju ihopkopplad med andra datorer.

– Där skulle alltså nån nu ha sett att vi försöker få igång den här?

– Ungefär så.

– Var finns den personen?

– Var som helst, sa Martinsson. Han kan sitta på en avlägsen bondgård i Kalifornien. Eller på en ö utanför Australien. Men han kan också befinna sig i våningen här rakt under oss.

Wallander skakade vantroget på huvudet.

– Det är svårt att förstå, sa han.

– En dator och Internet gör att du befinner dig mitt i världen var du än är.

– Kommer du att kunna öppna den?

Martinsson började arbeta med olika kommandon. Wallander väntade. Efter ungefär tio minuter sköt Martinsson stolen tillbaka.

– Allting är spärrat, sa han. Det ligger komplicerade koder och täcker varenda ingång. Och dom i sin tur har säkerhetssystem bakom sig.

– Det betyder alltså att du ger upp.

Martinsson log.

– Inte än, svarade han. Inte riktigt än.
Martinsson fortsatte att bearbeta tangentbordet.
Men nästan genast gav han till ett utrop.
– Vad är det? undrade Wallander.
Martinsson betraktade undrande skärmen.
– Jag är inte alldeles säker. Men jag tror att nån har varit inne i datorn bara för några timmar sen.
– Hur kan du se det?
– Jag tror knappast det är lönt att jag försöker förklara.
– Är du säker?
– Inte riktigt än.
Wallander väntade medan Martinsson fortsatte att arbeta. Efter tio minuter reste han sig.
– Jag hade rätt, sa han. Nån var inne i datorn igår. Eller inatt.
– Är du säker?
– Ja.
De såg på varandra.
– Det betyder alltså att nån förutom Falk har tillgång till det som finns i datorn.
– Dessutom är det knappast nån som brutit sig in, sa Martinsson.
Wallander nickade tyst.
– Hur ska vi tolka det? frågade Martinsson.
– Jag vet inte, svarade Wallander. Det är för tidigt.
Martinsson satte sig framför datorn igen. Arbetet fortsatte.

Klockan halv fem tog de paus. Martinsson bad Wallander följa med hem och äta middag. Strax före halv sju var de tillbaka igen. Wallander insåg att hans närvaro var alldeles onödig. Men samtidigt ville han inte lämna Martinsson ensam.
Först när klockan blivit tio gav Martinsson upp.
– Jag kommer inte igenom, sa han. Jag har aldrig i mitt liv sett såna säkerhetssystem. Här inne ligger tusentals kilometer av elektronisk taggtråd. Brandväggar som inte går att forcera.
– Då vet vi det, sa Wallander. Då får vi vända oss till Rikskrim.
– Kanske, sa Martinsson tveksamt.
– Vad har vi för alternativ?
– Vi har faktiskt ett, sa Martinsson. En ung man som heter Robert Modin. Han bor i Löderup. Inte så långt från det hus där din far hade sitt hem.
– Vem är det?
– En vanlig ung man som är nitton år gammal. Såvitt jag vet kom han ut från fängelset för några veckor sen.

Wallander såg undrande på Martinsson.
– Varför skulle han vara ett alternativ?
– Därför att han lyckades ta sig in i Pentagons superdator häromåret. Han anses vara en av dom skickligaste i Europa på att ta sig in i förbjudna datavärldar.
Wallander tvekade. Samtidigt lockades han av Martinssons idé. Han behövde inte betänka sig länge.
– Hämta honom, sa han. Så ska jag under tiden se hur det går med Hansson och hans hundar.

Martinsson for ut mot Löderup i sin bil.
Wallander såg sig runt i skuggorna. En bil stod parkerad några kvarter längre bort. Han lyfte handen till hälsning.
Sedan tänkte han på det som Ann-Britt hade sagt. Om att han borde vara försiktig.
Han såg sig runt ännu en gång. Sedan gick han upp mot Missunnavägen.
Duggregnet hade upphört.

19

Hansson hade parkerat sin bil utanför skattemyndigheten.

Wallander såg honom på avstånd. Han stod under en gatlykta och läste en tidning. En mycket tydlig polisman, tänkte Wallander. Ingen behöver tvivla på att han befinner sig på ett uppdrag, även om det är oklart vad han håller på med. Men han är för tunt klädd. Frånsett den gyllene regeln om att komma hem levande efter avslutad arbetsdag finns inget viktigare för en polisman än att klä sig varmt när han ska bedriva utomhusspaning.

Hansson tycktes försjunken i sin tidning. Han märkte inte Wallander förrän han hade kommit alldeles intill. Wallander uppfattade att det var en tidning om travsport.

– Jag hörde dig inte, sa Hansson. Jag undrar om jag har börjat få dålig hörsel.

– Hur går det med hästarna?

– Jag lever på illusioner som de flesta andra. Om att man ska sitta där ensam en dag med den enda rätta raden. Men inte fan springer hästarna som dom ska. Det händer aldrig.

– Och hur går det med hundarna?

– Jag kom just. Hittills har här inte varit nån.

Wallander såg sig omkring.

– När jag kom till stan var här öppna fält, sa han. Ingenting av det här fanns den gången.

– Svedberg talade ofta om det, sa Hansson. Hur staden hade förändrats. Men han var ju född här.

De begrundade under tystnad sin döda kollega. I minnet tyckte Wallander sig fortfarande kunna höra hur Martinsson stönade bakom hans rygg i det ögonblick de upptäckte Svedberg, ihjälskjuten på golvet hemma i sitt vardagsrum.

– Han skulle ha fyllt 50 snart, sa Hansson. När är det du fyller?

– Nästa månad.

– Jag hoppas jag blir bjuden.

– Till vad då? Jag ska inte ha nån fest.

De hade börjat gå längs gatan. Wallander berättade om Martinssons ihärdiga försök att komma in i Tynnes Falks dator. De hade kommit fram till bankomaten och stannat.

– Man vänjer sig fort, sa Hansson. Jag minns knappt längre hur det var innan dom här automaterna fanns. Och ännu mindre förstår jag hur dom egentligen fungerar. Jag föreställer mig ibland att det sitter en liten kamrer där inne. En gubbe som räknar sedlar och kontrollerar att allt går rätt till.

Wallander tänkte på det Erik Hökberg hade sagt. Om hur sårbart samhället hade blivit. Strömavbrottet några nätter tidigare hade bekräftat hans ord.

De gick tillbaka till Hanssons bil. Fortfarande var inga kvällsvandrande hundägare i sikte.

– Jag går nu. Hur var middagen?

– Jag var aldrig där. Vad är det för mening med att äta om man inte får ta ett glas till?

– Du kunde ha bett nån bil komma och hämta dig.

Hansson betraktade Wallander uppmärksamt.

– Du tycker alltså att jag skulle ha stått här och tilltalat folk samtidigt som jag osade sprit?

– Ett glas, sa Wallander. Jag talar inte om att du skulle ha varit full.

Wallander skulle just gå när han påminde sig att Hansson haft ett samtal tidigare under dagen med åklagaren.

– Hade Viktorsson nånting att säga?

– Egentligen inte.

– Nånting måste han väl ha sagt?

– Han såg inga skäl till att spaningsuppläggningen för närvarande skulle inriktas åt nåt visst håll. Vi skulle fortsätta att arbeta på bredden. Förutsättningslöst.

– Poliser spanar aldrig förutsättningslöst, sa Wallander. Det borde han veta.

– Det var i alla fall vad han sa.

– Inget mer?

– Nej.

Wallander fick plötsligt en känsla av att Hansson svarade undvikande. Som om det var någonting han inte kom fram med. Han väntade. Men Hansson var tyst.

– Halv ett kan du nog ge dig, sa Wallander. Jag går nu. Vi ses i morgon.

– Jag borde ha satt på mig varmare kläder. Det är kyligt.

– Hösten är här, sa Wallander. Snart kommer vintern.

Han gick tillbaka mot staden. Ju mer han tänkte på det, desto säkrare blev han på att det var någonting Hansson inte hade sagt. När han kom fram till Runnerströms Torg insåg han att det bara fanns en möjlighet. Viktorsson hade gjort en kommentar om honom själv. Om den påstådda misshandeln. Om den interna utredning som pågick.

Wallander irriterades över att Hansson inget hade sagt. Men han blev inte förvånad. Hansson levde sitt liv i en ständig ansträngning att jämt vara vän med alla. Samtidigt märkte Wallander hur trött han blev. Nerslagen kanske.

Han såg sig omkring. Den civila polisbilen stod kvar. I övrigt var gatan tom. Han låste upp bildörren och satte sig. Just när han skulle starta motorn ringde telefonen. Han letade fram den ur fickan. Det var Martinsson.

– Var är du?

– Jag åkte hem.

– Varför det? Fick du inte tag på Molin?

– Modin. Robert Modin. Jag blev plötsligt lite tveksam.

– Över vad då?

– Du vet hur det är. Regelverket säger att vi inte får använda oss av utomstående personer hur som helst. Trots allt har Modin blivit dömd till fängelse. Om så bara för nån månad.

Wallander insåg att Martinsson hade fått kalla fötter. Det hade hänt tidigare. Några gånger hade det kommit till sammanstötningar mellan dem. Wallander kunde ibland tycka att Martinsson var alltför försiktig. Han använde inte ordet feg, fast det var det han innerst inne menade.

– Vi borde nog få det här godkänt av åklagaren först, fortsatte Martinsson. Åtminstone borde vi tala med Lisa om det.

– Du vet att jag tar ansvaret, sa Wallander.

– Men ändå.

Wallander insåg att Martinsson hade bestämt sig.

– Du kan i alla fall ge mig Modins adress, sa han. Så fritar jag dig från allt ansvar.

– Borde vi inte vänta?

– Nej, svarade Wallander. Tiden rinner ifrån oss. Jag vill veta vad som finns i den där datorn.

– Om du vill höra min personliga åsikt så borde du sova. Har du sett i spegeln hur du ser ut?

– Ja, jag vet, sa Wallander. Ge mig adressen nu.

Han letade fram en penna ur handskfacket som var fullt av papper och ihopklämda papperstallrikar från olika grillbarer. Wallander skrev upp vad Martinsson sa på baksidan av ett bensinkvitto.

– Det är snart midnatt, sa Martinsson.

– Ja, jag vet, svarade Wallander. Vi ses i morgon.

Wallander avslutade samtalet och la ifrån sig telefonen på sätet intill. Men när han skulle starta motorn blev han sittande. Martinsson hade rätt. Vad han framförallt behövde nu var sömn. Vad var det egentligen för mening med att åka ut till Löderup? Robert Modin låg förmodligen och sov. Det får vänta till i morgon, tänkte han.

Sedan körde han ut ur Ystad, mot öster, mot Löderup.

Han körde fort för att avreagera sig. För att han inte ens kunde följa sina egna beslut längre.

Pappret med adressen låg bredvid telefonen på sätet. Men redan när Martinsson hade talat om var Modin bodde hade Wallander vetat var det var. Det låg bara några kilometer från det hus där hans far hade bott. Wallander anade dessutom att han nog redan hade träffat Robert Modins far. Utan att han den gången hade lagt namnet på minnet. Han vevade ner rutan och lät den kyliga luften strömma över ansiktet. Just nu var han irriterad på både Hansson och Martinsson. De kryper, tänkte han ilsket. Både för sig själva och för sin chef.

Klockan hade blivit kvart över tolv när han svängde av från huvudvägen. Risken var naturligtvis stor att han skulle komma fram till ett nersläckt och sovande hus. Men ilskan och irritationen hade jagat tröttheten ur kroppen. Han ville träffa Robert Modin. Och han ville ta honom med sig till Runnerströms Torg.

Det var en avstyckad gård med en stor trädgård som mötte honom. I ljuset från strålkastarna såg Wallander en ensam häst som stod orörlig i en hage. Huset var vitkalkat. På framsidan stod en jeep och en mindre bil. Det lyste i flera fönster på nedervåningen.

Wallander stannade, slog av motorn och steg ur. I samma ögonblick tändes ljuset utanför ytterdörren. En man kom ut på trappan. Wallander kände igen honom. Han hade haft rätt. Någon gång tidigare hade de träffats.

Wallander gick fram och hälsade. Mannen var i 60-årsåldern, mager och kutryggig. Men hans händer tydde inte på att han var lantbrukare.

– Jag känner igen dig, sa Modin. Din far bodde här borta.

– Vi har träffats, sa Wallander. Men jag minns inte i vilket sammanhang.

– Din far irrade omkring ute på en åker, sa Modin. Med en väska i handen.

Wallander mindes. Hans far hade en gång drabbats av en tillfällig sinnesförvirring och bestämt sig för att resa till Italien. Han hade då packat en väska och börjat gå. Modin hade upptäckt honom där han trampade fram i leran och ringt till polishuset.

– Jag tror inte vi har träffats sen han gick bort, sa Modin. Och huset är ju sålt.

– Gertrud flyttade till en syster i Svarte. Jag vet inte ens vem som köpte huset.

– Det är nån karl uppifrån landet som påstår att han är affärsman. Men jag misstänker att han nog egentligen är hembrännare.

Wallander tyckte han kunde se det framför sig. Hur hans fars gamla ateljé hade förvandlats till hembränneri.

– Jag antar att du kommer för Roberts skull, avbröt Modin hans tankar. Jag trodde han hade sonat tillräckligt?

– Det har han säkert, sa Wallander. Men du har rätt i att det är för hans skull jag har kommit.

– Vad har han gjort nu?

Wallander kunde höra faderns vånda.

– Ingenting. Däremot är det så att han kanske kan ge oss lite hjälp.

Modin blev förvånad. Men också lättad. Han nickade mot dörren. Wallander följde efter honom in.

– Hustrun sover, sa Modin. Hon har öronproppar.

I samma ögonblick påminde sig Wallander att Modin var lantmätare. Hur han visste det hade han ingen aning om.

– Är Robert hemma?

– Han är på fest tillsammans med några vänner. Men han har telefon med sig.

Modin visade in Wallander i vardagsrummet.

Han hajade till. Ovanför soffan satt en av de målningar hans far hade gjort. Landskapet utan tjäder.

– Jag fick den av honom, sa Modin. När det snöade som värst brukade jag skotta uppfarten åt honom. Ibland for jag förbi och pratade med honom. Det var en märklig man, på sitt vis.

– Det kan man nog lugnt säga, sa Wallander.

– Jag tyckte om honom. Det finns inte så många av hans sort längre.

– Han var inte alltid lätt att ha att göra med, sa Wallander. Men visst saknar jag honom. Och visst blir dom där gubbarna alltmer sällsynta. En dag kommer dom alldeles att vara försvunna.

– Vem är lätt att ha att göra med? sa Modin. Är du? Jag är det knappast. Fråga min hustru.

Wallander satte sig i soffan. Modin började krafsa ur en pipa.

– Robert är en bra pojke, sa han. Jag tyckte straffet var hårt. Även om det bara var en månad. Det var ju bara en lek alltsammans.

– Jag vet faktiskt inte vad som hände, sa Wallander. Annat än att han hade lyckats ta sig in i Pentagons datorer.

– Han är duktig med dom där datorerna, sa Modin. Den första apparaten köpte han när han var nio år. För pengar han tjänat på att plocka jordgubbar. Sen försvann han in i datavärlden. Men så länge han skötte skolan tyckte jag inte det gjorde nåt. Fast min hustru var emot det. Och nu tycker hon förstås att hon fick rätt.

Wallander fick en känsla av att Modin var en mycket ensam människa. Hur gärna han än hade velat fanns det dock ingen tid till konversation.

– Jag behöver alltså få tag på Robert, sa han. Det är möjligt att hans datakunskaper kan hjälpa oss.

Modin blossade på sin pipa.

– Törs man fråga på vilket sätt?

– Jag kan bara säga att det rör sig om ett invecklat dataproblem.

Modin nickade och reste sig.

– Jag ska inte fråga mer.

Han försvann ut i tamburen. Wallander hörde hur han började tala med någon i telefon. Han vred på ryggen och betraktade landskapet som fadern målat.

Vart tog sidenriddarna vägen? tänkte han. Uppköparna som kom i sina glänsande vrålåk och köpte upp farsans tavlor för vrakpris? Vart tog dom vägen? I sina flotta kostymer och med sina väkiga maner? Kanske det finns en kyrkogård där bara sidenriddare blir nergrävda? Tillsammans med sina tjocka plånböcker och glänsande bilar?

Modin kom tillbaka.

– Grabben är på väg, sa han. Han är i Skillinge. Det tar en stund.

– Vad sa du?

– Som det var. Ingen fara. Men polisen behövde hjälp.

Modin satte sig igen. Pipan hade slocknat.

– Det måste vara viktigt, eftersom du kommer mitt i natten.

– Det finns saker som inte kan vänta.

Modin förstod att Wallander inte ville tala om saken.

– Kan jag bjuda dig på nånting?

– Kaffe vore gott.

– Mitt i natten?

– Jag tänkte jobba ett par timmar till. Men det är inte viktigt.

– Det är klart du ska ha kaffe, sa Modin.

De satt i köket när en bil körde upp på gårdsplanen. Ytterdörren gick upp och Robert Modin steg in.

Wallander tyckte att han såg ut som en trettonåring. Han hade kortklippt hår, runda glasögon och var kortvuxen. Säkert skulle han komma att likna sin far alltmer för varje år som gick. Han var klädd i jeans, skjorta och skinnjacka. Wallander reste sig och tog honom i hand.

– Jag beklagar om jag störde dig mitt i en fest.
– Vi skulle ändå gå.
Modin stod i dörren in till vardagsrummet.
– Jag lämnar er ifred, sa han och försvann.
– Är du trött? frågade Wallander.
– Inte särskilt.
– Jag tänkte att vi skulle åka in till Ystad.
– Varför det?
– Det är nånting jag vill att du ska se på. Jag förklarar medan vi åker.
Pojken var på sin vakt. Wallander försökte le.
– Du behöver inte vara orolig.
– Jag ska bara byta glasögon, sa Robert Modin.
Han försvann uppför trappan till övervåningen. Wallander gick in i vardagsrummet och tackade för kaffet.
– Jag ska se till att han kommer hem ordentligt. Men jag tänker ta med honom in till Ystad.
Modin såg plötsligt orolig ut igen.
– Säkert att han inte har hittat på nånting?
– Jag lovar. Det är som jag sagt.
Robert Modin var tillbaka igen. De lämnade huset när klockan var tjugo minuter över ett. Pojken satte sig bredvid Wallander i framsätet. Han flyttade på telefonen.
– Det är nån som har ringt, sa Robert.
Wallander sökte upp meddelandet. Det var Hansson. Jag skulle ha tagit med telefonen in, tänkte Wallander.
Han slog numret. Det dröjde innan Hansson svarade.
– Väckte jag dig?
– Naturligtvis väckte du mig. Vad trodde du? Klockan är halv två. Jag stannade till halv ett. Då var jag så trött att jag trodde jag skulle ramla omkull.
– Du hade ringt?
– Det var faktiskt ett napp.
Wallander sträckte på sig bakom ratten.
– Vad?
– En kvinna med schäfer. Om jag förstod henne rätt hade hon sett Tynnes Falk den där kvällen han dog.
– Bra. Hade hon gjort några iakttagelser?
– Hon hade klart minne. Alma Högström. Pensionerad tandläkare. Hon sa att hon ofta såg Tynnes Falk på kvällarna. Han var tydligen en promenerande människa.
– Och kvällen då kroppen kom tillbaka?

– Hon trodde att hon hade sett en skåpbil. Om tiderna stämmer så bör det ha varit halv tolv. Den hade parkerats framför bankomaten. Eftersom den hade stått mitt emellan parkeringsplatserna hade hon lagt märke till den.

– Såg hon några människor?

– Hon trodde att hon hade sett en man.

– Trodde?

– Hon var osäker.

– Kan hon identifiera bilen?

– Jag har bett henne komma hit till polishuset i morgon bitti.

– Bra, sa Wallander. Det här kan faktiskt ge nånting.

– Var är du? Hemma?

– Inte riktigt, svarade Wallander. Vi ses i morgon.

Klockan var två när Wallander stannade bilen utanför huset vid Runnerströms Torg. En ny patrullbil stod parkerad på samma ställe som den förra. Wallander såg sig runt på gatan. Om någonting hände så kunde Robert Modin också utsättas för fara. Men gatan var tom. Duggregnet hade upphört.

På vägen in från Löderup hade Wallander förklarat ärendet. Han ville helt enkelt att Robert skulle försöka komma in i Falks dator.

– Jag vet att du är duktig, sa han. Jag bryr mig heller inte om det där med Pentagon. Det som intresserar mig är att du begriper dig på datorer.

– Jag skulle egentligen aldrig ha åkt fast, sa Robert plötsligt ur mörkret. Det var mitt eget fel.

– Varför det?

– Jag slarvade med att sopa igen spåren.

– Vad menar du med det?

– Om man tar sig in på ett spärrat område lämnar man spår. Det är som att klippa upp ett staket. När man går ut måste man laga staketet. Det gjorde jag inte tillräckligt bra. Därför kunde dom spåra mig.

– Det satt alltså folk i Pentagon och lyckades lista ut att det fanns en människa i lilla Löderup som varit på besök?

– Dom kunde inte veta vem jag var eller vad jag hette. Men dom kunde se att det var min dator.

Wallander försökte erinra sig om han hade hört talas om ärendet. Det borde han ha gjort eftersom Löderup tillhörde det som tidigare varit Ystads polisdistrikt. Men minnet var tomt.

– Vilka var det som grep dig?

– Det kom två poliser från Rikskriminalen i Stockholm.

– Vad hände sen?
– Folk från USA förhörde mig.
– Förhörde dig?
– Dom ville veta hur jag hade burit mig åt. Jag sa som det var.
– Och sen?
– Sen blev jag dömd.
Wallander hade haft flera frågor. Men pojken som satt där bredvid honom verkade ovillig att svara.
De gick in genom porten och uppför trapporna. Wallander märkte att han hela tiden var på sin vakt. Innan han låste upp säkerhetsdörren stod han stilla och lyssnade. Robert Modin betraktade honom bakom sina glasögon. Men han sa ingenting.
De gick in. Wallander tände ljuset och pekade på datorn. Han nickade mot skrivbordsstolen. Robert satte sig och slog på datorn utan att tveka. Symbolerna flimrade förbi. Wallander höll sig i bakgrunden. Robert fingrade trevande över tangentbordet som om han just förberedde en pianokonsert. Han höll ansiktet mycket nära skärmen, som om han med ögonen sökte något Wallander inte kunde se.
Så började han knappa på tangentbordet.
Det tog honom drygt en minut. Sedan slog han plötsligt av datorn och vände sig mot Wallander.
– Jag har aldrig sett nåt liknande, sa han enkelt. Den här kommer jag inte att kunna öppna.
Wallander märkte besvikelsen. Både hos sig själv och Robert Modin.
– Är du säker?
Pojken skakade på huvudet.
– Då måste jag sova först, sa han bestämt. Och ha gott om tid.
Wallander insåg nu med full kraft det meningslösa i att han hämtat in Robert Modin mitt i natten. Martinsson hade naturligtvis haft rätt. Han erkände också för sig själv, om än motvilligt, att hans envishet hade utlösts av att Martinsson blivit tveksam.
– Har du tid i morgon? frågade Wallander.
– Hela dagen.
Wallander släckte och låste. Sedan följde han pojken till civilpatrullen som väntade i sin bil och bad dem se till att någon nattpatrull körde honom hem. De avtalade att någon skulle komma och hämta honom klockan tolv. När han hade sovit ut.
Wallander for till Mariagatan. Klockan var närmare tre när han kröp ner mellan lakanen. Snart sov han. Med det fasta beslutet att inte infinna sig på polishuset före klockan elva nästa dag.

*

Kvinnan hade kommit till polishuset på fredagen, strax före ett. Hon hade försynt bett att få en karta över Ystad. Flickan som tog emot henne hänvisade till Turistbyrån eller bokhandeln. Kvinnan hade tackat vänligt. Sedan hade hon frågat efter en toalett. Flickan hade pekat på den dörr som var för besökande. Hon hade låst om sig och öppnat fönstret. Sedan hade hon stängt det igen. Men hakarna hade hon maskerat med tejp. Städerskan som kommit på fredagskvällen hade inte lagt märke till någonting.

Natten mot måndagen, strax efter klockan fyra smög skuggan av en man upp vid polishusets ena yttervägg. Han försvann in genom fönstret. Korridorerna var övergivna. En ensam radio hördes från larmcentralen. Mannen hade en karta i handen. Den hade varit möjlig att skaffa fram genom att tappa ett arkitektkontors dator. Han visste precis vart han skulle gå.

Han sköt upp dörren till Wallanders rum. En jacka med en stor gul fläck hängde på en ensam galge.

Sedan gick mannen fram till den dator som stod i rummet. Han betraktade den tyst under ett kort ögonblick innan han slog på den.

Det han hade att göra tog tjugo minuter. Men risken var i det närmaste obefintlig att någon skulle komma in i rummet så här dags. Det hade varit mycket lätt att gå in i Wallanders dator och hämta fram alla hans dokument och brev.

När mannen var klar släckte han ljuset och öppnade försiktigt dörren på glänt. Korridoren var tom.

Sedan försvann han ljudlöst samma väg han hade kommit.

20

På söndagsmorgonen den 12 oktober vaknade Wallander klockan nio. Trots att han bara hade sovit sex timmar kände han sig utsövd. Innan han gick upp till polishuset tog han en halvtimmes promenad. Duggregnet från natten var borta. Det var en klar och vacker höstdag. Temperaturen hade stigit till nio grader. Kvart över tio steg han in på polishuset. Innan han gick till sitt rum stack han in huvudet i ledningscentralen och frågade hur natten hade varit. Frånsett ett inbrott i Sankta Maria Kyrka där tjuvarna skrämts på flykten av ett larm hade det varit ovanligt lugnt. De civila patruller som bevakade Apelbergsgatan och Runnerströms Torg hade heller inte gjort några iakttagelser värda att notera.

Wallander frågade det vakthavande befälet vilka av hans kollegor som var inne.

– Martinsson är här. Hansson skulle åka och hämta nån. Ann-Britt har jag inte sett till.

– Jag är här, hörde Wallander hennes röst bakom ryggen.

– Är det nånting jag har missat? fortsatte hon.

– Nej, svarade Wallander. Men vi går in till mig.

– Jag ska bara hänga av mig.

Wallander förklarade för befälet att han behövde någon som for ut till Löderup och hämtade Robert Modin klockan tolv. Han förklarade vägen.

– Det ska vara en civil bil, slutade han. Det är viktigt.

Några minuter senare hade Ann-Britt kommit in i hans rum. Hon såg mindre trött ut än vad hon gjort de senaste dagarna. Han tänkte att han borde fråga hur det stod till hemma. Men han var som vanligt osäker på om ögonblicket var det rätta. Istället berättade han att Hansson var på väg in med ett vittne. Och om den unge man i Löderup som kanske skulle kunna hjälpa dem med att komma åt det som fanns i Tynnes Falks dator.

– Jag minns honom, sa hon när Wallander hade slutat.

– Han påstod att det kom folk hit ner från Rikskrim. Varför gjorde det det?

– Förmodligen blev dom oroliga i Stockholm. Svenska myndigheter vill knappast skryta med att en svensk medborgare sitter vid sin dataskärm och läser den amerikanska försvarsmaktens hemligheter.

– Ändå är det konstigt att jag inte ens har hört talas om det.
– Du kanske var på semester?
– Konstigt är det i alla fall.
– Jag tror knappast det händer nåt viktigt här som du inte får reda på.

Wallander påminde sig den känsla han haft kvällen innan. Att det var något som Hansson undanhöll honom. Han var på väg att fråga henne, men han lät det bero. Han hade heller inga illusioner. Just nu var det en ung flicka, understödd av sin mor, som beskyllde honom för misshandel. Poliser brukade hålla varandra om ryggen. Men om en kollega å andra sidan hade skapat ett problem åt sig själv kunde alla vara snabba att vända ryggen till.

– Du tror alltså att lösningen ligger i den där datorn? sa hon.
– Jag tror ingenting. Men vi måste ta reda på vad Falk egentligen höll på med. Vem var han? Idag är det som om människor börjar få elektroniska identiteter.

Han övergick sedan till att berätta om den kvinna som Hansson just var på väg med till polishuset.

– Det är väl den första person som faktiskt har sett nånting, sa Ann-Britt.
– I bästa fall.

Hon stod lutad mot dörrposten. Det var en vana hon nyligen lagt sig till med. Tidigare när hon kommit in på hans rum hade hon alltid satt sig i stolen.

– Jag försökte tänka igår kväll, fortsatte hon. Jag satt och såg på teve. Nåt underhållningsprogram. Men jag kunde inte koncentrera mig. Ungarna hade somnat.
– Och din man?
– Min före detta man. Han befinner sig i Jemen. Tror jag. Men jag stängde i alla fall av teven och satte mig i köket istället, med ett glas vin. Jag försökte gå igenom allt som hade hänt. Så enkelt som möjligt. Utan ovidkommande detaljer.
– Det är en omöjlig uppgift, invände Wallander. Så länge man inte vet vad som faktiskt är ovidkommande eller inte.
– Du har lärt mig att man måste pröva sig fram. Vad som är viktigt och vad som är mindre viktigt.
– Vad kom du fram till?
– Att vissa saker ändå kan betraktas som givna. För det första att vi inte behöver betvivla sambandet mellan Tynnes Falk och Sonja Hökberg. Det elektriska reläet är avgörande. Samtidigt finns det nåt i alla tidsscheman som pekar på en möjlighet vi inte riktigt har tagit till oss.
– Vilken?

– Att Tynnes Falk och Sonja Hökberg kanske inte direkt hade haft med varandra att göra.

Wallander förstod hennes tanke. Han insåg att det hon sa kunde vara betydelsefullt.

– Du menar alltså att förbindelsen mellan dom var indirekt. Via nån annan?

– Motivet kanske ligger nån helt annanstans. Eftersom Tynnes Falk faktiskt själv var död när Sonja Hökberg brändes ihjäl. Men samma person som dödade henne kan ha flyttat på Tynnes Falks kropp.

– Vi vet ändå inte vad vi letar efter, sa Wallander. Det finns inget sammanbindande motiv. Ingen gemensam nämnare. Annat än att det blev lika mörkt för alla när strömmen gick.

– Och var det en tillfällighet eller inte att strömmen bröts just vid den transformatorstation som var känsligast?

Wallander pekade på en karta han hade på väggen.

– Den ligger närmast Ystad, sa han. Och det var härifrån Sonja Hökberg gav sig av.

– Men vi är överens om att hon måste ha kontaktat nån. Som sen valde att köra henne dit.

– Om hon inte själv begärde det, sa Wallander sakta. Det kan faktiskt vara så.

De betraktade kartan under tystnad.

– Jag undrar om man egentligen inte ska börja med Lundberg, sa Ann-Britt eftertänksamt. Taxichauffören.

– Har vi hittat nånting på honom?

– Han finns inte i några register. Jag har dessutom talat med några av hans kollegor. Och hans änka. Ingen har nåt ont att säga om honom. En man som körde sin taxi och ägnade sin fritid åt familjen. Ett vackert och vanligt svenskt livsöde som får en brutal avslutning. Det slog mig i går när jag satt i köket att det nästan var *för* vackert. Det fanns inte en fläck i bilden. Om du inte har nåt emot det tänker jag fortsätta att rota runt lite i Lundbergs liv.

– Det tycker jag du gör rätt i. Vi måste borra oss ner till kärnan, urberget som kanske finns nånstans. Hade han barn?

– Två söner. En av dom bor i Malmö. Den andre är kvar här i staden. Jag hade faktiskt tänkt försöka få tag på dom idag.

– Gör det. Om inte annat vore det bra om vi kunde slå fast en gång för alla att det faktiskt var ett vanligt rånmord.

– Ska vi ha nån samling idag?

– I så fall hör jag av mig.

Hon försvann ut genom dörren. Wallander begrundade vad hon hade sagt. Sedan gick han ut i matrummet och hämtade kaffe. Det låg en morgontidning på ett bord. Han tog med den in på sitt rum och bläddrade förstrött i den. Plötsligt var det något som fångade hans uppmärksamhet. En kontaktförmedling som annonserade ut sin förträfflighet och sina tjänster. Den kallade sig fantasilöst nog för »Datamötet«. Wallander läste igenom annonsen. Utan att betänka sig slog han sedan på sin dator och skrev ihop en annons. Han visste att om han inte gjorde det nu skulle det aldrig bli av. Ingen skulle heller någonsin behöva få veta om det. Han skulle vara anonym så länge han själv ville. De svar han eventuellt fick skulle komma hem till honom utan att avsändaren angavs. Han försökte skriva så enkelt som möjligt. *Polisman, 50 år, frånskild, ett barn, söker bekantskap. Ej äktenskap. Men kärlek.* Som signatur valde han inte »Gammal Hund« utan »Labrador«. Han drog ut en kopia på skrivaren och sparade texten i datorn. I översta skrivbordslådan hade han kuvert och frimärken. Han skrev adressen och klistrade igen kuvertet. Sedan la han det i jackfickan. När han var klar kunde han inte låta bli att erkänna för sig själv att han faktiskt kände en viss spänning. Han skulle säkert inte få några svar. Eller så skulle de vara sådana att han genast rev sönder dem. Men spänningen fanns inom honom. Den kunde han inte förneka.

Sedan stod Hansson där i dörren.

– Hon är här nu, sa han. Alma Högström, pensionerad tandläkare. Vårt vittne.

Wallander reste sig och följde efter Hansson till ett av de mindre mötesrummen. På golvet intill den stol där kvinnan satt låg en schäfer och betraktade omvärlden med vaksamma ögon. Wallander hälsade. Han fick en känsla av att kvinnan hade klätt upp sig för sitt besök på polishuset.

– Jag är glad för att ni kunde ta er tid att komma hit, sa han. Trots att det är söndag.

Samtidigt undrade han hur det kunde komma sig att han efter alla dessa år som polis fortfarande uttryckte sig så stelt.

– Om polisen har användning för någons iakttagelser ska man naturligtvis göra sin medborgerliga plikt.

Hon uttrycker sig värre än jag, tänkte Wallander uppgivet. Det är som att höra ett replikskifte från en gammal film.

De gick långsamt igenom vad hon hade sett. Wallander lät Hansson sköta frågandet och satt själv och gjorde anteckningar. Alma Högström var klar i huvudet och gav rediga svar. Var hon osäker sa hon det. Det kanske viktigaste av allt var att hon hade en god uppfattning om vad klockan varit vid olika tillfällen.

Hon hade sett en mörk skåpbil och klockan var halv tolv. Att hon var så säker berodde helt enkelt på att hon kastat en blick på klockan strax innan.

– Det är en gammal vana, klagade hon. Den går aldrig ur. Man hade en patient i stolen under bedövning och väntrummet fullt. Tiden gick alltid för fort.

Hansson försökte få henne att identifiera vilken typ av skåpvagn det kunde ha varit. Han hade tagit med sig en pärm som han själv ställt ihop några år tidigare, med olika bilmodeller och en färgfjäder han fått på en färghandel. Idag fanns allt detta naturligtvis på olika dataprogram. Men Hansson hade på samma sätt som Wallander svårt att överge sina gamla ingrodda vanor.

De kom långt om länge fram till att det förmodligen hade varit en Mercedesbuss. Och att den hade varit svart eller mörkblå.

Registreringsnumret hade hon inte lagt märke till. Inte heller om det suttit någon i förarhytten. Däremot hade hon skymtat en skugga bakom bilen.

– Egentligen var det inte jag, sa hon. Utan min hund, »Redbar«. Det var han som spetsade öronen och såg mot bilen.

– Det är svårt att beskriva en skugga, sa Hansson. Men kan du ändå försöka säga nånting mer. Var det till exempel en man eller en kvinna?

Hon hade länge tänkt efter innan hon svarade.

– Skuggan hade i alla fall inte kjol, sa hon. Och nog tror jag det var en man. Men jag kan inte vara säker.

– Hörde du nånting? insköt Wallander. Några ljud?

– Nej. Men jag har för mig att det samtidigt passerade några bilar uppe på huvudvägen.

Hansson fortsatte.

– Vad hände sen?

– Jag gick min vanliga runda.

Hansson bredde ut en stadskarta på skrivbordet. Hon pekade ut sin väg.

– Du passerade alltså platsen ytterligare en gång? Och då var bilen borta?

– Ja.

– Vad var klockan då?

– Den bör ha varit ungefär tio över tolv.

– Hur kan du veta det?

– Jag kom hem när klockan var fem i halv ett. Det tar ungefär en kvart för mig att gå från varuhusen.

Hon pekade ut sin bostad. Wallander och Hansson var överens. Tiden borde stämma.

– Men du såg ingenting som låg på asfalten, sa Hansson. Och hunden reagerade inte?

– Nej.

– Är inte det lite märkligt? sa Hansson till Wallander.

– Kroppen måste ha hållits nerfryst, sa Wallander. Då kanske det inte utgår några lukter. Vi kan fråga Nyberg. Eller nån av våra egna hundförare.

– Jag är glad att jag inte såg nånting, sa Alma Högström bestämt. Det är ju förfärligt att tänka sig. Att folk kommer körande med ett lik mitt i natten.

Hansson frågade om hon hade sett några andra människor när hon passerade bankomaten. Men hon hade varit ensam.

De övergick till att tala om hennes tidigare möten med Tynnes Falk.

Wallander hade plötsligt en fråga som inte kunde vänta.

– Visste du att den man du brukade möta hette Falk?

Hennes svar överraskade honom.

– Jag hade haft honom som patient en gång i tiden. Han hade bra tänder. Han kom bara nån enstaka gång. Men jag har gott minne för namn och ansikten.

– Han brukade alltså promenera på kvällarna? sa Hansson.

– Jag mötte honom flera gånger i veckan.

– Hände det att han hade nån i sällskap?

– Aldrig. Han var alltid ensam.

– Brukade ni tala med varandra?

– Jag försökte hälsa nån gång. Men han verkade vilja vara ifred.

Hansson hade inget mer att fråga om. Han såg på Wallander som fortsatte.

– La du märke till nånting som var annorlunda med honom den sista tiden?

– Vad skulle det ha varit?

Wallander var själv osäker på sin fråga.

– Verkade han rädd? Såg han sig om?

Hon funderade länge innan hon svarade.

– Om det var nån skillnad måste man nog säga att det var precis tvärtom.

– Tvärtom mot vad då?

– Rädsla. Han verkade vara på gott humör och full av energi den sista tiden. Innan hade jag ofta fått en känsla av att han rörde sig tungt och kanske lite modfällt.

Wallander rynkade pannan.

– Är du säker på det här?

– Hur kan man vara säker på vad som rör sig i en annan människa? Jag bara säger vad jag tror.
Wallander nickade.
– Då ber vi att få tacka, sa han. Det kan hända att vi hör av oss igen. Om du skulle komma på nåt mer vill vi naturligtvis att du genast hör av dig.
Hansson följde henne ut. Wallander satt kvar. Han tänkte på det sista hon sagt. Att Tynnes Falk under sin sista tid i livet verkade ha varit på ovanligt gott humör. Wallander skakade på huvudet. Han tyckte det var mindre och mindre som hängde ihop.
Hansson återvände.
– Hörde jag verkligen rätt? Hette hunden »Redbar«?
– Ja.
– Vilket namn.
– Jag vet inte det. En redbar hund. Jag har hört värre.
– Man kan väl inte kalla en hund för »Redbar«?
– Nu har hon tydligen gjort det. Och det kan hur som helst knappast betraktas som en olaglig handling.
Hansson skakade på huvudet.
– En svart eller blå Mercabuss, sa han sedan. Jag antar att vi får börja leta efter bilar som är rapporterade stulna.
Wallander nickade.
– Tala dessutom med nån hundförare om det där med lukten. Men annars har vi i alla fall fått en bestämd och säker tidpunkt att hålla oss till. Och det får anses vara mycket i nuvarande läge.
Wallander återvände till sitt rum. Klockan var kvart i tolv. Han ringde in till Martinsson och förklarade vad som hade hänt under natten. Martinsson lyssnade utan att säga ett enda ord. Wallander blev irriterad men behärskade sig. Istället bad han Martinsson åka ner och möta Robert Modin. Wallander skulle komma ut till receptionen med nycklarna till lägenheten.
– Det kanske kan vara lärorikt, sa Martinsson. Att se hur en mästare klättrar över brandväggar.
– Jag lovar dig att ansvaret fortfarande är mitt, sa Wallander. Men jag vill inte att han ska vara där ensam.
Martinsson la genast märke till Wallanders försiktiga ironi. Han började försvara sig.
– Alla kan inte vara som du, sa han. Som behandlar våra tjänsteregler hur som helst.
– Jag vet, svarade Wallander tålmodigt. Du har naturligtvis alldeles rätt. Men jag tänker ändå inte gå till åklagaren eller Lisa för att be om lov.

Martinsson försvann ut genom porten. Wallander märkte att han var hungrig. Han gick ner till stan i det vackra höstvädret och åt lunch på Istváns Pizzeria. István hade mycket att göra. De hann aldrig kommentera Fu Cheng och hans falska kreditkort. På vägen tillbaka stannade Wallander vid posten och la på brevet till kontaktförmedlingen. Han fortsatte sedan mot polishuset i den trygga förvissningen om att han inte skulle få ett enda svar.

Han hade just kommit in på sitt rum när telefonen ringde. Det var Nyberg. Wallander gick tillbaka genom korridoren. Nyberg hade sitt arbetsrum en trappa ner. När Wallander steg in där såg han att den hammare och den kniv som använts vid rånmordet på Lundberg låg på bordet framför Nyberg.

– Idag har jag varit polis i fyrtio år, sa Nyberg ilsket. Jag började en måndagsmorgon. Men det är naturligtvis söndag när jag firar mitt meningslösa jubileum.

– Om du är så trött på allting förstår jag inte att du inte slutar genast, fräste Wallander.

Han förvånades över att han hade tappat humöret. Det hade aldrig hänt tidigare att han brutit ut mot Nyberg. Tvärtom var han alltid försiktig när han närmade sig den skicklige men koleriske kriminalteknikern.

Nyberg verkade dock inte ta illa upp. Han såg nyfiket på Wallander.

– Jag trodde jag var den ende som hade humör här, sa han.

– Det var inte meningen, mumlade Wallander.

Nyberg blev arg.

– Visst fan var det meningen. Jag förstår inte att folk ska vara så rädda för att visa humör. Dessutom har du rätt. Jag sitter här och gnäller.

– Det kanske till slut är det enda som återstår, sa Wallander sakta.

Nyberg drog ilsket till sig plastpåsen med kniven.

– Jag har fått besked om fingeravtrycken, sa han. Här finns två olika.

Wallander blev genast intresserad.

– Eva Persson och Sonja Hökberg?

– Båda två.

– Vilket alltså kan innebära att Persson inte ljuger på den punkten?

– Det är i alla fall en möjlighet.

– Du menar att det trots allt var Hökberg som stod för våldet?

– Jag menar ingenting. Jag bara säger som det är. Möjligheten finns.

– Hur är det med hammaren?
– Där finns bara Hökbergs fingeravtryck. Ingen annans.
Wallander nickade.
– Då vet vi det.
– Vi vet lite mer, fortsatte Nyberg och bläddrade bland alla papper som flöt omkring på skrivbordet. Ibland kan rättsmedicinarna överträffa sig själva. Dom menar sig med till visshet gränsande sannolikhet kunna konstatera att våldet kommit i olika omgångar. Först hammaren. Och sen kniven.
– Inte tvärtom?
– Nej. Och inte samtidigt.
– Hur kan dom lista ut det?
– Det vet jag på ett ungefär. Men jag tror knappast jag kan förklara det för dig.
– Det här innebär att Hökberg kan ha bytt vapen?
– Så tror i alla fall jag det har gått till. Eva Persson kanske hade sin kniv i väskan. När Hökberg ville ha den så fick hon den.
– Som i en operationssal, sa Wallander olustigt. Kirurgen som begär fram olika redskap.
De satt tysta en stund och begrundade den obehagliga jämförelsen. Efteråt var det Nyberg som bröt tystnaden.
– Det är en sak till. Jag har tänkt på den där väskan. Ute vid transformatorstationen. Den som låg alldeles fel.
Wallander väntade på fortsättningen. Även om Nyberg framförallt var en skicklig och grundlig tekniker visade han emellanåt också prov på en oväntad kombinationsförmåga.
– Jag åkte ut, fortsatte han. Jag tog väskan med mig och försökte kasta den mot staketet från olika utgångspunkter. Men den nådde aldrig så långt.
– Varför inte?
– Du minns hur det såg ut. Kraftstolpar, taggtråd och höga betongfundament. Väskan fastnade hela tiden. Jag försökte tjugofem gånger. Och lyckades en.
– Det innebär alltså att nån gjort sig besväret att gå bort till staketet med väskan?
– Det kan ha gått till på det sättet. Frågan är bara varför.
– Du har en idé?
– Det naturliga är förstås att väskan placerats där för att den skulle återfinnas. Men kanske inte på en gång.
– Nån ville alltså att kroppen skulle kunna identifieras men inte genast?
– Det var det jag också hade kommit fram till. Men så upptäckte

jag en sak. Alldeles där väskan låg är det extra bra ljus. En av strålkastarna lyser precis på den punkt där väskan låg.

Wallander anade vart Nyberg var på väg men han sa ingenting.

– Jag bara menar, den kanske låg där eftersom nån hade ställt sig i ljuset och letat igenom den.

– Och kanske också hittat nånting?

– Det var så jag tänkte. Men det är naturligtvis din sak att dra slutsatserna.

Wallander reste sig.

– Bra, sa han. Det kan hända att du tänker alldeles rätt.

Wallander gick uppför trappan och in i Ann-Britts rum. Hon satt lutad över en hög med papper.

– Sonja Hökbergs mamma, sa han. Jag vill att du tar kontakt med henne och frågar om hon vet vad som brukade finnas i dotterns handväska.

Wallander berättade om Nybergs idé. Ann-Britt nickade och började leta efter ett telefonnummer.

Wallander brydde sig inte om att vänta. Han kände sig rastlös och gick tillbaka mot sitt rum. Han undrade hur många mil han hade gått i korridoren under alla år. Sedan hörde han att det ringde i hans rum. Han skyndade på stegen. Det var Martinsson.

– Jag tror det är dags att du kommer hit.

– Varför?

– Robert Modin är en mycket duktig ung man.

– Vad har hänt?

– Det vi hoppades på. Vi är inne. Datorn har slagit upp sina portar.

Wallander la på luren.

Nu bryter vi äntligen igenom, tänkte han. Det har tagit tid. Men det kom till slut.

Han tog sin jacka och lämnade polishuset.

Klockan var kvart i två. Söndagen den 12 oktober.

II
Brandväggen

21

Carter vaknade i gryningen av att luftkonditioneringen plötsligt stannade. Han låg orörlig under lakanet och lyssnade ut i mörkret. Cikadorna spelade. En hund skällde någonstans på avstånd. Det var strömavbrott igen. Det hände var och varannan natt här i Luanda. Savimbis banditer var alltid på jakt efter möjligheter att kortsluta kraftförsörjningen till huvudstaden. Och då dog luftkonditioneringen. Carter låg stilla under lakanet. Det skulle bara dröja några minuter innan det blev kvävande hett i rummet. Men frågan var om han orkade stiga upp och gå ner i rummet utanför köket och starta generatorn. Han visste inte heller vad som egentligen var värst: generatorns oväsen eller värmen som snabbt blev tryckande i sovrummet.

Han vred på huvudet och såg på klockan. Kvart över fem. Utanför huset hörde han en av nattvakterna som snarkade. Det var säkert José. Men så länge den andre vakten Roberto höll sig vaken gjorde det inte så mycket. Han makade på huvudet och kände kolven på pistolen som han alltid hade under huvudkudden. Bortom alla nattvakter och stängsel var det till sist den enda trygghet han hade. Om någon av de otaliga rånare som dolde sig i mörkret beslöt sig för att slå till. Han hade full förståelse för att de försökte komma åt honom. Han var vit, han var välbeställd. I ett fattigt och utarmat land som Angola var kriminaliteten självklar. Hade han varit en av de fattiga hade han säkert rånat sig själv.

Plötsligt slogs luftkonditioneringen på igen. Det hände att avbrotten var korta. Då var det inte banditernas fel utan något tekniskt problem. Ledningarna var gamla. Portugiserna hade installerat dem under kolonialtiden. Hur många år som gått sedan dess och utan underhåll visste han inte.

Carter blev liggande vaken i mörkret. Han tänkte att han snart skulle fylla 60 år. Egentligen var det märkligt att han blivit så gammal med tanke på det liv han hade levt. Innehållsrikt och växlande. Men också farligt.

Han vek undan lakanet och lät den kyliga luften träffa huden. Han tyckte inte om att vakna i gryningen. Timmarna innan soluppgången var han som mest oskyddad. Då fanns bara han och mörkret och alla minnen. Han kunde börja jaga upp sig och rasa över alla oförrätter. Först när han koncentrerade tankarna på den hämnd som skulle komma lugnade han sig igen. Men då hade det oftast gått flera timmar. Solen skulle då redan ha stigit över horisonten. Nattvakterna hade börjat prata och snart skulle det slamra i hänglåsen när Celina låste upp för att komma in i köket och börja laga frukost åt honom.

Han drog upp lakanet igen. När det började klia i näsan visste han att han snart skulle börja nysa. Han hatade att nysa. Han avskydde sina allergier. De var en svaghet som han föraktade. Inte minst att han nös i tid och otid. Det hade hänt att han varit tvungen att avbryta ett anförande eftersom nysningarna gjort det omöjligt att fortsätta.

Andra gånger fick han utslag som kliade. Eller så rann ögonen.

Han drog upp lakanet över munnen. Den här gången var det han som vann. Behovet av att nysa försvann. Istället blev han liggande och tänkte på de år som gått. På allt det som hänt och som nu gjorde att han låg i en säng i ett hus i Angolas huvudstad Luanda.

Det var mer än trettio år sedan han hade börjat som ung ekonom på Världsbanken i Washington. Den gången hade han varit full av tilltro till bankens möjligheter att bidra till att förbättra världen. Eller åtminstone göra den rättvisare. De stora lån som behövdes i den fattiga världen och som enskilda nationer eller privata banker inte ensamma kunde stå för var anledningen till att Världsbanken en gång skapats vid ett möte i Bretton Woods. Även om många av hans vänner på universitetet i Kalifornien hade hävdat att han valde fel, att inga förnuftiga lösningar på världens ekonomiska problem skapades på Världsbankens kontor, hade han hållit fast vid sitt beslut. Han var inte mindre radikal än någon annan. Han hade gått i samma demonstrationståg, inte minst mot kriget i Vietnam. Men han hade aldrig blivit övertygad om att den civila olydnaden i sig skulle leda till en bättre värld. Han trodde inte heller på de små och alltför inskränkta socialistpartierna. Han hade kommit fram till att han måste verka inom de befintliga strukturerna. Skulle man rubba makten måste man hålla sig i dess närhet.

Dessutom hade han en hemlighet. Det var därför han lämnat Columbiauniversitetet i New York och flyttat till Kalifornien. Han hade varit i Vietnam under ett år. Och han hade tyckt om det. Han hade varit ansluten till en stridande enhet som nästan hela tiden hade befunnit sig vid An Khe, längs den viktiga vägen västerut från Qui Nhon. Han visste att han under det året hade dödat flera fiendesoldater, och han hade också klart för sig att han egentligen aldrig hade ångrat sig. Medan hans kamrater hade hängett sig åt droger hade han bibehållit sin disciplin som soldat. Hela tiden hade han också varit förvissad om att han skulle överleva. Han skulle aldrig skickas tillbaka över havet i en plastsäck. Det var då, under de kvava nätterna, någonstans på patrull i djungeln, som han hade kommit fram till sin övertygelse. Man måste befinna sig på maktens sida, i maktens närhet för att kunna rubba den. Och nu när han låg och väntade på gryningen i Angola kunde han få samma känsla. Av att han åter befann sig i en djungel av kvävande värme, och att han hade haft rätt den där gången för trettio år sedan.

Eftersom han tidigt hade insett att det snart skulle bli en befattning ledig som bankens landansvarige i Angola hade han omedelbart lärt sig portugisiska. Hans karriär hade varit snabb och spikrak. Hans chefer hade insett hans kapacitet. Trots att det varit många sökande med större eller åtminstone bredare kvalifikationer än han själv, hade han utan diskussion fått den eftertraktade chefsbefattningen i Luanda.

Det var första gången han besökte Afrika. På allvar satte sin fot i ett fattigt och söndertrasat land på södra halvklotet. Tiden som soldat i Vietnam räknade han inte. Där hade han varit en ovälkommen fiende. I Angola var han välkommen. Den första tiden hade han använt till att lyssna. Att se och lära känna. Han hade förundrats över den glädje och den värdighet som trots allt levde så starkt i den tunga misären.

Det hade sedan tagit honom nästan två år att inse att det Banken höll på med var alldeles fel. Istället för att stödja landet inför självständigheten, underlätta återuppbyggnaden av det krigshärjade landet, bidrog Banken egentligen bara till att göda de redan rika. Han märkte hur han i kraft av sin maktposition ständigt möttes av krypande och försiktiga människor. Bakom den radikala svadan mötte han korruption, feghet och illa maskerade egenintressen. Där fanns andra – fristående intellektuella, en och annan minister – som såg samma sak som han själv. Men de befann sig alltid i ett underläge. Ingen utom han själv lyssnade på dem.

Till slut stod han inte ut längre. Han hade försökt klargöra för sina chefer att Bankens strategier var alldeles felaktiga. Men han fick inget gehör trots att han gång på gång reste över Atlanten för att försöka påverka huvudkontoret. Han skev ett otal allvarliga PM. Men han fick aldrig annat än välvillig likgiltighet till svar. Vid ett av dessa möten fick han också för första gången känslan av att han hade börjat bli betraktad som besvärlig. Någon som höll på att falla utanför ramen. Han talade en kväll med sin äldste mentor, en finansanalytiker som hette Whitfield och som följt honom från universitetsåren och varit med om att anställa honom. De hade träffats på en liten restaurang i Georgestown och Carter hade frågat honom rakt på sak: Höll han på att göra sig omöjlig? Var det verkligen ingen som förstod att det var han som hade rätt och Banken som hade fel? Whitfield hade sagt som det var, att frågan var fel ställd. Om Carter hade rätt eller inte spelade mindre roll. Banken hade bestämt en politik. Felaktig eller inte så skulle den följas.

Natten efter flög Carter tillbaka till Luanda. Under resan i den bekväma förstaklassfåtöljen började ett dramatiskt beslut ta form i hans hjärna.

Det tog honom sedan ett antal sömnlösa nätter att komma fram till vad det var han egentligen ville.

Det var också då han mötte den man som skulle övertyga honom om att han hade rätt.

Carter hade efteråt tänkt att det viktiga i en människas liv alltid var en märklig kombination av medvetna beslut och tillfälligheter. De kvinnor han älskat hade kommit i hans väg på de mest egendomliga vis. Och de hade också lämnat honom på samma sätt.

Det var en kväll i mars i mitten av 70-talet. Han hade befunnit sig djupt inne i sin sömnlösa period, när han sökte en utväg ur sitt dilemma. En kväll kände han sig rastlös och bestämde sig för att besöka en av de restauranger som låg nere vid Luandas hamnpromenad. Restaurangen hette »Metropol«. Han brukade gå dit eftersom det knappast var någon risk att han skulle möta någon av Bankens övriga anställda där. Eller överhuvudtaget människor som tillhörde eliten i landet. På »Metropol« brukade han få vara ifred. Vid bordet intill honom hade det suttit en man som pratat mycket dålig portugisiska. Eftersom kyparen inte kunde engelska hade Carter hjälpt till att tolka.

Sedan hade de börjat tala med varandra. Det hade visat sig att mannen var svensk och befann sig i Luanda för att utföra ett konsultuppdrag inom den statliga telesektorn, som var ytterst eftersatt. Riktigt vad det var hos honom som hade fångat Carters intresse hade han aldrig lyckats reda ut för sig själv. I normala fall var han en man som höll människor på avstånd. Men det hade funnits något hos den här mannen som omedelbart fångat hans uppmärksamhet. Carter var en misstänksam människa. Hans utgångspunkt när han mötte människor var att de var fiender.

De hade inte växlat många ord förrän Carter hade förstått att mannen som satt vid bordet intill och så småningom flyttade över till hans eget var mycket intelligent. Han var dessutom inte någon inskränkt tekniker med smala särintressen utan visade sig vara beläst och väl insatt i såväl Angolas koloniala historia som den intrikata politiska situation som just då rådde.

Mannen hette Tynnes Falk. Det hade han sagt när de skildes sent på natten. De hade då varit de sista gästerna. En ensam kypare hade halvsovit vid bardisken. Utanför restaurangen hade deras chaufförer väntat. Falk hade bott på Hotell Luanda och de hade bestämt att träffas även nästa kväll.

Falk hade varit kvar i Luanda tre månader. Mot slutet av perioden hade Carter erbjudit honom ett nytt konsultuppdrag. Egentligen var det bara en ursäkt för att ge Falk en möjlighet att återvända så att de kunde fortsätta samtalen.

Falk hade kommit tillbaka två månader senare. Han hade då för första gången berättat att han var ogift. Carter hade heller aldrig varit gift. Men han hade levt med många olika kvinnor och hade fyra barn, tre flickor och en pojke, som han nästan aldrig träffade. I Luanda hade han två svarta älskarinnor som han växlade mellan. En var lärare vid universitetet, den andra en frånskild ministerfru. Som vanligt höll han sina förbindelser hemliga för alla utom sitt tjänstefolk. Han hade också undvikit att ha förhållanden med kvinnor som arbetade inom Banken. Eftersom Falk utstrålade stor ensamhet hjälpte Carter honom till lämpligt kvinnligt sällskap i form av en kvinna som hette Rosa och var dotter till en portugisisk handelsman och dennes svarta tjänarinna.

Falk hade då börjat trivas alltmer i Afrika. Carter hade skaffat honom ett hus med trädgård och havsutsikt vid Luandas vackra bukt. Han hade dessutom skrivit ett kontrakt som gav Falk en mycket hög ersättning för det minimala arbete han utförde.

De fortsatte sina samtal. Vad de än talade om under de långa och varma nätterna hade de snart upptäckt att de låg varandra ytterst nära i sina politiska och moraliska uppfattningar. För första gången hade Carter hittat någon han kunde anförtro sig till. Och samma hade gällt för Falk. De lyssnade på varandra med stigande intresse och den häpnad som kom av upptäckten att de hyste så likartade åsikter. De förenades inte bara i sin besvikna radikalism. Ingen av dem hade heller försjunkit i passiv och inåtvänd bitterhet. Till det ögonblicket då slumpen förde dem samman hade de, var och en för sig, sökt en utväg. Nu kunde de göra det tillsammans. De formulerade några enkla förutsättningar som de på ett alldeles självklart sätt, utan besvär, kunde enas om. Vad fanns kvar bortom de förbrukade ideologierna? Bland detta ofattbara myller av människor och idéer, i en värld som tycktes dem alltmer korrumperad? Hur kunde egentligen en bättre värld byggas upp? Kunde den överhuvudtaget skapas så länge det gamla fundamentet fanns kvar? De insåg efterhand, och kanske de också sporrade varandra, att en ny och bättre värld knappast skulle kunna uppstå om inte en absolut förutsättning existerade. Att allting först hade rivits ner.

Det var under de nattliga samtalen som planen började ta form. De sökte sig långsamt fram mot en punkt där de kunde förena sina kunskaper och erfarenheter. Carter hade alltmer fascinerad lyssnat på de häpnadsväckande ting som Falk kunde berätta om den elektroniska värld där han levde och arbetade. Genom Falk hade han förstått att ingenting egentligen var omöjligt. De som behärskade de elektroniska kommunikationerna var de som hade den egentliga makten. Inte minst var det när Falk berättade om framtidens krig som Carter lyssnade med alla sinnen på helspänn. Vad tanksen hade betytt för första världskriget och atombomben för det andra skulle den nya informationstekniken betyda för de konflikter som låg och väntade i en nära framtid. Då skulle tidsinställda bomber som inte bestod av annat än förprogrammerade datavirus komma att smugglas in i en tänkt fiendes vapenarsenal. Elektroniska impulser skulle kunna slå ut en fiendes aktiemarknader och telesystem. Den nya tekniken skulle innebära att makten om framtiden inte avgjordes på ens de mest sofistikerade slagfält utan vid tangentbord och i laboratorier. De kärnvapenbestyckade ubåtarnas tid var snart över. De verkliga hoten låg nu i de fiberoptiska kablar som spunnits till ett allt tätare spindelnät runt jordklotet.

Den stora planen började långsamt ta form under de varma afrikanska nätterna. De var från början fast bestämda att ta tid på sig. Aldrig förhasta sig. En dag skulle tiden vara mogen. Och då skulle de vara beredda.

De kompletterade också varandra. Carter hade kontakter. Han visste hur Banken fungerade. Han kände till de finansiella systemen i detalj och visste hur bräcklig den världsomspännande ekonomin egentligen var. Det som många hävdade var styrka, att världens alla ekonomier alltmer flätades samman, skulle kunna förvandlas till sin motsats. Falk var teknikern som kunde fundera ut hur olika idéer skulle kunna omsättas i praktisk verklighet.

Under många månader satt de nästan varje kväll och slipade på sin stora plan.

De hade sedan haft regelbunden kontakt med varandra i mer än tjugo år. De hade från början insett att tiden ännu inte var mogen. Men en dag skulle den vara det och då skulle de slå till. Den dag elektroniken tillhandahöll redskapen och den internationella finansvärlden hade flätats samman så hårt att bara ett hugg skulle kunna lösa upp knuten var det dags.

Carter rycktes upp ur sina tankar. Instinktivt grep han efter pistolen under huvudkudden. Men det var bara Celina som höll på att fumla med hänglåsen utanför köksingången. Han tänkte irriterat att han borde avskeda henne. Hon slamrade för mycket när hon lagade hans frukost. Dessutom fick han aldrig sina ägg som han ville ha dem. Celina var ful och tjock och dum. Hon kunde varken läsa eller skriva och hade nio barn. Och en man som mest satt i skuggan av ett träd och pratade, när han inte var full.

En gång hade Carter tänkt att det var dessa människor som skulle skapa den nya världen. Det trodde han inte längre. Och då kunde man lika gärna bryta ner den. Slå den i spillror.

Solen hade redan hävt sig över horisonten. Carter låg kvar ännu en stund under lakanet. Han tänkte på det som hade hänt. Att Tynnes Falk nu var död. Det som inte fick hända hade ändå skett. I deras plan hade alltid tanken funnits där, att det oväntade, det som inte gick att kontrollera, skulle kunna inträffa. De hade tagit med det i sina beräkningar, byggt upp försvarssystem och skapat alternativa lösningar. Men de hade aldrig kunnat föreställa sig att någon av dem själv skulle drabbas. Att någon av dem skulle dö, en helt meningslös och oplanerad död. Ändå var det just det som hade skett. När Carter fått telefonsamtalet från Sverige hade han först vägrat tro att det var sant. Men till sist hade han inte kunnat värja sig längre. Hans vän var död. Tynnes Falk fanns inte mer. Det smärtade honom och hade rubbat alla deras planer. Och det hade skett vid sämsta tänkbara tidpunkt, just innan de äntligen skulle slå till. Nu var det bara han själv som fick vara med om det stora ögonblicket. Men livet bestod inte endast av medvetna beslut och grundliga planer. Det rymde också tillfälligheter.

I hans huvud hade den stora operationen redan fått ett namn: *Jakobs Kärr.*

Han kunde fortfarande minnas hur Falk vid ett ytterst sällsynt tillfälle hade druckit för mycket vin och plötsligt börjat tala om sin barndom. Hur han hade växt upp på en gård där hans far var någon sorts förvaltare. Ungefär som en förman på någon av de forna portugisiska plantagerna i Angola. Där, intill ett skogsparti, hade funnits ett kärr. Floran hade enligt Falk varit förvirrande, kaotisk och vacker. Vid det där kärret hade han lekt som barn, sett trollsländorna flyga, och upplevt några av sina allra bästa stunder i livet. Varför platsen kallades Jakobs Kärr hade han också kunnat ge ett svar på. En gång för länge sedan hade någon som hette Jakob av olycklig kärlek gått dit en natt och dränkt sig.

För Falk hade det där kärret fått en annan innebörd när han blivit vuxen. Inte minst efter det att han hade mött Carter och de hade insett att de delade en stor upplevelse av vad livet egentligen innebar. Nu var kärret som en symbol för den kaotiska värld de levde i, där till sist det enda man kunde göra var att gå och dränka sig. Eller åtminstone se till att andra försvann.

Jakobs Kärr. Det var ett bra namn. Om nu operationen egentligen behövde något namn. Men det skulle bli ett äreminne över Falk. Ett minne som bara Carter själv förstod innebörden av.

Han låg kvar ytterligare en stund i sängen och tänkte på Falk. Men när han märkte att han började bli sentimental steg han genast upp, tog en dusch och gick ner i köket för att äta frukost.

Resten av förmiddagen hade han planerat att tillbringa i sitt vardagsrum. Han lyssnade på några stråkkvartetter av Beethoven tills Celinas slamrande i köket gjorde att han inte uthärdade längre. Istället åkte han ner till stranden och tog en promenad. Vid hans sida eller strax bakom gick hans chaufför som hette Alfredo och även var hans livvakt. Varje gång Carter for genom Luanda och såg förfallet, sophögarna, fattigdomen, misären, fick han bekräftelse på att det han gjorde var rätt. Falk hade varit med honom nästan ända till målet. Men nu fick han sköta resten ensam.

Han gick längs havet och såg på den vittrande staden. Han kände ett stort lugn. Vad som än uppstod ur askan efter det han snart skulle sätta i brand kunde inte gärna vara något annat än en förändring till det bättre.

Strax före elva var han tillbaka i sin villa igen. Celina hade gått hem. Han drack en kopp kaffe och ett glas vatten. Sedan gick han upp till sitt arbetsrum på andra våningen. Utsikten över havet var hänförande. Men han drog för gardinerna. Bäst trivdes han i den afrikanska skymningen. Eller när de mjuka gardinerna höll solen borta från hans känsliga ögon. Han satte på sin dator och började nästan mekaniskt gå igenom alla rutiner.

Någonstans inne i den elektroniska världen tickade en osynlig klocka. Den hade Falk skapat åt honom efter hans instruktioner. Nu var det söndagen den 12 oktober, bara åtta dagar kvar tills det var dags.

Vid kvart över elva var han färdig med sina kontroller.

Han skulle just slå av datorn när han stelnade till. En liten ljusfläck hade plötsligt börjat blinka i ett av skärmens hörn. Impulsen var regelbunden, två korta, en lång, två korta. Han tog fram den manual Falk hade utarbetat och letade sig fram till den rätta koden.

Först trodde han att han såg fel. Sedan insåg han att det inte var ett misstag. Någon hade just tagit sig igenom det yttersta lagret av säkerhetskoder i Falks dator i Sverige. I den lilla staden Ystad som Carter bara hade sett fotografier från.

Han stirrade på skärmen och trodde inte sina ögon. Falk hade

garanterat att ingen skulle kunna ta sig genom säkerhetssystemen.
Ändå var det tydligt att någon hade lyckats.
Carter började svettas. Han tvingade sig att vara lugn. Falk hade ett otal säkerhetsfunktioner aktiverade. Den innersta kärnan i Falks system, de osynliga och mikroskopiskt små datamissilerna, var gömda bakom befästningsverk och brandväggar som ingen kunde riva ner.
Ändå var det någon som försökte.
Carter tänkte igenom situationen. Efter Falks död hade han omedelbart skickat en person till Ystad som skulle hålla uppsikt och rapportera. Det hade inträffat flera olyckliga störningsmoment. Men Carter hade hittills trott att allt var under kontroll. Eftersom han reagerat så snabbt och utan att tveka.
Han bestämde sig för att allt fortfarande var under kontroll. Men det var ändå någon som hade kommit in i Falks dator, i alla fall någon som hade försökt. Det gick inte att förneka. Det var en störning som genast måste åtgärdas.
Carter tänkte intensivt. Vem kunde det vara? Han hade svårt att tänka sig att det var någon av de poliser som enligt de rapporter han fått till synes förstrött höll på att undersöka Falks död och en del av de andra händelserna.
Men vem var det då?
Han hittade inget svar. Trots att han satt kvar vid datorn ända tills skymningen hade fallit över Luanda. När han till sist reste sig var han fortfarande lugn.
Men något hade hänt och han måste ta reda på vad det var för att så fort som möjligt kunna vidta en lämplig åtgärd.
Strax före midnatt återvände han till sin dator.
Han märkte att han saknade Falk mer än någonsin.
Sedan gjorde han sitt anrop ut i datorrymden.
Efter ungefär en minut fick han svar.

*

Wallander hade ställt sig bredvid Martinsson. Vid datorn satt Robert Modin. Skärmen var full av siffror som i rasande fart, i växlande kolumner rusade fram. Sedan blev det alldeles stilla. Några ensamma ettor och nollor glimtade till. Sedan blev det svart. Robert Modin såg på Martinsson som nickade. Han fortsatte att ge sina kommandon. Nya siffersvärmar rusade förbi. Sedan stannade de plötsligt. Både Martinsson och Wallander lutade sig framåt.
– Jag vet inte alls vad det här är, sa Robert Modin. Jag har aldrig sett nåt liknande.

– Kan det inte bara vara nån form av kalkyler? undrade Martinsson.

Robert Modin skakade på huvudet.

– Jag tror inte det. Det ser ut som ett system av siffror som väntar på ytterligare ett kommando.

Nu var det Martinssons tur att skaka på huvudet.

– Kan du förklara vad du menar? bad Martinsson.

– Nån kalkyl kan det knappast vara. Det finns inga beräkningar gjorda. Siffrorna relaterar dessutom bara till sig själva. Snarare tycker jag det ser ut som ett chiffer.

Wallander märkte att han var missnöjd. Riktigt vad han hade väntat sig visste han inte men knappast det här. En svärm med meningslösa siffror.

– Slutade man inte med chiffer efter andra världskriget? frågade han men fick inget svar.

De fortsatte att stirra på siffrorna.

– Det har nånting med 20 att göra, sa Robert Modin plötsligt.

Martinsson lutade sig framåt igen men Wallander blev stående. Han hade börjat få ont i ryggen. Robert Modin pekade och förklarade. Martinsson lyssnade intresserat medan Wallander lät tankarna vandra i andra riktningar.

– Kan det ha nånting med år 2000 att göra? sa Martinsson. Är det inte då det ska bli kaos i hela världen när datorerna tappar fattningen?

– Det är inte 2000, sa Robert Modin envist. Det är talet 20. Dessutom tappar inte en dator fattningen. Det är det människor som gör.

– Om åtta dagar, sa Wallander tankfullt. Utan att han egentligen visste varför.

Robert Modin och Martinsson fortsatte att diskutera. Nya siffror dök upp. Wallander lärde sig nu ganska ingående vad ett modem var för någonting. Tidigare hade han bara vetat att det var något som kopplade ihop datorn med resten av världen via telefonledningar. Han började bli otålig. Samtidigt visste han att det Robert Modin just nu höll på med kunde vara viktigt.

Telefonen ringde i hans ficka. Han gick bort till ytterdörren och svarade. Det var Ann-Britt.

– Jag kanske har hittat nånting, sa hon.

Wallander gick ut i trappuppgången.

– Vad då?

– Jag sa att jag tänkte rota lite mer i Lundbergs liv, fortsatte hon. Först och främst tänkte jag prata med hans två söner. Den äldste heter Carl-Einar Lundberg. Plötsligt var det som om jag hade sett det namnet förut nån gång. Jag kunde bara inte komma ihåg när eller i vilket sammanhang.

Namnet sa Wallander ingenting.

– Jag började slå på registren i datorn.

– Det trodde jag bara Martinsson kunde?

– Det är väl snarare så att du är den ende som inte kan det.

– Vad hittade du?

– Jag fick faktiskt napp. Carl-Einar Lundberg har förekommit i en rättegång för ett antal år sen. Jag tror det var när du var sjukskriven under lång tid.

– Vad hade han gjort?

– Tydligen ingenting alls, för han blev frikänd. Men han hade blivit åtalad för våldtäkt.

Wallander tänkte efter.

– Kanske, sa han sedan. Det är i alla fall värt att undersöka. Men jag har ändå svårt att få det att passa in. Minst av allt på Falk. Inte på Sonja Hökberg heller.

– Jag går nog ändå vidare, sa Ann-Britt. Som vi kom överens om.

Samtalet tog slut. Wallander återvände in till de andra.

Vi kommer ingenstans, tänkte han i ett anfall av plötslig uppgivenhet. Vi vet inte alls vad det är vi söker efter. Vi befinner oss i ett enda stort tomrum.

22

Strax efter klockan sex orkade Robert Modin inte längre. Han klagade dessutom över att han hade fått huvudvärk.

Men han gav inte upp. Han kisade på Martinsson och Wallander genom sina glasögon och sa att han mer än gärna fortsatte dagen efter.

– Men jag behöver tänka, förklarade han. Jag behöver lägga upp en strategi. Och konsultera några vänner.

Martinsson såg till att Robert Modin fick skjuts ut till Löderup.

– Vad menade han med det han sa? frågade Wallander när Martinsson och han hade återvänt till polishuset.

– Att han behöver tänka och lägga upp en strategi precis som vi gör, svarade Martinsson. Vi löser problem. Är det inte för den sakens skull Robert Modin hjälper oss?

– Han lät som en gammal doktor som fått en patient på halsen med underliga symptom. Han sa att han skulle konsultera några vänner.

– Det betyder säkert ingenting annat än att han ringer till andra hackers. Eller pratar med dom via datorn. Liknelsen med doktorn och de märkliga symptomen är faktiskt riktigt bra.

Martinsson verkade ha kommit över att de inte inhämtat tillstånd för att använda sig av Robert Modins tjänster. Wallander tyckte att det var lika bra att inte i onödan beröra det igen.

Både Ann-Britt och Hansson fanns i huset. Annars härskade en bedräglig söndagsfrid. Wallander tänkte hastigt på högen med utredningar som bara växte och växte. Sedan samlade han alla kring sig för ett kort möte. De höll åtminstone symboliskt på att avsluta en arbetsvecka. Framför dem låg mycket som var ovisst.

– Jag har talat med en av hundförarna, sa Hansson. Norberg. Han höll för övrigt på att byta hund. »Herkules« har blivit för gammal.

– Är inte den hunden redan död? frågade Martinsson förvånat. Jag tycker den har funnits med här i alla år.

– Nu är det tydligen slut. Den börjar bli blind.

Martinsson brast ut i ett trött skratt.

– Det vore nåt att skriva om, sa han. Polisens blinda sökhundar.

Wallander var inte alls road. Han kunde inte förneka att han skulle sakna den gamla polishunden. Kanske till och med mer än han skulle ha saknat vissa kollegor.

– Jag har funderat över det här med hundars namn, fortsatte Hansson. Jag kanske till nöds kan begripa att man kallar en jycke för »Herkules«. Men »Redbar«?

– Vi har väl ingen polishund som heter det? sa Martinsson förvånat.

Wallander lät handflatorna falla med en smäll mot bordet. Det var den mest auktoritära gest han för tillfället förmådde åstadkomma.

– Vi struntar i det här nu. Vad sa Norberg?

– Att det nog kunde vara så att föremål eller kroppar som var frusna eller hade varit det kunde sluta lukta. Hundar kan till exempel ha svårt att hitta lik på vintern när det är stark kyla.

Wallander gick hastigt vidare.

– Och bilen? Mercedesen? Har du hunnit med den?

– Det stals en svart Mercedesbuss i Ånge för några veckor sen.

Wallander letade i minnet.

– Var ligger Ånge?

– Utanför Luleå, sa Martinsson bestämt.

– I helvete heller, svarade Hansson. Sundsvall. Eller åtminstone ganska nära.

Ann-Britt reste sig och gick fram till väggkartan. Hansson hade haft rätt.

– Det kan naturligtvis vara den, fortsatte Hansson. Sverige är ett litet land.

– Ändå verkar det knappast troligt, sa Wallander. Men det kan finnas fler bilar som stulits och där anmälningarna inte kommit in än. Vi får hålla ett öga på saken.

Sedan övergick de till att lyssna på Ann-Britt.

– Lundberg har två söner som tycks vara så olika man kan tänka sig. Han som bor i Malmö, Nils-Emil, har arbete som skolvaktmästare. Honom har jag sökt per telefon. Hans fru talade om att han var ute och tränade med en grupp orienterare. Hon var mycket pratsam. Pappans död hade skakat honom svårt. Förstod jag saken rätt var Nils-Emil aktivt kristen. Det verkar alltså vara den yngre brodern Carl-Einar som är av intresse för oss. 1993 var han åtalad för att ha begått en våldtäkt mot en flicka här i staden som hette Englund. Men han kunde aldrig fällas.

– Jag minns det där, sa Martinsson. Det var en ruskig historia.

Wallander mindes bara att han under den perioden hade gått omkring på stränderna vid Skagen i Danmark. Sedan hade en advokat blivit mördad och han hade till sin egen stora förvåning återgått i tjänst igen.

– Var det du som höll i utredningen? frågade Wallander.
Martinsson grimaserade.
– Det var Svedberg.
Det blev tyst i rummet. Alla tänkte ett ögonblick på den döda kollegan.
– Jag har inte hunnit gå igenom alla papper än, fortsatte Ann-Britt, så jag vet inte varför han inte blev fälld.
– Ingen blev nånsin dömd, sa Martinsson. Gärningsmannen gick fri. Vi kunde aldrig hitta nån annan misstänkt. Jag minns ganska tydligt att Svedberg var övertygad om att det var Lundberg ändå. Men inte har det slagit mig att det kunde ha varit Johan Lundbergs son.
– Låt oss anta att det var han, sa Wallander. På vilket sätt skulle det egentligen förklara att hans pappa blir rånmördad? Eller att Sonja Hökberg bränns ihjäl? Eller att Tynnes Falk får sina fingrar avhuggna?
– Våldtäkten var brutal, sa Ann-Britt. Man måste i alla fall föreställa sig en man som inte väjer för särskilt mycket. Den här flickan Englund låg på sjukhus under lång tid. Hon hade fått stora skador. Både i huvudet och på andra ställen.
– Vi ska naturligtvis titta närmare på honom, sa Wallander. Men jag tror ändå knappast att han har med saken att göra. Det ligger nåt annat dolt bakom det som hänt. Utan att vi kan säga vad det är.
Övergången var därmed given till att börja tala om Robert Modin och Falks dator. Varken Hansson eller Ann-Britt tycktes reagera över att de tagit hjälp av en person som tidigare blivit dömd för ett ytterst kvalificerat dataintrång.
– Jag förstår inte riktigt det här, sa Hansson när Wallander tystnat. Vad är det egentligen du tror ska finnas i den där datorn? En bekännelse? En redogörelse över vad som har hänt? Och varför?
– Jag vet inte om det finns nånting alls, sa Wallander enkelt. Men vi måste ta reda på vad Falk egentligen sysslade med. På samma sätt som vi måste kartlägga vem han var. Inte minst tror jag vi måste dyka ner i hans förflutna. Jag har fått ett intryck av att det var en ganska egendomlig man.
Hansson verkade fortfarande tvivla på värdet av att ägna så mycket tid åt Falks dator. Men han sa ingenting. Wallander insåg att han nu måste avsluta mötet så fort som möjligt. Alla var trötta. De behövde vila.
– Vi måste fortsätta på samma sätt som nu, fortsatte han. Brett och djupt. Vi får isolera dom olika händelserna och stämma av efteråt och se om vi hittar några nya gemensamma nämnare. Vi måste veta mer om Sonja Hökberg. Vem var hon egentligen? Hon har

jobbat utomlands, hon har sysslat med lite av varje. Vi vet för lite.
Här avbröt han sig och vände sig till Ann-Britt.
– Hur gick det med hennes handväska? frågade han.
– Jag glömde det, svarade hon ursäktande. Mamman trodde att det kanske saknades en telefonbok.
– Kanske?
– Jag tror henne faktiskt. Sonja Hökberg hade tydligen inte släppt nån annan än Eva Persson inpå livet. Om ens henne. Mamman trodde att Sonja hade haft en liten svart anteckningsbok där hon skrev upp telefonnummer. Den var i så fall borta. Men hon var alltså inte säker.
– Om det stämmer är det en viktig upplysning. Men Eva Persson bör veta.
Wallander tänkte efter innan han fortsatte.
– Jag tror vi ska göra vissa omdispositioner. Från och med nu vill jag att Ann-Britt enbart ägnar sig åt Sonja Hökberg och Eva Persson. Det måste finnas nån pojkvän i Sonjas bakgrund. Nån som kan ha kört henne ut ur stan. Jag vill också att du letar runt henne och i hennes förflutna. Vem var hon egentligen? Martinsson fortsätter med att hålla Robert Modin på gott humör. Lundbergs son kan nån annan ta sig an. Till exempel jag själv. Och så ska jag försöka kartlägga Falk lite bättre. Hansson får fortsätta med att hålla ihop det hela. Informera Viktorsson bland annat och bilda eftertrupp, försöka spåra vittnen och förklaringar till hur ett lik kan försvinna från Patologen i Lund. Dessutom måste nån åka upp till Växjö och prata med Eva Perssons far. Bara så det blir gjort.
Han såg sig omkring innan han avslutade mötet.
– Det här kommer att ta tid. Men förr eller senare måste vi hitta nånting som pekar ut den här underliga gemensamma nämnaren som trots allt existerar.
– Glömmer vi inte en sak? sa Martinsson när Wallander tystnat. Att det var nån som sköt efter dig.
– Nej, det har vi inte glömt, sa Wallander, och det skottet visar bara på allvaret i allt det här. Att det nog finns en botten som kan visa sig betydligt mer komplicerad än vi kan föreställa oss.
– Eller också är det hela mycket enkelt, invände Hansson. Fast vi inte riktigt förmår se det än.
De bröt upp från mötet. Wallander kände behov av att lämna polishuset så fort som möjligt. Klockan hade blivit halv åtta. Trots att han hade ätit mycket lite under dagen kände han sig inte hungrig. Han körde hem till Mariagatan. Vinden hade mojnat. Temperaturen var oförändrad. Han såg sig omkring innan han låste upp porten och gick in.

Sedan ägnade han den närmaste timmen åt att hjälpligt städa lägenheten och att samla ihop sin smutstvätt. Då och då stannade han till och kastade ett öga på Aktuellt. Ett inslag fångade hans uppmärksamhet. En amerikansk överste blev intervjuad om hur ett framtida krig skulle kunna se ut. Där skulle det mesta skötas via datorer. Marktruppernas tid skulle snart vara över. Eller åtminstone skulle deras betydelse minska kraftigt.

En tanke slog Wallander. Eftersom klockan ännu inte var halv tio letade han reda på ett telefonnummer och satte sig vid telefonen i köket.

Erik Hökberg svarade nästan genast.

– Hur går det? frågade han. Vi lever i ett sorgens hus här. Och vi måste snart få reda på vad som egentligen hände med Sonja.

– Vi arbetar så mycket vi kan.

– Men kommer ni nånvart? Vem dödade henne?

– Vi vet inte än.

– Jag kan inte förstå att det ska vara så svårt att hitta nån som bränt ihjäl en stackars flicka i en transformatorstation.

Wallander svarade inte.

– Jag ringer dig eftersom jag har en fråga. Kunde Sonja hantera en dator?

Svaret kom mycket bestämt.

– Naturligtvis kunde hon det. Kan inte alla ungdomar det nuförtiden?

– Var hon intresserad av datorer?

– Hon surfade på Internet. Hon var duktig. Men inte lika skicklig som Emil.

Wallander kom inte på något mer att fråga om. Han kände sig hjälplös. Egentligen var det Martinsson som skulle ha ställt frågorna.

– Du måste ha funderat, sa han. På det som har hänt. Du måste ha frågat dig hur det kom sig att Sonja dödade taxichauffören. Och varför hon själv sen blev dödad.

Erik Hökbergs röst stockade sig när han svarade.

– Jag brukar gå in i hennes rum, sa han. Jag sitter där och tittar. Och jag förstår ingenting.

– Hur vill du beskriva Sonja?

– Hon var stark och egensinnig. Inte lätt att ha att göra med. Hon skulle ha klarat sig bra i livet. Vad är det man brukar säga? Att en människa är rikt utrustad? Det var hon. Utan tvekan.

Wallander tänkte på hennes rum som hade stannat i växten. En liten flickas rum. Inte den person som hennes styvfar nu beskrev.

– Hade hon ingen pojkvän? frågade Wallander.
– Inte som jag vet.
– Är inte det lite konstigt?
– Varför det?
– Hon var ju trots allt nitton år. Och såg bra ut.
– Hon bjöd i alla fall inte hem nån.
– Var det aldrig nån som ringde?
– Hon hade egen telefon. Det önskade hon sig när hon fyllde arton. Och på den ringde det ofta. Men vilka det var vet jag naturligtvis inte.
– Hade hon nån telefonsvarare?
– Jag har lyssnat på den. Den var tom.
– Om det skulle komma nåt samtal till den vill jag gärna avlyssna det.
Wallander kom plötsligt att tänka på den affisch som hade suttit inne i garderoben. Det enda förutom kläderna som hade berättat att det bodde en tonåring i rummet. En snart fullvuxen kvinna. Han letade i minnet efter namnet på filmen, »Djävulens advokat«.
– Ni kommer att bli kontaktade av kriminalinspektör Höglund, sa han. Hon kommer att ställa många frågor. Och om ni verkligen vill att vi ska ta reda på vad som hände med Sonja måste ni hjälpa till så mycket ni kan.
– Får du inte dom svar du begär?
Erik Hökberg lät plötsligt aggressiv. Wallander kunde förstå honom.
– Ni hjälper till på ett föredömligt sätt, svarade han. Och nu ska jag inte störa mer.
Han la på luren. Sedan blev han sittande utan att kunna släppa tanken på bioaffischen i garderoben. Han såg på klockan. Halv tio. Han slog numret till restaurangen i Stockholm där Linda arbetade. En jäktad man svarade på bruten svenska. Han lovade att hämta Linda. Det tog flera minuter innan hon grep telefonluren. När hon hörde vem det var blev hon genast arg.
– Du vet att du inte kan ringa så här dags, när vi har som mest att göra. Dom blir bara förbannade.
– Jag vet, sa Wallander ursäktande. En fråga bara.
– Om det går fort.
– Det gör det. Har du sett en film som heter »Djävulens advokat«? Med Al Pacino?
– Ringer du och stör mig för att fråga om en film?
– Jag hade ingen annan att fråga.
– Jag lägger på nu.

Nu var det Wallander som ilsknade till.
– Du måste väl kunna svara på frågan? Har du sett den där filmen?
– Ja, det har jag, fräste hon.
– Vad handlar den om?
– Herregud!
– Handlar den om Gud?
– På sätt och vis. Den handlar om en advokat som egentligen är Djävulen.
– Är det allt?
– Är det inte nog? Varför vill du veta det här? Har du mardrömmar?
– Jag håller på med en mordutredning. Varför har en flicka som är nitton år den här filmaffischen på sin vägg?
– Förmodligen för att hon tycker att Al Pacino är snygg. Eller kanske hon älskar Djävulen. Hur i helvete ska jag kunna veta det?
– Måste du svära?
– Ja.
– Handlar den om nånting mer?
– Varför lånar du den inte? Den finns säkert på video.
Wallander kände sig som en idiot. Det borde han ha tänkt på. Han kunde ha gått ner till någon av stans videobutiker och hyrt filmen istället för att irritera Linda.
– Jag är ledsen att jag störde, sa han.
Hennes ilska hade blåst över.
– Det gjorde ingenting. Men jag måste sluta nu.
– Jag vet. Hej då.
Han la på luren. Genast ringde det. Med stor tvekan lyfte han luren. Det kunde vara någon journalist. Och var det något han inte orkade med just nu så var det massmedia.
Först kände han inte igen rösten. Sedan insåg han att det var Siv Eriksson.
– Jag hoppas jag inte stör, sa hon.
– Inte alls.
– Jag har tänkt. Jag har försökt hitta nånting som kan hjälpa dig.
Bjud hem mig, tänkte Wallander. Om du verkligen vill hjälpa mig. Jag är både hungrig och törstig. Jag vill inte sitta i den här förbannade lägenheten längre.
– Har du kommit på nånting? frågade han sedan så formellt han förmådde.
– Tyvärr inte. Jag antar att hans fru är den som känner honom bäst. Eller barnen.

– Om jag har förstått dig rätt hade han många varierande arbetsuppgifter. Både här hemma och utomlands. Han var duktig och han var efterfrågad. Sa han aldrig nånting om sitt arbete som förvånade dig? Nånting oväntat?

– Han sa mycket lite. Han var försiktig med ord. Han var försiktig med allting.

– Kan du utveckla det där lite närmare?

– Ibland hade jag en känsla av att han befann sig nån helt annanstans. Vi kunde diskutera ett problem. Han lyssnade och han svarade. Men ändå var det som om han inte var där.

– Var var han då?

– Det vet jag inte. Han var mycket hemlighetsfull. Det inser jag nu. Då trodde jag att han var blyg. Eller frånvarande. Nu tror jag inte det längre. Intrycket av en människa förändras när hon är död.

Wallander tänkte hastigt på sin egen far. Men inte tyckte han att fadern framstod annorlunda sedan han dött mot vad han gjort medan han fortfarande var i livet.

– Och du vet ingenting om vad det var han egentligen tänkte på? fortsatte han.

– Egentligen inte.

Svaret gav Wallander ett intryck av något svävande. Han väntade på fortsättningen.

– Jag har nog bara ett minne som på nåt sätt är avvikande. Och det är inte mycket. Med tanke på att vi trots allt kände varandra i några år.

– Berätta.

– Det var för två år sen. I oktober eller början av november. Han kom hit en kväll och var väldigt upprörd. Det klarade han inte att dölja. Vi hade ett konsultuppdrag som var mycket brådskande. Jag tror det var nånting för Lantmännen. Jag frågade förstås vad det var som hade hänt. Han sa att han hade blivit vittne till hur några tonåringar hade bråkat med en äldre man som tydligen varit lite berusad. När mannen hade försökt försvara sig hade dom slagit ner honom. Och sparkat på honom där han låg på trottoaren.

– Var det allt?

– Räcker inte det?

Wallander tänkte efter. Tynnes Falk hade reagerat på att en människa utsatts för våld. Men vad det betydde kunde han inte omedelbart bli klar över. I alla fall inte i relation till utredningen.

– Ingrep han inte?

– Nej. Han var bara upprörd.

– Vad sa han?

– Att det var kaos. Att världen var i kaos. Att det knappt lönade sig längre.
– Vad var det som inte lönade sig?
– Jag vet inte. Jag fick en känsla av att det på nåt sätt var människan i sig som inte lönade sig. Om det djuriska tog överhanden. När jag försökte fråga klippte han av det hela. Vi berörde det aldrig igen.
– Hur tolkar du hans upprördhet?
– Som ganska naturlig. Hade inte du reagerat på samma sätt?
Kanske, tänkte Wallander. Men frågan är om jag hade dragit slutsatsen att världen befinner sig i kaos.
– Du vet förstås inte vilka dom där ungdomarna var? Eller mannen som var berusad?
– Hur i herrans namn skulle jag kunna veta det?
– Jag är polis. Jag ställer frågor.
– Jag är ledsen att jag inte kunnat hjälpa till med nåt mer.
Wallander märkte att han hade lust att hålla henne kvar. Men det skulle hon förstås genast upptäcka.
– Det var bra att du ringde, sa han bara. Hör av dig igen om du kommer på nåt mer. Jag kommer säkert själv att ringa dig i morgon.
– Jag håller på med ett programmeringsarbete för en restaurangkedja. Jag finns på kontoret hela dagen.
– Vad kommer att hända nu med dina uppdrag?
– Det vet jag inte. Jag kan bara hoppas att jag har tillräckligt gott rykte för att överleva utan Tynnes. Annars får jag hitta på nåt annat.
– Vad då?
Hon skrattade.
– Behöver du det svaret för utredningen?
– Jag var bara nyfiken.
– Det är möjligt att jag ger mig ut i världen.
Alla reser, tänkte Wallander. Till slut blir det bara jag och det församlade buset kvar här i landet.
– Jag har själv tänkt tanken, sa Wallander. Men jag sitter fast som alla andra.
– Jag sitter inte fast, svarade hon glatt. Man bestämmer själv.
När samtalet var slut tänkte Wallander på det hon hade sagt. *Man bestämmer själv*. Naturligtvis hade hon rätt. På samma sätt som Per Åkeson och Sten Widén hade haft rätt.
Plötsligt kände han sig nöjd med att han hade skrivit till kontaktförmedlingen. Även om han knappast räknade med något svar, hade han trots allt gjort någonting.
Han satte på sig en jacka och gick till en videobutik som låg nederst på Stora Östergatan. Men när han kom fram visade det sig att

butiken stängde redan klockan nio på söndagar. Han fortsatte upp mot Torget och stannade då och då vid olika skyltfönster.

Var känslan kom ifrån visste han inte. Men plötsligt vände han sig hastigt om. Frånsett några ungdomar och en nattvakt var gatan tom. Återigen tänkte han på det Ann-Britt hade sagt. Att han borde vara försiktig.

Jag inbillar mig, tänkte han. Ingen är så dum att han försöker angripa samma polis två gånger i rad.

Vid Torget svängde han nerför Hamngatan och gick sedan Österleden hem. Luften var frisk. Han märkte att han behövde röra på sig.

Klockan kvart över tio var han tillbaka på Mariagatan igen. Han hittade en ensam öl i kylskåpet och gjorde några smörgåsar. Sedan satt han framför teven och såg ett debattprogram om den svenska ekonomin. Det enda han tyckte sig förstå var att den var både bra och dålig på en och samma gång. Han märkte att han dåsade till och han såg redan fram mot att äntligen få sova ostörd en hel natt.

Utredningen lämnade honom för en stund ifred.

Halv tolv gick han och la sig och släckte lampan.

Han hade just somnat när telefonen ringde. Signalerna ekade i mörkret.

Han räknade till nio innan de upphörde. Sedan drog han ur jacket och väntade. Hade det varit någon från polishuset skulle de nu försöka med hans mobiltelefon. Han hoppades att så inte var fallet.

Då surrade det till från mobiltelefonen som låg på nattygsbordet. Det var från den nattpatrull som bevakade Apelbergsgatan. Polismannen hette Elofsson.

– Jag vet inte om det är viktigt, sa han. Men en bil har passerat här vid flera tillfällen den senaste timmen.

– Har ni kunnat se föraren?

– Det är just därför jag ringer. Du har ju gett dina instruktioner.

Wallander väntade spänt.

– Han skulle kunna vara kines, fortsatte Elofsson. Men det är naturligtvis svårt att avgöra.

Wallander behövde inte betänka sig. Den ostörda natten var redan över.

– Jag kommer, sa han.

Han stängde av telefonen och såg på klockan.

Den hade just passerat midnatt.

23

Wallander svängde av från Malmövägen.

Sedan for han förbi Apelbergsgatan och parkerade bilen på Jörgen Krabbes Väg. Därifrån tog det honom knappt fem minuter att gå ner till huset där Falk hade bott. Det hade nu blivit vindstilla. Himlen var molnfri och Wallander kände att det långsamt höll på att bli kallare. Oktober i Skåne var alltid en månad när vädret hade svårt att bestämma sig.

Bilen där Elofsson och hans kollega väntade stod parkerad snett emot Falks hus. När Wallander nådde fram till bilen öppnades dörren till baksätet och han steg in. Det doftade av kaffe. Han tänkte på alla de nätter han själv hade suttit i bilar och kämpat mot sömnen eller stått och frusit någonstans på en gata under olika tröstlösa spaningsuppdrag.

De hälsade. Elofssons kollega hade bara varit i Ystad ett halvår. Han hette El Sayed och hade sina rötter i Tunisien. Det var den första polisman med invandrarbakgrund som kommit till Ystad från Polishögskolan. Wallander hade oroat sig för att El Sayed skulle mötas av illvilja och fördomar. Han hade inga illusioner om hur många av kollegorna såg på att få en färgad kollega. Det hade också blivit som han förutspått. Förstuckna men elaka kommentarer. Hur mycket som El Sayed själv hade lagt märke till och hur mycket han hade väntat sig hade Wallander ingen aning om. Ibland hade han själv drabbats av dåligt samvete över att han inte hade bjudit hem honom vid något tillfälle. Han visste inte heller någon annan som hade gjort det. Men den unge mannen med sitt vänliga leende hade trots allt hjälpligt tagit sig in i gemenskapen. Även om det tagit tid. Kurt Wallander undrade ibland vad som hade hänt om El Sayed reagerat på kommentarerna istället för att se så vänlig ut hela tiden.

– Han kom norrifrån, sa Elofsson. Från Malmö in mot stan. Vid tre tillfällen.

– När passerade han senast?

– Just innan jag ringde. Jag försökte på din vanliga telefon först. Du måste sova hårt?

Wallander svarade inte.

– Berätta vad som hände.

– Du vet hur det är. Det är först när nån passerar för andra gången som man noterar det.

– Vad var det för bil?
– En mörkblå Mazda.
– Saktade han in när han passerade här?
– Första gången vet jag inte. Men definitivt den andra.
El Sayed blandade sig i samtalet.
– Han saktade in redan första gången.
Wallander märkte att Elofsson blev irriterad. Elofsson tyckte inte om att mannen som satt bredvid honom hade sett mer än han själv.
– Men han stannade inte?
– Nej.
– Upptäckte han er?
– Knappast första gången. Förmodligen andra.
– Vad hände sen?
– Efter tjugo minuter kom han tillbaka igen. Men då saktade han inte in.
– Då skulle han nog bara kontrollera om ni fortfarande var kvar. Kunde ni se om det fanns mer än en person i bilen?
– Vi har pratat om det. Vi kan naturligtvis inte veta säkert. Men vi tror att det bara var en person.
– Har ni talat med kollegorna nere vid Runnerströms Torg?
– Dom har inte lagt märke till bilen.
Det förvånade Wallander. Om någon for förbi huset där Falk bodde borde han också ha intresserat sig för Falks kontor.
Han tänkte efter. Den enda förklaring han kunde hitta var att den person som befann sig i bilen inte kände till kontorets existens. Såvida inte de som satt i polisbilen hade sovit. Den möjligheten ville Wallander inte helt utesluta.
Elofsson vände sig bakåt och gav Wallander en lapp med bilens registreringsnummer.
– Jag antar att ni redan har sökt på bilen?
– Det verkar som om det har blivit nåt fel på dom centrala datorerna. Vi har fått besked om att vänta.
Wallander höll lappen vänd mot bilrutan så att den belystes av gatljuset. MLR331. Han memorerade siffrorna.
– När räknade dom med att datorerna skulle komma igång igen?
– Det visste dom inte.
– Nånting måste dom väl ha sagt?
– Kanske imorgon.
– Vad menas med det?
– Att dom kanske skulle få igång dom imorgon.
Wallander skakade på huvudet.
– Vi behöver veta det här så fort som möjligt. När blir ni avlösta?

– Klockan sex.

– Innan ni går hem och sover vill jag att ni skriver en rapport och lägger in till Hansson eller Martinsson. Så får dom ta hand om det.

– Vad gör vi om han kommer tillbaka?

– Det gör han inte, sa Wallander. Inte så länge han vet att ni är här.

– Ska vi ingripa? Om det trots allt händer?

– Nej. Det är ju inte brottsligt att köra bil på Apelbergsgatan.

Wallander blev sittande ytterligare några minuter i bilen.

– Jag vill att ni hör av er om han dyker upp igen, sa han. Använd min mobiltelefon.

Han önskade dem lycka till och gick tillbaka till Jörgen Krabbes Väg. Sedan for han ner till Runnerströms Torg. Det var inte fullt så illa som han föreställt sig. Bara den ena av polismännen sov. De hade inte lagt märke till någon blå Mazda.

– Håll uppsikt, manade Wallander på dem och gav dem registreringsnumret.

När han var på väg tillbaka till sin bil märkte han plötsligt att han hade Setterkvists nycklar i fickan. Egentligen var det Martinsson som behövde dem när han och Robert Modin skulle fortsätta att bearbeta Falks dator. Utan att han riktigt kunde reda ut varför låste han upp porten och gick upp till vindsvåningen. Innan han öppnade lyssnade han med örat tryckt mot dörren. När han kommit in i rummet och hade tänt ljuset såg han sig omkring på samma sätt som första gången. Var det någonting han inte hade sett då? Något som undgått både honom själv och Nyberg? Han hittade ingenting. Han satte sig på stolen och betraktade den mörka skärmen.

Robert Modin hade talat om en sifferkombination: 20. Wallander hade genast uppfattat att pojken verkligen hade sett någonting. I det som för Martinsson och för honom själv bara hade varit en förvirrande svärm av siffror hade Robert Modin kunnat urskilja ett mönster. Det enda han själv kunde tänka var att det om precis en vecka var den 20 oktober. 20 var dessutom första ledet av det hägrande år 2000. Men frågan var i grunden fortfarande obesvarad. Vad betydde det? Och betydde det i så fall överhuvudtaget någonting för utredningen?

Under hela sin skoltid hade Wallander varit ytterst svag i matematik. Av många olika ämnen där han varit dålig på grund av lättja hade matematiken skilt ut sig. Han hade i grunden aldrig begripit sig på att räkna även om han hade försökt. Siffror och tal var en värld han aldrig hade lyckats tränga in i.

Plötsligt ringde telefonen som stod intill datorn.

Wallander hajade till. Signalerna ekade i rummet. Han stirrade på den svarta apparaten. Vid den sjunde signalen lyfte han på luren och tryckte den mot örat.

Det brusade. Som om ledningen hölls öppen till en plats långt borta. Där fanns någon.

Wallander sa hallå. En gång, två gånger. Men det enda han kunde urskilja var andetag någonstans djupt inne i bruset.

Sedan klickade det till och linjen bröts. Wallander la tillbaka luren. Han märkte att han fått hjärtklappning. Samma brus hade han upplevt en gång tidigare. När han avlyssnat Falks telefonsvarare i lägenheten på Apelbergsgatan.

Det var någon där, tänkte han. Någon som ringde för att tala med Falk. Men Falk är död. Han finns inte längre.

Plötsligt slogs han av att det faktiskt också existerade en annan möjlighet: att någon ringt för att tala med honom. Var det någon som hade sett att han gått upp till Falks kontor?

Han mindes hur han tidigare på kvällen plötsligt stannat på gatan. Som om det hade funnits någon bakom honom.

Oron kom tillbaka igen. Hittills hade han lyckats förtränga skuggan som bara ett par dagar innan hade skjutit mot honom. Ann-Britts ord ekade. Han borde vara försiktig.

Han reste sig från stolen och gick bort till dörren och lyssnade. Men allt var stilla.

Han återvände till skrivbordsstolen igen. Utan att han riktigt visste varför lyfte han på tangentbordet.

Där under låg ett vykort.

Han riktade in lampan och satte på sig sina glasögon. Kortet var gammalt och färgerna urblekta. Motivet var en strandpromenad. Palmer, en utsträckt kaj. Havet med små fiskebåtar. Och där bakom en rad höghus. Han vände på kortet. Det var adresserat till Tynnes Falk och Apelbergsgatan. Det betydde att Siv Eriksson inte hade tagit emot all hans post. Hade hon ljugit för honom? Eller visste hon inte att Falk trots allt tog emot post i sitt hem? Texten var kort. Så kort den överhuvudtaget kunde vara. Den bestod av en enda bokstav. »C«. Wallander försökte tyda poststämpeln. Frimärket var nästan helt bortslitet. Han kunde urskilja ett L och D. Det betydde att två av de resterande bokstäverna sannolikt var vokaler. Men vilka de var kunde han inte urskilja. Inte heller datum var läsligt. Det fanns ingen tryckt text på baksidan av kortet som förklarade vilken stad det föreställde. Frånsett adressen och bokstaven C fanns inget annat än en fläck som täckte halva adressen. Som om någon ätit apelsin medan han skrivit kortet. Eller läst det. Wallander försökte kombinera bokstäverna L och D med andra bokstäver utan att lyckas. Han studerade framsidan igen. Det skymtade människor på bilden. Som små prickar. Men det var omöjligt att urskilja deras hudfärg. Wallander tänkte på den gång han några år tidigare hade gjort en olycklig och kaotisk resa till Västindien. Palmerna fanns där. Men staden i bakgrunden var honom främmande.

Sedan fanns där bokstaven. Samma ensamma C som funnits i Falks loggbok. Ett namn. Tynnes Falk hade vetat vem som var avsändaren och han hade sparat kortet. I detta tomma rum, där det förutom datorn bara hade funnits en ritning över en transformatorstation hade han lagt ett vykort. En hälsning från Curt eller Conrad. Wallander stoppade kortet i jackfickan. Sedan försökte han kika under själva datorn. Där fanns ingenting. Han lyfte på telefonen. Tomt.

Han blev sittande ytterligare några minuter innan han reste sig, släckte lamporna och gick.

När han kommit tillbaka till Mariagatan var han mycket trött. Ändå kunde han inte låta bli att leta reda på ett förstoringsglas och sätta sig vid köksbordet för att studera vykortet ännu en gång. Men det fanns ingenting där han inte redan hade sett.

Strax före klockan två gick han och la sig.

Han somnade genast.

På måndagsmorgonen gjorde Wallander bara ett kort besök på polishuset. Han lämnade in nyckelknippan till Martinsson och berättade om den bil som iakttagits under natten. Rapporten med registreringsnumret fanns redan på Martinssons bord. Wallander nämnde ingenting om vykortet. Inte för att han ville hålla det hemligt utan för att han hade bråttom. Han ville inte veckla in sig i onödiga diskussioner. Innan han lämnade polishuset ringde han två telefonsamtal. Det ena var till Siv Eriksson. Han frågade om talet 20 sa henne någonting. Dessutom ville han veta om hon kunde påminna sig om Falk vid något tillfälle hade berört någon person vars efternamn eller förnamn började på bokstaven C. Hon kunde inte genast ge honom något svar. Men hon lovade att fundera på det. Efteråt hade han berättat om vykortet som han funnit vid Runnerströms Torg. Men som varit adresserat till Apelbergsgatan. Hennes förvåning var så stark att han inte kände något behov av att betvivla att den också var äkta. Hon hade trott Falk när han sagt att posten varit ställd till hennes adress. Men några människor, bland annat den person som bara kallade sig »C«, hade använt sig av Apelbergsgatan. Och det hade hon inte vetat om.

Wallander berättade vad vykortet föreställde. Men varken motivet eller de två bokstäverna han lyckats tyda sa henne någonting.

– Han kanske hade ändå fler adresser, föreslog hon.

Wallander anade en besvikelse i hennes röst. Som om Falk hade bedragit henne.

– Vi ska undersöka det, svarade han. Du kan naturligtvis ha rätt.

Hon hade heller inte glömt den lista som Wallander hade begärt. Hon skulle komma upp till polishuset med den under dagen.

När samtalet var över märkte Wallander att han hade blivit glad av att höra hennes röst. Men han förlorade sig inte i några ytterligare stämningslägen utan ringde genast nästa samtal. Det var till Marianne Falk. Hans besked var mycket kort. Han skulle komma hem till henne inom en halvtimme.

Sedan bläddrade han hastigt igenom alla papper som hade samlats på hans bord. Där fanns mycket som han genast borde ha åtgärdat. Men han hade inte tid. Berget skulle få fortsätta att växa. Före halv nio hade han gått utan att lämna något besked om vart han skulle.

De kommande timmarna satt han i Marianne Falks soffa och talade om den man hon varit gift med. Wallander började från början. När hade de träffats? Var hade det skett? Hur hade han varit den gången? Marianne Falk visade sig vara en kvinna med gott minne. Det var bara ytterst sällan som hon stakade sig eller tvingades leta efter ett svar. Wallander hade kommit ihåg att ta med sig ett kollegieblock. Men han gjorde inte många anteckningar. Mycket lite av det Marianne Falk berättade denna morgon skulle kräva fortsatta undersökningar. Ännu befann han sig bara vid den första anhalten, där han försökte skapa en överblick över Tynnes Falks personliga historia.

Enligt Marianne Falk hade han vuxit upp på en gård utanför Linköping där fadern hade varit förvaltare. Han var enda barnet. Efter studentexamen i Linköping hade han gjort sin militärtjänst på pansarregementet i Skövde, innan han började studera vid Uppsala Universitet. Till en början hade han sannolikt varit en smula vilsen och inte kunnat bestämma sig. Enligt vad hon visste hade han läst både juridik och litteraturhistoria. Men redan efter ett år hade han flyttat till Stockholm och börjat på Handelshögskolan. Det var under den tiden, på en kårdans, som de hade träffats.

– Tynnes dansade inte, hade hon sagt. Men han var där. På nåt sätt blev vi presenterade för varandra. Jag minns att jag först tyckte han var tråkig. Det var sannerligen ingen kärlek vid första ögonkastet. Åtminstone inte från min sida. Några dagar senare ringde han.

Jag visste inte ens hur han hade fått tag på mitt telefonnummer. Han ville träffa mig igen. Men inte för att promenera eller för att gå på bio. Hans förslag förvånade mig.

– Vad var det han ville?

– Han tyckte att vi skulle åka ut till Bromma och se på flygplanen.

– Varför det?

– Han tyckte om flygplan. Vi åkte dit. Han kunde det mesta om alla dom flygmaskiner som stod uppställda där. Eller som kom eller lyfte. Jag tyckte nog han var lite konstig. Det var kanske inte så jag hade föreställt mig att jag skulle möta mannen i mitt liv.

De hade träffats 1972. Wallander förstod att Tynnes hade varit mycket ihärdig medan Marianne förhållit sig betydligt mera tveksam till det hela. Om detta var hon uppriktig på ett sätt som delvis förvånade Wallander.

– Han gjorde aldrig några närmanden, sa hon. Jag tror det tog tre månader innan han överhuvudtaget kom på att han nog borde kyssa mig. Hade han inte gjort det då hade jag säkert tröttnat på allvar och gjort slut. Förmodligen anade han att det var så. Och då kom den där kyssen.

Under den tiden, mellan 1973 och 1977, hade hon själv studerat till sjuksköterska. Egentligen hade hon haft en dröm om att bli journalist. Men hon hade aldrig kommit in på Journalisthögskolan. Hennes föräldrar bodde i Spånga utanför Stockholm där hennes far hade en liten bilverkstad.

– Tynnes talade aldrig om sina föräldrar, sa hon. Jag fick dra ur honom ord för ord om jag skulle få veta nåt om hans uppväxt. Jag visste knappt om dom fortfarande levde. Det enda som var säkert var att han inte hade några syskon. Själv hade jag fem stycken. Det tog en oändlig tid innan jag fick honom med hem för att hälsa på mina föräldrar. Han var mycket blyg. Åtminstone låtsades han vara det.

– Vad menar du med det?

– Tynnes hade starkt självförtroende. Jag tror egentligen han hyste ett intensivt förakt för stora delar av mänskligheten. Även om han hävdade motsatsen.

– På vilket sätt?

– När jag tänker tillbaka framstår vårt förhållande naturligtvis som mycket märkligt. Han bodde för sig, i ett hyresrum vid Odenplan. Själv stannade jag kvar i Spånga. Jag hade inte särskilt mycket pengar och var rädd för att ta för stora studielån. Men Tynnes kom aldrig ens med ett förslag om att vi kanske skulle söka efter en gemensam bostad. Vi träffades tre eller fyra kvällar i veckan. Vad han gjorde förutom att studera och se på flygplan visste jag inte mycket om. Till den där dagen då jag på allvar började undra.

Det var en torsdagseftermiddag, mindes hon. Kanske i april eller senast i början av maj, ungefär ett halvår efter att de träffats. Just den dagen hade de inte avtalat att mötas. Tynnes hade sagt att han hade en viktig föreläsning som han inte kunde utebli ifrån. Istället hade hon uträttat några ärenden åt sin mor. När hon på väg mot Centralen skulle passera Drottninggatan hade hon tvingats stanna eftersom ett demonstrationståg gick förbi. Det var en manifestation för tredje världen. Plakaten och banderollerna handlade om Världsbanken och om de portugisiska kolonialkrigen. Hon hade själv aldrig varit särskilt politiskt intresserad. Hennes hem hade varit ett stabilt socialdemokratiskt hem. Hon hade inte dragits med av den framvällande vänstervågen. Inte heller Tynnes hade gett uttryck för annat än en allmän radikalism. Men vad hon än hade frågat om hade han haft bestämda svar. Han hade dessutom haft vissa tendenser att briljera med sina teoretiska politiska kunskaper. Men hon hade ändå inte trott sina ögon när hon plötsligt upptäckte honom i demonstrationståget. Han hade burit ett plakat där det hade stått »Viva Cabral«. Senare hade hon själv lyckats ta reda på att Amílcar Cabral var befrielserörelsens ledare i Guinea Bissau. Där på Drottninggatan hade hon blivit så överraskad att hon hade tagit några steg tillbaka. Han hade inte upptäckt henne.

Efteråt hade hon frågat honom. När han insåg att hon hade stått där bland människorna på trottoaren utan att han upptäckt henne hade han blivit rasande. Det var första gången han hade fått ett utbrott. Men han hade snart lugnat sig. Varför han hade blivit så rasande förstod hon aldrig. Men från den dagen hade hon insett att det fanns mycket som hon inte visste om Tynnes Falk.

– Jag gjorde slut i juni, sa hon. Inte för att jag hade träffat nån annan. Jag trodde helt enkelt inte på det längre. Och hans utbrott den där gången spelade en viss roll.

– Hur reagerade han då du gjorde slut?

– Jag vet inte.

– Vet du inte?

– Vi hade träffats på ett café i Kungsträdgården. Jag sa som det var. Att jag ville bryta upp ur vårt förhållande. Det skulle ändå inte ha nån framtid. Han lyssnade. Sen reste han sig och gick.

– Var det allt?

– Han sa inte ett enda ord. Jag minns att hans ansikte var alldeles uttryckslöst. När jag inte hade mer att säga gick han. Men han la pengar på bordet till kaffet.

– Vad hände sen?
– Jag träffade honom inte på flera år.
– Hur länge?
– Fyra år.
– Vad gjorde han då?
– Jag vet inte säkert.
Wallanders förvåning hade märkbart börjat stiga.
– Du menar att han var spårlöst borta i fyra år? Utan att du visste var han befann sig eller vad han gjorde?
– Jag förstår att du har svårt att tro mig. Men det är som jag säger. En vecka efter mötet i Kungsträdgården tänkte jag att jag trots allt skulle höra av mig. Då hade han flyttat från sitt hyresrum utan att lämna nån adress efter sig. Efter ytterligare några veckor lyckades jag spåra hans föräldrar på gården utanför Linköping. Men dom visste inte heller var han befann sig. I fyra år var han borta utan att jag hörde ett ord ifrån honom. Han hade slutat på Handelshögskolan. Ingen visste nånting. Förrän han dök upp igen.
– När hände det?
– Det minns jag precis. Det var den 2 augusti 1977. Jag hade just börjat mitt första arbete som nyutexaminerad sjuksköterska. På Sabbatsbergs sjukhus. Plötsligt stod han där utanför sjukhuset. Han hade blommor med sig. Och han log. Jag hade under dom fyra år som gått genomlevt en misslyckad relation. Nu när han stod där blev jag glad över att se honom. Jag var nog inne i en ganska vilsen och ensam period av mitt liv. Min mor hade också just dött.
– Ni började alltså träffas igen?
– Han tyckte vi skulle gifta oss. Det sa han redan några dagar efteråt.
– Men han måste ha berättat vad han hade hållit på med under dom där åren?
– Faktiskt inte. Han sa att han inte skulle fråga nåt om mitt liv. Om jag inte frågade nåt om hans. Vi skulle inte låtsas om dom där fyra åren.
Wallander betraktade henne undrande.
– Hade han förändrats på nåt sätt?
– Inte frånsett att han var brun.
– Du menar solbränd?
– Ja. Men annars var han sig lik. Det var en tillfällighet som gjorde att jag fick veta var han hade varit under dom där fyra åren.
Vid den här punkten i samtalet ringde Wallanders telefon. Han tvekade om han skulle svara. Till sist tog han ändå fram telefonen ur jackfickan. Det var Hansson.

– Martinsson lämnade över bilen från i natt till mig. Datorerna har krånglat. Men det där bilnumret har registrerats som stulet.
– Bilen eller nummerplåtarna?
– Plåtarna. Från en Volvo som stod parkerad vid Nobeltorget i Malmö. Förra veckan.
– Då vet vi det, sa Wallander. Elofsson och El Sayed hade rätt. Bilen for verkligen förbi och höll uppsikt.
– Jag vet inte riktigt hur jag ska gå vidare med det här.
– Tala med kollegorna i Malmö. Jag vill att vi skickar ut ett regionalt larm om den här bilen.
– Vad misstänks chauffören för?
Wallander tänkte efter.
– Dels för att ha nåt med mordet på Sonja Hökberg att göra. Dels kan han också veta nåt om det skott som avlossades mot mig.
– Var det han som sköt?
– Han kan ha varit vittne, svarade Wallander undvikande.
– Var är du nu?
– Jag sitter hemma hos Marianne Falk. Vi hörs sen.
Hon serverade kaffe ur en vacker blåvit kanna. Wallander påminde sig att ett liknande porslin hade funnits i hans eget barndomshem.
– Låt oss höra om den där tillfälligheten, sa han när hon hade satt sig ner igen.
– Det var ungefär en månad efter det att Tynnes hade dykt upp igen. Han hade köpt en bil och brukade komma och hämta mig. En av läkarna på den avdelning där jag arbetade såg honom en gång möta mig. Dagen efter frågade han om han sett rätt. Om den man som hade mött mig hette Tynnes Falk. När jag svarade ja, sa han att han hade träffat honom året innan. Men inte var som helst. Utan i Afrika.
– Var i Afrika?
– I Angola. Läkaren hade arbetat där som volontär. Alldeles efter det att landet hade blivit självständigt från Portugal. Vid ett tillfälle hade han stött samman med en annan svensk. Det hade varit sent på natten på en restaurang. Dom hade suttit vid olika bord. Men när Tynnes skulle betala hade han tagit upp sitt svenska pass där han hade haft sina pengar instoppade. Läkaren hade tilltalat honom. Tynnes hade hälsat och sagt sitt namn men inte mycket mer. Läkaren kom fortfarande ihåg honom. Inte minst eftersom han hade tyckt det var förvånande att Tynnes hade varit så avvisande. Som om han egentligen inte hade velat bli identifierad som svensk.
– Då måste du ha frågat honom vad han gjorde där?
– Många gånger tänkte jag att jag skulle göra det. Ta reda på vad

han hade haft för sig. Varför han hade rest just dit. Men det var som om vi hade gett varandra ett löfte att inte forska i dom där fyra åren. Istället försökte jag ta reda på det via andra kanaler.

– Vilka kanaler?

– Jag ringde till olika organisationer som hade hjälparbetare i Afrika. Men det var först när jag talade med Sida som jag fick napp. Tynnes hade verkligen varit i Angola i en tvåmånadersperiod. För att hjälpa till med installationen av ett antal radiomaster.

– Men han var borta i fyra år, sa Wallander. Du talar om två månader?

Hon satt en stund alldeles tyst, försjunken i en tanke som Wallander inte ville störa.

– Vi gifte oss och vi fick barn. Förutom det där mötet i Luanda visste jag inget om vad han hade gjort under dom åren. Och jag frågade aldrig. Det är först nu när han är död och vi har varit skilda länge som jag till sist fått reda på det.

Hon reste sig och lämnade rummet. När hon kom tillbaka hade hon ett paket i handen. Något som var omlindat av en sönderriven vaxduk. Hon la det på bordet framför Wallander.

– När han hade dött gick jag ner i källaren. Jag visste att han hade en stålkoffert där nere. Den var låst. Men nu bröt jag upp den. Frånsett det här fanns ingenting annat än damm.

Hon nickade åt honom att öppna paketet. Wallander vek undan vaxduken. Där låg ett fotoalbum i brunt läder. På framsidan var skrivet med tusch *Angola 1973–1977*.

– Jag har sett på bilderna, sa hon. Vad dom egentligen berättar vet jag inte. Men jag tycker mig förstå att Tynnes inte var i Angola bara under den tvåmånadersperiod när han arbetade som konsult åt Sida. Han var förmodligen där i nästan fyra år.

Wallander hade ännu inte öppnat albumet. En tanke hade slagit honom.

– Min obildning är mycket stor. Jag vet inte ens vad huvudstaden i Angola heter.

– Luanda.

Wallander nickade. I jackfickan hade han fortfarande det vykort han hittat under tangentbordet. Där han identifierat ett L och ett D. Vykortet hade sänts från Luanda. Vad var det som hände där? tänkte han.

Och vem är den man eller den kvinna som har ett namn som börjar på bokstaven C?

Han torkade av händerna på en servett.

Sedan lutade han sig framåt och öppnade albumet.

24

Den första bilden föreställer förvridna rester av en utbränd buss. Den ligger på sidan intill en väg färgad röd av sand och kanske också av blod. Fotografiet har tagits på håll. Bussen ser ut som ett djurkadaver. Intill den inklistrade bilden har någon antecknat med blyerts: *Nordost om Huambo 1975*. Under bilden finns samma sorts gulaktiga fläck som på vykortet. Wallander vände blad. En grupp svarta kvinnor är samlade invid en göl. Landskapet förbränt och uttorkat. Det finns inga skuggor i bilden. Solen måste ha befunnit sig rakt upp på himlen när fotografiet togs. Ingen av kvinnorna ser mot fotografen. Vattnet i gölen står mycket lågt.

Wallander betraktade bilden. Tynnes Falk, om det nu är han som tagit den, har bestämt sig för att avbilda dessa kvinnor. Men egentligen är det den nästan uttorkade gölen som är bildens centrum. Det är den han vill visa. Kvinnor som snart inte har mer vatten att hämta. Han fortsatte att vända blad. Marianne Falk satt tyst i stolen på andra sidan bordet. Wallander uppfattade en klocka som tickade någonstans i rummet. Det följde ytterligare bilder från ett förtorkat landskap. En by med låga runda hyddor. Barn och hundar. Hela tiden den röda jorden som tycks yra runt i bilden. Inga människor som ser mot kameran.

Plötsligt är byarna borta. Nu är det ett slagfält. Eller resterna av ett slagfält. Vegetationen är tätare, grönare. En helikopter ligger omkullvält på sidan som en jättelik insekt någon har trampat på. Övergivna kanoner där eldrören pekar mot en osynlig fiende. På bilderna finns bara dessa vapen. Inga människor, vare sig levande eller döda. Datum och ortnamn, aldrig något annat. Sedan följer två sidor med radiomaster. Några av bilderna är oskarpa.

Där är också plötsligt en gruppbild. Wallander försökte urskilja ansiktena på nio män som står uppställda framför något som ser ut som en bunker. Det är nio män, en pojke och en get. Geten tycks ha gått in i bilden från höger. En av männen håller på att vifta bort den när bilden tas. Pojken stirrar rakt mot kameran. Han skrattar. Sju av männen är svarta, de andra vita. De svarta ser glada ut, de vita männen är allvarliga. Wallander vände på albumet och frågade Marianne Falk om hon kände igen någon av de vita männen. Hon skakade på huvudet. Bredvid bilden står ett oläsligt ortnamn och ett datum: *Januari 1976*. Falk bör för länge sedan ha installerat sina radiomaster. Kanske gör han nu ett återbesök för att se att de fortfarande står upprätta. Han har återvänt till Angola. Eller han kanske aldrig har lämnat landet? Ingenting motsäger att han har stannat kvar där hela tiden. Vad som nu är hans uppdrag är okänt. Ingen vet vad han lever av. Wallander vände sida. Bilder från Luanda. Nu är det en månad senare, februari 1976. Någon håller tal på ett stadion. Folk med röda fanor. Dessutom flaggor. Wallander bestämmer sig för att det är Angolas flagga folk viftar med. Fortfarande tycks Falk vara ointresserad av enskilda människor. Här är det en folkmassa. Bilden är tagen på så stort avstånd att några individer knappast går att urskilja. Men Falk måste ändå ha besökt detta stadion. Kanske är det nationaldag? Det unga Angolas självständighet som firas? Varför har Falk tagit dessa bilder? Illa fotograferade, alltid på för stort avstånd. Vad är det egentligen han vill minnas?

Sedan följer några sidor med stadsbilder. *Luanda april 1976*. Wallander vände blad fortare.

Sedan stoppade han upp.

En bild bryter förloppet. Det är en gammal bild. Ett svartvitt fotografi. En grupp allvarliga européer har ställt upp sig för fotografering. Kvinnorna sitter, männen står. Bilden är 1800-tal. I bakgrunden ett stort hus, landsbygd. Svarta tjänare i vita kläder skymtar. Någon av dem skrattar, men människorna i förgrunden är allvarliga. Intill bilden står skrivet: *Skotska missionärer, Angola, 1894*.

Wallander undrade varför bilden fanns där. En utbränd buss, övergivna slagfält, kvinnor som snart inte längre har något vatten, radiomaster, och till sist en bild av missionärer.

Sedan återkommer nutiden igen, den period när Falk definitivt befinner sig i Angola. Och för första gången finns där människor på nära håll. Människor som är bildens centrum. Någonstans pågår en fest. Bilderna är tagna med blixt. Bara vita människor. Blixtljuset har gjort deras ögon röda som på djur. Glas och flaskor. Marianne Falk lutade sig fram över bordet och pekade på en man som har ett glas i handen. Han är omgiven av ganska unga män. De flesta skålar och ropar okända ord mot fotografen. Men Tynnes Falk sitter tyst. Det är hans ansikte hon pekar på. Han är tyst och han är allvarlig. Han är mager och har en vit skjorta som är knäppt ända upp i halsen. De andra männen är halvnakna, rödbrusiga och svettiga. Wallander frågade åter om Marianne kände igen några ansikten. Men hon skakade på huvudet.

Någonstans finns här en person med ett namn som börjar på C. Falk har stannat i Angola. Falk har blivit övergiven av den kvinna han älskar. Eller är det kanske egentligen han som övergett henne?

Då tar han arbete så långt bort han kan komma. Kanske för att glömma. Eller för att bida sin tid. Något händer som gör att han stannar kvar. Wallander vände blad igen. Tynnes Falk står utanför en vitkalkad kyrka. Han ser mot fotografen. Nu ler han. För första gången ler han. Han har dessutom knäppt upp skjortan i halsen. Vem står bakom kameran? Kan det vara C?

Nästa blad. Falk är återigen själv fotograf. Wallander lutade sig närmare bilden. För första gången är där ett ansikte som återkommer. Mannen står ganska nära kameran. Han är lång och mager och solbränd. Blicken bestämd. Håret är kortklippt. Han kan vara nordeuropé. Kanske tysk. Eller ryss. Sedan börjar Wallander studera bakgrunden. Bilden är tagen utomhus. Längst bort i bildens bakkant kan han ana bergsryggar med tät och grön vegetation. Men närmare, strax bakom mannens rygg, finns något som först verkar vara en stor maskin. Wallander tyckte konstruktionen verkade bekant. Men det var först när han betraktade bilden på lite avstånd som han insåg vad det var. En transformatorstation. Högspänningsledningar.

Här uppstår plötsligt ett samband, tänkte han. Vad det innebär vet jag inte. Men om det nu är Falk som tagit bilden så har han fotograferat en man som står intill en transformatorstation. Inte alldeles olik den där Sonja Hökberg dog. Han vände långsamt blad, som om han hoppades att lösningen skulle finnas där. Att detta fotoalbum till sist skulle visa sig innehålla den sanna berättelsen om allt det som hade hänt. Men där blickar en elefant emot honom. Och några lejon som dåsar intill vägen. Falk har suttit i en bil när han tagit bilden. Intill står skrivet: *Krugerparken, augusti 1976*. Ännu ska det dröja ett år innan han återvänder till Sverige och står och väntar utanför Sabbatsbergs sjukhus på att Marianne ska komma ut genom porten. Hans fyraåriga bortavaro är ännu inte på väg att avslutas. Lejon som dåsar. Falk som är försvunnen. Wallander påminde sig att Krugerparken låg i Sydafrika. Han mindes det sedan den gången några år tidigare då en kvinnlig fastighetsmäklare hade blivit mördad och han själv indragen i en utredning som ledde ner till Sydafrika. Länge hade han tvivlat på att han skulle klara att leda den komplicerade utredningen till en lyckad upplösning.

Falk har alltså lämnat Angola. Han sitter i en bil och fotograferar djur genom det nervevade bilfönstret. Det följer åtta sidor med djur och fåglar. Bland annat en oändlig mängd gäspande flodhästar. Turistminnen. Falk är mycket sällan en inspirerad fotograf. Först när djurbilderna är borta stannar Wallander upp igen. Falk har återvänt till Angola. *Luanda, juni 1976*. Där är den magre mannen igen.

Med den bestämda blicken och det stubbade håret. Han sitter på en bänk intill havet. För en gångs skull har Falk lyckats komponera en bild som är riktigt lyckad. Sedan är det slut. Albumet är inte fyllt. Ett antal tomma sidor följer. Inga bilder är urrivna, inga texter överstrukna. Den sista bilden är på mannen som sitter på en bänk och ser ut över havet. I bakgrunden finns samma stadssilhuett som på vykortet.

Wallander lutade sig tillbaka i stolen. Marianne Falk betraktade honom med forskande blick.

– Jag vet inte vad bilderna egentligen berättar, sa han. Men jag behöver låna med mig albumet. Det kan tänkas att vi måste förstora nåt av fotografierna.

Hon följde honom ut i tamburen.

– Varför tror du det är viktigt vad han gjorde den där gången? Det är ju så länge sen.

– Nånting hände, svarade Wallander. Vad vet jag inte. Men nånting hände som följde honom genom livet.

– Vad skulle det ha varit?

– Jag vet inte.

– Vem var det som avlossade ett skott däruppe i hans lägenhet?

– Vi vet inte. Vi vet inte vem det var eller vad han gjorde där.

Han hade satt på sig jackan och tog henne i hand.

– Om du vill kan vi skicka ett kvitto på att vi mottagit dom här fotografierna.

– Det behövs inte.

Wallander öppnade dörren.

– Det var en sak till, sa hon.

Wallander såg på henne och väntade. Han kunde se att hon var mycket osäker.

– Poliser kanske bara vill ha fakta, fortsatte hon tveksamt. Det jag tänker på är väldigt oklart också för mig själv.

– Just nu kan det mesta vara av betydelse.

– Jag levde länge ihop med Tynnes, sa hon. Och jag trodde förstås att jag kände honom. Vad han hade gjort under dom år han varit försvunnen visste jag inte. Men det var nånting som låg vid sidan av. Eftersom han var så jämn till humöret och alltid behandlade mig och barnen så väl brydde jag mig inte om det.

Hon tystnade abrupt. Wallander väntade.

– Ibland kunde jag få en känsla av att jag var gift med en fanatiker, fortsatte hon. En dubbelmänniska.

– En fanatiker?

– Han kunde ibland ge uttryck för så märkliga åsikter.

– Om vad?

– Om livet. Om människor. Om världen. Om praktiskt taget allting. Han kunde brista ut i våldsamma anklagelser. Som inte riktades mot nån. Det var som om han skickade meddelanden ut i tomma luften.

– Förklarade han sig inte?

– Jag blev rädd. Jag vågade inte fråga. Det var som om han fylldes av hat. Dessutom gick hans utbrott över lika fort som dom kommit. Jag fick en känsla av att han försagt sig. Åtminstone att han upplevde det så själv. Nånting kom fram som han helst av allt ville dölja.

Wallander tänkte efter.

– Du står fast vid att han aldrig var politiskt engagerad?

– Han föraktade politiker. Jag tror aldrig han röstade.

– Han hade heller inga kopplingar till andra rörelser?

– Nej.

– Fanns det några människor han såg upp till?

– Inte vad jag vet.

Sedan ändrade hon sig.

– Jag tror faktiskt han hyste nån sorts kärlek till Stalin.

Wallander rynkade pannan.

– Varför gjorde han det?

– Jag vet inte. Men han sa flera gånger att Stalin hade haft den oinskränkta makten. Rättare sagt: han hade tagit den för att kunna härska oinskränkt.

– Sa han så?

– Ja.

– Och han förklarade sig aldrig?

– Nej.

Wallander nickade.

– Kommer du på nånting mer måste du genast höra av dig.

Hon lovade att göra så. Dörren slog igen.

Wallander satte sig i bilen. Fotoalbumet låg på sätet intill. En man hade stått framför en transformatorstation. Det hade hänt i det fjärran Angola för tjugo år sedan.

Kunde det vara samme man som skickat vykortet? Var det han som hade ett namn som började med bokstaven C?

Wallander ruskade på huvudet. Han förstod inte.

Driven av en oklar impuls körde han ut ur staden och återvände till platsen där de hade funnit Sonja Hökbergs döda kropp. Den var övergiven. Grinden stängd. Wallander såg sig om. Bruna åkrar, skränande kråkor på avstånd. Tynnes Falk låg död vid en bankomat. Han hade själv inte kunnat döda Sonja Hökberg. Det fanns andra, ännu osynliga bindeled som förgrenade sig som ett nätverk mellan de olika händelserna.

Han tänkte på Falks avhuggna skrivfingrar. Någon ville att något skulle döljas. Samma sak med Sonja Hökberg. Det fanns ingen annan rimlig förklaring. Hon hade dödats för att hon inte skulle kunna tala.

Wallander frös. Dagen var kylig. Han återvände till bilen och skruvade upp värmen. Sedan for han mot Ystad igen. Just när han nådde rondellen vid infarten till staden ringde hans telefon. Han körde in till vägrenen och stannade. Det var Martinsson.

– Vi håller på, sa han.

– Hur går det?

– Dom där siffrorna är som en hög vägg. Modin försöker ta sig över den. Vad han egentligen håller på med kan jag inte säga.

– Vi får försöka ha tålamod.

– Jag antar att polisen betalar hans lunch?

– Ta kvitto, sa Wallander. Och ge det sen till mig.

– Jag undrar om vi inte trots allt borde ta kontakt med Rikskrim och deras dataexperter. Vad vinner vi egentligen på att skjuta upp det?

Martinsson hade naturligtvis rätt, tänkte Wallander. Men han ville ändå vänta, ge Robert Modin ännu lite tid.

– Vi ska göra det, svarade han. Men vi avvaktar tills vidare.

Wallander fortsatte till polishuset. Av Irene fick han veta att Gertrud hade ringt. Wallander gick in på sitt kontor och ringde genast upp henne. Wallander åkte ibland till henne om söndagarna och hälsade på. Men det hände inte ofta. Och han hade ständigt dåligt samvete. Trots allt var det Gertrud som hade förbarmat sig över hans besvärlige far under hans sista år. Utan henne hade han säkert inte blivit så gammal som han ändå blev. Men nu när fadern inte längre fanns hade de inget att tala om.

Det var Gertruds syster som svarade. Hon kunde vara mycket pratsam och hade åsikter om det mesta. Wallander försökte fatta sig kort. Hon gick för att hämta Gertrud. Det tog en evig tid innan hon äntligen kom till telefonen.

Men det hade inte hänt någonting. Wallander hade oroat sig i onödan.

– Jag ville bara höra hur du har det, sa Gertrud.

– Mycket att göra. Annars bra.

– Det var länge sen du besökte mig.

– Jag vet. Så fort jag får tid ska jag komma.

– En dag kan det vara för sent, sa hon. I min ålder vet man aldrig hur länge man lever.

Gertrud var knappt 60 år gammal. Men Wallander insåg att hon hade tagit efter hans far. Samma känslomässiga utpressning.

– Jag kommer, sa han vänligt. Så fort jag kan.

Sedan ursäktade han sig med att han hade folk som väntade för ett viktigt möte. Men när samtalet var över gick han ut i matrummet och hämtade kaffe. Där träffade han Nyberg som drack en mycket speciell och svåråtkomlig sorts örtte. För en gångs skull verkade Nyberg utvilad. Han hade till och med kammat håret som oftast spretade åt olika håll.

– Vi hittade inga fingrar, sa Nyberg. Hundarna har sökt. Men vi har kört andra fingeravtryck som vi hittade i hans lägenhet. Fingeravtryck som måste ha varit Falks.

– Hittade ni nånting?

– Han finns inte i svenska register.

Wallander behövde bara fundera helt kort innan han bestämde sig.

– Lägg ut dom på Interpol. Vet du förresten om Angola är med där?

– Hur skulle jag kunna veta det?

– Jag bara undrade.

Nyberg tog sin kopp och gick. Wallander stal några skorpor ur Martinssons privata påse och gick in på sitt rum. Klockan var tolv. Förmiddagen hade gått fort. Fotoalbumet låg framför honom. Han kände sig osäker på hur han egentligen skulle gå vidare. Han visste mer om Falk nu än för några timmar sedan. Men ingenting hade egentligen fört honom närmare något som kunde förklara den gåtfulla kopplingen till Sonja Hökberg.

Han drog till sig telefonen och ringde in till Ann-Britt. Inget svar. Inte heller Hansson fanns på sitt rum. Och Martinsson höll på med Robert Modin. Han försökte tänka efter vad Rydberg skulle ha gjort. Den här gången gick det lättare att höra hans röst. Rydberg skulle ha tänkt. Det var det viktigaste en polisman kunde göra näst efter att samla in fakta. Wallander la upp fötterna på skrivbordet och blundade. Ännu en gång gick han i huvudet igenom allt som hade hänt. Hela tiden försökte han hålla sin inre blick fäst vid den backspegel som på något egendomligt sätt ledde allt tillbaka mot Angola, en gång för tjugo år sedan. Återigen försökte han företa sig olika former av återtåg genom händelserna och han använde sig av olika utgångspunkter. Lundbergs död. Och Sonja Hökbergs. Men också det faktum att ett stort strömavbrott hade inträffat.

När han slog upp ögonen igen gjorde han det med samma känsla som några dagar tidigare. Att lösningen fanns där, tätt intill honom. Utan att han kunde se den.

Han avbröts i sina tankar av att telefonen ringde. Det var Irene. Siv Eriksson väntade ute i receptionen. Han spratt upp från stolen, drog med fingrarna genom håret och gick ut och mötte henne. Hon var verkligen en mycket attraktiv kvinna. Han hade bestämt sig för att be henne följa med till hans rum, men hon hade inte tid. Hon lämnade ett kuvert till honom.

– Här är den lista du begärde.

– Jag hoppas det inte varit för mycket besvär.

– Inte för mycket. Men visst var det besvär.

Hon tackade nej till hans förslag om en kopp kaffe.

– Tynnes har lämnat en del lösa trådar efter sig, förklarade hon. Jag försöker se till att nysta upp dom.

– Men du kan alltså inte vara säker på att han inte hade andra uppdrag också?

– Jag tror inte det. Den senaste tiden tackade han nej till mycket. Det vet jag eftersom han oftast bad mig svara på olika förfrågningar.

– Hur tolkade du det?

– Jag tänkte att han kanske behövde ta igen sig.

– Hade det hänt nån gång tidigare? Att han tackade nej till ett större antal förfrågningar?

– När du säger det så hade han nog inte det. Det var faktiskt första gången.

– Och han förklarade inte varför?

– Nej.

Wallander hade inget mer att fråga om. Siv Eriksson försvann ut genom porten. En taxi stod och väntade på henne. När chauffören höll upp dörren såg Wallander att han hade ett svart sorgband runt ena armen.

Han gick tillbaka till kontoret och öppnade kuvertet. Listan var lång. Många av de företag där Falk och Siv Eriksson hade utfört olika uppdrag var okända för honom. Men alla fanns i Skåne med ett undantag. Ett företag med adress i Danmark. Wallander tyckte sig förstå att där tillverkades lastkranar. Men bland alla okända företag fanns ändå några han kunde identifiera, bland annat flera banker. Dock fanns inte Sydkraft eller något annat kraftbolag med. Wallander sköt undan listan och föll i tankar.

Tynnes Falk hade hittats död utanför en bankomat. Han hade gått ut på kvällen för att ta en promenad. En kvinna med hund hade sett honom. Han hade stannat vid bankomaten och begärt ett kontoutdrag, men inte gjort något uttag. Och sedan hade han fallit omkull död. Wallander hade plötsligt fått en känsla av att det var något han hade förbisett. Om han inte fått en hjärtattack eller blivit överfallen? Vad kunde det vara då?

Efter ytterligare en stunds funderande ringde han till Nordbankens kontor i Ystad. Vid några tillfällen hade Wallander tvingats ta lån när han bytt in sin gamla bil mot en ny. Han hade då lärt känna en av bankens handläggare som hette Winberg. Han bad att få tala med honom. När flickan i växeln svarade att det var upptaget tackade han och la på. Han lämnade polishuset och gick ner till bankens kontor. Winberg var upptagen med en kund. Han nickade åt Wallander att sätta sig ner och vänta.

Efter fem minuter blev Winberg ledig.

– Jag har väntat på dig, sa Winberg. Dags att byta bil igen?

Wallander upphörde aldrig att förvånas över att bankens tjänstemän var så unga. Första gången han hade tagit ett lån hade han undrat om Winberg som personligen beviljade krediten själv ens hade uppnått körkortsåldern.

– Jag har kommit för nåt helt annat. Ett tjänsteärende. Bilen får vänta ett tag till.

Winbergs leende försvann. Wallander såg att han blev orolig.

– Har det hänt nåt här på banken?

– Då hade jag nog gått till dina chefer. Vad jag behöver är information. Om era bankomater.

– Av säkerhetsskäl kan jag naturligtvis inte säga så mycket.

Wallander tänkte att Winberg uttryckte sig lika stolpigt som han själv brukade göra.

– Det är mer frågor av teknisk karaktär jag har. Den första är mycket enkel. Hur ofta händer det att en bankomat gör misstag när den registrerar ett uttag eller skickar ut ett kontoutdrag genom springan?

– Mycket sällan. Men jag har naturligtvis ingen statistik här.

– För mig betyder »mycket sällan« att det i stort sett aldrig sker?

Winberg nickade.

– För mig också.

– Det finns heller ingen risk att exempelvis tidsangivelsen på ett kontoutdrag blir felaktig?

– Det har jag aldrig hört talas om. Förmodligen sker det väl. Men ofta kan det inte vara. När det gäller hantering av pengar måste säkerheten naturligtvis vara mycket hög.

– Man kan alltså lita på bankomaterna?

– Har du råkat ut för nånting?

– Nej. Men jag behövde få svar på dom här frågorna.

Winberg drog ut en av sina lådor och letade. Sedan la han en skämtteckning på bordet som föreställde en man som långsamt slukades av en bankomat.

– Riktigt så här illa är det alltså inte, log han. Men teckningen är bra. Och bankens datorer är naturligtvis lika sårbara som alla andra datorer.

Där kom det igen, tänkte Wallander. Talet om sårbarheten. Han betraktade teckningen och höll med om att den var bra.

– Nordbanken har en kund som heter Tynnes Falk, fortsatte han. Jag behöver få en förteckning över alla rörelser på hans konton det senaste året. Det inbegriper även hans uttag på bankomater.

– Då måste du nog vända dig högre upp, sa Winberg. När det gäller banksekretessen kan jag inte bestämma.

– Vem ska jag tala med?

– Martin Olsson är nog bäst. Han sitter en trappa upp.

– Kan du undersöka om han är ledig?

Winberg försvann. Wallander föreställde sig att han nu hade en lång och tröttsam byråkratisk procedur att ta sig igenom.

Men när Winberg lotsat upp honom till andra våningen mötte han en bankchef, också han förvånansvärt ung, som lovade att hjälpa till. Det enda som behövdes var en formell begäran från polismyndigheten. När han hörde att kontoinnehavaren hade avlidit fanns också en annan möjlighet. Änkan kunde göra en begäran.

– Han var skild, sa Wallander.

– Ett papper från polisen räcker, sa Martin Olsson. Jag lovar att se till att det går fort.

Wallander tackade och gick ner till Winberg igen. Han hade ytterligare en fråga.

– Kan du undersöka i ert register om en man vid namn Tynnes Falk hade nåt bankfack här?

– Egentligen vet jag inte om det är tillåtet, svarade Winberg tveksamt.

– Din chef gav klartecken, ljög Wallander.

Winberg försvann. Efter några få minuter var han tillbaka.

– Nåt bankfack i Tynnes Falks namn har vi inte.

Wallander reste sig. Sedan satte han sig igen. När han nu ändå befann sig på banken kunde han lika gärna ordna ett lån för den bil han mycket snart skulle bli tvungen att skaffa sig.

– Vi tar det där med bilen nu genast, sa han. Du har rätt. Det är snart dags för mig att byta.

– Hur mycket behöver du?

Wallander gjorde ett hastigt överslag. Några andra skulder hade han inte.

– 100 000, sa han. Om det går.

– Inga problem, svarade Winberg och sträckte sig efter ett formulär.

Klockan halv två var allting klart. Winberg hade själv beviljat lånet utan att behöva få klartecken uppifrån. Wallander lämnade banken med en tvivelaktig känsla av att plötsligt ha blivit rik. När han passerade bokhandeln vid torget påminde han sig att där fanns en bok om möbeltapetsering som han skulle ha hämtat för flera dagar sedan. Han påminde sig också att hans plånbok var tom. Han vände och gick tillbaka till den bankomat som fanns vid posten och ställde sig på tur. Det var fyra personer före honom i kön. En kvinna med barnvagn, två tonårsflickor och en äldre man. Wallander betraktade frånvarande hur kvinnan stack in kortet, fick sina pengar och därefter kontoutdraget. Sedan började han tänka på Tynnes Falk. Han såg de två tonårsflickorna ta ut en hundralapp och sedan ivrigt diskutera det som stod på kontoutdraget. Den äldre mannen såg sig om innan han stoppade in kortet och knappade in sin kod. Han tog ut 500 kronor och stoppade kontoutdraget oläst i fickan. Nu var det Wallanders tur. Han tog ut tusen kronor och läste sedan igenom kontoutdraget. Allting tycktes stämma. Summor såväl som datum och klockslag. Han knycklade ihop lappen och kastade det i en papperskorg. Sedan blev han plötsligt stående. Han tänkte på strömavbrottet som mörklagt en stor del av Skåne. Någon hade vetat var en av kraftförsörjningens svaga punkter fanns. Hur långt tekniken än hade utvecklats fanns det hela tiden ett antal sådana. Bräckliga vändkors där olika flöden av det som alla tog för givet plötsligt kunde stoppas. Han tänkte på ritningen som legat på Falks bord alldeles intill datorn. Den hade inte legat där av en tillfällighet. Lika lite som det var en slump att ett relä hade återfunnits på hans bår.

Insikten var omedelbar. Den innebar inget nytt. Men plötsligt insåg han till fullo något som tidigare varit svävande och oklart.

Ingenting av det som hade hänt var tillfälligheter. Ritningen hade legat där eftersom Tynnes Falk hade använt sig av den. Det innebar i sin tur att det inte heller var någon tillfällighet att Sonja Hökberg hade blivit dödad just på transformatorstationen.

Det var en sorts offer, tänkte han. Inne i Tynnes Falks lönnrum fanns ett altare. Med Falks eget ansikte som den gudabild som skulle tillbedjas. Sonja Hökberg hade inte bara blivit dödad. På något sätt hade hon också blivit offrad. För att sårbarheten och den svaga punkten skulle avslöjas. Man hade dragit ner en huva över Skåne och fått allt att avstanna.

Tanken gjorde att han rös till. Känslan av att han och hans kollegor fortfarande trevade runt i ett tomrum blev mycket stark.

Han betraktade de människor som kom till bankomaten. Kan man lamslå kraftförsörjningen kan man säkert också lamslå en bankomat, tänkte han. Och Gud vet vad man mer skulle kunna stoppa, omdirigera eller stänga av. Flygledartorn och tågväxlar, vatten och elkraft. Allt detta kan ske. Under en enda förutsättning: att man känner till den svaga punkten. Där sårbarheten övergår från faromoment till verklighet.

Han började gå igen. Bokhandeln brydde han sig inte om. Han återvände till polishuset. Irene ville tala med honom men han vinkade avvärjande. Han slängde jackan i sin besöksstol och drog till sig kollegieblocket samtidigt som han satte sig. Under några intensiva minuter gjorde han ett förnyat återtåg genom allt det som hade hänt. Den här gången försökte han analysera händelserna ur ett alldeles nytt perspektiv. Fanns det trots allt något som kunde tyda på att det låg någon form av utstuderat och välplanerat sabotage gömt under ytan? Var det sabotaget som var den botten han letade efter? Han tänkte återigen på den gång Falk hade blivit gripen för att ha släppt ut minkar. Dolde den händelsen något som egentligen var mycket större? Var den en förövning till något som skulle komma senare?

När han slängde pennan ifrån sig och lutade sig bakåt i stolen var han inte alls säker på att han nu hade hittat den punkt där de kunde bryta igenom och få fart på utredningen. Men han såg i alla fall en tänkbar möjlighet. Även om mordet på Lundberg i den här tolkningen hamnade alldeles utanför. Det var ändå där det började, tänkte han. Kan det vara så att något okontrollerbart började hända? Något som inte alls var planerat? Men som sedan omedelbart måste åtgärdas? Vi anar redan nu, eller åtminstone tror vi det, att Sonja Hökberg dödades för att hon inte skulle avslöja någonting. Och varför skar man av Falk två fingrar? För att något skulle döljas.

Sedan insåg han att det fanns en annan möjlighet. Om tanken att Sonja Hökberg blivit offrad stämde, kunde det också ha funnits något rituellt i att Falks skrivfingrar hade blivit avskurna.

Han gav sig på det igen. Samma återtåg på nytt. Men nu försökte han se ännu längre. Vad hände om mordet på Lundberg egentligen inte hörde ihop med det som skedde senare? Om Lundbergs död i grund och botten var ett misstag?

Efter ytterligare en halvtimme började han misströsta. Det var för tidigt. Det hängde inte ihop.

Men ändå var det som om han trots allt kommit ytterligare en bit på vägen. Han hade insett att det fanns fler möjligheter att tolka händelserna och deras förhållande till varandra än vad han dittills hade anat.

Han hade just rest sig för att gå på toaletten när Ann-Britt knackade på dörren.

Hon gick rakt på sak.

– Du hade rätt, sa hon. Sonja Hökberg hade verkligen en pojkvän.

– Vad heter han?

– Vad han heter vet jag. Men inte var han finns.

– Varför inte det?

– Det verkar som om han har försvunnit.

Wallander såg på henne. Sedan lät han toalettbesöket bero och satte sig i sin stol igen.

Klockan hade blivit kvart i tre på eftermiddagen.

25

Efteråt skulle Wallander alltid tänka att han begått ett av sitt livs största misstag den där eftermiddagen när han satt och lyssnade på vad Ann-Britt hade att säga. När hon berättade om sin upptäckt, att Sonja Hökberg trots allt hade haft en pojkvän, borde han genast ha begripit att det var något egendomligt med historien. Det var ingen hel sanning Ann-Britt lyckats gräva fram. Utan bara en halv. Och halva sanningar har som han naturligtvis visste en tendens att förvandla sig till hela lögner. Han såg alltså inte det han borde ha sett. Han såg något annat. Som bara delvis förde honom in på rätt spår.

Misstaget blev dyrköpt. I mörka stunder tänkte Wallander att det varit en bidragande orsak till att en människa mist livet. Och det kunde också ha lett till att en annan katastrof verkligen hade inträffat.

Ann-Britt hade på morgonen måndagen den 13 oktober gripit sig an uppgiften att spåra den pojkvän som sannolikt fanns i Sonja Hökbergs bakgrund. Hon hade börjat med att ytterligare en gång ta upp saken med Eva Persson. Förvirringen om hur Eva Persson borde förvaras under förundersökningen hade fortsatt. Nu hade dock åklagaren och de sociala myndigheterna kunnat enas om att flickan tills vidare borde vara i sitt hem under bevakning. En bidragande orsak hade varit händelsen i förhörsrummet, då fotografen tagit den olycksaliga bilden. Det hade åtminstone i vissa kretsar kunnat bli ett ramaskri om Eva Persson skulle ha hållits i förvar på polishuset eller annan arrestlokal. Det var alltså i hennes hem Ann-Britt hade talat med henne. Hon hade klargjort för Eva Persson, som nu tycktes något mindre kall och avvisande, att hon inte själv hade något att frukta genom att tala om hur det var. Men Eva hade envist fortsatt att hävda att hon inte kände till någon pojkvän. Den ende var Kalle Ryss som Sonja varit tillsammans med tidigare. Ann-Britt var fortfarande inte säker på om Eva Persson talade sanning. Men hon hade inte kommit någonvart och hon hade till sist gett upp. Innan hon gick hade hon också talat en stund i enrum med Eva Perssons mor. De hade stått i köket med dörren stängd. Eftersom mamman envisades med att tala med en röst som knappt var hörbar hade Ann-Britt antagit att Eva stått utanför dörren och lyssnat. Men inte heller hon hade kännedom om någon pojkvän. Och allting hade varit Sonja

Hökbergs fel. Det var hon som hade dödat den stackars taxichauffören. Hennes dotter Eva var oskyldig. Och hon hade dessutom utsatts för brutalt övervåld av den där förfärlige polismannen som hette Wallander.

Ann-Britt hade klippt av samtalet ganska obehärskat och sedan lämnat huset. Hon hade sett framför sig det korsförhör dottern förmodligen omgående inledde med sin mor. Vad hade egentligen blivit sagt i köket?

Ann-Britt hade farit raka vägen till den järnaffär där Kalle Ryss arbetade. De hade gått ut på lagret och stått där bland spikpaket och motorsågar och talat om det som hänt. I motsats till Eva Persson som tycktes ljuga nästan hela tiden svarade Kalle Ryss enkelt och rättframt på hennes frågor. Hon hade fått en känsla av att han fortfarande hade tyckt mycket om Sonja, även om deras förhållande tagit slut för mer än ett år sedan. Han saknade henne, sörjde över hennes död och var också skrämd av det som hade hänt. Men han hade inte vetat mycket om hennes liv efter det att de gått skilda vägar. Även om Ystad var en liten stad sprang man inte ofta på sina bekanta. Dessutom brukade Kalle Ryss åka in till Malmö på helgerna. Det var där han nu hade en ny flickvän.

– Men jag tror att det finns en, hade han plötsligt sagt. En kille som Sonja var ihop med.

Kalle Ryss hade inte vetat mycket om sin rival, egentligen ingenting alls. Annat än att han hette Jonas och bodde för sig själv i en villa på Snapphanegatan. Något husnummer kunde han heller inte uppge. Men det skulle vara i hörnet av Friskyttegatan, på vänster sida, räknat nerifrån centrum. Vad Jonas Landahl levde av eller sysslade med visste han inte.

Ann-Britt for genast dit. Det första huset på vänster sida var en vacker modern villa. Hon gick in genom grinden och ringde på dörren. Huset hade genast gett intryck av att vara övergivet. Varför hon hade fått den känslan visste hon inte. Ingen hade öppnat. Hon hade ringt flera gånger och sedan gått runt huset. Hon hade bultat på bakdörren och sedan försökt kika in genom olika fönster. När hon kom tillbaka till framsidan stod det en man i morgonrock och höga stövlar utanför grinden. Det var en märklig syn, en man på gatan i morgonrock denna kyliga höstmorgon. Han hade förklarat att han bodde i huset mittemot och att han sett henne komma. Sedan hade han presenterat sig som Yngve. Inget efternamn, bara Yngve.

– Här finns ingen hemma, sa han bestämt. Inte ens pojken är här.

Samtalet utanför grinden hade varit kort men givande. Yngve

var en man som uppenbart höll sina grannar under kontinuerlig uppsikt. Och han hade genast informerat henne om att han varit säkerhetsansvarig inom sjukvården i Malmö innan han gått i pension några år tidigare. Familjen Landahl var ett främmande fågelpar som slagit sig ner med sin son i kvarteret ett tiotal år tidigare. De hade köpt huset av en kommuningenjör som flyttat till Karlstad. Vad herr Landahl egentligen sysslade med kunde Yngve inte svara på. När de kommit flyttande hade de inte ens brytt sig om att presentera sig för sina grannar. De hade stoppat in sina möbler och sin son och sedan stängt dörrarna omkring sig. Sällan hade de visat sig överhuvudtaget. Pojken som inte varit mer än 12, 13 år när de kom till kvarteret hade ofta lämnats ensam. Föräldrarna hade gett sig ut på långa resor gud vet vart. Då och då kom de plötsligt tillbaka för att sedan lika plötsligt försvinna igen. Och pojken var ensam. Han hälsade vänligt. Men höll sig för sig själv. Handlade den mat han behövde, hämtade in posten och gick och la sig alldeles för sent på kvällarna. I ett av grannhusen bodde en lärarinna i den skola där han gick. Och hon kunde berätta att han klarade sig bra. Så hade det fortsatt. Pojken växte och föräldrarna fortsatte att ge sig iväg till sina okända resmål. Det hade under en period gått ett rykte om en stor tipsvinst eller kanske var det lotto. Men något arbete tycktes ingen av dem ha haft. Och pengarna verkade ju finnas där. Senast någon sett till dem var i mitten av september. Sedan hade pojken som vid det här laget blivit vuxen varit ensam igen. Men för några dagar sedan hade en taxi kommit och hämtat även honom.

– Huset står alltså tomt? hade hon frågat.

– Det är ingen där.

– När var det taxin kom och hämtade honom?

– Förra onsdagen. På eftermiddagen.

Ann-Britt såg framför sig hur den pensionär som hette Yngve satt i sitt kök och noterade sina grannars förehavanden. Finns det inga tåg att glo på får man antingen stirra in i väggen eller spionera på sina grannar, tänkte hon.

– Minns du vilket taxibolag det var?

– Nej.

Fel, tänkte hon. Du minns. Kanske till och med bilmärket och registreringsnumret. Men du vill inte att jag ska förstå det jag redan begripit. Att du spionerar på dina grannar.

Sedan hade hon bara en fråga till.

– Jag vore tacksam om du kunde meddela oss när han dyker upp igen.

– Vad har han gjort?

– Absolut ingenting. Vi behöver bara tala med honom.

– Om vad då?

Hans nyfikenhet hade tydligen inga gränser. Hon skakade på huvudet. Han frågade inte igen. Men hon kunde se att han var irriterad. Som om hon på något sätt hade brutit en kollegialitet.

Tillbaka på polishuset hade hon tur. Det tog henne mindre än femton minuter att lokalisera det taxibolag och den chaufför som haft en hämtning på Snapphanegatan. Han körde upp till polishuset och hon satte sig i framsätet och talade med honom. Han hette Östensson och var i 30-årsåldern. Kring ena armen hade han ett sorgband. Efteråt hade hon insett att det naturligtvis var på grund av det som hänt med Lundberg.

Hon hade frågat om körningen. Han hade gott minne.

– Körningen kom strax före två. Namnet var Jonas.

– Inget efternamn?

– Jag trodde nog det var ett efternamn. Nuförtiden kan ju folk heta vad som helst.

– Och det var bara en passagerare?

– En ung man. Vänlig.

– Hade han mycket bagage?

– En liten väska med hjul. Inget annat.

– Vart skulle han?

– Till färjan.

– Skulle han till Polen?

– Går det några andra färjor?

– Vad fick du för intryck av honom?

– Inget alls, men han var som sagt vänlig.

– Han verkade inte orolig?

– Nej.

– Sa han nånting?

– Han satt bak och var tyst och tittade ut genom fönstret. Han gav dricks minns jag.

Något mer kunde Östensson inte påminna sig. Ann-Britt tackade honom för besväret. Sedan bestämde hon sig för att begära tillstånd att gå in i huset på Snapphanegatan. Hon hade talat med åklagaren som lyssnat och gett henne det nödvändiga tillståndet.

Hon hade just varit på väg dit igen när det ringde från daghemmet där hennes yngsta barn befann sig. Hon hade åkt dit, barnet kräktes och sedan hade hon tillbringat de följande timmarna hemma. Men plötsligt hade illamåendet varit över. Hennes gudasända grannfru som nästan alltid när det var möjligt ryckte in och hjälpte henne att passa barnen hade funnits tillgänglig. Och nu när hon återvände till polishuset hade också Wallander kommit tillbaka.

– Har vi några nycklar? frågade han.

– Jag tänkte vi skulle ta med en låssmed.

– I helvete heller. Var det säkerhetsdörrar?

– Vanliga patentlås.

– Dom klarar jag nog av själv.

– Du bör vara klar över att en man i morgonrock och gröna stövlar bevakar allt vi gör från sitt köksfönster.

– Du får gå över och tala med honom. Bygg upp en liten vacker konspiration. Att vi tack vare hans uppmärksamhet har fått den hjälp vi behövde. Men att han samtidigt bör fortsätta att hjälpa oss genom att övervaka att vi har ryggen fri. Och naturligtvis inte säga ett enda ord till nån som frågar vad vi håller på med. Finns det en nyfiken granne kan det finnas fler.

Ann-Britt brast i skratt.

– Han kommer att köpa det, sa hon. Precis sån var han.

De for upp till Snapphanegatan i hennes bil. Som vanligt tyckte han att hon körde ryckigt och illa. Han hade tänkt berätta om det fotoalbum han ägnat morgonen åt. Men han kunde inte koncentrera sig på annat än hoppet att de inte skulle krocka med någon.

Medan Wallander angrep ytterdörren försvann Ann-Britt för att tala med grannen. Liksom hon fick han genast en känsla av att det vilade något ödsligt över huset. Han hade just fått upp låset till ytterdörren när hon kom tillbaka.

– Mannen i morgonrocken ingår numera i spaningsstyrkan, sa hon.

– Du sa väl ingenting om att vi letar efter pojken i samband med mordet på Sonja Hökberg?

– Vad tror du om mig egentligen?

– Bara det bästa.

Wallander öppnade dörren. De steg in och stängde bakom sig.

– Är det nån här? ropade Wallander.

Orden slocknade i tystnaden. Det kom inget svar.

De gick långsamt men målmedvetet igenom huset. Noterade att allt var städat och på sin plats. Även om pojken hade gett sig av hastigt syntes inga spår av någon brådska. Ordningen var exemplarisk. Det vilade något opersonligt över möbler och tavlor. Som om allt hade köpts på en och samma gång och sedan bara ställts in för att fylla ett antal tomma rum. På en hylla stod några fotografier av två unga människor med ett nyfött barn. Därutöver fanns inga personliga minnen. På ett bord stod en telefon med en blinkande telefonsvarare. Wallander tryckte på knappen. Ett dataföretag i Lund meddelade att det beställda modemet hade kommit. Sedan var det en felringning. Och någon som inte sa sitt namn.

Sedan kom det Wallander innerst inne hade hoppats på.

Sonja Hökbergs röst.

Wallander kände genast igen den. För Ann-Britt tog det några sekunder innan hon förstod vem det var.

– *Jag ringer igen. Det är viktigt. Jag ringer igen.*

Sedan la hon på.

Wallander lyckades hitta knappen som bevarade alla meddelanden. De lyssnade igen.

– Då vet vi det, sa Wallander. Sonja hade verkligen kontakt med pojken som bodde här. Och hon sa inte ens sitt namn.

– Kan det vara det här samtalet vi har frågat efter? När hon hade rymt?

– Förmodligen.

Wallander gick ut i köket, genom tvättstugan och öppnade dörren till garaget. Där stod en bil. En mörkblå Golf.

– Ring till Nyberg, sa Wallander. Jag vill att den här bilen blir grundligt genomsökt.

– Var det i den här bilen hon for till sin egen död?

– Det kan i varje fall inte uteslutas.

Ann-Britt började leta efter Nyberg via sin telefon. Wallander fortsatte under tiden upp till övervåningen. Där fanns fyra sovrum. Men bara två hade använts. Föräldrarnas rum och sonens. Wallander öppnade garderoben i föräldrarnas sovrum. Kläder hängde i välordnade rader. Han hörde Ann-Britts steg i trappan.

– Nyberg är på väg.

Sedan började också hon att syna de olika plaggen.

– Dom har god smak, sa hon. Och gott om pengar.

Wallander hade hittat ett hundkoppel och en liten läderpiska längst in i garderoben.

– Dom kanske också har smak för det som är en smula avvikande, sa han tankfullt.

– Det lär vara inne nuförtiden, sa Ann-Britt glatt. Man knullar visst bättre om man drar plastpåsar över huvudet och dansar lite med döden.

Wallander hajade till inför hennes ordval. Det gjorde honom generad. Men han sa naturligtvis ingenting.

De fortsatte in till pojkens rum. Det var oväntat spartanskt. Kala väggar, en säng. Och ett stort bord med en dator.

– Den här ska vi be Martinsson titta på, sa Wallander.

– Om du vill kan jag starta upp den?

– Vi väntar med det.

De återvände till bottenvåningen. Wallander bläddrade bland pappren i en kökslåda tills han hittade vad han sökte.

– Jag vet inte om du la märke till det, sa han. Men det stod inget namn på ytterdörren. Vilket är ganska ovanligt. Men här är i alla fall några reklamerbjudanden som är ställda till Harald Landahl, Jonas pappa.

– Ska vi efterlysa honom? Pojken, alltså.

– Inte riktigt än. Vi måste veta lite mer först.

– Var det han som dödade henne?

– Det är inte säkert. Men nog kan hans avresa tyda på att det gick brådstörtat? Att han har försökt komma undan.

De väntade på att Nyberg skulle dyka upp. Under tiden gick de igenom lådor och skåp. Ann-Britt hittade ett antal fotografier som visade ett nybyggt hus på Korsika.

– Kan det vara dit föräldrarna åker?

– Det är inte omöjligt.

– Man kan undra var dom får sina pengar ifrån?

– Tills vidare är det sonen som intresserar oss.

Det ringde på dörren. Där stod Nyberg och hans tekniker. Wallander följde dem ut till garaget.

– Fingeravtryck, sa han. Som eventuellt också har hittats nån annanstans. Till exempel på Sonja Hökbergs handväska. Men också i Tynnes Falks lägenhet. Eller vid Runnerströms Torg. Men framförallt ska du se om du kan hitta spår som tyder på att den har varit vid transformatorstationen. Och att Sonja Hökberg har åkt i den.

– Då börjar vi med däcken, sa Nyberg. Det går fortast. Som du minns fanns där ett spår vi inte kunde identifiera.

Wallander väntade. Det tog Nyberg mindre än tio minuter att ge honom det svar han hoppades på.

– Nog stämmer dom här avtrycken, sa Nyberg efter att ha jämfört med fotografier tagna ute vid transformatorstationen.

– Är du helt säker?

– Naturligtvis inte. Det finns tusentals däck som är nästan exakt likadana. Men som du ser här på vänster bakdäck har det för lite luft. Det har dessutom slitits på insidan, eftersom hjulen inte är ordentligt balanserade. Det ökar möjligheten ganska så dramatiskt att det är just den här bilen.

– Du är med andra ord säker?

– Så säker man kan bli.

Wallander lämnade garaget. Ann-Britt höll på inne i vardagsrummet. Han stannade till i köket. Gör jag rätt? tänkte han. Eller borde jag skicka ut en efterlysning nu genast? Driven av en plötslig oro återvände han till övervåningen. Han satte sig på skrivbordsstolen i pojkens rum och såg sig om. Sedan reste han sig och öppnade garderoben. Ingenting anmärkningsvärt fångade hans blick. Han sträckte sig på tå och kände på de översta hyllorna. Ingenting. Han återvände till skrivbordsstolen igen. Där fanns datorn. Driven av en impuls lyfte han på tangentbordet. Där var tomt. Han tänkte efter innan han gick ut i trappan och ropade på Ann-Britt. De återvände tillsammans in i rummet. Wallander pekade på datorn.

– Vill du att jag ska slå på den?

Han nickade.

– Vi ska alltså inte vänta på Martinsson?

Det fanns ett omisskännligt stråk av ironi i hennes röst. Kanske hade hon blivit sårad förut. Men just nu brydde han sig inte om det. Hur många gånger hade han inte själv känt sig kränkt under alla de år han varit polis? Av andra poliser, av brottslingar, av åklagare och journalister, och inte minst av det som brukade kallas för »allmänheten«.

Hon hade satt sig på skrivbordsstolen och tryckt igång datorn. Det klingade till. Sedan började skärmen lysa. Hon öppnade hårddisken. Olika ikoner framträdde.

– Vad vill du jag ska leta efter?

– Jag vet inte.

På måfå klickade hon på en ikon. I motsats till Falks dator gjorde den här inget motstånd. Problemet var bara att filen som öppnades var tom.

Wallander hade satt på sig glasögonen och lutat sig över hennes axel.

– Pröva att öppna det som kallas »korrespondens«, sa han.

Hon klickade på ikonen. Samma sak hände igen. Där fanns ingenting.

– Vad betyder det? frågade han.

– Att det är tomt.

– Eller tömt. Fortsätt.

Hon klickade på ikon efter ikon. Men hela tiden med samma resultat.

– Det är lite konstigt, sa hon. Här finns faktiskt ingenting alls.

Wallander såg sig om efter några disketter eller en extra hårddisk. Men han hittade inget.

Ann-Britt gick upp till den ikon som angav att där fanns information om datorns innehåll.

– Här har det senast hänt nånting den 9 oktober, sa hon.

– Det var i torsdags.
De såg undrande på varandra.
– Dagen efter det att han reste till Polen?
– Om nu vår privatspanande granne har rätt. Vilket jag faktiskt tror han har.
Wallander satte sig på sängen.
– Förklara för mig.
– Såvitt jag förstår kan det bara betyda två saker. Antingen har han återvänt. Eller så är det nån annan som varit här.
– Den som har varit här kan alltså ha tömt datorn på dess innehåll?
– Utan svårigheter. Eftersom här inte fanns nån spärr.
Wallander försökte använda sig av de fattiga datakunskaper och termer han själv snappat upp.
– Kan det betyda att den passerkod som eventuellt fanns också togs bort?
– Den som öppnade datorn kunde naturligtvis också radera koden.
– Och länsa datorn?
– Det kan förstås finnas avtryck, sa hon.
– Vad menas med det?
– Nånting som Martinsson har förklarat för mig.
– Förklara då för mig!
– Om man tänker sig datorn som ett hus som töms på sina möbler så kan det ofta finnas spår kvar. Stolsben kan ha rispat upp parketten. Eller så har träet ljusnat eller mörknat där solen inte kommit åt.
– Om man tar bort en tavla som hängt länge på en vägg kan man se det, sa Wallander. Är det så du menar?
– Martinsson talade om datorernas källarvalv. Nånstans lever nånting kvar av det som en gång fanns. Ingenting försvinner egentligen helt. Innan hårddisken är totalförstörd. Det går att rekonstruera sånt som egentligen inte ska finnas kvar. Som är utraderat men ändå finns där.
Wallander skakade på huvudet.
– Jag förstår utan att förstå, sa han. Just nu intresserar jag mig dock mest för att nån varit inne i datorn så sent som den nionde.
Hon hade vänt sig mot datorn igen.
– Låt mig bara för säkerhets skull kontrollera spelen, sa hon.
Hon klickade på de ikoner hon hittills inte hade rört.
– Här är ett spel jag aldrig har hört talas om, mumlade hon. »Jakobs Kärr.«
Hon klickade på ikonen och skakade sedan på huvudet.

– Här finns absolut ingenting. Man kan undra varför ikonen finns kvar.

De började leta igenom rummet efter disketter. Men det fanns inga. Wallander var intuitivt övertygad om att tillträdet till datorn den 9 oktober kunde vara avgörande för utredningen. Någon hade tömt datorn på dess innehåll. Om det var Jonas Landahl själv eller någon annan visste han inte.

Till slut gav de upp. Wallander gick ner till garaget och bad Nyberg finkamma huset efter disketter. Det var hans viktigaste uppgift när undersökningen av bilen var avslutad.

När han kom upp i köket samtalade Ann-Britt med Martinsson i telefon. Hon gav honom luren.

– Hur går det?

– Robert Modin är en mycket energisk herre, sa Martinsson. Han lassade i sig av nån egendomlig paj till lunch. Men innan jag ens hunnit till kaffet ville han börja igen.

– Ger det nåt resultat?

– Han envisas med att talet 20 är viktigt. Det kommer igen på olika sätt. Men han har fortfarande inte kommit över muren.

– Vad menas med det?

– Det är hans eget uttryck. Han har inte klarat av att komma igenom spärrarna. Men han påstår sig vara säker på att det är två ord. Eller en kombination av ett tal och ett ord. Hur han nu kan veta det.

Wallander berättade helt kort om var han själv befann sig och vad som hade hänt. När samtalet var slut bad han Ann-Britt gå och tala med grannen igen. Var han helt säker på datum? Hade han sett någon annan röra sig i närheten av huset torsdagen den nionde?

Hon gav sig iväg. Wallander satte sig i soffan och funderade. Men när hon kom tillbaka tjugo minuter senare hade han inte kommit någonvart med sina tankar.

– Han för anteckningar, sa hon. Egentligen är det otroligt. Är det vad man har att se fram emot när man blir pensionerad? Hur som helst är han helt säker på sin sak. Pojken gav sig iväg på onsdagen.

– Och den nionde?

– Ingen närmade sig huset. Men han erkänner förstås att han inte tillbringar varenda stund vid köksfönstret.

– Då vet vi i alla fall det, sa Wallander. Det kan ha varit pojken. Men det kan också ha varit nån annan. Det enda vi har lyckats bekräfta är att det hela fortfarande är svävande och oklart.

Klockan hade blivit fem. Ann-Britt gav sig iväg för att hämta sina barn. Hon erbjöd sig att komma tillbaka under kvällen. Men Wallander bad henne att avvakta. Om det inträffade något akut skulle han ringa henne.

Han återvände för tredje gången till pojkens rum, där han gick ner på knä och tittade under sängen. Ann-Britt hade redan gjort samma sak. Men han ville förvissa sig med egna ögon om att där ingenting fanns.

Sedan la han sig på sängen.

Antag att han gömmer något viktigt i rummet, tänkte Wallander. Något som han vill ska vara det första han ser när han vaknar på morgonen. Wallander lät blicken vandra längs väggarna. Ingenting. Han skulle just sätta sig upp igen när han upptäckte att en bokhylla som stod intill garderobsdörrarna lutade. Det syntes mycket tydligt när han låg på sängen. Han satte sig upp. Lutningen försvann. Han gick fram till hyllan och satte sig på huk. Hyllfundamenten hade lyfts upp på två knappt synliga kilar. Han trevade med ena handen under hyllan. Utrymmet var knappast mer än tre centimeter. Men han kände genast att det satt något under den nedersta hyllan. Han petade loss föremålet. När han drog fram det i ljuset visste han redan vad det var. En diskett. Innan han ens var framme vid skrivbordet hade han slagit ett nummer på sin telefon. Martinsson svarade genast. Wallander förklarade var han befann sig. Martinsson skrev upp adressen. Robert Modin skulle lämnas ensam för en stund vid Falks dator.

Martinsson kom efter en kvart. Han startade datorn och tryckte in disketten. När den dök upp på skärmen lutade Wallander sig fram för att läsa titeln. »Jakobs Kärr.« Han påminde sig vagt att Ann-Britt sagt att det var något spel. Besvikelsen var ögonblicklig. Martinsson öppnade disketten. Där fanns en enda fil. Den hade senast blivit ändrad den 29 september. Martinsson klickade vidare.

Med undran läste de den text som dök upp på skärmen.

Minkarna ska släppas.

– Vad betyder det? frågade Martinsson.

– Jag vet inte, svarade Wallander. Men ändå etableras just nu ännu ett samband. Den här gången mellan Jonas Landahl och Tynnes Falk.

Martinsson betraktade honom oförstående.

– Du har visst glömt, fortsatte Wallander, att Falk för en del år sen blev bötfälld för att ha deltagit i en aktion mot en minkfarm.

Martinsson kom ihåg.

– Jag undrar om inte Jonas Landahl var en av dom personer som försvann i mörkret den gången. Som polisen aldrig fick tag på.

Martinsson var fortfarande undrande.

– Handlar alltså allt det här om minkar?
– Nej, sa Wallander. Säkert inte. Men jag tror vi gör klokast i att få tag på Jonas Landahl så fort det överhuvudtaget är möjligt.

26

Tidigt i gryningen tisdagen den 14 oktober tvingades Carter fatta ett viktigt beslut i Luanda. Han hade slagit upp ögonen i mörkret och lyssnat på vinandet från luftkonditioneringen. Hans hörsel hade genast sagt honom att det snart var dags att rengöra fläkten inne i maskinen. Ett svagt missljud blandades med bruset från den kalla luften som blåste runt i sovrummet. Han hade stigit upp, skakat ur tofflorna eftersom där kunde ha gömt sig någon insekt, satt på sig morgonrocken och gått ner i köket. Genom de gallerförsedda fönstren hade han sett en av nattvakterna, sannolikt var det José, sova tungt hopsjunken i den gamla trasiga fällstolen. Men Roberto hade stått orörlig intill grinden och spanat ut i natten, frusen i någon okänd tanke. Snart skulle han ta en av de stora sopborstarna och börja göra rent på framsidan av huset. Det var ett ljud som alltid ingav Carter stor trygghet. Det fanns något tidlöst och betryggande över någon som upprepade samma sak dag efter dag. Roberto och hans kvast var en sinnebild för livet när det var som bäst. Utan överraskningar eller påfrestningar. Bara ett antal upprepade, rytmiska rörelser när kvasten sopade bort sand och grus och nerfallna kvistar. Carter tog fram en flaska av det kokta vatten som under natten hade stått i kylskåpet. Han drack två stora glas i långsamma klunkar. Sedan gick han uppför trappan igen och satte sig vid sin dator. Den stod alltid på. Till den fanns kopplat ett kraftigt reservbatteri. Den hade också en stabilisator som balanserade den ständigt svajande spänningen från elnätet.

Genast kunde han se att det hade kommit elektronisk post ifrån Fu Cheng. Han hämtade hem meddelandet och läste det noga.

Efteråt blev han sittande i stolen.

Det var inte bra. Inte bra alls, det som Cheng hade skrivit. Han hade utfört allt det som Carter hade beordrat honom att göra. Men tydligen var det så att polismännen fortfarande höll på att försöka ta sig in i Falks dator. Carter hyste ingen oro för att de verkligen skulle ta sig in i programmen. Skulle de mot all förmodan lyckas skulle de ändå inte förstå vad det var de hade framför sig. Och ännu mindre klara av att sätta in några motåtgärder. Men i det meddelandet som kommit nu under natten berättade Cheng om en annan observation som var oroande. Tydligen hade polisen kallat in en ung man som hjälpte dem.

Carter var orolig för unga män i glasögon som satt framför datorer. Vid flera tillfällen hade han samtalat med Falk om dessa den nya tidens genier. De som kunde ta sig in i hemliga nätverk, avläsa och tolka de mest komplicerade elektroniska protokoll.

Nu meddelade Cheng att han misstänkte att den unge mannen som tydligen hette Modin var ett sådant geni. Cheng påpekade i sitt meddelande att svenska hackers vid flera tillfällen brutit sig in i utländska nationers försvarssystem.

Han kunde alltså vara en av de farliga kättarna, tänkte Carter. Vår tids kättare. Som vägrar att lämna elektroniken och dess hemligheter ifred. Förr i tiden hade en sådan som Modin blivit bränd på bål.

Carter tyckte inte om det, lika lite som om mycket annat som inträffat på sista tiden. Falk hade dött för tidigt och lämnat honom ensam med alla överväganden och beslut. Carter hade omedelbart blivit tvungen att städa upp runt honom. Det hade inte funnits mycket tid för eftertanke. Trots att han inte hade fattat ett enda beslut utan att först gå in i det logikprogram han stulit från Harvarduniversitetet och bett programmet göra en värdering av de åtgärder han bestämt sig för, hade det tydligen inte varit nog. Det hade varit ett misstag att föra bort Falks kropp. Kanske de heller inte hade behövt döda den unga kvinnan? Men hon hade kunnat börja tala. Ingen visste. Och poliserna tycktes inte ge sig.

Carter hade sett det tidigare. Hur en människa envist följde ett spår. Efter ett sårat rovdjur som gömde sig någonstans i bushen.

Redan flera dagar tidigare hade han insett att det var den polisman som hette Wallander som ledde det hela. Chengs analyser var mycket klara. Därför hade de också bestämt sig för att han skulle raderas ut. Men de hade misslyckats. Och mannen tycktes lika envist fortsätta att spåra.

Carter reste sig och gick fram till fönstret. Ännu hade staden inte börjat vakna. Den afrikanska natten var fylld med dofter. Cheng var pålitlig, tänkte han. Han hade den österländska typ av hängiven fanatism som Carter och Falk en gång hade bestämt sig för att de kunde behöva. Men frågan var ändå om det var tillräckligt.

Han satte sig vid datorn och började skriva. Logikprogrammet skulle få ge honom ett råd. Det tog honom en knapp timme att skriva in alla uppgifter, definiera det som han tyckte var hans alternativ, och sedan be datorn att göra en prognos. Programmet var i bästa bemärkelse omänskligt. Där fanns varken tveksamhet eller andra känslor som kunde göra sikten och riktningen oklar.

Svaret kom efter några få sekunder.

Det rådde ingen tvekan. Carter hade skrivit in den svaghet de hade upptäckt hos Wallander. En svaghet som samtidigt innebar att en möjlighet hade uppenbarat sig. En möjlighet att på allvar komma åt honom.

Alla människor har hemligheter, tänkte Carter. Så även denne man som heter Wallander. Hemligheter och svagheter.

Han började skriva igen. Gryningen hade kommit och Celina hade redan länge slamrat nere i köket när han var klar. Han läste igenom det han skrivit tre gånger innan han var nöjd. Sedan tryckte han på »sänd« och hans budskap försvann ut i den elektroniska rymden.

Vem det var som först hade använt liknelsen kunde Carter inte påminna sig. Men förmodligen var det Falk. Som sagt att de var som en ny typ av astronauter. Som svävade omkring i de nya rymder som börjat omge dem. »Vännerna i rymden«, hade han sagt. »Det är vi.«

Carter gick ner i köket och åt frukost. Varje morgon brukade han i smyg granska Celina för att se om hon möjligen kunde vara gravid igen. Han hade bestämt sig för att avskeda henne nästa gång det inträffade. Sedan gav han henne den lista han skrivit kvällen innan. Hon skulle gå till marknaden och handla. För att vara säker på att hon verkligen förstod fick hon högt stava sig igenom det han skrivit. Han gav henne pengar och gick sedan ut och låste upp de två dörrarna på framsidan. Han hade räknat ut att det var sammanlagt sexton olika lås som varje morgon skulle öppnas.

Celina lämnade huset. Staden hade vaknat. Men huset som en gång hade byggts av en portugisisk läkare hade tjocka väggar. Carter återvände till övervåningen med en känsla av att vara omgiven av tystnad. Den tystnad som alltid fanns, mitt inne i det afrikanska larmet. Det blinkade på skärmen. Han hade fått hälsningar från rymden. Han satte sig ner och läste det som kommit.

Det var det svar han hoppats på. Inom ett dygn skulle de börja använda sig av den svaghet de upptäckt hos den polisman som hette Wallander.

Han satt länge och såg på skärmen. När den slocknade reste han sig och gick för att klä sig.

Det var nu knappt en vecka tills den elektroniska vågen skulle börja rulla över världen.

*

Strax efter sju på måndagskvällen var det som om luften hade gått ur Wallander och Martinsson samtidigt. De hade då lämnat huset vid Snapphanegatan och återvänt till polishuset. Nyberg hade hållit på ute i garaget tillsammans med en annan tekniker. Han hade arbetat i sin vanliga takt, noggrant, men också med en sorts tyst vrede, som mycket sällan kom till uttryck. Wallander hade ibland tänkt på Nyberg som en vandrande explosion, som av olika skäl blivit avbruten.

De hade försökt förstå vad som hade hänt. Var det Jonas Landahl som själv hade återvänt för att tömma sin dator? Varför hade han då låtit sin diskett vara kvar, om han av olika skäl ville dölja det som funnits i datorn? Eller hade han trott att allt på disketten också varit utraderat? Men varför hade han då gjort sig mödan att stoppa tillbaka den i lönnfacket under den lutande bokhyllan? Frågorna var många, delvis enkla, men det fanns inga riktigt bra svar. Martinsson lanserade försiktigt teorin att det obegripliga meddelandet – minkarna ska släppas – egentligen var medvetet planterat. För att de skulle hitta det och kanske börja se åt fel håll. Men vad var egentligen fel håll? tänkte Wallander uppgivet. När det inte fanns något som var rätt? De hade också ingående diskuterat om de inte egentligen redan samma kväll borde efterlysa Landahl. Men Wallander tvekade. De hade inget riktigt skäl. Åtminstone inte förrän Nyberg hade finkammat bilen. Martinsson var inte överens, och det var ungefär i det ögonblicket, när de inte kunde komma fram till en gemensam hållning, som de båda samtidigt kände en våldsam trötthet. Eller kanske det egentligen var leda? Wallander våndades över att han inte lyckades styra utredningen åt något vettigt håll. Han misstänkte att Martinsson i tysthet höll med. På vägen till polishuset hade de passerat Runnerströms Torg. Wallander hade väntat i bilen medan Martinsson gick upp och sa till Robert Modin att det fick räcka för dagen. De hade kommit ner tillsammans och bilen som skulle köra Modin hem hade snart anlänt. Martinsson berättade att Modin inte alls hade velat åka hem. Han hade gärna stannat kvar framför sina elektroniska mysterier hela natten. Fortfarande satt han fast, berättade Martinsson. Men lika ihärdigt fortsatte han att påstå att talet 20 var viktigt.

Väl uppe i polishuset hade Martinsson börjat leta i sin dator efter Jonas Landahl. Han hade ställt frågor om de olika grupper som fanns i registren. Grupper som bland annat ägnade sig åt att bekämpa handeln med djurpälsar och gärna släppte lös minkar från olika farmer. Men datorn hade svarat »åtkomst nekas«. Då hade han slagit av datorn och sedan hade han mött Wallander i korridoren där han stod och hängde med håglös min och kallt kaffe i en plastmugg.

De hade bestämt sig för att sluta för dagen och gå hem var och en till sitt. Wallander hade blivit sittande i matrummet ytterligare en stund, för trött för att tänka, för trött för att gå hem. Det sista han gjorde var att försöka ta reda på vad Hansson höll på med. Någon kunde till slut berätta att denne förmodligen hade rest upp till Växjö under eftermiddagen. Sedan hade han ringt till Nyberg som inte haft något nytt att komma med. Teknikerna höll fortfarande på med bilen.

Wallander hade på hemvägen stannat vid en mataffär och handlat. När han skulle betala hade han upptäckt att han glömt sin plånbok på skrivbordet. Men expediten hade känt igenom honom och låtit honom få kredit. Det första Wallander gjorde när han kommit hem var att med stora bokstäver skriva upp på en lapp att han skulle betala dagen efter, och att lägga lappen på dörrmattan innanför ytterdörren. Sedan hade han tillrett en spagettimiddag som han ätit framför teven. För en gångs skull hade han lyckats riktigt bra. Maten var god. Han bläddrade mellan kanalerna och bestämde sig till sist för en film. Men han kom in mitt i handlingen och orkade aldrig engagera sig. Samtidigt påminde han sig att det var en annan film som han borde se. En film med Al Pacino. Klockan elva hade han gått och lagt sig och dragit ur telefonjacket. Gatlyktan hängde orörlig utanför fönstret. Snart hade han somnat.

På tisdagsmorgonen vaknade han utsövd strax före sex. Han hade drömt om sin far under natten. Och om Sten Widén. De hade befunnit sig i ett egendomligt stenlandskap. I drömmen hade Wallander hela tiden varit orolig för att förlora dem ur sikte. Till och med jag klarar att tolka den drömmen, tänkte han. Fortfarande är jag rädd som ett litet barn för att bli övergiven.

Telefonen ringde. Det var Nyberg. Som vanligt gick han rakt på sak. Vid vilken tidpunkt han än hörde av sig förutsatte han att den han ville tala med redan var vaken. Medan han själv lika naturligt kunde beklaga att han ständigt blev väckt av människor som ville fråga om det ena och det andra på de mest omöjliga klockslag.

– Jag kom just tillbaka till garaget på Snapphanegatan, började han. Och jag hittade nånting inkilat i baksätet som jag inte hittade igår.

– Vad var det?

– Ett tuggummi. »Spearmint«. Med citronsmak.

– Sitter det fastkletat i sätet?

– Det har inte ens tagits ut ur sin förpackning. Hade det varit fastkletat hade jag upptäckt det redan igår.

Wallander hade stigit upp ur sängen och stod barfota på det kyliga golvet.

– Bra, sa han. Vi hörs senare.

En halvtimme senare hade han tagit en dusch och klätt sig. Morgonkaffet fick vänta till polishuset. När han kom ner på gatan var det vindstilla. Han hade bestämt sig för att promenera denna morgon. Men han ändrade sig och tog bilen. Han struntade i sitt dåliga samvete. Den första han tittade efter på polishuset var Irene. Men hon hade ännu inte kommit. Hade det varit Ebba hade hon redan varit här, tänkte Wallander. Även om hon inte heller började förrän klockan sju. Men hon hade intuitivt känt på sig att jag omedelbart behövde tala med henne. Sedan tänkte han att det var orättvist mot Irene. Ingen kunde jämföras med Ebba. Han hämtade en kopp kaffe i matrummet. Det skulle vara en stor trafikkontroll samma dag. Wallander växlade några ord med en av trafikpoliserna som klagade över att allt fler människor körde för fort och dessutom hade alkohol i kroppen. Utan att ens ha körkort. Wallander lyssnade förstrött. Han tänkte att poliskåren alltid hade varit ett klagande och gnällande släkte och återvände till receptionen. Irene höll just på att hänga av sig sin kappa.

– Kommer du ihåg att jag lånade ett tuggummi av dig häromdagen?

– Man lånar knappast ett tuggummi. Du fick det. Eller den där flickan.

– Vad var det för sort?

– Vanlig »Spearmint«.

Wallander nickade.

– Var det allt? sa Irene förvånat.

– Räcker inte det?

Han gick till kontoret med kaffet skvimpande i muggen. Han hade bråttom nu att följa sitt tankespår. Han slog numret hem till Ann-Britt. När hon svarade hörde han barnskrik i bakgrunden.

– Jag vill att du gör mig en tjänst, sa han. Jag vill att du talar med Eva Persson och frågar om hon föredrar nån särskild smak på sina tuggummin. Dessutom vill jag att du tar reda på om hon brukade ge Sonja tuggummin.

– Varför är det viktigt?

– Jag förklarar när du kommer hit.

Hon ringde upp igen tio minuter senare. Fortfarande var det oroligt i bakgrunden.

– Jag talade med hennes mamma. Hon påstod att dottern brukar variera smaken på sina tuggummin, sa hon. Jag föreställer mig att hon knappast ljuger om en sån sak.

– Höll hon alltså reda på vad Eva använde för tuggummin?

– Mödrar kan veta det mesta om sina döttrar, svarade hon.
– Eller ingenting alls?
– Just det.
– Och Sonja?
– Vi kan nog utgå ifrån att Eva Persson brukade ge henne tuggummin.

Wallander smackade med läpparna.
– Varför i herrans namn är det viktigt med dom här tuggummina? frågade Ann-Britt.
– Det får du får veta när du kommer.
– Här är en jävla röra, sa hon. Av nån underlig anledning är tisdagsmorgnar alltid värst.

Wallander la på. Alla morgnar är värst, tänkte han. Utan undantag. I alla fall alla de gånger man vaknar klockan fem utan att kunna somna om. Sedan gick han över till Martinssons rum. Det var tomt. Han befann sig sannolikt redan på Runnerströms Torg tillsammans med Modin. Inte heller Hansson hade återkommit från den förmodligen helt onödiga resan till Växjö.

Wallander satte sig i sitt rum och försökte göra en avstämning på egen hand. Det rådde knappast något tvivel om att det var i den blå bilen som stod i garaget på Snapphanevägen som Sonja Hökberg gjort sin sista färd. Jonas Landahl hade kört henne till transformatorstationen där hon blivit dödad, varpå han hade gett sig av med Polenfärjan.

Det fanns luckor och brister. Jonas Landahl behövde inte nödvändigtvis ha kört bilen. Inte heller måste det absolut vara han som dödat Sonja. Men han var allvarligt misstänkt. Framförallt måste de få tag på honom för att kunna hålla förhör.

Datorn var ett betydligt större problem. Om inte Jonas Landahl själv hade raderat innehållet måste någon annan ha gjort det. Dessutom spökade säkerhetsdisketten som varit gömd under den lutande bokhyllan.

Wallander försökte åstadkomma en rimlig tolkning. Efter några minuter insåg han att det faktiskt fanns en annan möjlighet. Att Jonas Landahl själv hade raderat ut innehållet. Men att det kommit ytterligare en person vid ett senare tillfälle för att kontrollera att det verkligen hade blivit gjort.

Wallander slog upp ett kollegieblock och letade reda på en penna. Sedan skrev han upp en rad med namn. I den provisoriska kronologin satte han upp dem i den ordning de hade uppträtt för första gången.

Lundberg, Sonja och Eva.

Tynnes Falk.
Jonas Landahl.
Ett samband var etablerat mellan allihop. Men det fanns fortfarande inget begripligt motiv till de olika brotten. Vi letar fortfarande efter en botten, tänkte Wallander. Den har vi inte hittat.
Han blev avbruten i sina tankar av Martinsson som dök upp i dörren.
– Robert Modin är redan igång, sa han. Han begärde att bli hämtad klockan sex. Idag hade han också med sig egen mat. Konstiga teer. Och ännu underligare skorpor. Biodynamiskt odlade på Bornholm. Dessutom hade han med sig en freestyle. Han sa att han arbetade bäst till musik. Jag tittade på hans kassetter. Jag skrev upp det han hade med sig.
Martinsson tog fram en lapp ur fickan.
– »Messias« av Händel och »Requiem« av Verdi. Säger det dig nånting?
– Det säger mig att Robert Modin har mycket god musiksmak.
Wallander berättade om Nybergs och Ann-Britts telefonsamtal. Att de nu kunde vara ganska säkra på att Sonja hade åkt i bilen.
– Det behöver inte ha varit hennes sista färd, sa Martinsson.
– Tills vidare utgår vi ifrån det. Och laddar med motivet att Landahl efteråt faktiskt gav sig iväg nästan hals över huvud.
– Vi efterlyser alltså?
– Ja. Du måste tala med åklagaren.
Martinsson grimaserade.
– Kan inte Hansson göra det?
– Han har inte kommit än.
– Var fan är han?
– Det var nån som påstod att han hade farit till Växjö.
– Varför det?
– Eva Perssons far lär framleva sitt liv som alkoholist i dom trakterna.
– Är det verkligen viktigt? Att tala med honom?
Wallander ryckte på axlarna.
– Jag kan inte sitta och göra alla prioriteringar.
Martinsson hade rest sig.
– Jag ska tala med Viktorsson. Och jag ska se vad jag kan få fram om Landahl. Om datorerna bara fungerar.
Wallander höll tillbaka honom.
– Vad vet vi egentligen om dom här grupperna? Bland annat dom som kallar sig »veganer«. Det finns andra grupper också.
– Hansson påstår att det är en sorts förfinade motorcykelgäng.

Eftersom dom brukar bryta sig in på laboratorier där det bedrivs djurförsök.

– Det är knappast särskilt rättvist.

– Vem har nånsin kunnat beskylla Hansson för att vara rättvis?

– Jag trodde trots allt det var ganska oblodiga grupper. Civil olydnad utan våld.

– Det är det oftast också.

– Men Falk var inblandad.

– Ingenting säger att han blivit mördad. Glöm inte det.

– Men Sonja Hökberg blev det. Och Lundberg.

– Det säger väl egentligen bara att vi inte har en aning om vad som ligger bakom alltsammans.

– Kommer Robert Modin att lyckas?

– Det är svårt att svara på. Men jag hoppas förstås.

– Och han håller alltså fast vid att talet 20 är viktigt?

– Ja. Han är säker. Jag förstår bara hälften av vad han säger när han förklarar. Men han är mycket övertygande.

Wallander kastade en blick på sin kalender.

– Idag är det den 14 oktober. Om ungefär en vecka är det den 20.

– Om det är just det talet 20 det gäller. Det vet vi inte.

En fråga gjorde sig påmind hos Wallander.

– Har vi hört nånting mer från Sydkraft? Dom måste ha gjort en utredning. Hur kunde inbrottet hända? Varför var grinden trasig men inte den inre dörren?

– Det är Hansson som har hand om det där. Men Sydkraft tar det tydligen väldigt allvarligt. Hansson misstänkte att många huvuden skulle rulla.

– Frågan är om *vi* har tagit det tillräckligt allvarligt, sa Wallander tankfullt. Hur kunde Falk få tag på ritningen? Och varför?

– Allting är så dunkelt, klagade Martinsson. Naturligtvis kan man inte bortse ifrån möjligheten att det var sabotage. Steget från att släppa ut minkar till att mörklägga hela landsändar kanske inte är så stort. Åtminstone inte om man är tillräckligt fanatisk.

Wallander kände hur oron högg till igen.

– Det är en sak jag är rädd för, sa han. Det där talet 20. Om det trots allt syftar på den 20 oktober. Vad är det som kommer att hända då?

– Jag delar den rädslan, svarade Martinson. Men jag har lika lite som du några svar.

– Frågan är om vi inte borde ha ett möte med Sydkraft. Om inte annat borde dom kanske kontrollera sin egen beredskap.

Martinsson nickade tveksamt.

– Samtidigt kan man se det på ett annat sätt. Först var det minkar. Därpå en transformator. Vad kommer sen?

Ingen av dem hade något svar.

Martinsson lämnade rummet. Wallander ägnade de närmaste timmarna åt att gå igenom alla pappershögar som samlats på hans bord. Hela tiden letade han efter något han tidigare hade förbisett. Men han hittade ingenting annat än en bekräftelse på att de fortfarande irrade omkring i ett tomrum.

Sent på eftermiddagen möttes spaningsgruppen. Martinsson hade talat med Viktorsson. Jonas Landahl var nu efterlyst både inom och utom rikets gränser. Den polska polisen hade dessutom mycket snabbt gett svar på en telex. Landahl hade verkligen rest in i landet den dag som grannen såg honom på Snapphanegatan för sista gången. Men någon utresa hade den polska polisen inte kunnat upptäcka. Wallander var ändå osäker på om Landahl verkligen fanns i Polen. Något sa honom att så inte var fallet. Ann-Britt hade innan mötet haft ett samtal om tuggummin med Eva Persson. Hon hade bekräftat att Sonja ibland åt sådana som hade citronsmak. Men hon kunde inte påminna sig när det senast hade skett. Nyberg hade finkammat bilen och skickat ett otal plastpåsar med fibrer och hårstrån för vidare analys. Först när den var klar skulle de kunna vara absolut säkra på att Sonja Hökberg verkligen hade åkt i Landahls bil. Just den punkten vållade en stundtals hetsig diskussion mellan Martinsson och Ann-Britt. Om Sonja Hökberg och Jonas Landahl verkligen hängt ihop var det naturligt om hon också åkte i hans bil. Även om man kunde fastslå att så varit fallet fanns det ingenting som bevisade att hon åkt i bilen den sista dagen hon var i livet.

Wallander förhöll sig avvaktande medan de grälade. Ingen hade rätt. Men båda var trötta. Meningsutbytet ebbade till slut ut av sig självt. Hansson hade mycket riktigt gjort en alldeles meningslös bilresa upp till Växjö. Dessutom hade han kört fel och upptäckt det alldeles för sent. Eva Perssons pappa hade bott i ett osannolikt ruckel utanför Vislanda. Han hade varit kraftigt berusad när Hansson till slut lyckats leta sig fram till rätt adress. Han hade inte kunnat ge några som helst upplysningar av värde. Dessutom hade han brustit i gråt varje gång han nämnde sin dotters namn och den framtid som väntade henne. Hansson hade rest därifrån så fort han kunnat.

Någon Mercedesbuss som kunde vara den de sökte hade heller inte dykt upp. Dessutom hade Wallander mottagit ett fax via American Express från Hongkong där en polischef vid namn Wang hade meddelat att någon Fu Cheng inte fanns på den angivna adressen. Under tiden de satt i möte höll Robert Modin fortfarande på att kämpa med Falks dator. Efter en lång och enligt Wallander alldeles onödig diskussion beslöt de att avvakta ännu någon dag med att ta kontakt med Rikskriminalens IT-rotel.

När klockan blivit sex var det ingen som orkade mer. Wallander såg ett antal trötta och glåmiga ansikten runt sig. Han visste att det enda de nu kunde göra var att sätta punkt. Men de bestämde att mötas klockan åtta dagen efter. Wallander fortsatte sedan att arbeta. Men när klockan blev halv nio åkte han också hem. Han åt upp resterna av spagettimiddagen och la sig sedan ovanpå sängen med en bok. Den handlade om Napoleonkrigen och var mördande tråkig. Han somnade snart med boken över ansiktet.

Telefonen surrade. Först visste han inte var han befann sig eller vad klockan var. Han svarade. Samtalet kom från polishuset.

– Det har kommit larm från en av färjorna som är på väg in mot Ystad, sa den vakthavande polismannen.

– Vad har hänt?

– Tydligen har dom fått störningar kring en av propelleraxlarna. Det var när dom försökte lokalisera skadan som dom kom på orsaken.

– Vad?

– Dom har hittat ett lik där nere i maskinrummet.

Wallander drog häftigt efter andan.

– Var ligger färjan?

– Den har bara några distansminuter in till hamn.

– Jag kommer.

– Ska jag ringa nån mer?

Wallander tänkte efter.

– Martinsson och Hansson. Och Nyberg. Vi möts nere vid terminalen.

– Nån mer?

– Jag vill att du informerar Lisa Holgersson.

– Hon är på poliskonferens i Köpenhamn.

– Det struntar jag i. Ring henne.

– Vad ska jag säga?

– Att en misstänkt mördare är på väg hem från Polen. Men att han tyvärr är död.

Samtalet tog slut. Wallander visste att han nu inte längre behövde grubbla över vart Jonas Landahl hade tagit vägen.

Tjugo minuter senare hade de samlats vid terminalen och väntade på att den stora färjan skulle lägga till vid kajen.

27

När Wallander klättrade nerför lejdaren till maskinrummet hade han en känsla av att ett inferno väntade honom. Även om fartyget nu låg stilla vid kajen och allt som kunde höras var ett vinande fanns helvetet där nere i djupet och väntade på honom. De hade tagits emot av en upprörd förstestyrman och två likbleka maskinister. Wallander hade förstått att kroppen som låg där nere i det oljeblandade vattnet var massakrerad nästan intill oigenkännlighet. Någon, kanske Martinsson, hade talat om för honom att en rättsläkare var på väg. En brandbil med räddningspersonal hade också kommit till färjeterminalen.

Men det var ändå Wallander som måste gå ner först. Martinsson ville helst slippa och Hansson hade ännu inte kommit. Wallander bad Martinsson försöka skapa sig en bild av vad som egentligen hade inträffat. Så fort Hansson anlänt skulle han hjälpa till.

Sedan gav sig Wallander iväg, tätt följd av Nyberg. De klättrade nerför lejdaren. Maskinisten som upptäckt liket fick order att följa med. På den nedersta avsatsen ledde han dem till aktern av fartyget. Wallander förundrades över att maskinrummet var så stort. Maskinisten stannade intill den sista lejdaren och pekade mot djupet. Wallander klättrade ner. När de befann sig på stegen trampade Nyberg på hans hand. Wallander svor till över smärtan och höll på att förlora greppet. Men han lyckades hålla sig fast. Så kom de ner, och där, under den ena av de två stora oljeglänsande propelleraxlarna låg kroppen.

Maskinisten hade inte överdrivit. Wallander fick en känsla av att det han stod och såg på egentligen inte var någon människa. Det var som om någon hade slängt ner en nyslaktad djurkropp på bottnen av fartyget. Nyberg stönade någonstans bakom honom. Wallander tyckte sig uppfatta att han väste något om att han ville gå i pension omedelbart. Själv förvånades Wallander över att han inte ens började må illa. Han hade tvingats uthärda många syner under sitt liv som polis. De mänskliga rester som återstått efter våldsamma bilkollisioner. Eller människor som legat döda i sina lägenheter under månader och år. Men det här var något av de värsta han varit med om. Det hade suttit en bild av Jonas Landahl på väggen i rummet med den lutande bokhyllan. En ung man med alldagligt utseende. Nu försökte Wallander avgöra om det var som han hade trott från det ögonblick telefonen hade börjat ringa. Var det resterna av Landahl som låg där nere i oljan? Ansiktet var nästan helt utplånat. Kvar fanns bara en blodig klump utan egentliga anletsdrag.

Pojken på bilden hade haft ljust hår. Och huvudet som låg där nere under honom, nästan avskuret från resten av kroppen, hade några hårtestar som inte slitits av och inte heller blivit indränkta av olja. De var ljusa. Wallander var säker utan att därmed kunna bevisa någonting. Han makade sig åt sidan för att Nyberg skulle kunna se. Samtidigt kom läkaren, Susann Bexell, nerför lejdaren i sällskap med två brandmän.

– Hur i helvete har han hamnat här? sa Nyberg.

Trots att maskinerna bara gick på tomgång måste han ropa för att göra sig hörd. Wallander skakade på huvudet utan att säga någonting. Sedan kände han att han ville upp igen, ut ur det här helvetet så fort som möjligt. För att kunna tänka klart. Han lämnade Nyberg, läkaren och brandmännen och klättrade uppför lejdarna. Han gick ut på däck och tog några djupa andetag. Någonstans ifrån dök Martinsson upp vid hans sida.

– Hur var det?

– Värre än du kan föreställa dig.

– Var det Landahl?

De hade inte sagt något till varandra om den möjligheten. Men Martinsson hade alltså genast tänkt samma tanke som han själv. Sonja Hökberg i transformatorstationen hade lett till ett strömavbrott. Landahl hade dött nere i djupet av en Polenfärjas maskinrum.

– Det gick inte att se, sa Wallander. Men vi kan utgå från att det är Jonas Landahl.

Sedan försökte han samla sig till organiserat polisarbete igen. Martinsson hade tagit reda på att färjan inte skulle avgå igen förrän morgonen därpå. Till dess skulle de ha avslutat den tekniska undersökningen och fört bort kroppen.

– Jag bad om en passagerarlista, sa Martinsson. Någon Jonas Landahl fanns inte med idag i alla fall.

– Det är han, sa Wallander bestämt. Vare sig han finns med på listan eller inte.

– Efter »Estonia« trodde jag det var stränga krav på att man i varje ögonblick skulle veta antal passagerare och namnen på dom?

– Han kan ju ha gått ombord under ett annat namn, sa Wallander. Men vi behöver en utskrift av den där passagerarlistan. Och namnen på alla i besättningen. Sen får vi se om det dyker upp nåt namn som vi kanske känner igen. Eller som på nåt sätt går att kombinera med Landahl.

– Du utesluter alltså helt att det var en olycka?
– Ja, sa Wallander. Det var lika lite en olycka som det som hände med Sonja Hökberg. Och det är samma personer inblandade.
Sedan frågade han om Hansson hade kommit. Martinsson sa att han höll på att tala med maskinpersonalen.
De lämnade däcket och gick in. Färjan verkade övergiven. Några ensamma städare höll på att rengöra den stora trappan som band samman de olika våningarna. Wallander lotsade in Martinsson i den tomma cafeterian. Där fanns inte en enda människa. Men Wallander kunde höra hur det slamrade från köket. Genom fönstren såg de ljusen inne i Ystad.
– Se om du kan få tag på ett par koppar kaffe, sa han. Vi måste prata.
Martinsson försvann i riktning mot köket. Wallander satte sig ner vid ett bord. Vad betydde det att Jonas Landahl var död? Långsamt började han bygga upp de två provisoriska teorier som han ville presentera för Martinsson.
En man i uniformsjacka dök plötsligt upp vid hans sida.
– Varför har ni inte lämnat fartyget?
Wallander såg på mannen som hade stort helskägg och rödbrusigt ansikte. På axelklaffarna hade han några gula streck. En Polenfärja är stor, tänkte han. Alla behöver inte ha fått reda på vad som skett nere i maskinrummet.
– Jag är polis, sa Wallander. Vem är du?
– Jag är tredjestyrman här på fartyget.
– Det är bra, sa Wallander. Gå och tala med din kapten eller din förstestyrman så får du veta varför jag är här.
Mannen tycktes tveka. Men sedan bestämde han sig för att Wallander nog talade sanning och inte var en passagerare som dröjt sig kvar. Han försvann. Martinsson kom ut genom svängdörrarna och hade en bricka med sig.
– Dom åt, sa han när han satt sig vid bordet. Dom hade inte hört nånting om det som hänt. Men att färjan gått för halv maskin under en del av resan hade dom förstås lagt märke till.
– Det kom en styrman förbi, sa Wallander. Han visste heller ingenting.
– Har vi inte begått ett misstag? frågade Martinsson.
– På vilket sätt?
– Borde vi inte ha hindrat alla från att lämna fartyget? Tills vi kunnat kontrollera namnen och undersöka bilarna?
Wallander insåg att Martinsson hade rätt. Samtidigt skulle det ha varit en stor operation som krävt många personers insatser.

Wallander tvivlade på att den skulle ha gett något verkligt resultat.

– Kanske, sa han bara. Men nu är det som det är.

– Jag drömde om sjön när jag var ung, sa Martinsson.

– Det gjorde jag med, svarade Wallander. Gör inte alla det?

Sedan gick han rakt på sak.

– Vi måste göra en tolkning, började han. Vi hade börjat tro att Landahl var den som körde Sonja Hökberg till transformatorstationen och sen dödade henne. Och att det var därför han gav sig av. Flydde från Snapphanegatan. Nu blir han själv dödad. Frågan är hur det förändrar bilden.

– Du utesluter alltså att det var en olycka?

– Gör inte du?

Martinsson rörde om i koppen.

– Som jag ser det finns det två tänkbara huvudteorier man kan ställa upp, fortsatte Wallander. Den ena är att Jonas Landahl verkligen dödade Sonja Hökberg. Av skäl som vi inte känner till. Men som vi anar har med frågan om tystnad att göra. Hon vet nånting som Landahl inte vill att hon ska säga. Sen ger sig Landahl iväg. Om han har drabbats av panik eller om han agerar målmedvetet kan vi inte avgöra. Och så blir han själv dödad. Som hämnd. Eller för att Landahl i sin tur plötsligt blivit farlig för nån som vill sopa igen spåren.

Wallander gjorde en paus. Men Martinsson sa ingenting. Wallander gick vidare.

– Den andra möjligheten är att det gått till på ett helt annat vis. Att det är en okänd person som dödat både Sonja Hökberg och nu också Landahl.

– Hur förklarar det att Landahl så hastigt ger sig iväg?

– Han inser vad som har hänt med Sonja och blir rädd. Han ger sig av. Men nån hinner ikapp honom.

Martinsson nickade. Wallander tänkte att de spårade tillsammans nu.

– Sabotage och död, sa Martinsson. Man skickar starkström genom Hökberg och mörklägger Skåne. Sen slänger man ner Landahl bland propelleraxlarna.

– Du minns vad vi talade om tidigare, sa Wallander. Först var det minkar som släpptes ut ur sina burar. Sen kom strömavbrottet. Nu en Polenfärja. Vad kommer sen?

Martinsson skakade uppgivet på huvudet.

– Ändå är det inte vettigt, sa han. Jag kan förstå det där med minkarna. Ett gäng pälsmotståndare som går till attack. Jag kan också förstå det där med strömavbrottet. Att man vill visa hur sårbart ett samhälle kan vara. Men vad vill man visa med att ställa till kaos i ett maskinrum på en färja?

– Det är som med ett dominospel. Faller en bricka börjar det rasa överallt. Du får en kedjereaktion. Den bricka som fallit är Falk.

– Var får du in mordet på Lundberg i den här bilden?

– Problemet är just att jag inte får in det. Och då börjar jag undra över en annan möjlighet.

– Att Lundberg faktiskt inte hör ihop med det övriga?

Wallander nickade. Martinsson tänkte fort när han ville.

– Vi har varit med om det tidigare, sa Wallander. Hur två händelser av en tillfällighet råkat haka i varandra. Sen har vi inte kunnat urskilja den kollisionen. Vi har trott att det hängt ihop när det faktiskt bara varit en ren tillfällighet.

– Du menar alltså att vi borde separera utredningarna? Men Sonja Hökberg spelar ju en huvudroll i båda föreställningarna?

– Det är just det som är frågan, sa Wallander. Tänk om det inte är så. Utan tvärtom. Att hennes roll kanske är betydligt mindre än vi hittills trott.

I samma ögonblick steg Hansson in i cafeterian. Han såg avundsjukt på deras kaffekoppar. I sitt sällskap hade han en gråhårig man med vänliga ögon och många ränder på sina axelklaffar. Wallander reste sig och blev presenterad för kapten Sund. Till Wallanders förvåning talade Sund en dialekt som Wallander kände igen som dalmål.

– Förfärliga saker, sa Sund.

– Ingen har sett nånting, sa Hansson. På nåt sätt måste ju Landahl ha kommit ner i maskinrummet.

– Det finns alltså inga vittnen?

– Jag har pratat med dom två maskinister som var i tjänst under resan från Polen. Men dom märkte aldrig nånting.

– Hålls dörrarna till maskinrummet låsta? frågade Wallander.

– Det tillåter inte säkerhetsföreskrifterna. Men det sitter naturligtvis skyltar med »Tillträde förbjudet« på dem. Alla som arbetar i maskinrummet ska reagera omedelbart om nån obehörig tar sig in. Det inträffar naturligtvis att en och annan överförfriskad passagerare drumlar in. Men nåt sånt här trodde jag aldrig skulle kunna hända.

– Jag antar att färjan är tom nu, sa Wallander. Det är inte så att nån bil har blivit övergiven?

Sund hade en radiotelefon i handen. Han kontaktade bildäck. Det skrapade och knastrade när han fick svar.

– Alla fordon är borta, sa han. Bildäcket är tomt.

– Hur är det med hytterna? Man har inte händelsevis hittat nån övergiven väska?

Sund gick för att söka ett svar på Wallanders fråga. Hansson satte sig ner. Wallander noterade att denne varit ovanligt noggrann när han samlat in sina uppgifter om vad som egentligen hade hänt.

När färjan lämnat Swinoujscie hade den en beräknad gångtid på cirka 7 timmar till Ystad. Wallander frågade om maskinisterna hade kunnat bedöma när kroppen hamnat nere vid propelleraxlarna. Kunde det ha skett redan medan färjan legat i Polen? Eller hade det skett just innan de fått den första indikationen? Hansson hade redan ställt just den frågan till maskinisterna. Svaren han fått hade stämt överens. Kroppen kunde ha hamnat där redan medan färjan låg i Polen.

Utöver det fanns inte mycket mer att säga. Ingen hade sett någonting. Ingen tycktes ha lagt märke till Landahl. Det hade varit ett hundratal passagerare ombord, mest polska lastbilschaufförer. Dessutom hade det funnits en delegation från den svenska cementindustrin som varit i Polen för att diskutera investeringar.

– Vi behöver veta om Landahl var i sällskap med nån, sa Wallander när Hansson tystnat. Det är det viktigaste. Vad vi behöver är alltså ett fotografi på Landahl. Nån får åka med färjan fram och tillbaka till Polen i morgon. Gå runt bland dom som arbetar här, visa fotografiet och se om nån känner igen Landahl.

– Jag hoppas det inte blir jag, sa Hansson. Jag tål inte sjön.

– Hitta nån annan, sa Wallander. Ta med dig en låssmed och åk upp till Snapphanegatan. Hämta det där fotografiet på pojken. Kontrollera sen med den där personen som arbetar i järnhandeln att det är någorlunda välliknande.

– Han som heter Ryss?

– Just han. Nån gång måste han väl ha sett sin rival.

– Färjan avgår klockan sex i morgon bitti.

– Du får ordna det nu i kväll, sa Wallander bestämt.

Hansson skulle just gå när en annan fråga dök upp i Wallanders huvud.

– Fanns det nån asiat med på färjan ikväll?

De letade på Martinssons passagerarlista. Men de fann inget asiatiskt namn.

– Den som åker över till Polen imorgon ska fråga om det, sa Wallander. Om det fanns nån passagerare med asiatiskt utseende.

Hansson försvann. Wallander och Martinsson satt kvar. Susann Bexell kom efter en stund och satte sig bredvid dem. Hon var mycket blek.

– Jag har aldrig sett nåt liknande, sa hon. Först har vi en flicka som blir ihjälbränd i en högspänningsanläggning. Och nu det här.

– Kan man anta att det rör sig om en yngre man? frågade Wallander.

– Det kan man.

– Men nån dödsorsak kan du förstås inte ge oss? Eller nån tidpunkt?

– Du såg ju själv hur det såg ut där nere. Pojken var ju fullständigt krossad. En av brandmännen kräktes. Jag förstår honom.

– Är Nyberg kvar?

– Jag tror det.

Susann Bexell avlägsnade sig. Kapten Sund hade ännu inte återvänt. Det började surra i Martinssons mobiltelefon. Det var Lisa Holgersson som ringde från Köpenhamn. Martinsson sträckte telefonen mot Wallander. Men han skakade avvärjande på huvudet.

– Tala med henne du.

– Vad ska jag säga?

– Som det är. Vad annars?

Wallander reste sig och började gå runt i den ödsliga cafeterian. Landahls död hade stängt en väg som verkat framkomlig. Men det som oroade honom mest var att det hela kanske kunde ha undvikits. Om Landahl inte hade flytt för att han begått ett mord utan för att någon annan begått ett mord. Och för att han var rädd.

Wallander klandrade sig själv. Han hade tänkt slarvigt. Stannat upp inför det mest näraliggande motivet. När han egentligen borde ha ställt upp alternativa teorier. Nu var Landahl död. Kanske det inte hade gått att undvika? Men Wallander var inte säker.

Martinsson hade avslutat samtalet. Wallander återvände till bordet.

– Hon verkade faktiskt inte alldeles nykter, sa Martinsson.

– Hon är på polismästarfest, sa Wallander. Men nu är hon i alla fall informerad om vad vi ägnar kvällen åt.

Kapten Sund kom in i cafeterian.

– Det visar sig att en väska har blivit kvarlämnad i en hytt.

Wallander och Martinsson reste sig samtidigt. De följde kaptenen längs vindlande korridorer till en hytt där en kvinna i rederiets uniform väntade. Hon var polska och talade dålig svenska.

– Enligt passagerarlistan hade den här hytten bokats av nån som hette Jonasson.

Wallander och Martinsson såg på varandra.

– Finns det nån som kan beskriva hans utseende?

Kaptenen visade sig behärska det polska språket nästan lika bra som sitt eget dalmål. Kvinnan lyssnade och skakade sedan på huvudet.

– Hyrde han hytten ensam?

– Ja.

Wallander steg in. Hytten var trång och saknade fönster. Wallander rös till vid tanken på att behöva tillbringa en blåsig natt instängd i en sådan här hytt. På den väggfasta kojen stod en väska med hjul. Wallander fick ett par plasthandskar av Martinsson. Sedan öppnade han väskan. Den var tom. Under tio minuter letade de förgäves igenom hytten.

– Nyberg får kasta en blick på det här, sa Wallander när de hade gett upp hoppet om att hitta någonting. Och den taxichaufför som körde Landahl till färjan. Han kanske känner igen den.

Wallander gick ut i korridoren. Martinsson gjorde upp med kaptenen om att hytten inte fick städas. Wallander betraktade dörrarna till de hytter som låg intill. Utanför båda dörrarna låg bylten med handdukar och lakan. Dörrarna hade nummer 309 och 311.

– Försök ta reda på vilka som hade dom här hytterna, sa han. Det kan hända att dom hört nåt. Eller kanske sett nån gå ut eller in i hytten. Martinsson noterade i sitt anteckningsblock och började sedan tala med den polska kvinnan. Wallander hade ofta avundats Martinsson hans goda engelska. Själv tyckte han att han talade mycket illa. Under gemensamma resor hade Linda ofta retat honom för hans dåliga uttal. Kapten Sund följde Wallander uppför trapporna.

Klockan närmade sig midnatt.

– Det är inte så att jag får bjuda på en nattgrogg efter den här pärsen? frågade Sund.

– Tyvärr inte, sa Wallander.

Det raspade i Sunds radiotelefon. Han lyssnade och ursäktade sig sedan. Wallander var bara glad att bli lämnad ensam. Samvetet gnagde. Hade Landahl fortfarande kunnat vara i livet om Wallander hade resonerat annorlunda? Han visste att det inte fanns något svar. Bara den ödsliga anklagelsen som han riktade mot sig själv och inte kunde värja sig emot.

Tjugo minuter senare kom Martinsson.

– Hytt 309 hade hyrts av en norrman som hette Larsen. Han sitter förmodligen i en bil på väg mot Norge just nu. Men jag har hans telefonnummer. I en stad som heter Moss. Rum 311 hade däremot hyrts av ett par i Ystad. Herr och fru Tomander.

– Tala med dom i morgon, sa Wallander. Det kan ge nånting.

– Jag mötte Nyberg i trappan. Han hade olja ända upp till magen. Men han skulle se på hytten när han bytt overall.

– Frågan är om vi kommer så mycket längre, sa Wallander.

De gjorde sällskap genom den ödsliga terminalen. Några yngre män låg och sov på ett par bänkar. Biljettkassorna var stängda. De skildes när de kommit fram till Wallanders bil.

– Vi måste gå igenom allting från början i morgon, sa Wallander. Klockan åtta.

Martinsson betraktade hans ansikte.

– Du verkar orolig?

– Det är jag också. Det är jag alltid när jag inte förstår vad det är som händer.

– Hur går det med internutredningen?

– Jag har inte hört nåt mer. Det ringer inte heller några journalister. Men det kanske beror på att jag för det mesta har jacket urdraget.

– Det är olyckligt när det sker, sa Martinsson.

Wallander anade något dubbeltydigt i Martinssons ord. Genast blev han på sin vakt. Och han blev arg.

– Vad menar du med det?

– Är det inte det vi alltid är rädda för? Att vi ska tappa besinningen? Och börja slå folk?

– Jag gav henne en örfil. För att skydda mamman.

– Ja, sa Martinsson. Men i alla fall.

Han tror mig inte, tänkte Wallander när han hade satt sig i bilen. Kanske är det så att ingen gör det.

Insikten kom som en chock. Det hade aldrig hänt honom tidigare. Att han upplevt sig förrådd eller åtminstone övergiven av sina närmaste kollegor. Han blev sittande i bilen utan att slå på motorn. Plötsligt dominerade den känslan över allt annat. Den trängde till och med undan bilden av den unge man som blivit massakrerad under en propelleraxel.

För andra gången under den senaste veckan kände han sig sårad och bitter. Jag slutar, tänkte han. Jag lämnar in en avskedsansökan imorgon. Sedan kan de klara av den här förbannade utredningen själva.

När han kom hem var han fortfarande upprörd. I tankarna förde han ett hetsigt samtal med Martinsson.

Det dröjde länge innan han somnade.

Klockan åtta på onsdagsmorgonen var de samlade. Viktorsson satt med. Och Nyberg, som fortfarande hade olja på fingrarna. Wallander hade vaknat i en något mildare sinnesstämning än när han somnade. Han skulle inte sluta nu. Inte heller skulle han ta en konfrontation med Martinsson. Först fick den interna utredningen visa vad som egentligen hade inträffat i förhörsrummet. Sedan skulle han välja ett lämpligt tillfälle att tala om för sina kollegor vad han ansåg om deras misstro mot honom.

De gick grundligt igenom föregående kvälls händelser. Martinsson hade redan talat med den man som hette Tomander. Varken han själv eller hans fru hade sett eller hört någonting från hytten intill. Den man som hette Larsen och bodde i Moss hade fortfarande inte kommit hem. En kvinna som måste vara fru Larsen hade dock sagt att hon väntade hem sin man under förmiddagen.

Sedan utvecklade Wallander de två olika teorier som han kommit fram till under samtalet med Martinsson. Ingen hade egentligen någonting att invända. Mötet i spaningsgruppen genomfördes långsamt och metodiskt. Men under ytan kände Wallander att alla hade bråttom att återvända till sina enskilda arbetsuppgifter.

När de bröt upp hade Wallander bestämt sig för att koncentrera alla sina krafter på Tynnes Falk. Han var nu mer övertygad än någonsin att det var med honom allting började. På vilket sätt mordet på taxichauffören hängde samman med de övriga händelserna fick tills vidare anstå att reda ut. Den fråga Wallander hade ställt sig var mycket enkel. Vad var det för dunkla krafter som sattes i rörelse när Falk hade avlidit under sin kvällspromenad? Just när han mottagit ett kontrollbesked från en bankomat? Var det överhuvudtaget ett dödsfall med naturliga orsaker? Han ringde Patologen i Lund och gav sig inte förrän han fått tala med den läkare som utfört obduktionen. Kunde det trots allt ha varit någon form av våld som dödat Falk? Hade man verkligen undersökt alla möjligheter? Han ringde också Enander, läkaren som besökt honom på polishuset. Åsikterna om vad som kunde ha hänt och vad som inte ens var en tänkbar dödsorsak stod emot varandra. Men när det blivit eftermiddag och Wallander var så hungrig att magen skrek tyckte han sig ändå vara på det klara med att Falk dött av naturliga orsaker. Inget brott var begånget. Men denna naturliga död framför en bankomat hade satt igång olika processer.

Han drog till sig ett kollegieblock och skrev.

Falk.

Minkar.

Angola.

Han såg på det han skrivit. Och tillförde ytterligare en rad:

20.

Sedan stirrade han på orden som tycktes sluta sig om sig själva. Vad var det han inte förmådde upptäcka? För att bota sin irritation och otålighet lämnade han polishuset och tog en promenad för att lufta huvudet. Han stannade vid en pizzeria och åt. Sedan återvände han till sitt rum igen. Klockan fem var han nära att ge upp. Han klarade inte på något sätt att se bakom det som hade hänt, att urskilja det motiv och den vägvisare de så väl behövde. Han nådde inte fram.

Han hade just hämtat kaffe när telefonen ringde. Det var Martinsson.

– Jag är vid Runnerströms Torg, sa han. Nu har det hänt.

– Vad?

– Robert Modin har kommit igenom. Han är inne i Falks dator. Och här händer underliga saker på skärmen.

Wallander slängde på luren.

Äntligen, tänkte han. Nu är vi igenom.

28

När Wallander kommit ner till Runnerströms Torg och låst bilen borde han ha sett sig omkring. Hade han gjort det hade han kanske hunnit ana skuggan som hastigt försvann djupare in i mörkret längre upp på gatan och förstått att det inte bara fanns någon som höll dem under uppsikt. Utan att den personen också hela tiden visste var de befann sig, vad de gjorde, nästan vad de tänkte. De bilar som hela tiden bevakade Apelbergsgatan och Runnerströms Torg hade på inget sätt kunnat förhindra någon att finnas där i skuggorna.

Men Wallander såg sig aldrig om. Han bara låste dörren och skyndade över gatan till det hus där det enligt Martinsson skedde märkliga ting i en dator. När Wallander kom in stirrade både Robert Modin och Martinsson koncentrerat på skärmen. Till sin förvåning kunde Wallander se att Martinsson tagit med sig något som liknade en utfällbar jaktstol. Och det fanns nu ytterligare två datorer i rummet. Modin och Martinsson mumlade och pekade. Wallander fick en känsla av att han trädde in i ett rum där det pågick en ytterst komplicerad elektronisk operation. Eller kanske var det en sorts religiös ritual? Han tänkte på altaret där Falk hade ägnat sig själv sin tillbedjan. Wallander hälsade utan att få något egentligt svar.

Skärmen såg annorlunda ut nu. Borta var de okontrollerade svärmarna av siffror som tidigare rusat runt för att sedan försvinna ut i en okänd rymd. Fortfarande var det förvisso siffror de såg på. Men nu stod de stilla. Robert Modin hade tagit av sig sina hörlurar. Hans fingrar vandrade mellan de tre olika tangentborden. Hans händer arbetade oerhört fort, som om han vore en virtuos som spelade på tre instrument samtidigt. Wallander avvaktade. Martinsson hade ett anteckningsblock i handen. Då och då bad Modin honom att skriva upp någonting. Och Martinsson skrev. Det var Modin som härskade i rummet. Om det rådde ingen tvekan. Efter ungefär tio minuter var det som om de plötsligt insåg att Wallander verkligen hade kommit. Knappandet på tangenterna upphörde.

– Vad är det som har hänt? frågade han. Och varför är här flera datorer?

– Kan man inte gå över berget får man gå runt det, sa Robert Modin. Han var svettig i ansiktet. Men han såg glad ut. En ung man som hade lyckats öppna en dörr som varit stängd.

– Det är bäst att Robert förklarar, sa Martinsson.

– Lösenordet för att få tillträde lyckades jag aldrig bryta, sa pojken. Men jag tog med mina egna datorer och kopplade in mig på Falks. Sen kunde jag ta mig in bakvägen.

Redan nu började samtalet bli alltför abstrakt för Wallander. Att datorer hade fönster visste han. Men inte att där fanns dörrar.

– Jag ställde mig att bulta på framsidan, fortsatte Modin. Men egentligen höll jag på att gräva mig in på baksidan.

– Hur går det till?

– Det är lite svårt att förklara. Dessutom är det en sorts yrkeshemlighet.

– Då struntar vi i det. Vad är det ni har hittat?

Här tog Martinsson över.

– Falk var naturligtvis uppkopplad på Internet. I en fil som konstigt nog kallas »Jakobs Kärr« finns en rad med telefonnummer som ligger i en speciell ordningsföljd. Åtminstone trodde vi det. Men nu har det visat sig att det inte är några telefonnummer. Utan koder. Två grupper. Ett ord och en sifferkombination. Just nu försöker vi lista ut vad det är.

– Egentligen är det både telefonnummer och koder, insköt Modin. Dessutom finns här lagrade mängder av siffergrupper som är kodade namn för olika institutioner. Och dom tycks finnas överallt. I USA, Asien och Europa. Här finns också nånting i Brasilien. Och Nigeria.

– Vad för sorts institutioner?

– Det är det vi försöker lista ut, sa Martinsson. Men vi har hittat en som Robert kände igen. Det var när vi upptäckte det som jag ringde till dig.

– Vilken då?

– Pentagon, svarade Modin.

Wallander kunde inte avgöra om det låg något triumfatoriskt i Modins röst. Eller om han var rädd.

– Vad betyder allt det här?

– Det vet vi inte än, svarade Martinsson. Men att det i den här datorn ligger mycket viktig och kanske förbjuden information lagrad, kan vi utgå ifrån. Det kan alltså tyda på att Falk hade tillgång till alla dom här institutionerna.

– Jag får en känsla av att det är en sån som jag som suttit vid den här datorn, sa Modin plötsligt.

– Skulle Falk också ha tagit sig in i andras datasystem?

– Det kan verka så.

Wallander tyckte sig förstå mindre och mindre. Men inom sig märkte han att oron var på väg tillbaka.

– Vad kan det användas till? frågade Wallander. Kan man se nån avsikt i allt det här?

– Det är för tidigt, sa Martinsson. Först måste vi identifiera vilka dom här institutionerna egentligen är. Då klarnar kanske bilden. Men det tar tid. Allting är komplicerat. Just med tanke på att ingen utomstående ska kunna ta sig in och se vad som finns.

Han reste sig från den hopfällbara stolen.

– Jag måste åka hem en timme, sa han. Terese fyller år idag. Men jag kommer tillbaka.

Han gav Wallander sitt anteckningsblock.

– Hälsa henne, sa Wallander. Hur gammal blir hon?

– Sexton.

Wallander mindes henne som mycket liten. När hon fyllde fem hade Wallander faktiskt varit hemma hos Martinsson och ätit tårta. Samtidigt tänkte han att hon var två år äldre än Eva Persson.

Martinsson försvann ut genom dörren. Sedan kom han tillbaka igen.

– Jag glömde säga att jag talade med Larsen i Moss, sa han.

Det tog några sekunder innan Wallander kom på vem det var.

– Han hade hört nån i hytten intill, fortsatte Martinsson. Väggarna är tunna. Men han hade inte sett nån. Han hade varit trött och legat och sovit hela vägen från Polen.

– Vad var det för ljud han hade hört?

– Det frågade jag också om. Men det var ingenting som tydde på att det pågick nåt tumult.

– Hade han hört röster?

– Ja. Men han kunde inte svara på hur många som varit därinne.

– Människor talar sällan för sig själva, sa Wallander. Det tyder ändå på att det varit minst två personer i hytten.

– Jag bad honom höra av sig om han kom på nåt mer.

Martinsson försvann på nytt. Wallander satte sig försiktigt på fällstolen. Robert Modin arbetade vidare. Wallander insåg det meningslösa i att ställa några frågor. I takt med att datorer alltmer hade tagit över styrsystemen i samhället skulle behovet av en helt annan typ av polismän komma att öka. Det hade redan skett även om det ännu var helt otillräckligt. Brottslingarna låg som vanligt före. De organiserade kriminella syndikaten i USA hade redan på ett tidigt stadium insett vad elektroniken skulle kunna användas till. Även om det fortfarande inte hade kunnat bevisas påstods det att de stora drogkartellerna i Sydamerika redan hade tillgång till satellitkommunikation. Där kunde de bland annat hålla sig underrättade om den amerikanska gränskontrollen och de flygplan som bevakade luftrummet. Och de använde sig naturligtvis av mobiltelefonnät. Ofta ringdes bara ett enda samtal från ett mobiltelefonnummer innan det avvecklades. Allt för att det skulle vara omöjligt att lokalisera den som ringt.

Robert Modin tryckte på en knapp och lutade sig bakåt i stolen. Modemet vid sidan av datorn började blinka.

– Vad gör du nu? frågade Wallander.

– Jag försöker skicka e-post för att se var den eventuellt hamnar. Men jag skickar den från min egen dator.

– Men du sitter ju och slår in adressen på Falks?

– Jag har kopplat ihop dom.

Det började blinka på skärmen. Robert Modin spratt till i stolen och lutade sig närmare skärmen. Sedan började han knappa igen. Wallander väntade.

Plötsligt försvann allting på skärmen. Ett kort ögonblick blev det alldeles mörkt. Därefter återkom svärmarna av siffergrupper igen. Robert Modin rynkade pannan.

– Vad händer nu?

– Jag vet inte riktigt. Men jag vägrades tillträde. Jag måste sopa igen mina spår. Det tar ett par minuter.

Knappandet fortsatte. Wallander väntade, alltmer otåligt.

– En gång till, mumlade Modin.

Sedan hände någonting som gjorde att Robert Modin studsade till i stolen. En lång stund studerade han skärmen.

– Världsbanken, sa han sedan.

– Vad menar du med det?

– Att en av dom här institutionerna som ligger inne med en kod i datorn är Världsbanken. Om jag förstår det hela rätt är det en underavdelning som sysslar med nån form av global finansinspektion.

– Då har vi alltså Pentagon och Världsbanken, sa Wallander. Inga små tobakshandlare precis.

– Jag tror det är dags för en liten konferens, sa Modin. Jag tror jag ska rådfråga mina vänner. Jag har bett dom hålla sig beredda.

– Var finns dom?

– En bor utanför Rättvik. Den andra i Kalifornien.

Wallander började på allvar inse att de nu borde ta kontakt med de dataspecialister som fanns inom Rikskriminalen. Han föreställde sig också med obehag de problem han hade framför sig. Några illusioner behövde han inte ha. Kritiken mot att han använt sig av Modin skulle komma att bli mycket stark. Även om Modins kapacitet var stor.

Medan Modin kommunicerade med sina vänner gick Wallander

runt i rummet. Han tänkte på Jonas Landahl som legat död i botten på en färja. På Sonja Hökbergs förbrända kropp. Och detta egendomliga kontor vid Runnerströms Torg där han just nu befann sig. Där fanns också en gnagande oro för att han befann sig på alldeles fel väg. Att styra spaningsgruppens arbete var hans uppdrag. Han tyckte inte att han förmådde det längre. Och sedan fanns också känslan där av att hans kollegor hade börjat misstro honom. Kanske det inte bara gällde frågan om vad som egentligen hade hänt i förhörsrummet när han gav Eva Persson en örfil och en fotograf fanns alldeles intill? Kanske de också bakom hans rygg talade om att han inte riktigt hängde med längre? Att det kanske var dags för Martinsson att bli den som ledde spaningsarbetet när de hade allvarliga brott att utreda?

Han var sårad och han kände självömkan. Men samtidigt pulserade en ilska inom honom. Så lätt tänkte han inte ge sig. Dessutom hade han inget Sudan att börja ett nytt liv i. Han hade heller ingen hästgård att sälja. Det han kunde se fram emot var en ganska mager statlig pension.

Knappandet hade upphört bakom honom. Modin hade rest sig upp från stolen och sträckte på kroppen.

– Jag är hungrig, sa han.

– Vad hade dina vänner att säga?

– Vi tog en tankepaus på en timme. Sen pratar vi igen.

Wallander var själv hungrig. Han föreslog en pizza. Modin verkade nästan bli kränkt över förslaget.

– Jag äter aldrig pizza, svarade han. Det är osunt.

– Vad äter du då?

– Groddar.

– Ingenting annat?

– Ägg med vinäger kan vara gott.

Wallander undrade vilken restaurang i Ystad som skulle kunna prestera en meny som tilltalade Robert Modin. Han tvivlade på att en sådan överhuvudtaget existerade.

Modin tittade i sina plastkassar med medhavd mat som stod på golvet. Ingenting tycktes för ögonblicket locka honom.

– En vanlig sallad kan duga, sa han. Till nöds.

De lämnade huset. Wallander frågade om Modin ville åka bil de få kvarteren in till centrum. Men han föredrog att gå. Den civila polisbilen stod på sin plats.

– Jag undrar vad dom sitter och väntar på, sa Modin när de hade passerat bilen.

– Det kan man fråga sig, svarade Wallander.

De stannade vid den enda salladsbar Wallander kände till i Ystad. Wallander åt med stor aptit. Robert Modin undersökte däremot noga varje salladsblad och grönsak innan han stoppade något i munnen. Wallander hade heller aldrig sett en människa tugga så långsamt.

– Du är försiktig med maten, sa Wallander.

– Jag vill hålla huvudet klart, svarade han.

Och röven ren, tänkte Wallander hädiskt. Det är nog mest vad jag får hålla på med.

Wallander försökte föra ett samtal med Modin under måltiden men fick bara kortfattade svar. Wallander insåg efterhand att han fortfarande var uppslukad av siffersvärmarna och hemligheterna i Falks dator.

Strax före sju var de vid Runnerströms Torg igen. Martinsson hade fortfarande inte kommit tillbaka. Robert Modin satte sig ner för att återuppta sina samtal med rådgivarna i Dalarna och Kalifornien. Wallander föreställde sig att de såg ut på precis samma sätt som pojken han hade bredvid sig.

– Ingen har spårat mig, sa Modin efter att ha gjort några invecklade manövrer på tangentbordet.

– Hur kan du se det?

– Jag ser det.

Wallander makade sig till rätta på fällstolen. Det är som att befinna sig på ett jaktpass, tänkte han. Vi jagar elektroniska älgar. Någonstans finns de. Men varifrån de eventuellt kommer att dyka upp kan vi inte veta.

Det surrade i hans mobiltelefon. Modin ryckte till.

– Jag avskyr mobiltelefoner, sa han bestämt.

Wallander gick ut i trappuppgången. Det var Ann-Britt. Wallander berättade var han befann sig och vad de hittills hade fått ut ur Falks dator.

– Världsbanken och Pentagon, sa hon. Två av den här världens absoluta maktcentra.

– Pentagon vet jag naturligtvis vad det är. Men Världsbanken känner jag inte till så noga. Även om Linda har talat om den nån gång. I mycket negativa ordalag.

– Bankernas bank. Som fördelar lån till framförallt länder i den fattiga världen. Men som också kan hålla andra ekonomier under armarna. Den är mycket kritiserad. Inte minst eftersom den ofta ställer orimliga krav på låntagarna för att dom ska få sina krediter.

– Hur vet du allt det här?

– Min före detta man stötte ofta på Banken, när han var ute på sina uppdrag. Han brukade berätta.

– Vi vet fortfarande inte vad detta betyder, sa Wallander. Det hela är mycket oklart. Men varför ringer du?

– Jag fick för mig att jag borde tala med den där Ryss igen. Trots allt var det han som satte oss på spåret till Landahl. Jag börjar dessutom mer och mer tro att Eva Persson faktiskt visste mycket lite om den Sonja Hökberg som hon nog dyrkade. Att hon ljuger vet vi. Men förmodligen talar hon också en hel del sanning.

– Vad sa han? Hette han inte Kalle i förnamn?

– Kalle Ryss. Jag tänkte att jag skulle fråga om varför han och Sonja hade gjort slut. Frågan kom nog oväntat för honom. Jag märkte att han drog sig för att svara. Men jag stod på mig. Och då uppenbarade sig nånting märkligt. Han hade brutit med henne eftersom hon aldrig var intresserad.

– Intresserad av vad då?

– Vad tror du? Sex förstås.

– Sa han verkligen det?

– När det väl lossnade så kom allt på en gång. Han hade träffat henne och genast tyckt om henne. Men hon hade efterhand visat sig helt ointresserad av att ha nåt sexualliv. Och till sist hade han tröttnat. Men det är naturligtvis orsaken som är det viktiga.

– Vad var den?

– Hon hade berättat att hon blivit våldtagen några år tidigare. Och sviterna av den upplevelsen led hon fortfarande av.

– Hade Sonja Hökberg blivit våldtagen?

– Enligt honom, ja. Jag började leta i registren. Gamla utredningar. Men det finns absolut ingenting som handlar om Sonja Hökberg.

– Och det skedde här i Ystad?

– Ja. Men jag började naturligtvis också tänka på nåt helt annat.

Wallander visste vad hon menade.

– Lundbergs son. Carl-Einar?

– Just det. Det är naturligtvis en riskabel tanke. Men alldeles omöjlig är den väl ändå inte.

– Vad ser du framför dig?

– Jag tänker så här: Carl-Einar Lundberg har varit indragen som misstänkt i en våldtäktshistoria. Han frikänns. Men mycket talade för att det ändå var han som utförde våldtäkten. Då är det ingenting som hindrar att han redan tidigare har gjort samma sak. Men Sonja Hökberg gick inte till polisen.

– Varför gjorde hon inte det?

– Det finns många skäl till att kvinnor inte anmäler att dom har blivit våldtagna. Det borde du känna till.

– Du har alltså dragit nån sorts slutsats?

– Mycket provisoriskt.
– Jag vill i alla fall höra hur du tänker.
– Det är nu det blir besvärligt. Och den tänkbara sanningen är långsökt, det medger jag gärna. Men Carl-Einar var trots allt Lundbergs son.
– Skulle hon ha tagit hämnd på våldtäktsmannens far?
– Det ger i alla fall ett motiv. Vi vet ju dessutom nånting mycket viktigt om Sonja Hökberg.
– Vad?
– Att hon var envis. Enligt vad du berättade hade hennes styvfar sagt just det. Att hon var mycket stark.
– Ändå har jag svårt att se det här som rimligt. Flickorna kunde ju inte ens veta om att det var just Lundberg som skulle komma i taxin. Och hur visste hon att det var Carl-Einars far?
– Ystad är litet. Dessutom vet vi inte hur Sonja Hökberg reagerade. Hon kan ha varit alldeles besatt av tanken på hämnd. Kvinnor som utsätts för våldtäkt drabbas hårt. Många resignerar nog. Men det finns exempel på kvinnor som blivit besatta av tanken på att hämnas.
Han gjorde en paus innan han fortsatte.
– En av dom har vi ju själva stött på.
– Wallander nickade.
– Du tänker på Yvonne Ander?
– Vem annars?
I tankarna återvände Wallander till de händelser några år tidigare då en ensam kvinna begått ett antal brutala mord, närmast avrättningar, på olika män som förgripit sig mot kvinnor. Det var under den utredningen som Ann-Britt blivit svårt skottskadad.
Wallander insåg att det kunde finnas en möjlighet att Ann-Britt trots allt hade spårat upp något som kunde visa sig bli avgörande. Dessutom sammanföll det med hans egna tankar om att mordet på Lundberg befann sig i någon sorts periferi och att det var Falk som var centrum. Falk och hans loggbok och hans dator.
– Trots allt bör man fort som fan ta reda på om Eva Persson ändå visste nånting om det här, sa han.
– Det är också min tanke. Sen borde man undersöka om Sonja Hökberg vid nåt tillfälle kommit hem blåslagen. Den våldtäkt Carl-Einar Lundberg misstänktes för var mycket brutal.
– Du har rätt.
– Jag ska ta mig an det.
– Sen sätter vi oss ner och prövar alla fakta mot den här hypotesen.

Ann-Britt lovade att höra av sig så fort hon fick reda på något mer. Wallander stoppade ner telefonen i jackfickan och blev stående i den mörka trappuppgången. En tanke hade långsamt sökt sig upp mot ytan i hans huvud. De letade efter ett centrum, ett nav kring vilket händelserna utspelades. Bland alla de alternativa ingångar Wallander försökt hitta fanns det kanske ytterligare en möjlighet. Varför hade egentligen Sonja Hökberg rymt från polishuset? Den frågan hade de inte borrat särskilt djupt i. De hade stannat vid den tanke som legat närmast till hands. Att hon ville bort, gå fri från ansvar. Hennes erkännande hade de redan fått. Nu insåg Wallander att det också fanns en annan möjlighet. Att Sonja Hökberg gett sig av för att hon hade ytterligare något att dölja. Frågan var bara vad. Instinktivt kände Wallander att han hade närmat sig något viktigt med den tanke han just formulerat. Där fanns också något annat i huvudet som han sökte efter. Ytterligare ett led.

Sedan insåg han vad det var. Sonja Hökberg kunde ha gett sig av från polishuset i en fåfäng förhoppning om att komma undan. Så långt hade deras värdering kunnat vara riktig. Men där ute hade funnits någon annan som var orolig för att hon inte bara hade erkänt ett mord på en taxichaufför. Utan att hon också hade berättat något mer. Som handlade om något helt annat än en hämnd för en våldtäkt.

Det hänger faktiskt ihop, tänkte Wallander. Då får jag in Lundberg i allt det här. Då finns det en rimlig förklaring till det som har hänt. Någonting ska döljas. Något som Sonja Hökberg eventuellt kunde misstänkas ha talat om för oss. Eller som hon kanske kunde komma att tala om. Hon dödas för att tystnaden ska bevaras. Och den som dödar blir i sin tur dödad. Precis som Robert Modin därinne sopar igen sina spår är det andra kvastar som har gått i spåren efter Falks död.

Vad var det som hände i Luanda? tänkte han igen. Vem är den person som döljer sig bakom bokstaven C? Vad betyder talet 20? Vad är det egentligen som gömmer sig i den där datorn?

Han märkte att Ann-Britts upptäckt hade ryckt upp honom ur den tunga sinnesstämning han tidigare befunnit sig i. Han återvände in till Robert Modin igen med förnyad energi.

En kvart senare kom Martinsson tillbaka. Han beskrev ingående den fantastiska tårta han just hade ätit. Wallander lyssnade otåligt. Sedan bad han Robert Modin berätta vad de kommit fram till under Martinssons bortovaro.

– Världsbanken? Vad hade Falk med den att göra?

– Det är just precis det vi borde ta reda på.

Martinsson tog av sig jackan, bemäktigade sig fällstolen och spottade symboliskt i händerna. Wallander gav honom ett referat av sitt samtal med Ann-Britt. Wallander kunde se på Martinsson att han genast uppfattade allvaret.

– Det ger oss i alla fall en ingång, sa han när Wallander slutat.

– Det ger oss mer än så, sa Wallander. På det här sättet börjar faktiskt en logik att uppstå.

– Egentligen har jag nog aldrig varit med om nåt liknande, sa Martinsson fundersamt. Men samtidigt finns det stora hål i nätet. Vi har fortfarande inte nån vettig förklaring till att reläet hamnade på Falks bår. Vi vet inte heller varför kroppen fördes bort. Att hans skrivfingrar skars av kan helt enkelt inte ha varit huvudmotivet.

– Det är dom där hålen jag ska försöka minska, sa Wallander. Jag går nu och försöker göra en sammanfattning. Men hör av dig genast om nåt dyker upp.

– Vi håller på till tio, sa Robert Modin plötsligt. Sen måste jag sova.

När Wallander kommit ner på gatan kände han sig ett ögonblick villrådig. Skulle han verkligen orka ytterligare några timmar? Eller borde han köra hem?

Han bestämde sig för att göra båda delarna. Arbetet kunde han just nu göra lika bra vid sitt köksbord. Det han framförallt behövde var tid att smälta det Ann-Britt hade sagt. Han satte sig i bilen och for hem.

Efter mycket letande lyckades han hitta en påse tomatsoppa längst in i skafferiet. Han följde instruktionerna noga. Men soppan smakade nästan ingenting. Efter alltför mycket tabasco blev den sedan för stark. Han tvingade i sig hälften och kastade resten. Sedan lagade han starkt kaffe och bredde ut sina papper över köksbordet. Långsamt började han på nytt gå igenom alla händelser som på olika sätt tangerade varandra. Han vände på varenda sten, gick fram och tillbaka i terrängen och försökte hela tiden lyssna på sin egen intuition. Ann-Britts teori vilade som ett osynligt raster över hans tankar. Ingen ringde, ingen störde honom. När klockan blivit elva reste han sig och sträckte på ryggen.

Hålen finns där, tänkte han. Men frågan är om Ann-Britt ändå inte har drivit upp ett spår som kan leda oss vidare.

Strax före midnatt gick han och la sig. Snart hade han somnat.

Prick klockan tio hade Robert Modin sagt att det fick vara nog. De hade packat ihop hans datorer. Martinsson hade sedan själv kört honom till Löderup. De hade avtalat att någon skulle hämta Modin nästa morgon klockan åtta. Martinsson for sedan raka vägen hem. En bit tårta väntade på honom i kylskåpet.

Men Robert Modin gick inte och la sig. Han visste att han inte borde göra det han hade föresatt sig. Minnet av vad som hänt när han lyckats forcera Pentagons elektroniska murar var fortfarande starkt. Men frestelsen var för stor. Dessutom hade han lärt sig. Han skulle vara försiktig nu. Aldrig glömma att ordentligt sopa igen spåren efter sina attacker.

Hans föräldrar hade gått och lagt sig. Över Löderup härskade tystnaden. Martinsson hade aldrig märkt att Modin hade tappat Falks dator på en del av det material han lyckats öppna. Nu kopplade han upp sina två datorer igen och började gå igenom materialet ännu en gång. Han sökte nya öppningar. Nya sprickor i de elektroniska brandväggarna.

*

Ett regnväder hade under kvällen dragit fram över Luanda.

Carter hade tillbringat tiden med att läsa en rapport som kritiskt granskade Internationella Valutafondens agerande i några östafrikanska länder. Kritiken var hård och välformulerad. Carter kunde knappast ha skrivit det bättre själv. Men samtidigt hade han på nytt fått sin övertygelse bekräftad. Det fanns inte längre några utvägar. Med världens nuvarande finansiella system skulle ingenting på allvar kunna förändras.

När han lagt ifrån sig rapporten hade han ställt sig vid fönstret och sett på blixtarna som spelade över himlen. Nattvakterna hukade i mörkret under sina provisoriska regnskydd.

Han skulle just gå och lägga sig när något fick honom att gå in i arbetsrummet. Luftkonditioneringen brusade.

Genast kunde han på sin skärm se att någon höll på att ta sig in i servern. Men någonting hade förändrats. Han satte sig framför skärmen. Efter en stund insåg han vad det var.

Någon hade plötsligt blivit oförsiktig.

Carter torkade av sina händer på en näsduk.

Sedan började han jaga den person som hotade att avslöja hemligheten.

29

På torsdagsmorgonen stannade Wallander hemma ända tills klockan blivit närmare tio. Han hade vaknat tidigt och känt sig utsövd. Glädjen över att ha sovit ostört en hel natt var så stor att den genast gav honom en rekyl av dåligt samvete. Han borde ha arbetat istället. Helst stigit upp klockan fem och använt morgontimmarna till något nyttigt. Ofta hade han undrat över var denna hållning till arbete kom ifrån. Hans mor hade varit hemmafru och aldrig klagat över att inte få arbeta utanför husets fyra väggar. Åtminstone aldrig så att Wallander kunde påminna sig ha hört henne.

Hans far hade sannerligen heller aldrig förtagit sig om han inte själv velat. Vid de enstaka tillfällen då det inkommit beställningar på ett större parti tavlor hade han oftast visat irritation över att han inte kunde arbeta i sin egen takt. Efteråt, sedan någon av männen i sidenkostym kommit och hämtat partiet, hade allting omedelbart återgått till den vanliga lunken igen. Förvisso hade han alltid gått ut till sina olika ateljéer tidigt på morgonen och befunnit sig där till sent på kvällen. Han hade bara visat sig vid måltiderna. Men Wallander som flera gånger tjuvtittat in genom ett fönster hade då upptäckt att hans far inte alltid suttit framför staffliet. Ibland hade han legat på en smutsig madrass i ett hörn och sovit eller läst. Eller så hade han suttit vid det rangliga bordet och lagt patiens. Wallander hade svårt att identifiera något omedelbart släktskap med någon av sina föräldrar vad inställningen till arbete beträffade. Utseendemässigt blev han däremot alltmer lik sin far. Men hans egna inre drivkrafter var ett antal onda och ständigt lika otillfredsställda furier.

Vid åttatiden hade han ringt till polishuset. Den ende han hade fått tag på var Hansson. Wallander hade genast fått klart för sig att alla i spaningsgruppen var upptagna av olika arbetsuppgifter. Han hade då bestämt sig för att deras möte fick anstå till eftermiddagen. Sedan hade han gått ner i tvättstugan och till sin förvåning upptäckt att den stod tom och att ingen hade antecknat sig för de närmaste timmarna. Han hade genast skrivit dit sitt namn och återvänt till lägenheten för att hämta den första omgången tvätt.

När han hade satt igång tvättmaskinen och återvänt upp till lägenheten för andra gången hade brevet legat där på golvet i tamburen. Det hade inte funnits någon avsändare. Hans namn och adress var skrivna för hand. Han hade lagt det på köksbordet och tänkt att det var en inbjudan eller någon skolungdom som var intresserad av att brevväxla med en polis. Alldeles ovanligt var det inte med brev som lämnades för hand. Sedan hade han hängt ut sängkläderna på balkongen. Det hade blivit kallare igen. Men ännu ingen frost. Vinden var svag. Ett tunt molntäcke hängde över himlen. Först efteråt, vid dagens andra kopp kaffe, hade han öppnat brevet. Då upptäckte han att det låg ett annat brev inne i kuvertet. Utan namn. Han sprättade upp och läste. Först begrep han ingenting. Sedan insåg han att han faktiskt hade fått ett svar på den annons han skickat till Datamötet. Han la ifrån sig brevet, gick ett varv kring bordet och läste det igen.

Kvinnan som skrev hette Elvira Lindfeldt. I sitt huvud bestämde han sig genast för att tänka på henne som Elvira Madigan. Hon hade inte skickat med något fotografi. Men Wallander bestämde sig också genast för att hon var mycket vacker. Hennes handstil var rak och bestämd. Inga snirklar och krokar. Datamötet hade skickat över hans annons till henne. Hon hade läst den, blivit intresserad och svarat samma dag. Själv var hon 39 år gammal, även hon frånskild och bodde i Malmö. Hon arbetade vid ett speditionsbolag som hette Heinemann & Nagel. Hon avslutade brevet med att ge sitt telefonnummer och hoppades att det inte skulle dröja alltför länge innan de kunde träffas. Wallander kände sig som en hungrig varg som äntligen lyckats fälla ett byte. Han ville ringa genast. Men han besinnade sig och bestämde sig sedan för att kasta brevet. Det skulle bli ett misslyckat möte. Hon skulle säkert bli besviken och ha tänkt sig honom annorlunda.

Dessutom hade han inte tid. Han befann sig mitt inne i en mordutredning som tillhörde de mest komplicerade han någonsin haft ansvaret för. Han gick ytterligare några varv kring bordet. Sedan insåg han det meningslösa i att han skrivit till Datamötet. Han tog brevet, rev det bitar och kastade det i soppåsen. Därefter fortsatte han att bearbeta alla de tankar han tänkt kvällen innan, efter det att Ann-Britt hade ringt. Innan han for upp till polishuset plockade han ut tvätten och la in en ny omgång. Det första han gjorde när han kommit till polishuset var att skriva en påminnelse till sig själv, att han måste tömma tvättmaskinen och torkskåpen senast klockan tolv. I korridoren mötte han Nyberg som var på väg någonstans med en plastpåse i handen.

– Det kommer att dyka upp en del resultat idag, sa han. Bland annat har vi kört en massa fingeravtryck kors och tvärs för att se om dom finns på mer än ett ställe.

– Vad var det egentligen som hade hänt nere i färjans maskinrum?

– Jag avundas knappast rättsläkaren. Kroppen var ju så sönderpressad att där inte kan ha funnits ett enda helt ben. Du såg själv.

– Sonja Hökberg var död eller medvetslös när hon hamnade i transformatorstationen, sa Wallander. Frågan är om det var samma sak med Jonas Landahl. Om det nu var han.

– Det var han, sa Nyberg snabbt.

– Det är alltså bekräftat?

– Tydligen har det varit möjligt att identifiera ett ovanligt födelsemärke på hans ena ankel.

– Vem såg till att det blev gjort?

– Jag tror det var Ann-Britt. Det var i vilket fall som helst henne jag talade med.

– Det råder alltså ingen tvekan om att det är han?

– Inte som jag förstod det. Dom hade visst lyckats spåra föräldrarna också.

– Då vet vi det, sa Wallander. Först Sonja Hökberg. Och sen hennes pojkvän.

Nyberg såg förvånad ut.

– Jag trodde ni tänkte att det var han som dödat henne? Det borde väl i så fall tyda på självmord. Även om det naturligtvis är ett vansinnigt sätt att ta livet av sig.

– Det kan finnas andra möjligheter, sa Wallander. Men det viktigaste just nu är att vi vet att det faktiskt var han.

Wallander gick till sitt rum. Han hade just tagit av sig jackan och hunnit ångra att han kastat brevet från Elvira Lindfeldt när telefonen ringde. Det var Lisa Holgersson. Hon ville träffa honom genast. Fylld av onda aningar gick han till hennes rum. I vanliga fall tyckte Wallander om att tala med henne. Men sedan hon visat honom sin öppna misstro en vecka tidigare hade han försökt undvika henne. Den vanliga stämningen dem emellan ville heller inte infinna sig. Lisa satt bakom sitt skrivbord. Hennes normalt så öppna leende var knappt synligt och dessutom ansträngt. Wallander satte sig ner. Genom att bli arg beredde han sig för att anlägga moteld, vad som nu än skulle komma.

– Jag ska gå rakt på sak, började hon. Den interna utredningen om vad som egentligen skedde mellan dig, Eva Persson och hennes mamma har nu börjat.

– Vem håller i den?

– Det har kommit en man från Hässleholm.

– En man från Hässleholm? Det låter som en titel på en TV-serie?

– Han är kriminalpolis. Dessutom har du blivit anmäld till JO. Och inte bara du. Även jag.

– Du gav henne väl aldrig nån örfil?
– Jag är ansvarig för vad som händer här.
– Vem har gjort anmälan?
– Eva Perssons advokat. Han heter Klas Harrysson.
– Då vet jag det, sa Wallander och reste sig. Han var ordentligt arg nu. Dessutom höll energin från morgonen på att försvinna. Det ville han inte.
– Jag är inte riktigt färdig än.
– Vi har en komplicerad mordutredning att ta ansvar för.
– Jag talade med Hansson i morse. Jag vet vad som händer.
Det sa han ingenting om när jag talade med honom, tänkte Wallander. Känslan av att hans kollegor gick bakom hans rygg, eller inte sa som det var, kom återigen över honom.
Wallander satte sig tungt.
– Situationen är svår, sa hon.
– Egentligen inte, avbröt Wallander. Det som hände i det där rummet, mellan Eva Persson, hennes mamma och mig, gick till på exakt det sätt som jag sagt redan från början. Jag har inte ändrat ett ord av min berättelse. Det borde också kunna synas på mig att jag inte börjar svettas, blir orolig eller ens upprörd. Det som gör mig arg är att du inte tror mig.
– Vad vill du jag ska göra?
– Jag vill att du ska tro mig.
– Men flickan och hennes mamma hävdar en annan sak. Och dom är två.
– Dom kunde ha varit tusen. Du borde ha trott mig i alla fall. Dom har dessutom skäl att ljuga.
– Det har du också.
– Har jag?
– Om du slog till henne utan anledning.
För andra gången reste sig Wallander. Häftigare den här gången.
– Det sista du sa tänker jag inte kommentera. Jag tar det som en ren förolämpning.
Hon försökte protestera. Men han avbröt henne.
– Var det nåt mer du ville?
– Jag är fortfarande inte klar.
Wallander förblev stående. Det var spänt och hårt nu. Han tänkte inte ge sig. Men han ville ut ur rummet så fort som möjligt.
– Situationen är så pass allvarlig att jag måste vidta en åtgärd, sa hon. Under tiden internutredningen pågår kommer du att bli avstängd från arbetet.
Wallander hörde vad hon sa. Och han förstod. Både den nu döde

Svedberg och även Hansson hade vid varsitt tillfälle stängts av från sitt arbete under kortare tid medan interna utredningar om påstådda övergrepp hade pågått. Wallander hade i Hanssons fall varit övertygad om att anklagelserna var falska. I Svedbergs fall hade han varit mer tveksam. Det visade sig senare att anklagelsen hade varit motiverad. Men han hade i inget av fallen varit överens med Björk, som då varit deras chef, om det riktiga i att hindra de två kollegorna att arbeta. Det tillkom inte honom att förklara dem skyldiga innan utredningen ens var färdig.

Ilskan rann plötsligt av honom. Han var alldeles lugn nu.

– Du gör som du vill, sa han. Men om du stänger av mig så säger jag omedelbart upp mig.

– Det uppfattar jag som ett hot.

– Du får uppfatta det precis hur fan du vill. Men så blir det. Och jag kommer inte att dra tillbaka den uppsägningen när ni kommer fram till att dom ljög och att jag talade sanning.

– Fotografiet är en försvårande omständighet.

– Istället för att lyssna på Eva Persson och hennes morsa borde du och mannen från Hässleholm undersöka om inte han som tog bilden gjorde något olagligt när han strök omkring i våra korridorer.

– Jag skulle önska att du kunde vara lite samarbetsvillig. Istället för att hota med att avgå.

– Jag har varit polis i många år, sa Wallander. Och så mycket vet jag om den här yrkeskåren att det du nu säger till mig inte är nödvändigt. Det är nån högre upp som blivit nervös av ett fotografi i en kvällstidning och nu ska det statueras ett tydligt exempel. Du väljer att inte säga emot.

– Så är det inte alls, svarade hon.

– Du vet lika väl som jag att det är precis som jag säger. När hade du tänkt stänga av mig? Nu? I det ögonblick jag lämnar rummet?

– Han som kommer från Hässleholm ska arbeta fort. Eftersom vi befinner oss mitt inne i en svår mordutredning hade jag tänkt skjuta på det.

– Varför det? Lämna ansvaret till Martinsson. Han klarar det utmärkt.

– Jag tänkte vi skulle låta det gå som vanligt den här veckan.

– Nej, sa Wallander. Ingenting är som vanligt. Antingen stänger du av mig nu. Eller så gör du det inte alls.

– Jag förstår inte varför du hotar mig. Jag trodde vi hade ett bra förhållande.

– Det trodde jag också. Men jag tog tydligen fel.

Det blev tyst.

– Jag väntar, sa Wallander. Är jag avstängd eller inte?
– Du är inte avstängd, sa hon. I alla fall inte just nu.
Wallander lämnade hennes rum. I korridoren utanför märkte han att han var genomsvettig. Han gick tillbaka sitt rum, stängde dörren och låste. Nu kom upprördheten. Han kunde lika gärna skriva sin avskedsansökan med en gång, städa ur rummet och lämna polishuset för gott. Spaningsmötet på eftermiddagen skulle få äga rum utan hans medverkan. Han skulle aldrig mer vara närvarande.
Samtidigt var det något inom honom som spjärnade emot. Om han gick nu skulle det tolkas som att han ändå var skyldig. Sedan skulle det vara mindre viktigt vad den interna utredningen eventuellt kom fram till. Han skulle fortsätta att betraktas som skyldig.
Långsamt mognade ett beslut. Han skulle stanna tills vidare. Men han skulle informera sina kollegor när de träffades på eftermiddagen. Det viktigaste var ändå att han hade sagt ifrån till Lisa Holgersson. Han tänkte inte böja sig. Inte huka, inte be om nåd.
Ett inre lugn återvände sakta. Han öppnade dörren, ställde den demonstrativt på vid gavel och fortsatte att arbeta. När klockan blivit tolv for han hem, tömde tvättmaskinen och hängde in sina skjortor i torkskåpet. I lägenheten plockade han upp bitarna av det sönderrivna brevet ur soppåsen. Varför visste han inte riktigt. Men Elvira Lindfeldt var i alla fall inte polis.
Han åt lunch hos István på hans restaurang och talade en stund med en av faderns få vänner som ännu levde, en pensionerad färghandlare som varit den som skaffat fram de dukar, penslar och färger hans far hade behövt. Strax efter ett lämnade han restaurangen och återvände till polishuset.
Det var med viss spänning han gick in genom glasdörrarna. Lisa Holgersson kunde ha ändrat sitt beslut. Kanske hade hon blivit uppretad och nu bestämt att han skulle bli avstängd med omedelbar verkan. Frågan var då hur han själv skulle reagera. Innerst inne visste han att tanken på att begära avsked var förfärande. Hur hans liv skulle gestalta sig efter det vågade han inte ens försöka föreställa sig. Men när han kom in på sitt rum låg där bara några telefonbesked som kunde vänta. Lisa Holgersson hade inte sökt honom. Wallander andades ut, åtminstone tillfälligt, och ringde sedan upp Martinsson. Han svarade från Runnerströms Torg.
– Det går sakta men säkert, sa Martinsson. Han har lyckats knäcka ytterligare två koder.
Wallander kunde höra hur det prasslade av papper. Sedan återkom Martinsson.
– Den ena har lett oss till nåt som verkar vara en aktiemäklare i

Seoul och den andra till ett engelskt bolag som heter Lonrho. Jag ringde upp en person på eko-roteln i Stockholm. En man som vet det mesta om utländska företag. Han kunde berätta att Lonrho har sina rötter i Afrika. De sysslade tydligen med mycket som var illegalt i Syd-Rhodesia den gången där rådde sanktioner.

– Men hur ska vi tolka det här? avbröt Wallander hans utläggning. Aktiemäklare i Korea? Och det här andra företaget, vad det nu hette? Vad betyder det?

– Det undrar jag också. Men Robert Modin har sagt att här finns minst ett åttiotal olika förgreningar i nätet. Vi kanske måste vänta lite till innan vi upptäcker nåt som binder ihop det hela.

– Men om du tänker högt redan nu? Vad ser du då?

Martinsson fnittrade till.

– Pengar. Det är vad jag ser.

– Och mer?

– Räcker inte det? Världsbanken, koreanska aktiemäklare och företag med rötter i Afrika har i alla fall den gemensamma nämnaren. Pengar.

Wallander höll med.

– Vem vet, sa han. Kanske den egentliga huvudrollen i det här spelas av bankomaten där Falk dog.

Martinsson skrattade. Wallander föreslog att de skulle träffas klockan tre.

Efter samtalet blev Wallander sittande. Han tänkte på Elvira Lindfeldt. Försökte föreställa sig hur hon såg ut. Men det var Baiba som dök upp i hans tankar. Och Mona. Han tyckte också han skymtade en annan kvinna där, som han träffat som hastigast året innan. På ett café utanför Västervik.

Han blev avbruten av Hansson som plötsligt visade sig i den öppna dörren. Wallander hajade till, som om hans tankar hade varit synliga.

– Nycklarna, sa Hansson. Dom finns.

Wallander betraktade honom oförstående. Men han sa ingenting. Han insåg att han borde veta vad Hansson talade om.

– Jag har fått ett papper från Sydkraft, fortsatte Hansson. Dom som hade tillgång till nycklar till transformatorstationen har också kunnat redovisa dom.

– Bra, sa Wallander. Allt vi kan stryka från våra listor gör saken enklare.

– Men nån Mercedesbuss har jag inte kunnat spåra.

Wallander gungade på stolen.

– Jag tror du kan lägga den åt sidan så länge. Även om vi förr eller senare måste identifiera den där bilen så är annat viktigare just nu.

Hansson nickade och drog ett streck i sitt anteckningsblock. Wallander sa att de skulle ha ett möte klockan tre. Hansson gick.

Tankarna på Elvira Lindfeldt försvann. Han lutade sig över sina papper och funderade samtidigt på det Martinsson hade berättat. Telefonen ringde. Det var Viktorsson som frågade hur det gick.

– Jag trodde Hansson gav dig fortlöpande föredragningar?

– Trots allt är det du som är ledare för spaningarna.

Viktorssons kommentar förvånade Wallander. Han hade varit säker på att det Lisa Holgersson sagt hade varit ett resultat av ett samråd med just Viktorsson. Wallander hade en bestämd känsla av att åklagaren inte gjorde sig till. Han betraktade verkligen Wallander som den som ledde spaningsgruppens arbete. Det gjorde honom omedelbart vänligt stämd mot Viktorsson.

– Jag kommer över till dig i morgon förmiddag.

– Halv nio har jag tid.

Wallander gjorde en anteckning.

– Men hur går det just nu?

– Det går långsamt, sa Wallander.

– Vad vet vi om det som skedde i går på färjan?

– Vi vet att den döde var Jonas Landahl. Och vi har kunnat etablera ett samband mellan honom och Sonja Hökberg.

– Hansson menade att det var sannolikt att Landahl dödat Hökberg. Men han kunde inte ge några särskilt vettiga skäl till det.

– Dom kommer i morgon, svarade Wallander undvikande.

– Jag hoppas det. Mitt intryck är att ni står och stampar.

– Vill du ändra våra riktlinjer?

– Nej. Men jag vill ha en ordentlig föredragning.

Efter telefonsamtalet ägnade Wallander ytterligare en halvtimme åt att förbereda mötet. Tjugo minuter i tre gick han för att hämta kaffe. Automaten hade på nytt gått sönder. Wallander tänkte på det Erik Hökberg hade sagt om det sårbara samhälle de levde i. Det ledde honom till en ny tanke. Han bestämde sig för att ringa Hökberg innan mötet började. Med den tomma kaffekoppen i handen återvände han till sitt rum. Hökberg svarade genast. Wallander gav honom en försiktig redovisning av vad som hade skett sedan de sist talats vid. Han frågade också om Erik Hökberg hade hört namnet Jonas Landahl tidigare. Hökberg svarade ett bestämt nej. Det förvånade Wallander.

– Är du alldeles säker på det?

– Namnet är så pass ovanligt att jag skulle ha lagt det på minnet. Var det han som dödade Sonja?

– Det vet vi inte. Men dom kände varandra. Vi tror oss veta att dom faktiskt hade haft ett förhållande.

Wallander övervägde om han skulle tala om våldtäkten. Men tillfället var felaktigt. Det var något han inte kunde ta upp på telefon. Istället övergick han till den fråga som var orsaken till att han ringt upp.

– När jag var hemma hos dig berättade du om alla affärer du kan göra vid din dator. Jag fick ett intryck av att det egentligen inte existerar några begränsningar.

– Om man kan koppla upp sig till de stora databaserna runt om i världen befinner man sig alltid i mitten. Nära centrum. Var man än råkar vara bosatt.

– Det betyder att du till exempel kan göra affärer med en aktiemäklare i Seoul om du skulle få lust till det.

– I princip, ja.

– Vad behöver du känna till för att kunna göra det?

– Först och främst måste jag veta vad han har för e-postadress. Sen måste våra kreditförhållanden vara reglerade. Dom måste kunna identifiera mig, och tvärtom. Men annars är det egentligen inga problem. Åtminstone inga tekniska.

– Vad menar du med det?

– Att det naturligtvis i varje land existerar en lagstiftning när det gäller aktiehandel. Den måste man känna till. Om man nu inte är ute i olovliga ärenden.

– Eftersom det är så mycket pengar i rörelse måste säkerheten vara hög?

– Det är den också.

– Anser du att den är omöjlig att bryta?

– Det är jag inte rätt man att svara på. Jag kan för lite. Men du som är polis borde väl veta att man i stort sett kan göra vad som helst. Om man vill det tillräckligt starkt. Vad är det man brukar säga? Att om nån verkligen vill mörda USA:s president så kan han också göra det. Men jag undrar naturligtvis varför du ställer alla dom här frågorna?

– Du verkade mycket insatt när jag träffade dig.

– Det är bara på ytan. Den elektroniska världen är så komplicerad och utvecklas så snabbt att jag betvivlar att nån egentligen begriper sig på allt som sker. Och dessutom har kontrollen över det.

Wallander lovade att höra av sig senare samma dag eller nästa morgon. Sedan gick han bort till mötesrummet. Hansson och Nyberg hade redan kommit. De diskuterade den kaffeautomat som börjat gå sönder allt oftare. Wallander nickade åt dem och satte sig ner. Ann-Britt och Martinsson kom samtidigt. Wallander hade fortfarande inte bestämt sig för om han skulle börja eller avsluta mötet med att berätta om sitt samtal inne hos Lisa Holgersson. Han beslöt att avvakta. Trots allt satt han här tillsammans med sina hårt arbetande kollegor för att driva på en komplicerad mordutredning. Han ville inte tynga dem mer än absolut nödvändigt

De började med att gå igenom händelserna kring Jonas Landahls död. De vittnesuppgifter de hade att hålla sig till var påfallande få. Ingen tycktes ha sett någonting alls. Varken Jonas Landahls rörelser ombord på färjan eller hur han kommit in i maskinrummet. Ann-Britt hade fått in en redogörelse av den polisman som hade följt med färjan till Polen. En servitris i cafeterian hade tyckt sig känna igen Landahl från fotot. Om hon mindes rätt hade han kommit in precis när de öppnat och ätit en smörgås. Men det var också allt.

– Det hela är ytterst egendomligt, sa Wallander. Ingen har sett honom, vare sig när han betalade sin hytt eller när han rörde sig ombord på båten. Ingen har sett honom komma in i maskinrummet. För mig verkar det här tomrummet orimligt.

– Han måste ha haft sällskap med nån, sa Ann-Britt. Jag talade för säkerhets skull också med en av maskinisterna innan jag kom hit. Han menade att det var omöjligt att Landahl frivilligt hade klämt in sig under propelleraxeln.

– Han har alltså tvingats dit, sa Wallander. Det betyder att det finns en person till inblandad. Eftersom vi knappast kan föreställa oss att nån som arbetar i maskinrummet skulle vara skyldig är det en främmande person. Som ingen har sett vare sig när han kom i sällskap med Landahl eller när han gick därifrån. Det innebär att vi faktiskt kan dra ytterligare en slutsats. Landahl följde med frivilligt. Han tvingades inte. Då skulle nån ha märkt det. Det hade dessutom inte varit möjligt att släpa Landahl nerför dom smala lejdarna mot hans vilja.

I ytterligare närmare två timmar fortsatte de att resonera igenom hela utredningen. När Wallander presenterade sina tankar som i sin tur hade sina rötter i Ann-Britts reflexioner, blev diskussionen stundtals häftig. Men ingen kunde förneka att spåret, som kanske kunde leda till Carl-Einar Lundberg och sedan vidare till hans far, trots allt skulle kunna innebära en öppning. Wallander insisterade dock på att nyckeln till allt som hänt var Tynnes Falk, även om han knappast hade alltför många hållfasta argument att visa fram. Ändå visste han att han hade rätt. När klockan blivit sex ansåg han att det fick vara nog. Tröttheten hade börjat sprida sig, pauserna för att vädra kom allt tätare. Wallander bestämde sig då också för att inte ta upp sitt samtal med Lisa Holgersson överhuvudtaget. Han orkade helt enkelt inte.

Martinsson försvann till Runnerströms Torg där Robert Modin satt ensam och arbetade. Enligt Hansson borde man kanske föreslå Rikspolisstyrelsen att ge den unge mannen någon sorts medalj vid tillfälle. Eller åtminstone ett konsultarvode. Nyberg satt kvar vid bordet och gäspade. Wallander såg att han fortfarande hade olja på fingrarna. Tillsammans med Ann-Britt och Hansson blev Wallander stående några minuter i korridoren. De gick igenom det som borde ske närmast och delade upp några arbetsuppgifter emellan sig. Sedan gick Wallander in på sitt rum och stängde dörren.

Länge satt han och såg på telefonen utan att helt kunna förstå sin tveksamhet. Men till sist lyfte han ändå luren och slog numret till Elvira Lindfeldt i Malmö.

Efter sjunde signalen kom svaret.

– Lindfeldt.

Wallander la hastigt på luren. Svor. Sedan väntade han några minuter innan han slog det igen. Nu svarade hon genast. Han tyckte omedelbart om hennes röst.

Wallander presenterade sig. De pratade om alldagliga saker. Tydligen blåste det mer i Malmö än i Ystad. Elvira Lindfeldt klagade över att så många av hennes arbetskamrater var förkylda. Wallander höll med. Hösten var besvärlig. Själv hade han just haft ont i halsen.

– Det skulle vara roligt att träffas, sa hon.

– Egentligen tror jag inte så mycket på det här med kontaktförmedlingar, sa Wallander och ångrade sig genast.

– Det sättet behöver ju inte vara sämre än nåt annat, sa hon. Är man vuxen så är man.

Sedan sa hon en sak till. Som förvånade Wallander.

Hon frågade vad han gjorde under kvällen. Om de inte kunde ses någonstans i Malmö.

Det kan jag inte, tänkte Wallander. Jag har alltför mycket arbete. Det här går för fort.

Sedan sa han ja.

De bestämde att träffas klockan halv nio i baren på Savoy.

– Vi bär inga blommor, sa hon och skrattade. Jag tror nog vi känner igen varandra ändå.

Samtalet tog slut.

Wallander undrade vad han hade gett sig in på. Samtidigt kände han spänningen.

Klockan hade blivit halv sju. Han insåg att han hade bråttom.

30

Wallander parkerade utanför hotell Savoy i Malmö när klockan var tre minuter i halv nio. Han hade kört alldeles för fort från Ystad. Alltför länge hade han grubblat över vad han egentligen skulle sätta på sig för kläder. Hon kanske förväntar sig en man i uniform, hade han tänkt. På samma sätt som unga kadetter i en svunnen tid var populära kavaljerer. Men han satte naturligtvis inte på sig sin uniform. En ren men skrynklig skjorta hämtade han direkt ur korgen med nytvättade kläder. Alltför länge höll han sedan på att välja bland sina slipsar. Till slut valde han att inte ha någon alls. Men skorna var oborstade och krävde en insats. Summan av det hela blev att han lämnade Mariagatan alldeles för sent.

Dessutom hade Hansson ringt olämpligt och frågat om han visste var Nyberg befann sig. Wallander hade inte blivit klok på varför det var så viktigt för Hansson att få tag på honom. Han hade svarat så kort att Hansson undrat om han hade bråttom. På det hade han svarat ja och varit så hemlighetsfull att Hansson inte kom sig för att fråga varför. Han hade äntligen varit färdig att ge sig av när telefonen ringde ännu en gång. Med handen på dörrvredet tänkte han först låta bli att svara. Men han hade ändå gjort det. Det var Linda. Hon hade lite att göra på restaurangen, hennes chef hade rest på semester, så hon hade för en gångs skull tid och möjlighet att ringa honom. Wallander kände sig frestad att berätta vart han var på väg. Trots allt var det Linda som gett honom uppslaget, som han till en början envist tagit avstånd ifrån. Hon hade genast märkt att han hade bråttom. Wallander visste av erfarenhet att det var näst intill omöjligt att lura henne. Men han sa ändå så bestämt han förmådde att han genast måste ut i ett tjänsteärende. De avtalade då att hon skulle ringa kvällen därpå. När Wallander väl satt i bilen och redan hade lämnat Ystad bakom sig upptäckte han att bensinlampan lyste rött. Han förmodade att bensinen skulle räcka in till Malmö. Men han vågade inte ta risken att bli stående på vägen. Han svängde svärande av vid en bensinstation utanför Skurup och tvivlade på att han skulle komma i tid. Varför det egentligen var så viktigt kunde han inte reda ut för sig själv. Men han mindes fortfarande hur Mona en gång, just när de träffats, hade väntat på honom i tio minuter och sedan gått.

Nu hade han dock kommit till Malmö. Han kastade en blick på

sitt ansikte i backspegeln. Han hade blivit magrare. Ansiktets konturer framstod nu som tydligare än några år tidigare. Att han alltmer hade börjat få sin fars utseende visste inte hon som han snart skulle möta. Han slöt ögonen och drog ett djupt andetag. Han tvingade undan alla förväntningar. Även om han själv inte blev besviken skulle hon säkert bli det. De skulle träffas där inne i baren, prata en stund, och sedan skulle det vara över. Före midnatt skulle han ligga i sin säng på Mariagatan. När han vaknade dagen efter skulle han ha glömt henne. Dessutom skulle han ha fått bekräftat det han hela tiden hade misstänkt. Att någon som passade för honom inte skulle komma i hans väg genom en kontaktförmedlings insatser.

Han hade alltså kommit till Malmö i tid. Men nu blev han sittande i bilen tills klockan hade blivit tjugo minuter i nio. Då steg han ur, drog ännu ett djupt andetag och gick över gatan.

De upptäckte varandra samtidigt. Hon satt vid ett bord längst inne i hörnet. Frånsett några män som drack öl vid bardisken var det inte många gäster. Och hon var den enda ensamma kvinnan i lokalen. Wallander fångade hennes blick. Hon log och reste sig. Wallander tänkte att hon var mycket lång. Hon var klädd i en mörkblå dräkt. Kjolen slutade strax ovanför knäna. Hon hade vackra ben.

– Har jag rätt? frågade han och sträckte fram handen.

– Om du är Kurt Wallander så är jag Elvira.

– Lindfeldt.

– Elvira Lindfeldt.

Han satte sig ner vid bordet, mitt emot henne.

– Jag röker inte, sa hon. Men jag dricker.

– Som jag, sa Wallander. Men just nu kör jag bil. En Ramlösa får vara nog för mig.

Egentligen hade han velat ha ett glas vin. Eller flera. Men en gång många år tidigare, också då i Malmö, hade han druckit alldeles för mycket vid en middag. Han hade träffat Mona, de var redan skilda, men han hade vädjat till henne att komma tillbaka. Hon hade sagt nej, och när hon gick sin väg hade han tvingats se hur en man hade väntat på henne i en bil. Han hade sovit i bilen och kört hem på morgonen och då blivit stoppad i sin vingliga framfart av sina kollegor Peters och Norén. De hade ingenting sagt, men fylleriet hade varit så grovt att han kunde ha riskerat avsked. Minnet tillhörde de värsta i Wallanders privata räkenskaper. Han ville inte uppleva det igen.

Servitören kom fram till bordet. Elvira Lindfeldt tömde de sista resterna av ett glas vitt vin och bad om ett nytt.

Wallander kände sig brydd. Eftersom han ända sedan sina tidigaste tonår hade föreställt sig att han såg bättre ut i profil än rakt framifrån vred han på stolen så att han blev sittande med sidan mot henne.

– Är det trångt för fötterna? frågade hon. Jag kan dra bordet närmare.

– Inte alls, sa Wallander. Jag sitter bra.

Vad fan säger man, tänkte han. Att jag började älska henne i samma ögonblick jag steg in genom dörren? Eller snarare när jag fick hennes brev.

– Har du gjort det här tidigare? frågade hon.

– Aldrig. Jag var mycket tveksam.

– Det har jag, sa hon glatt. Men det har aldrig blivit nånting.

Wallander märkte att hon var mycket direkt. I motsats till honom själv som för ögonblicket mest bekymrade sig över sin profil.

– Varför har det inte blivit nånting? frågade han.

– Fel person. Fel humor. Fel attityd. Fel förväntan. Fel uppblåsthet. Fel drickande. Det mesta kan gå fel.

– Du kanske redan har hittat några fel på mig?

– Du ser i alla fall snäll ut, sa hon.

– Det är mycket sällan nån uppfattar mig som den skrattande polisen, sa han. Men kanske inte heller den elake.

I samma ögonblick tänkte han på den bild som hade figurerat i tidningen. Det avslöjande fotografiet av den ondsinte polismannen i Ystad. Som gav sig på att slå försvarslösa och minderåriga. Han undrade om hon hade sett bilden.

Men under de timmar de satt tillsammans vid bordet i hörnet av baren kommenterade hon aldrig bilden. Wallander började efter hand tro att hon inte hade sett den, hon kanske var en människa som sällan eller aldrig öppnade en kvällstidning. Wallander satt med sin Ramlösa och längtade efter något starkare. Hon drack vin och de pratade. Hon frågade hur det egentligen var att arbeta som polis. Wallander försökte svara så sanningsenligt han kunde. Men han märkte att han då och då förstärkte de svåra sidorna av sitt arbete. Som om han sökte en förståelse som egentligen inte var alldeles motiverad.

Hennes frågor var å andra sidan genomtänkta. Ibland oväntade. Han fick anstränga sig för att ge henne svar som verkligen hade något innehåll.

Hon berättade under kvällen också om sitt eget arbete. Speditionsfirman där hon var anställd skötte bland mycket annat transport av bohag för svenska missionärer som gav sig ut i världen eller återvände hem. Han insåg efterhand att hon hade stort ansvar, att hon hade en chef som för det mesta befann sig på resa. Det var tydligt att hon hade ett arbete som hon trivdes med.

Tiden gick fort. Klockan hade blivit över elva när Wallander plötsligt märkte att han satt och berättade om sitt havererade äktenskap med Mona. Om hur han alldeles för sent hade upptäckt vad som höll på att hända. Trots att Mona så många gånger hade varnat honom och han själv lika ofta hade lovat att det skulle bli en ändring. Men en dag hade det hela varit över. Det hade inte funnits någon återvändo. Och heller ingen gemensam framtid. Kvar fanns Linda. Och en mängd osorterade och delvis plågsamma minnen som han fortfarande inte helt hade gjort upp med. Hon lyssnade uppmärksamt, allvarligt, men också uppmuntrande.

– Och efteråt? sa hon när han tystnat. Om jag förstår dig rätt har du varit skild i ganska många år.

– Det har i långa perioder varit ett torftigt liv, sa han. Det fanns en gång en kvinna i Lettland, i Riga, som hette Baiba. Där hade jag en förhoppning och under en tid tror jag också att hon delade den förhoppningen. Men sen gick det inte.

– Varför inte?

– Hon ville vara kvar i Riga. Och jag ville ha henne här. Jag hade gjort stora planer. Hus på landet. En hund. Ett annat liv.

– Kanske planerna var för stora, sa hon eftersinnande. Det straffar sig.

Wallander fick en känsla av att han hade sagt för mycket. Att han hade lämnat ut sig själv. Kanske också Mona och Baiba. Men den kvinna som satt snett emot honom ingav honom stort förtroende.

Sedan berättade hon om sig själv. En historia som egentligen inte avvek särskilt mycket från Wallanders. I hennes fall hade det varit två havererade äktenskap, med ett barn i det första och ett i det andra. Utan att hon sa det direkt anade Wallander att hennes förste man hade slagit henne, kanske inte ofta, men tillräckligt många gånger för att det till slut skulle bli outhärdligt. Hennes andre man hade varit argentinare. Hon berättade med stor förståelse men också självironi om hur passionen först hade fört henne rätt och sedan på villovägar.

– Han försvann för två år sen, slutade hon. Han hörde av sig från Barcelona där han satt utan pengar. Jag hjälpte honom så att han åtminstone kunde åka tillbaka till Argentina. Nu har jag inte hört av honom på ett år. Och hans dotter undrar förstås.

– Hur gamla är dina barn?

– Alexandra är nitton, Tobias tjugoett.

Halv tolv betalade de räkningen. Wallander ville bjuda. Men hon insisterade på att dela.

– I morgon är det fredag, sa Wallander när de stod ute på gatan.

– Jag har faktiskt aldrig varit i Ystad, sa hon.

Wallander hade tänkt föreslå att han kanske kunde få lov att ringa henne. Nu ändrades allting. Han visste egentligen inte vad det var han kände. Men hon hade tydligen inte upptäckt några omedelbara fel hos honom. Tills vidare var det mer än nog.

– Jag har bil, sa hon. Eller så tar jag ett tåg. Om du hinner?

– Jag är mitt inne i en komplicerad mordutredning, svarade han. Men även poliser måste vila nån gång.

Hon bodde i ett av Malmös villaområden, på väg ut mot Jägersro. Wallander erbjöd sig att köra henne hem. Men hon ville ta en promenad. Och sedan en taxi.

– Jag går långa promenader, sa hon. Jag hatar att springa.

– Jag med, sa Wallander.

Men om orsaken till det, hans diabetes, sa han ingenting.

Det tog i hand, sa adjö.

– Det var roligt att träffa dig, sa hon.

– Ja, svarade Wallander. Det var det.

Han såg henne försvinna runt hotellets hörn. Sedan gick han till sin bil och for hem till Ystad. På vägen stannade han och letade i handskfacket efter en kassett. Han hittade ett band med Jussi Björling. Musiken fyllde bilen när han for vidare. När han passerade avtagsvägen mot Stjärnsund där Sten Widén hade sin hästgård, tänkte han att avundsjukan han tidigare känt inte var så stark längre.

Klockan hade blivit halv ett när han parkerade bilen. När han kom upp i lägenheten satte han sig i soffan. Det var mycket länge sedan han känt en sådan glädje som denna kväll. Senast det hänt måste ha varit när han på allvar insåg att Baiba faktiskt besvarade de känslor han hade för henne.

När han till slut gick och la sig somnade han utan att ha börjat tänka på utredningen.

För första gången fick den vänta.

På fredagsmorgonen kom Wallander till polishuset med en våldsam energi. Det första han gjorde var att dra in vakthållningen på Apelbergsgatan. Däremot ville han att huset vid Runnerströms Torg fortfarande skulle övervakas. Sedan gick han över till Martinssons rum. Det var tomt. Inte heller Hansson hade kommit. Däremot fångade han upp Ann-Britt i korridoren. Hon såg tröttare och surare ut än på länge. Han tänkte att han borde säga något uppmuntrande till henne, men han kom inte på någonting som inte kändes alltför tillgjort.

– Telefonboken, sa hon. Den som Sonja Hökberg brukade ha i handväskan. Den är och förblir borta.

– Är vi säkra på att hon verkligen hade en?

– Eva Persson har bekräftat det. En liten mörkblå bok med gummiband runt.

– Då kan vi alltså utgå ifrån att den som slog ihjäl henne och sen kastade hennes väska plockade åt sig den.

– Det verkar troligt.

– Frågan är bara vilka telefonnummer som stod där. Vilka namn.

Hon ryckte på axlarna. Wallander betraktade henne noggrant.

– Hur har du det egentligen?

– Man har det som man har det, svarade hon. Men man har det ofta sämre än man förtjänar.

Sedan gick hon in på sitt rum och stängde dörren. Wallander tvekade. Men gick ändå fram och knackade. När han hörde hennes svar öppnade han och steg in.

– Vi har mer att tala om, sa han.

– Jag vet. Jag ber om ursäkt.

– Varför det? Du sa det själv. Man har det ofta sämre än man förtjänar.

Han satte sig i hennes besöksstol. Som vanligt rådde en perfekt ordning i rummet.

– Vi måste reda ut det här med våldtäkten, sa Wallander. Jag har dessutom fortfarande inte talat med Sonja Hökbergs mamma.

– Det är en komplicerad människa, sa Ann-Britt. Hon sörjer naturligtvis sin dotter. Men samtidigt har jag en känsla av att hon var rädd för henne.

– Varför det?

– En känsla bara. Jag vet inte mer.

– Och hennes bror? Erik?

– Emil. Han verkar mycket robust. Men han är naturligtvis skakad.

– Jag ska ha ett samtal med Viktorsson halv nio, fortsatte Wallander. Men sen tänker jag åka hem till dom. Jag antar att hon har kommit tillbaka från Höör?

– Dom håller på att planera begravningen. Det är ganska gräsligt alltsammans.

Wallander reste sig.

– Du får säga till om du vill prata.

Hon skakade på huvudet.

– Inte nu.

I dörren vände han sig om.

– Vad kommer egentligen att hända med Eva Persson? frågade han.

– Jag vet inte.
– Även om skulden kommer att läggas på Sonja Hökberg kommer hennes liv att vara förstört.
Ann-Britt grimaserade.
– Jag vet inte om du har rätt. Eva Persson verkar vara en av dessa människor som låter allt rinna av sig. Hur man kan bli sån är mer än jag förstår.
Wallander begrundade under tystnad det hon hade sagt. Det han inte förstod nu kanske han skulle komma att förstå senare.
– Har du sett till Martinsson? fortsatte han.
– Jag mötte honom när jag kom.
– Han var inte på sitt rum.
– Jag såg att han gick in till Lisa.
– Så här tidigt brukar väl aldrig hon vara här?
– Dom hade ett möte.
Någonting i hennes röst gjorde att Wallander blev stående. Hon såg på honom och tycktes tveka. Sedan gjorde hon tecken åt honom att han skulle komma in och stänga dörren.
– Möte om vad då?
– Ibland förvånar du mig, sa hon. Du ser allt och du hör allt. Du är en duktig polis som vet hur du ska motivera dina kollegor. Men samtidigt är det som om du inte ser nånting alls.
Wallander märkte att det högg till i magen. Han sa ingenting. Väntade bara på fortsättningen.
– Du talar alltid väl om Martinsson. Och han följer dig i spåren. Ni arbetar bra tillsammans.
– Jag är alltid orolig för att han ska få nog och begära avsked.
– Det gör han inte.
– Det säger han i alla fall till mig. Dessutom är han faktiskt en bra polis.
Hon såg honom stint i ögonen.
– Jag borde inte säga det här. Men jag gör det i alla fall. Du litar för mycket på honom.
– Hur menar du?
– Jag bara menar att han går bakom din rygg. Vad tror du han gör där inne hos Lisa? Dom talar om att det kanske är på tiden att göra vissa ändringar här. Som skulle gå ut över dig och bereda vägen för Martinsson.
Wallander hade svårt att tro det han hörde.
– På vilket sätt går han bakom min rygg?
Hon slängde ilsket en brevkniv ifrån sig.
– Det tog tid innan jag själv upptäckte det. Men Martinsson in-

trigerar. Han är slug och skicklig. Han går in till Lisa och klagar på hur du sköter den här utredningen.

– Menar han att jag missköter den?

– Så direkt uttrycker han sig inte. Han antyder bara ett vagt missnöje. Svag styrning, egendomliga prioriteringar. Dessutom gick han direkt och berättade för Lisa att du velat ta hjälp av Robert Modin.

Wallander häpnade.

– Jag kan helt enkelt inte tro det du säger.

– Det borde du göra. Men jag hoppas du respekterar att du får höra det här i förtroende.

Wallander nickade. Värken i magen hade tilltagit.

– Jag tycker du borde veta om det. Det var bara det.

Wallander såg på henne.

– Du kanske tycker samma sak?

– Då hade jag sagt det. Till dig. Utan omvägar.

– Och Hansson? Nyberg?

– Det här är Martinssons sak. Ingen annans. Han är ute efter tronen.

– Men han har ju gång på gång bedyrat att han inte ens vet om han orkar fortsätta som polis?

– Du talar ofta om att man måste se förbi ytorna och söka en annan botten. Men du har aldrig uppfattat annat än Martinssons yta. Jag har sett bortom den. Och jag tycker illa om det jag ser.

Wallander märkte att han blivit lamslagen. Glädjen som han känt när han vaknade var borta. Sakta höll ett ursinne på att växa fram.

– Jag ska ta honom, sa han. Jag ska ta honom och jag ska göra det nu genast.

– Det vore oklokt.

– Hur ska jag kunna fortsätta att arbeta tillsammans med en sån människa?

– Det vet jag inte. Men du måste välja ett annat tillfälle. Går du på honom nu kommer det bara att ge honom nya argument. Att du är i obalans. Att den örfil du gav Eva Persson inte var nån tillfällighet.

– Du kanske också vet att Lisa funderar på att stänga av mig från arbetet med utredningen?

– Det är inte Lisa, sa hon sammanbitet. Det är Martinssons förslag.

– Hur vet du allt det här?

– Han har en svag punkt, sa hon. Han litar på mig. Han tror att jag är överens med honom. Trots att jag sagt åt honom att han ska sluta att gå bakom din rygg.

Wallander hade rest sig upp ur stolen.

– Vänta med att gå på honom, upprepade hon. Försök istället att tänka att du har ett övertag i att jag talat om det här för dig. Använd det när tiden är mogen.

Wallander insåg att hon hade rätt.

Han gick raka vägen till sitt rum. Upprördheten hade en sorgkant. Han hade kanske kunnat tro det här om någon annan. Men inte Martinsson. Bara inte Martinsson.

Han avbröts i sina tankar av att telefonen ringde. Det var Viktorsson som undrade var han hade blivit av. Wallander gick över till åklagarnas del av polishuset, rädd att möta Martinsson i korridoren. Men han satt säkert redan tillsammans med Robert Modin vid Runnerströms Torg.

Samtalet med Viktorsson gick fort. Wallander tvingade undan alla tankar på det Ann-Britt hade sagt och gav en kortfattad men noggrann redogörelse för utredningen, var de befann sig, vilka riktlinjer som de ansåg vara riktiga att följa. Viktorsson ställde ett par korta frågor. Men han hade i övrigt inget att anmärka.

– Förstår jag dig rätt om jag säger att det inte existerar några direkt misstänkta?

– Ja.

– Vad är det egentligen du tror att ni ska kunna hitta i Falks dator?

– Det vet jag inte. Men allting tyder på att vi åtminstone ska kunna urskilja nån form av motiv.

– Har Falk begått olagligheter?

– Inte som vi vet.

Viktorsson kliade sig i pannan.

– Vet ni verkligen tillräckligt om såna här saker? Ska inte Rikskriminalens experter kopplas in?

– Vi har redan en lokal expert på plats. Men vi har bestämt oss för att informera Stockholm.

– Gör det så fort som möjligt. Dom kan bli så griniga annars. Vad är det för lokal expert ni har hittat?

– Han heter Robert Modin.

– Och han kan sina saker?

– Bättre än dom flesta.

Wallander tänkte att han just hade begått ett stort misstag. Han borde ha sagt till Viktorsson precis som det var. Att Robert Modin hade blivit dömd för databrott. Men nu var det för sent. Wallander hade valt att skydda utredningen istället för sig själv. Han hade tagit första steget i en trappa som kunde leda rakt ner i en personlig katastrof. Om han inte tidigare hade riskerat att bli avstängd gjorde han det nu. Och Martinsson skulle få alla de argument han eventuellt ännu saknade för att krossa honom.

– Du är naturligtvis informerad om att det pågår en intern utredning av den där olustiga historien i förhörsrummet, sa Viktorsson plötsligt. Det föreligger JO-anmälningar och en stämningsansökan mot dig.

– Bilden ljuger om sammanhangen, svarade Wallander. Jag skyddade mamman. Vad hon än säger.

Viktorsson svarade inte.

Vem tror mig, tänkte Wallander. Mer än jag själv?

Wallander lämnade polishuset. Klockan hade blivit nio. Han for raka vägen hem till familjen Hökberg. Han hade inte ringt och förvarnat om sin ankomst. Det viktigaste hade varit att komma bort från de korridorer där han riskerade att möta Martinsson. Förr eller senare skulle det ske. Men ännu var det för tidigt. Fortfarande litade han inte på att han skulle klara att behärska sig.

Wallander hade just stigit ur bilen när det surrade till i hans mobiltelefon. Det var Siv Eriksson.

– Jag hoppas jag inte stör, sa hon.

– Det går bra.

– Jag ringer eftersom jag behöver tala med dig.

– Just nu är jag lite upptagen.

– Det kan inte vänta.

Wallander uppfattade plötsligt att hon lät upprörd. Han tryckte luren hårdare mot örat och vände sig bort från vinden.

– Har det hänt nånting?

– Jag vill inte tala om det i telefon. Jag vill helst att du kommer hit.

Wallander förstod att hon menade allvar. Han lovade att komma genast. Samtalet med Sonja Hökbergs mor fick vänta. Han körde tillbaka ner till centrum och parkerade på Lurendrejargränd. Det hade börjat blåsa en byig ostlig vind som bar med sig kylig luft. Wallander tryckte på portknappen. Dörren öppnades. Hon väntade på honom. Han upptäckte genast att hon var rädd. När de kommit in i vardagsrummet tände hon en cigarett med skakande händer.

– Vad är det som har hänt? frågade Wallander.

Det tog en stund innan hon lyckades få eld på cigaretten. Hon drog ett bloss och släckte sedan genast cigaretten igen.

– Jag har min gamla mor i livet, började hon. Hon bor i Simrishamn. Igår åkte jag dit. Det blev sent så jag stannade över natten. När jag kom tillbaka nu i morse så upptäckte jag vad som hade hänt.

Hon avbröt sig och reste sig häftigt ur soffan. Wallander följde efter henne in i arbetsrummet. Hon pekade på sin dator.

– Jag satte mig ner för att börja arbeta. Men när jag slog på datorn hände ingenting. Först trodde jag att det bara var skärmsladden som var ur. Sen insåg jag vad som hade hänt.

Hon pekade på skärmen.

– Jag är inte riktigt säker på att jag förstår, sa Wallander.

– Nån har tömt datorn på innehållet. Hårddisken är tom. Men det är värre än så.

Hon gick till ett dokumentskåp och öppnade dörrarna.

– Alla mina disketter är borta. Ingenting finns kvar. Ingenting. Jag hade en hårddisk till. Den är också försvunnen.

Wallander såg sig runt i rummet.

– Det har alltså varit inbrott här i natt?

– Men det finns ju inga spår? Och vem visste att jag skulle vara borta just i natt?

Wallander tänkte efter.

– Du hade inte lämnat nåt fönster öppet? Det var inga märken på ytterdörren?

– Nej. Jag har sett efter.

– Och det är bara du som har nycklar hit?

Hon dröjde med svaret.

– Både ja och nej, sa hon sedan. Tynnes hade ett par reservnycklar.

– Varför hade han det?

– Om nånting skulle hända. Om jag var borta. Men han använde dom aldrig.

Wallander nickade. Han förstod hennes upprördhet. Någon hade använt nycklar för att ta sig in. Och den man som haft dem var död.

– Vet du var han förvarade dom?

– Han sa att han skulle lägga dom i sin lägenhet på Apelbergsgatan.

Wallander nickade. Han tänkte på den man som skjutit emot honom. Och som sedan försvunnit.

Kanske han nu till sist hade fått veta vad mannen letat efter i lägenheten?

Ett par reservnycklar till Siv Erikssons lägenhet.

31

För första gången sedan utredningen tagit sin början tyckte Wallander att han kunde se ett sammanhang alldeles klart. Efter att ha undersökt ytterdörren och lägenhetens fönster var han övertygad om att Siv Eriksson hade rätt. Den som tömt hennes dator hade använt nycklar. Det fanns också en annan slutsats han genast vågade dra. Siv Eriksson hade på något sätt varit övervakad. Den som haft tillgång till nycklarna hade inväntat rätt ögonblick att slå till. Återigen anade Wallander konturerna av den skugga som skyndat förbi honom sedan skottet avlossats i Falks lägenhet. Men han tänkte också på det Ann-Britt sagt, om att han själv borde vara försiktig. Oron kom över honom igen.

De återvände till vardagsrummet. Hon var fortfarande upprörd och tände och släckte sina cigaretter. Wallander bestämde sig för att vänta med att ringa till Nyberg. Det fanns något annat som han först ville klara ut. Han satte sig mittemot henne i soffan.

– Har du nån misstanke om vem som kan ha gjort det här?

– Nej. Det är fullständigt obegripligt.

– Dina datorer är säkert värdefulla. Men dom har tjuven inte brytt sig om. Han har velat komma åt innehållet.

– Allt är borta, upprepade hon. Precis allt. Hela underlaget för min försörjning. Jag hade också, som jag sa, allt på en extra hårddisk. Men den är också borta.

– Hade du inget lösenord? För att hindra att just det här hände?

– Naturligtvis hade jag det.

– Men den kände alltså tjuven till?

– På nåt sätt måste han ha tagit sig förbi det.

– Vilket innebär att det inte var nån vanlig småtjuv. Utan nån som kunde datorer.

Hon följde hans tankegång nu. Förstod vad han sökte en förklaring till.

– Så långt har jag faktiskt inte hunnit tänka. Jag har varit alldeles för upprörd.

– Det är naturligt. Vilken var din kod?

– »Kaka«. Jag kallades så när jag var liten.

– Fanns det nån som kände till den?

– Nej.

– Inte Tynnes Falk heller?

– Nej.
– Är det alldeles säkert?
– Ja.
– Hade du den uppskriven nånstans?
Hon tänkte efter innan hon svarade.
– Jag hade den inte antecknad på nåt papper. Det vet jag bestämt.
Wallander anade att detta kunde visa sig vara helt avgörande. Han gick försiktigt vidare.
– Vilka människor kände till att du hade det här smeknamnet som barn?
– Min mamma. Men hon är nästan senil.
– Ingen annan?
– Jag har en väninna som bor i Österrike. Hon visste om det.
– Skrev du brev till henne?
– Ja. Men dom senaste åren brukade vi mest utväxla elektroniska brev.
– Och dom undertecknade du med ditt smeknamn?
– Ja.
Wallander tänkte efter.
– Jag vet inte hur det går till, sa han. Men jag antar att dom där breven lagras i din dator?
– Ja.
– Nån som hade tillgång till det som fanns där kunde alltså hitta breven och se ditt smeknamn. Och kunde alltså ana sig till att det var ditt lösenord?
– Det är omöjligt! Först måste nån ha koden. För att kunna komma in och läsa mina brev. Inte tvärtom.
– Det är just det jag tänker på, sa Wallander. Om nån har tagit sig in i din dator och tappat den på information.
Hon skakade ihärdigt på huvudet.
– Varför skulle nån göra det?
– Det kan bara du svara på. Och det är som du förstår en mycket viktig fråga. Vad hade du i din dator som nån gärna ville komma åt?
– Jag arbetade aldrig med några sekretessbelagda uppgifter.
– Det är viktigt att du tänker efter noga.
– Du behöver inte påminna mig om det jag redan vet.
Wallander väntade. Han såg att hon verkligen försökte tänka efter.
– Jag hade ingenting, sa hon.
– Kan det ändå ha funnits nåt som du själv inte visste var känsligt?
– Vad skulle det ha varit?
– Det vet i så fall bara du.

Hon var mycket bestämd när hon svarade.
– Jag har alltid satt en ära i att hålla ordning på mitt liv, sa hon. Det gällde också min dator. Jag städade ofta. Och jag arbetade aldrig med särskilt avancerade uppgifter. Det har jag redan berättat.
Wallander tänkte efter på nytt innan han gick vidare.
– Låt oss tala om Tynnes Falk, sa han sedan. Ni arbetade tillsammans. Men lika ofta höll ni på med olika saker. Det hände aldrig att han använde din dator?
– Varför skulle han ha gjort det?
– Jag måste ställa den frågan. Kan han ha gjort det utan att du visste om det? Trots allt hade han nycklar hit.
– Det skulle jag ha märkt.
– Hur då?
– På olika sätt. Jag vet inte hur pass tekniskt insatt du är?
– Inte mycket. Men vi utgår ifrån att Falk var mycket skicklig. Det har du själv vittnat om. Betyder inte det att han också kan ha sett till att inte lämna några spår? Frågan är alltid vem som är skickligast. Den som spårar. Eller den som sopar igen sina spår.
– Jag förstår ändå inte varför han skulle ha gjort det?
– Han kanske ville gömma nånting. Göken lägger sina ägg i andra fåglars bon.
– Men varför?
– Det kan vi inte svara på. Däremot kan nån ha *trott* att han gjorde det. Och nu när Tynnes är död vill man kontrollera att det inte fanns nåt i din dator som du förr eller senare skulle kunna upptäcka.
– Vem vill det?
– Det undrar jag också.
Så här måste det ha gått till, tänkte Wallander. Någon annan rimlig förklaring kan det helt enkelt inte finnas. Falk är död. Och av någon mycket bestämd anledning jagar man nu runt för att städa upp. Något ska till varje pris döljas.
Han upprepade orden i sitt huvud. *Något ska till varje pris döljas.* Där låg själva knuten. Löste de den skulle allting bli uppenbart.
Wallander anade att det var bråttom.
– Talade Falk nånsin med dig om talet 20? frågade han.
– Varför skulle han ha gjort det?
– Svara bara på frågan, är du snäll.
– Inte vad jag kan minnas.
Wallander slog numret till Nyberg som inte svarade. Han ringde till Irene och bad henne att söka honom.
Siv Eriksson följde honom ut i tamburen.
– Det kommer tekniker hit, sa han. Jag vore tacksam om du inte

rörde nånting inne i arbetsrummet. Det kan finnas fingeravtryck.

– Jag vet inte vad jag ska göra, sa hon hjälplöst. Allt är borta. Hela mitt arbetsliv har försvunnit över en natt.

Wallander hade ingen tröst att ge henne. Återigen tänkte han på det Erik Hökberg hade sagt om sårbarheten.

– Vet du om Tynnes Falk var religiös? frågade han.

Hennes förvåning var inte att ta miste på.

– Han sa aldrig nånting till mig som tydde på det.

Wallander hade inget mer att fråga om. Han lovade att höra av sig igen. När han kommit ner på gatan blev han stående. Den han mest av allt behövde ha kontakt med var Martinsson. Frågan var om han skulle följa Ann-Britts råd. Eller om han redan nu skulle konfrontera honom med det han fått höra. Ett ögonblick överfölls han av en stor trötthet. Sveket var så stort och så oväntat. Fortfarande hade han svårt att tro att det var sant. Men innerst inne visste han.

Klockan hade ännu inte blivit elva. Han bestämde sig för att vänta med Martinsson. I bästa fall skulle hans upprördhet hinna svalna och hans omdöme bli bättre. Först skulle han återvända till familjen Hökberg. Samtidigt påminde han sig något han hade glömt och som delvis hade med hans tidigare besök hos Hökberg att göra. Han parkerade intill videobutiken som varit stängd. Den här gången lyckades han få tag på den film med Al Pacino han ville se. Han fortsatte upp till Hökbergs hus och parkerade. Just när han skulle ringa på klockan öppnades ytterdörren.

– Jag såg dig komma, sa Erik Hökberg. Du var här för en timme sen också. Men då kom du aldrig in.

– Det hände nånting som jag måste åtgärda.

De gick in. I huset rådde tystnad.

– Egentligen har jag kommit för att tala med din hustru.

– Hon ligger där uppe och vilar. Eller gråter. Eller båda delarna.

Wallander såg att Erik Hökberg var grå av trötthet. Ögonen var blodsprängda.

– Pojken har börjat i skolan igen. Det är bäst för honom.

– Vi vet fortfarande inte vem som dödade Sonja, sa Wallander. Men vi hyser gott hopp om att gripa den som gjort det.

– Jag trodde att jag var motståndare till dödsstraff, sa Erik Hökberg. Men nu vet jag inte längre. Lova mig bara att den som gjort det inte kommer i min närhet. Då kan jag inte garantera följderna.

Wallander lovade. Erik Hökberg försvann uppför trappan. Wallander gick runt i vardagsrummet medan han väntade. Tystnaden var tryckande. Det dröjde nästan en kvart innan han hörde steg i trappan. Erik Hökberg kom ensam.

– Hon är mycket trött, sa han. Men hon kommer strax.
– Jag beklagar att det här samtalet inte kan skjutas upp.
– Det förstår både hon och jag.
De väntade under tystnad. Plötsligt stod hon där, klädd i svart, barfota. Vid sidan av mannen var hon liten. Wallander tog i hand och beklagade sorgen. Hon vacklade till och satte sig. Wallander tyckte att hon på något sätt påminde om Anette Fredman. Han stod inför ännu en mor som förlorat sitt barn. När han såg henne undrade han hur många gånger han befunnit sig i just den här situationen. Han var tvungen att ställa frågor som egentligen var som att klösa i plågsamma sår.
Just den här situationen var dessutom värre än många andra. Inte bara det att Sonja Hökberg var död. Nu måste han också ställa frågor om en våldsam händelse som kanske drabbat henne långt tidigare.
Han letade efter ett sätt att börja.
– För att vi ska kunna gripa den gärningsman som berövade Sonja livet måste vi leta oss bakåt i tiden. Det finns en händelse som jag behöver veta mer om. Förmodligen är det bara ni som kan svara på vad som egentligen inträffade.
Både Hökberg och hustrun betraktade honom uppmärksamt.
– Låt oss gå tre år tillbaka, fortsatte Wallander. Nån gång 1994 eller 1995. Kan ni påminna er om det vid den tiden hände nåt ovanligt med Sonja?
Den svartklädda kvinnan talade mycket tyst. Wallander var tvungen att luta sig framåt för att höra vad hon sa.
– Vad skulle det ha varit?
– Kom hon nånsin hem och såg ut som om hon varit med om en olyckshändelse? Hade hon några blåmärken?
– Hon bröt foten en gång.
– Stukade, sa Erik Hökberg. Hon bröt inte foten. Hon stukade den.
– Jag tänker snarast på om hon kom hem med blåmärken i ansiktet. Eller på andra delar av kroppen?
Svaret kom oväntat från Ruth Hökberg.
– Min dotter visade sig inte naken för nån i det här huset.
– Man kan också tänka sig att hon var upprörd. Eller nerstämd.
– Hon hade ett mycket ombytligt humör.
– Ni kan alltså inte erinra er nåt speciellt tillfälle?
– Jag förstår inte varför du ställer dom här frågorna.
– Han måste det, sa Erik Hökberg. Det är hans arbete.
Wallander tog tacksamt emot hjälpen.

– Jag minns inte att hon nånsin kom hem och hade blåmärken.

Wallander insåg att han nu inte kunde trampa runt i en cirkel längre.

– Vi har fått uppgifter som tyder på att Sonja blev våldtagen nån gång under den här tiden. Men att hon aldrig gjorde nån anmälan.

Kvinnan ryckte till i stolen.

– Det är inte sant.

– Talade hon nånsin om det?

– Att hon skulle ha blivit våldtagen? Aldrig.

Hon brast ut i ett hjälplöst skratt.

– Vem påstår nånting sånt? Det är lögn. Ingenting annat än lögn.

Wallander hade fått känslan av att hon trots allt visste någonting. Eller hade anat det den gången det inträffade. Hennes invändningar var lite väl kraftiga.

– Mycket tyder trots allt på att den här våldtäkten verkligen hände.

– Vem är det som påstår det här? Vem ljuger om Sonja?

– Jag kan tyvärr inte avslöja varifrån det kommer.

– Varför inte?

Erik Hökberg högg till med sin fråga. Wallander anade en undertryckt aggressivitet som plötsligt kommit till uttryck.

– Av utredningstekniska orsaker.

– Vad betyder det?

– Att jag tills vidare gör den bedömningen att den eller dom personer som lämnat uppgifterna ska skyddas.

– Vem skyddar min dotter? skrek kvinnan. Hon är död. Det är ingen som skyddar henne.

Wallander märkte att samtalet höll på att glida honom ur händerna. Han ångrade att han inte låtit Ann-Britt sköta det hela. Erik Hökberg lugnade ner sin hustru som nu hade börjat gråta. Wallander upplevde hela situationen som förfärlig.

Efter en stund kunde han fortsätta med sina frågor.

– Hon talade alltså aldrig om att hon blivit våldtagen?

– Aldrig.

– Och ingen av er märkte nåt ovanligt hos henne?

– Hon var ofta svår att förstå sig på.

– Hur då?

– Hon var egen. Ofta arg. Men det kanske hör tonårstiden till.

– Och det gick ut över er?

– Mest över hennes lillebror.

Wallander påminde sig det enda samtal han själv hade haft med Sonja Hökberg. Hur hon då hade beklagat sig över sin bror som aldrig lät hennes saker vara ifred.

– Låt oss återvända till åren 1994 och 1995, sa Wallander. Hon hade varit i England och kommit tillbaka. Ni la inte märke till nånting. Som kom plötsligt?

Erik Hökberg reste sig så häftigt att hans stol välte.

– Hon kom hem här en natt och blödde ur både munnen och näsan. Det var i februari 1995. Vi frågade vad som hade hänt, men hon vägrade svara. Hennes kläder var smutsiga och hon var chockad. Vi fick aldrig veta vad som hade hänt. Hon sa att hon hade ramlat och slagit sig. Men det var naturligtvis en lögn. Nu förstår jag det. Nu när du kommer hit och talar om att hon blivit våldtagen. Jag förstår inte varför vi ska ljuga om det här?

Den svartklädda kvinnan hade börjat gråta igen. Hon försökte säga någonting. Men Wallander uppfattade inte orden. Erik Hökberg nickade åt honom att följa med in i hans arbetsrum.

– Du får inget mer ur henne nu.

– Jag har inga fler frågor som jag inte lika gärna kan ställa till dig.

– Vet ni vem som våldtog henne?

– Nej.

– Men ni misstänker nån?

– Ja. Men frågar du om namn får du inget svar.

– Var det han som dödade henne?

– Knappast. Men det här kan ändå leda till att vi förstår vad som har hänt.

Erik Hökberg stod tyst.

– Det var i slutet av februari, sa han sedan. En dag med snö. På kvällen var det vitt på marken. Och hon kom hem och blödde. Nästa morgon syntes blodspåren fortfarande i snön.

Plötsligt var det som om han upplevde samma hjälplöshet som den svartklädda kvinnan som satt och grät inne i vardagsrummet.

– Jag vill att ni griper den som har gjort det här. En sån människa måste få sitt straff.

– Vi gör vad vi kan, svarade Wallander. Vi ska gripa den skyldige, men då måste vi också få hjälp.

– Du måste förstå henne, sa Hökberg. Hon har mist sin dotter. Hur skulle hon nu orka tänka tanken att Sonja redan tidigare utsatts för en så våldsam kränkning?

Wallander förstod mer än väl.

– Slutet av februari 1995. Vad minns du mer? Hade hon nån pojkvän just då?

– Vi visste aldrig nånting om vad hon höll på med.

– Stannade det bilar här ute på gatan? Såg du aldrig nån man i hennes sällskap?

Det glimtade farligt i Hökbergs ögon.
– En man? Nyss talade du om »pojkvän«?
– Jag menar samma sak.
– Det var alltså en äldre man som kränkte henne?
– Jag har redan sagt att du inte får några svar.
Hökberg lyfte avvärjande på händerna.
– Jag har sagt allt jag vet. Nu måste jag nog gå in till min fru igen.
– Innan jag lämnar er vill jag gärna se på Sonjas rum en gång till.
– Det är som förra gången. Ingenting har blivit förändrat.
Hökberg försvann in i vardagsrummet. Wallander gick uppför trappan. När han kommit in i Sonjas rum slogs han av samma känsla som första gången. Rummet tillhörde inte en nästan fullvuxen kvinna. Han sköt upp dörren till garderoben. Affischen hängde där. »Djävulens advokat«. Vem är Djävulen? tänkte han. Tynnes Falk tillbad sitt eget ansikte som gudabild. Och här sitter djävulen på insidan av Sonja Hökbergs garderobsdörr. Men att det skulle finnas någon grupp med unga satanister i Ystad hade Wallander aldrig hört talas om.
Han stängde garderoben igen. Det fanns inte mer att se. Han skulle just gå när en pojke dök upp i dörröppningen.
– Vad gör du här? frågade han.
Wallander sa vem han var. Pojken betraktade honom ogillande.
– Om du är polis kan du väl ta fast den som dödade min syster?
– Vi håller på, svarade Wallander.
Pojken rörde sig inte. Wallander kunde inte bestämma sig för om han var rädd eller bara avvaktande.
– Det är du som är Emil, eller hur?
Pojken svarade inte.
– Du måste ha tyckt mycket om din syster?
– Ibland.
– Bara ibland?
– Räcker inte det? Måste man tycka om människor jämt?
– Nej. Det måste man inte.
Wallander log. Pojken besvarade inte hans leende.
– Jag tror jag vet en gång när du tyckte om henne, sa Wallander.
– När då?
– För några år sen. När hon kom hem en gång och blödde.
Pojken ryckte till.
– Hur vet du det?
– Jag är polis, sa Wallander. Jag måste veta. Berättade hon nånsin för dig vad som hade hänt?
– Nej. Men nån hade slagit henne.
– Hur kan du veta det om hon inte sa nånting?

– Det säger jag inte.
Wallander tänkte sig noga för innan han fortsatte. Gick han för fort fram kunde pojken sluta sig helt.
– Du frågade nyss varför vi inte hade tagit fast den som dödat din syster. Ska vi klara det måste vi ha hjälp. Det bästa du kan göra nu är att tala om för mig hur du visste att nån hade slagit henne.
– Hon gjorde en teckning.
– Ritade hon?
– Hon var bra på det. Men hon visade det aldrig för nån. Hon ritade och rev sönder. Fast jag gick in här ibland när hon inte var hemma.
– Och då hittade du nånting?
– Hon hade ritat av det som hänt.
– Sa hon det?
– Varför skulle hon annars ha ritat av en gubbe som slår henne i ansiktet?
– Du har händelsevis inte den teckningen kvar?
Pojken svarade inte. Han försvann. Efter några minuter kom han tillbaka. I handen hade han en blyertsteckning.
– Jag vill ha igen den.
– Det lovar jag att du ska få.
Wallander tog med sig teckningen fram till fönstret. Bilden gjorde honom genast illa berörd. Samtidigt såg han att Sonja Hökberg verkligen hade kunnat teckna. Han kände igen hennes ansikte. Men det som dominerade bilden var en man som tornade upp sig framför henne. En knytnäve träffade Sonjas näsa. Wallander betraktade mannens ansikte. Om det var lika väl återgivet som hon hade tecknat av sig själv borde det vara möjligt att identifiera honom. Där fanns också någonting på mannens högra handled som fångade hans uppmärksamhet. Först trodde han att det var någon form av armband. Sedan insåg han att det var en tatuering.
Wallander fick plötsligt bråttom.
– Du gjorde rätt som sparade teckningen, sa han till pojken. Och jag lovar att du ska få den tillbaka.
Pojken följde honom nerför trappan. Wallander hade försiktigt vikt ihop teckningen och stoppat den i jackfickan. Inifrån vardagsrummet hördes fortfarande snyftningar.
– Kommer hon alltid att hålla på så där? frågade pojken.
Wallander fick en klump i halsen.
– Det tar tid, sa han. Men det går över. Nån gång.
Wallander gick aldrig in och sa adjö till Hökberg och hans hustru. Han strök hastigt över pojkens huvud och stängde försiktigt ytter-

dörren bakom sig. Vinden hade tagit i. Det hade också börjat regna. Han for raka vägen till polishuset och började leta efter Ann-Britt. Hennes rum var tomt. Wallander försökte nå henne på mobiltelefonen, men hon svarade inte. Irene kunde till sist ge besked om att hon hastigt hade blivit tvungen att åka hem. Ett av barnen hade insjuknat. Wallander tvekade inte. Han satte sig på nytt i bilen och for ut till det hus på Rotfruktsgatan där hon bodde. Regnet hade tilltagit. Han höll händerna över jackfickan för att skydda teckningen mot väta. Ann-Britt öppnade dörren, bärande på ett barn.

– Jag skulle inte ha stört om det inte var viktigt, sa han.

– Det gör inget. Hon har bara lite feber. Och min välsignade grannfru kan inte passa henne förrän om några timmar.

Wallander gick in. Det var länge sedan han hade besökt henne. När han steg in i vardagsrummet såg han att några japanska trämasker hade försvunnit från en vägg. Hon följde hans blick.

– Han tog med sig sina reseminnen, sa hon.

– Bor han fortfarande här i stan?

– Han har flyttat till Malmö.

– Ska du bo kvar i huset?

– Jag vet inte om jag har råd.

Flickan på hennes arm hade nästan somnat. Ann-Britt la försiktigt ner henne på soffan.

– Jag tänker alldeles strax visa dig en teckning, sa Wallander. Men först har jag en fråga om Carl-Einar Lundberg. Du har inte träffat honom. Men du har sett fotografier av honom. Och läst igenom gamla protokoll. Kan du påminna dig om det nånstans stod att han hade en tatuering på höger handlov?

Hon behövde inte betänka sig innan hon svarade.

– Han hade en orm tatuerad.

Wallander slog handflatan i soffbordet. Barnet ryckte till och började gråta, men kom av sig och somnade. Äntligen hade de kommit fram till något som visade sig hållbart. Han la teckningen framför henne på bordet.

– Det där är Carl-Einar Lundberg. Utan tvekan. Även om jag inte har sett honom i verkligheten. Hur har du fått tag på det här?

Wallander berättade om Emil. Och om Sonja Hökbergs hittills okända anlag för att teckna.

– Vi kommer förmodligen aldrig att kunna dra honom inför rätta, sa Wallander. Men det är kanske inte heller det viktigaste just nu. Däremot har vi fått fram bevis för att du hade rätt. Din teori håller. Den är inte längre ett provisorium.

– Ändå har jag svårt att tro att hon skulle döda hans far.

– Det kan finnas saker som fortfarande är dolda. Men nu kan vi pressa Lundberg. Och vi utgår ifrån att hon verkligen tog ut sin hämnd på fadern. Eva Persson talar kanske ändå sanning. Det var Sonja Hökberg som både högg och slog. Att Eva Persson är så förfärande kall är en gåta som vi får grubbla över senare.

De begrundade den nya utvecklingen. Till sist var det Wallander som bröt tystnaden.

– Nån blev orolig för att Sonja Hökberg visste nånting som hon kanske skulle tala om för oss. Tre frågor är från och med nu avgörande: Vad var det hon visste? På vilket sätt hade det med Tynnes Falk att göra? Och vem var det som blev rädd?

Flickan som låg på soffan började gnälla. Wallander reste sig.

– Har du träffat Martinsson? frågade hon.

– Nej. Men jag ska göra det nu. Och jag tänker följa ditt råd. Jag ska ingenting säga.

Wallander lämnade huset och skyndade till sin bil.

I ösregnet körde han ner till Runnerströms Torg.

Han satt länge kvar i bilen och samlade kraft.

Sedan gick han upp för att tala med Martinsson.

32

Martinsson mötte Wallander med sitt allra bredaste leende.

– Jag har försökt ringa dig, sa han. Här händer det saker.

Wallander hade öppnat dörren till kontoret där Modin och Martinsson hukade över Falks dator med en stor anspänning i kroppen. Helst av allt hade han velat ge Martinsson en smäll på käften. Och sedan anklaga honom för hans konspiratoriska och falska läggning. Men Martinsson log och styrde genast över intresset på de nyheter han kunde förmedla. Wallander insåg att det samtidigt var en lättnad. Det gav honom andrum. Tids nog skulle ögonblicket vara inne när det bara fanns han själv och Martinsson och den uppgörelse som måste komma. En skymt av ett tänkbart frikännande hade också snuddat vid Wallander när han såg den leende Martinsson. Kanske Ann-Britt trots allt hade misstolkat situationen? Martinsson kunde ha haft helt legitima skäl till att försvinna in på Lisa Holgerssons rum. Hon kunde också ha missuppfattat Martinssons ibland burdusa sätt att uttrycka sig.

Men innerst inne visste han att det inte var sant. Ann-Britt hade inte överdrivit. Hon hade sagt som det var eftersom hon själv varit upprörd.

Samtidigt insåg alltså Wallander att det var den nödutgång han för ögonblicket behövde. Uppgörelsen skulle en dag bli ofrånkomlig. Då den inte längre behövde eller kunde skjutas upp längre.

Wallander gick fram till bordet och hälsade på Robert Modin.

– Vad är det som har hänt? frågade han.

– Robert håller på att rulla upp de elektroniska skyttegravarna, sa Martinsson belåtet. Vi tränger djupare och djupare in i Falks egendomliga men fascinerande värld.

Martinsson erbjöd Wallander fällstolen. Men han föredrog att stå. Martinsson bläddrade bland sina anteckningar medan Robert Modin drack något som såg ut som morotssaft ur en plastflaska.

– Vi har lyckats identifiera ytterligare fyra av dom institutioner som finns med i Falks nätverk. Den första är Indonesiens Riksbank. Robert blir hela tiden avvisad när han försöker bekräfta identiteten. Men vi vet ändå att det är Riksbanken i Jakarta. Be mig bara inte förklara hur. Robert är en häxmästare när det gäller att hitta omvägar.

Martinsson bläddrade vidare.

– Sen har vi en bank i Liechtenstein som heter Lyders Privatbank. Men efter det blir det svårare. Om vi har förstått det hela rätt är två av de kodade identiteter vi lyckats avslöja ett franskt telefonbolag och dessutom ett kommersiellt satellitföretag i Atlanta.

Wallander rynkade pannan.

– Men vad betyder det?

– Tanken från tidigare att det på nåt sätt handlar om pengar står sig rätt bra. Men vad det franska telefonbolaget och satelliterna i Atlanta har med saken att göra är naturligtvis svårt att svara på.

– Ingenting finns här av en tillfällighet, sa Robert Modin plötsligt.

Wallander vände sig mot honom.

– Kan du förklara det för mig på ett begripligt sätt?

– Alla människor ordnar sina bokhyllor på sitt eget vis. Eller sina pärmar med papper. Man lär sig efter hand att upptäcka mönster även i en dator. Han som har organiserat det som finns här har varit mycket noggrann. Det är rent och välstädat. Inga onödigheter. Inte heller några konventionella bokstavsordningar eller nummerföljder.

Wallander avbröt honom.

– Det där måste du förklara tydligare.

– Det vanligaste sätt på vilket en människa organiserar sitt liv är antingen i bokstavsordning eller i nummerordning. A kommer före B och B kommer före C. Ett kommer före två och fem kommer före sju. Här finns ingenting sånt.

– Vad finns det då?

– Nånting annat. Nåt som säger mig att bokstavsordning och nummerföljd saknar betydelse.

Wallander anade nu vad Molin menade.

– Det finns alltså ett annat mönster?

Modin nickade och pekade mot skärmen. Wallander och Martinsson böjde sig framåt.

– Det finns två komponenter som hela tiden dyker upp, fortsatte Modin. Den första jag upptäckte var talet 20. Jag har försökt se vad som händer om jag lägger till ett par nollor. Eller kastar om siffrorna. Då händer det nåt intressant.

Han pekade på skärmen: en tvåa och en nolla.

– Se vad som händer nu.

Modin knappade. Siffrorna markerades. Och försvann.

– Det är som några skygga djur som springer och gömmer sig, sa Modin. Som om man hade riktat en stark lampa mot dom. Då rusar dom tillbaka in i mörkret. Men när jag lämnar dom ifred kommer dom ut igen. På samma plats.

– Hur tolkar du det?

– Att dom på nåt sätt är viktiga. Men det finns en komponent till som beter sig på samma sätt.

Modin pekade på skärmen igen. Den här gången var det en bokstavskombination: »JK.«

– Dom beter sig likadant, sa han. Försöker man klappa på dom springer dom och gömmer sig.

Wallander nickade. Så här långt var han med.

– Dom dyker upp hela tiden, sa Martinsson. Varje gång vi lyckas identifiera en ny institution finns dom där. Men Robert har upptäckt nånting annat som är det verkligt intressanta.

Wallander höll tillbaka dem medan han putsade sina glasögon.

– Dom gömmer sig om man försöker röra dom, sa Modin. Men om man låter dom vara ifred så upptäcker man att dom flyttar sig.

Han pekade igen.

– Den första koden vi knäckte låg först i Falks organisation. Då befinner sig dom här nattdjuren överst i första kolumnen.

– Nattdjuren?

– Vi har gett dom namn, sa Martinsson. Vi tyckte »nattdjuren« var passande.

– Fortsätt.

– Den andra identiteten vi lyckades locka fram ligger ett steg ner i andra kolumnen. Då har dom flyttat sig mot höger och snett neråt. Fortsätter man vidare genom listan upptäcker man att dom rör sig mycket regelbundet. Målmedvetet skulle man kunna säga. Dom är på väg ner mot höger hörn.

Wallander sträckte på ryggen.

– Det här säger oss ändå ingenting om vad alltihop handlar om.

– Det är inte klart än, sa Martinsson. Det är nu det blir verkligt intressant. Och kusligt.

– Jag hittade plötsligt en tidpuls, sa Modin. Dom här djuren har rört sig sen igår. Det innebär att det ligger en osynlig klocka och tickar här inne nånstans. Jag roade mig med att göra en kalkyl. Om man utgår från att övre vänstra hörnet representerar noll och att det sammanlagt finns 74 identiteter i nätverket. Och att talet 20 representerar ett datum. Förslagsvis den 20 oktober. Då ser man plötsligt följande.

Modin knappade tills en ny text kom fram på skärmen. Wallander läste namnet på satellitföretaget i Atlanta. Modin pekade på de två komponenterna.

– Den här ligger som nummer fyra från slutet, sa han. Och idag är det såvitt jag vet fredagen den 17 oktober.

Wallander nickade långsamt.

– Du menar att utgången är nu på måndag? Att dom här djuren då har nått slutet på sin vandring? Till den punkt som kallas »20«?
– Det är i alla fall tänkbart.
– Men den andra komponenten? »JK«? Hur definierar vi den? 20 är ett datum. Men vad betyder »JK«?
Ingen kunde ge något svar. Wallander gick vidare.
– Måndagen den 20 oktober. Vad händer då?
– Jag vet inte, sa Modin enkelt. Men alldeles klart är att det pågår nån sorts process. En nerräkning.
– Man kanske helt enkelt skulle dra ur sladden, sa Wallander.
-Eftersom vi sitter vid en terminal hjälper inte det, invände Martinsson. Vi kan inte heller se nätverket. Vi vet alltså inte om det är en eller flera servrar som förser oss med information.
– Låt oss anta att nån tänker spränga en sorts bomb, sa Wallander. Var styrs det ifrån? Om det inte är här?
– Nån annanstans. Det här behöver inte ens vara en kontrollstation.
Wallander tänkte efter.
– Det betyder att vi börjar förstå nånting. Men vi vet inte alls vad det är vi förstår.
Martinsson nickade.
– Vi måste med andra ord ta reda på vad dom här bankerna och telebolagen har för samband. Och sen försöka leta oss fram till en gemensam nämnare.
– Det behöver inte vara den 20 oktober, sa Modin. Det kan naturligtvis vara nånting annat. Det var bara ett förslag till tolkning.
Wallander fick plötsligt en känsla av att de befann sig på helt fel väg. Kanske var föreställningen om att lösningen låg gömd i Falks dator helt felaktig? Nu visste de att Sonja Hökberg hade blivit våldtagen. Mordet på Lundberg kunde vara en missriktad och desperat hämnd. Och Tynnes Falk kunde fortfarande ha dött en naturlig död. Allt annat som skett, inklusive Landahls död, kunde ha förklaringar som just nu var okända, men som vid en senare tidpunkt skulle kunna visa sig vara helt rimliga.
Wallander kände sig osäker. Tvivlet som kommit över honom var mycket starkt.
– Vi måste gå igenom det här på nytt, sa han. Från början till slut.
Martinsson betraktade honom häpet.
– Ska vi avbryta?
– Vi måste försöka genomlysa det här från grunden igen. Det har hänt saker som du inte blivit informerad om.
De gick ut i trappuppgången. Wallander gjorde en sammanfatt-

ning av det de kommit fram till om Carl-Einar Lundberg. Han märkte att han nu kände sig osäker i Martinssons sällskap, men han försökte dölja det så gott han kunde.

– Vi ska alltså flytta Sonja Hökberg lite åt sidan, slutade han. Jag lutar mer och mer åt att nån var rädd för nåt hon eventuellt visste om nån annan.

– Hur förklarar du då Landahls död?

– Dom hade varit tillsammans. Det Sonja Hökberg kunde tänkas veta kunde också Landahl ha känt till. Och på nåt sätt har det med Falk att göra.

Han berättade om det som hade hänt hemma hos Siv Eriksson.

– Det kan också paras ihop med det övriga, sa Martinsson.

– Men det förklarar inte reläet. Det förklarar inte att Falks kropp fördes bort. Och det förklarar heller inte varför Hökberg och Landahl har blivit mördade. På en transformatorstation och i botten på en färja. Det finns nåt desperat i det hela. Nåt desperat men samtidigt kallt och beräknande. Nåt försiktigt men samtidigt hänsynslöst. Vilka människor beter sig på det sättet?

Martinsson tänkte efter.

– Fanatiker, sa han. Övertygade människor. Som mist kontrollen över sin egen övertygelse. Sekterister.

Wallander pekade inåt Falks kontor.

– Där inne finns ett altare där en människa tillbad sig själv. Vi har dessutom talat om att det fanns drag av offerritual över Sonja Hökbergs död.

– Det här leder oss ändå tillbaka till innehållet i datorn, sa Martinsson. Det pågår en process. Nånting kommer förr eller senare att hända.

– Robert Modin har gjort ett utmärkt arbete, sa Wallander. Men nu har tiden kommit att ta kontakt med Rikskrim. Vi kan inte ta risken att det händer nåt på måndag som nån där uppe faktiskt skulle ha kunnat analysera sig fram till.

– Vi ska alltså koppla bort Robert?

– Jag tror det är bäst. Jag vill att du genast tar kontakt med Stockholm. Helst av allt bör nån komma hit redan idag.

– Men det är fredag?

– Det struntar vi i. Vad som betyder nåt är att på måndag är det den 20.

De återvände in. Wallander förklarade för Modin att han hade gjort ett strålande arbete. Men att han inte längre behövdes. Wallander kunde se att Modin blev besviken. Men han sa ingenting. Istället började han genast avsluta sitt arbete.

Både Wallander och Martinsson vände ryggen till. Lågmält diskuterade de hur Modin skulle få ersättning för sin insats. Wallander lovade att ta sig an saken.

Ingen av dem upptäckte att Modin under tiden snabbt kopierade över det material som var tillgängligt till sin egen dator.

De skildes i regnet. Martinsson skulle köra Modin hem till Löderup.

Wallander tog i hand och tackade honom.

Sedan for han upp till polishuset. Tankarna malde runt i hans huvud. Samma kväll skulle Elvira Lindfeldt från Malmö komma på besök. Det gjorde honom både upprymd och nervös. Men innan dess måste de ha hunnit gå igenom utredningsmaterialet på nytt. Våldtäkten hade dramatiskt förändrat förutsättningarna.

När Wallander steg in i receptionen reste sig en man som satt i en soffa och väntade. Han kom fram och presenterade sig som Rolf Stenius. Wallander kände igen namnet, men det var först när Stenius berättade att han varit Tynnes Falks revisor som han kom ihåg.

– Jag borde naturligtvis ha ringt innan, sa Stenius. Men jag skulle ändå hit till Ystad på ett möte, som sen blev inställt.

– Tyvärr är tidpunkten olycklig, sa Wallander. Men en liten stund har jag.

De satte sig i hans rum. Rolf Stenius var en man i hans egen ålder, tunnhårig och magerlagd. Wallander hade på någon minneslapp sett att Hansson varit i kontakt med honom. Ur sin portfölj tog han upp en plastficka med papper.

– Jag hade naturligtvis redan blivit informerad om att Falk avlidit när jag blev kontaktad av er.

– Av vem fick du reda på det?

– Falks före detta hustru.

Wallander nickade åt honom att fortsätta.

– Jag har gjort en sammanställning av dom två senaste årens bokslut. Samt en del annat som kanske kan vara av intresse.

Wallander tog emot plastmappen utan att se på den.

– Var Falk en förmögen man? frågade han.

– Det beror naturligtvis på vad man tycker är mycket pengar. Han hade ungefär 10 miljoner i tillgångar.

– Då bedömer jag att han var förmögen. Hade han skulder?

– Obetydliga. Dessutom var hans kostnader inte särskilt omfattande.

– Hans inkomster kom alltså från olika konsultuppdrag?

– Jag har lagt med en sammanställning.

– Var det nån kund som betalade särskilt mycket?

– Han hade en del uppdrag i USA. De betalades bra men det var ändå inte alltför uppseendeväckande summor.

– Vad var det för uppdrag?

– Han hjälpte en landsomfattande kedja av reklambyråer. »Moseson and Sons.« Det var tydligen några grafiska program som han förbättrade.

– Och mer?

– En whiskyimportör som heter DuPont. Såvitt jag minns gällde det konstruktion av ett avancerat lagerhållningsprogram.

Wallander tänkte efter. Han märkte att han hade svårt att koncentrera sig.

– Växte hans tillgångar långsammare det senaste året?

– Det kan man knappast påstå. Han gjorde alltid kloka investeringar. La aldrig alla ägg i samma korg. Fonder i Sverige, Norden och USA. En relativt stor kapitalreserv. Han ville alltid ha en god likviditet. En del aktier. Ericsson mest.

– Vem skötte hans placeringar?

– Det gjorde han själv.

– Hade han några tillgångar i Angola?

– Var nånstans?

– I Angola.

– Inte som jag känner till.

– Kan han ha haft det utan att du visste om det?

– Givetvis. Men jag tror det inte.

– Varför?

– Tynnes Falk var en mycket ärlig man. Han menade att man skulle betala sina skatter. Jag föreslog vid nåt tillfälle att han borde överväga att skriva sig utomlands, eftersom skattetrycket i vårt land är högt. Men den idén tyckte han inte om.

– Vad hände då?

– Han blev arg. Hotade med att byta revisor om jag kom med ett liknande förslag igen.

Wallander kände att han just nu inte orkade mer.

– Jag ska läsa igenom pappren, sa han. Så fort jag hinner.

– Ett beklagligt frånfälle, sa Stenius och stängde portföljen. Falk var en trevlig man. Reserverad, kanske. Men trevlig.

Wallander följde honom ut.

– Ett aktiebolag måste ha en styrelse, sa han. Vilka satt i den?

– Naturligtvis han själv. Dessutom min kontorschef. Och min sekreterare.

– Dom hade alltså regelbundna styrelsemöten.

– Jag organiserade det nödvändiga per telefon.
– Man behöver alltså inte träffas?
– Det räcker att man utväxlar papper och underskrifter.
Stenius lämnade polishuset. Utanför porten fällde han upp sitt paraply. Wallander återvände till sitt rum och undrade plötsligt om någon ännu hade haft tid att tala med Falks barn. Vi hinner inte ens med det viktigaste, tänkte han. Trots att vi arbetar oss halvt fördärvade växer högarna. Det svenska rättssamhället håller på att förvandlas till en unken lagerlokal där väggarna bågnar av outredda brott.

Halv fyra denna fredagseftermiddag hade Wallander spaningsgruppen samlad. Nyberg hade anmält förhinder. Enligt Ann-Britt hade han drabbats av yrsel. De började mötet med att dystert fråga sig vem som först skulle drabbas av en hjärtinfarkt. Sedan gjorde de en grundlig genomgång av vilka konsekvenser det fick för utredningen att Sonja Hökberg en gång sannolikt blivit våldtagen av Carl-Einar Lundberg. På Wallanders direkta uppmaning deltog Viktorsson i mötet. Han lyssnade men ställde inga frågor. När Wallander begärde att Lundberg skulle kallas in till ett samtal så fort som möjligt nickade han sitt bifall. Wallander uppmanade också Ann-Britt att intensifiera arbetet med att utröna om Lundbergs far på något sätt kunde ha varit inblandad i det som hänt.
– Var han också på henne? frågade Hansson förvånat. Vad är det där för en familj egentligen?
– Vi måste veta det här exakt, sa Wallander. Det får inte finnas den minsta lucka.
– En ställföreträdande hämnd, sa Martinsson. Jag kan inte rå för det, men jag har fortfarande svårt att smälta att det kan vara sant.
– Vi talar inte om vad du ska smälta, svarade Wallander. Vi talar om vad som faktiskt kan ha hänt.
Wallander märkte att han blivit skarp i tonen. Det syntes att även de andra kring bordet upptäckt det. Wallander skyndade sig att bryta tystnaden. Han fortsatte att tala med Martinsson men nu i vänligare ton.
– Rikskrim, sa han. Deras dataexperter. Vad händer?
– Dom blev naturligtvis griniga när jag insisterade på att dom måste skicka ner nån redan i morgon. Men det kommer en med ett plan klockan nio.
– Har han nåt namn?
– Han heter faktiskt Hans Alfredsson.
En viss munterhet utbröt i rummet. Martinsson lovade att häm-

ta Alfredsson på Sturup och sätta honom in i det som hade hänt.
– Klarar du att få upp allting i datorn? frågade Wallander.
– Ja. Jag har antecknat hela tiden.

De fortsatte arbetet till klockan sex. Trots att det mesta fortfarande var mycket oklart, motstridigt och i största allmänhet svävande, hade Wallander en känsla av att spaningsgruppen fortfarande var vid gott mod. Han visste hur viktigt det varit att komma åt händelsen i Sonja Hökbergs förflutna. Det hade skapat den öppning de så väl hade behövt. Innerst inne hoppades nog också alla på den expert Rikskrim skickade ner.

De avslutade mötet med att tala om Jonas Landahl. Hansson hade haft den obehagliga uppgiften att informera föräldrarna som mycket riktigt befunnit sig på Korsika. De var nu på väg hem. Nyberg hade lämnat ett papper till Ann-Britt där han helt kort meddelat att han var säker på att Sonja Hökberg hade färdats i Landahls bil och att det var den som lämnat avtryck efter sig vid transformatorstationen. De visste nu också att Jonas Landahl aldrig tidigare hade haft med polisen att göra. Men de uteslöt inte, som Wallander noga framhöll, att Landahl faktiskt kunde ha varit med den gång Falk hade blivit gripen för att ha släppt ut minkar från farmen vid Sölvesborg.

Ändå var det som om de stod intill en avgrund där det en gång funnits en bro som sedan rasat. Steget från att släppa ut minkar till att mörda eller själv bli mördad var mycket långt. Wallander återkom flera gånger under eftermiddagen till sin syn på händelserna. Att det fanns något som både var brutalt och samtidigt behärskat i det som skett. Offertanken kunde de heller inte överge. Ann-Britt ställde mot slutet av mötet frågan om de inte eventuellt också borde be om hjälp från Stockholm med att få information kring olika radikala miljögrupper. Martinsson, vars dotter Terese var vegan och dessutom med i Fältbiologerna, menade att det var orimligt att tänka sig att de skulle kunna ligga bakom de brutala morden. För andra gången denna dag svarade Wallander honom med skärpa i rösten. De kunde inte utesluta någonting. Så länge de inte mycket precist kunde definiera ett centrum och ett klart avgränsat motiv måste de följa alla spår på en och samma gång.

Det var när de kommit så långt som luften gick ur mötet. Wallander slog handflatan i bordet som tecken på att de nu skulle bryta upp. Men under lördagen skulle de träffas igen. Wallander hade bråttom att ge sig iväg. Han behövde städa lägenheten innan Elvira Lindfeldt kom. Men han stannade ändå till i sitt rum och ringde hem till Nyberg. Det dröjde så länge innan han svarade att Wallander hade hunnit få onda aningar. Till slut grep han dock luren, ilsken som vanligt, och Wallander kunde andas ut. Nyberg mådde bättre nu. Yrseln var borta. Dagen efter skulle han vara igång igen. Med all sin vresiga energi.

Wallander hade precis hunnit städa lägenheten och göra sig själv i ordning när telefonen ringde. Elvira Lindfeldt satt i sin bil på väg mot Ystad och hade just passerat avfarten mot Sturup. Wallander hade beställt bord på en av stadens restauranger. Han förklarade hur hon skulle köra för att komma till Stora torget. När han la på telefonluren gjorde han det med så slarviga och nervösa rörelser att apparaten åkte i golvet. Han ställde svärande upp den igen och påminde sig samtidigt att han avtalat med Linda att hon skulle ringa denna kväll. Efter stor tvekan läste han in ett meddelande på telefonsvararen och uppgav numret till restaurangen. Risken fanns att någon journalist skulle höra av sig. Men just nu trodde han ändå den var ganska liten. Historien med örfilen tycktes för tillfället ha förlorat i intresse för kvällstidningarna.

Sedan lämnade han lägenheten. Han lät bilen stå. Det hade slutat regna. Blåsten hade avtagit. Wallander gick in mot centrum. En vag känsla av besvikelse fanns inom honom. Hon hade tagit bil. Det tydde på att hon bestämt sig för att återvända till Malmö. Vad han egentligen och innerst inne hade förväntat sig behövde han inte betvivla. Besvikelsen var samtidigt lindrig. Trots allt var han för en gångs skull på väg att äta middag i sällskap med en kvinna.

Han ställde sig utanför bokhandeln och väntade. Efter fem minuter såg han henne komma gående nerifrån Hamngatan. Förlägenheten från kvällen innan återvände. Han kände sig bortkommen inför hennes direkthet. När de gick uppför Norregatan till restaurangen stack hon plötsligt armen under hans. Det var just som de passerade det hus där Svedberg hade bott. Wallander stannade och berättade hastigt vad som hade hänt den gången. Hon lyssnade uppmärksamt.

– Hur tänker du nu på det? frågade hon när han tystnat.

– Jag vet inte. Nånting drömlikt. Som en händelse jag inte är riktigt säker på att den verkligen har inträffat.

Restaurangen var liten och hade öppnats ett år tidigare. Wallander hade aldrig varit där. Men Linda hade talat om den. De gick in i den trånga lokalen. Wallander hade förväntat sig att varje bord skulle vara upptaget. Men där satt bara några få gäster utspridda.

–Ystad är ingen stad där man går ut, sa han ursäktande. Men det lär vara bra här.

En servitris som Wallander kände igen från Continental visade dem till bordet.

– Du kom i bil, sa Wallander med vinlistan i handen.

– Jag kom i bil och jag åker tillbaka ikväll.

– Då dricker jag vin den här gången, sa Wallander.

– Vad säger polisen om promillegränser?

– Att det bästa nog är att alldeles låta bli om man ska köra bil. Men att ett glas nog går. Om man äter samtidigt. Fast vi kan naturligtvis gå upp till polishuset efteråt och blåsa i ballong.

Middagen var vällagad. Wallander drack vin och märkte att han låtsades truga sig själv när han beställde ytterligare ett glas. Samtalet kom i hög grad att kretsa kring hans arbete. För en gångs skull märkte han att han tyckte om det. Han berättade om hur han en gång börjat som patrullerande polisman i Malmö, hur han varit nära att bli knivhuggen till döds, och hur det hade förvandlats till en besvärjelse som alltid följde honom. Hon frågade om det han höll på med just nu, och han blev alltmer övertygad om att hon inte kände till den olycksaliga bild som funnits i tidningarna. Han berättade om det märkliga dödsfallet i transformatorstationen, mannen som legat död utanför en bankomat, och pojken under propelleraxeln i en av Polenfärjorna.

De hade just beställt kaffe när dörren till restaurangen öppnades.

Robert Modin kom in.

Wallander upptäckte honom genast. Robert Modin såg sig omkring. När han upptäckte att Wallander inte var ensam blev han tveksam. Men Wallander vinkade honom till sig. Han presenterade Elvira. Robert Modin sa sitt namn. Wallander märkte att han var orolig. Han undrade vad som hade hänt.

– Jag tror jag har kommit på nånting, sa Modin.

– Om ni vill tala med varandra ensamma kan jag flytta på mig, sa Elvira.

– Det behövs inte.

– Jag bad farsan köra mig in från Löderup, sa Modin. Jag hade hört din telefonsvarare. Och numret gick hit.

– Du sa att du hade kommit på nånting?

– Det är svårt att förklara utan att ha datorn framför sig. Men jag tror jag har kommit på hur man kan smita förbi dom koder vi hittills inte har lyckats forcera.

Wallander insåg att Modin var övertygad.

– Ring till Martinsson imorgon, sa han. Jag ska också tala med honom.

– Jag är ganska säker på att jag har rätt.

– Du behövde inte ha åkt ända hit, sa Wallander. Du kunde ha lämnat besked på telefonsvararen.

– Jag blev kanske lite upphetsad. Jag blir det ibland.

Modin nickade osäkert mot Elvira. Wallander tänkte att han borde tala mer ingående med honom. Men ingenting skulle ändå kunna ske förrän dagen efter. Dessutom ville han vara ifred just nu. Robert Modin förstod vad som gällde. Han försvann ut genom dörren igen. Samtalet hade tagit högst två minuter.

– En begåvad ung man, sa Wallander. Robert Modin är ett datasnille. Han hjälper oss med delar av utredningen.

Elvira Lindfeldt log.

– Han verkade vara mycket nervös. Men han är säkert mycket duktig.

De lämnade restaurangen vid midnatt. Sakta promenerade de tillbaka mot Stortorget. Hon hade parkerat sin bil på Hamngatan.

– Jag har haft mycket trevligt, sa hon när de skildes vid bilen.

– Du har alltså inte tröttnat på mig än?

– Nej. Och inte du på mig?

Wallander ville hålla henne kvar. Men han insåg att det inte skulle gå. De bestämde att talas vid igen under helgen.

Han gav henne en kram. Hon for. Wallander gick hem. Plötsligt stannade han. Kan det verkligen vara möjligt, tänkte han. Att någon trots allt har kommit i min väg? På ett sätt jag nästan slutat hoppas på?

Han fortsatte hem mot Mariagatan. Strax efter ett hade han somnat.

*

Elvira Lindfeldt körde mot Malmö genom natten. Strax före Rydsgård körde hon in på en parkeringsplats. Hon tog upp sin mobiltelefon.

Det nummer hon knappade in gick till en abonnent i Luanda.

Hon försökte tre gånger innan hon fick kontakt. Ledningarna brusade. När Carter svarade hade hon förberett vad hon skulle säga.

– Fu Cheng hade rätt. Den person som håller på att döda systemet heter Robert Modin. Han bor på en liten plats utanför Ystad som heter Löderup.

Två gånger upprepade hon sitt meddelande. Sedan var hon säker på att mannen som befann sig i Luanda hade uppfattat det hon sagt.

Samtalet bröts.

Elvira Lindfeldt svängde ut på vägen igen och fortsatte mot Malmö.

33

På lördagsmorgonen ringde Wallander till Linda.

Som vanligt hade han vaknat tidigt. Men han hade lyckats somna om och steg inte upp förrän strax efter åtta. När han hade ätit frukost slog han numret till hennes bostad i Stockholm. Han väckte henne. Hon frågade genast varför han inte varit hemma kvällen innan. Hon hade två gånger försökt ringa det telefonnummer han uppgett på telefonsvararen. Men det hade varit upptaget. Wallander bestämde sig hastigt för att säga som det var. Hon lyssnade utan att avbryta honom.

– Det trodde jag aldrig om dig, sa hon när han tystnat. Att du skulle ha så mycket vett i huvudet att du gjorde som jag sa.

– Jag tvekade länge.

– Men inte nu längre?

Hon frågade om Elvira Lindfeldt. Det blev ett långt samtal. Men hon var glad för hans skull, även om han hela tiden försökte dämpa hennes förhoppningar. Det var för tidigt, menade han. För honom var det mer än nog att ha sluppit äta ensam någon kväll.

– Det där är inte sant, sa hon bestämt. Jag känner dig. Du hoppas att det här ska bli mycket mer. Och det gör jag också.

Sedan bytte hon hastigt ämne. Och hon gick rakt på sak.

– Jag vill att du ska veta att jag såg om dig i tidningen. Jag blev naturligtvis chockad. Det var nån på krogen som visade mig och frågade om du var min pappa.

– Vad sa du då?

– Jag tänkte säga nej. Men det gjorde jag inte.

– Det var ju snällt.

– Jag bestämde mig för att det helt enkelt inte kunde vara sant.

– Det var det inte heller.

Han beskrev vad som verkligen hade inträffat. Berättade om den internutredning som pågick och att han räknade med att sanningen trots allt skulle komma fram.

– Det är viktigt att jag får veta det här, sa hon. Just nu är det viktigt.

– Varför det?

– Det kan jag inte svara på. Inte än.

Wallander blev genast nyfiken. Han hade under de senaste månaderna haft en misstanke om att Linda på nytt hade börjat svänga i sina ambitioner inför framtiden. Vad hon egentligen ville ägna sig åt. Han hade försökt fråga men aldrig fått något riktigt svar.

De avslutade samtalet med att tala om när hon skulle kunna komma till Ystad på besök. I mitten av november trodde hon, inte förr.

När Wallander lagt på luren påminde han sig den bok som väntade på att bli avhämtad. Den som handlade om möbeltapetseringens historia. Nu undrade han om hon någonsin skulle förverkliga sina planer på att utbilda sig ordentligt och sedan försöka etablera sig i Ystad.

Hon tänker på någonting annat nu, sa han sig. Och av någon anledning vill hon ännu inte tala om för mig vad det är.

Han insåg det lönlösa i att grubbla. Istället satte han på sig sin osynliga uniform och blev polis igen. Han såg på klockan. Tjugo minuter över åtta. Martinsson borde befinna sig på Sturup snart för att ta emot den man som hette Alfredsson. Wallander tänkte på hur Robert Modin plötsligt hade dykt upp på restaurangen kvällen innan. Han hade verkat mycket säker på sin sak. Wallander funderade en stund fram och tillbaka.

Det fanns ett motstånd hos honom att ta något mer än absolut nödvändiga kontakter med Martinsson. Fortfarande vacklade han i sina föreställningar om vad som var sant eller inte i det Ann-Britt hade sagt. Även om det var önsketänkande ville han att det skulle vara fel. Att mista Martinsson som vän skulle skapa en nästan omöjlig arbetssituation. Sveket skulle bli för tungt att bära. Samtidigt fanns oron där för att det faktiskt pågick någonting. En rörelse som var osynlig för honom själv. Men som kunde innebära att hans position dramatiskt kom att förändras. Det gjorde honom både upprörd och bitter. Inte minst sårade det hans fåfänga. Det var han som hade lärt upp Martinsson, på samma sätt som Rydberg en gång hade gjort honom själv till den han var. Men Wallander hade aldrig intrigerat för att minska eller ifrågasätta Rydbergs självklara auktoritet.

Kåren är ett näste, tänkte han ilsket. Med avundsjuka, baksnack och intriger. Ändå har jag inbillat mig att jag lyckats klara mig från att dras in i det. Men nu verkar det plötsligt som om jag befinner mig mitt inne i centrum. Som en furste vars tronpretendent verkar bli alltmer otålig.

Trots motståndet ringde han till Martinssons mobiltelefon. Robert Modin hade åkt in från Löderup kvällen innan. Han hade tvingat sin far att köra honom. De måste ta honom på allvar. Kanske hade han redan ringt till Martinsson. Om inte skulle Wallander be denne ta kontakt. Martinsson svarade genast. Han hade precis parkerat och var nu på väg mot flygplatsbyggnaden. Modin hade inte ringt. Wallander fattade sig kort.

– Lite underligt verkar det, sa Martinsson. Hur har han kunnat komma på nånting utan att ha tillgång till datorn?

– Det får du fråga honom om.

– Han är lurig, sa Martinsson. Fan vet om han inte kopierat över en del material till sin egen dator.

Martinsson lovade att ringa honom. De avtalade att höras vid senare under förmiddagen.

Wallander avslutade samtalet och tänkte att Martinsson hade verkat precis som vanligt. Antingen är han betydligt skickligare på att förställa sig än jag kunnat ana, tänkte Wallander. Eller också är det något fel med det Ann-Britt sa.

Kvart i nio steg Wallander in genom polishusets port. När han kom till sitt rum låg en lapp på hans bord om att Hansson genast ville tala med honom. »Något har dykt upp«, hade Hansson textat med sin spretiga stil. Wallander suckade över hans oförmåga att vara mer precis. »Något« dök alltid upp. Frågan var vad.

Kaffeautomaten hade blivit lagad. Nyberg satt vid ett bord och åt filmjölk. Wallander slog sig ner mittemot.

– Om du frågar om yrseln går jag, sa Nyberg.

– Då låter jag bli.

– Jag mår bra, sa han. Men jag längtar efter min pension. Även om den blir liten.

– Vad ska du göra då?

– Knyta ryamattor. Läsa böcker. Gå i fjällen.

Wallander visste att ingenting av det han sa var sant. Att Nyberg var sliten och trött tvivlade han inte på. Men samtidigt fruktade han nog sin pensionering mer än något annat.

– Har det kommit nånting från Patologen om Landahl?

– Han dog cirka tre timmar innan färjan slog till kaj. Vilket väl innebär att den som dödade honom fanns kvar på båten. Om han inte hade hoppat i sjön förstås.

– Det var naturligtvis ett misstag av mig, erkände Wallander. Vi skulle ha kontrollerat alla som var med ombord.

– Vi skulle ha valt ett annat yrke, sa Nyberg. Jag ligger ibland på nätterna och försöker räkna efter hur många gånger jag har varit med om att plocka ner resterna efter folk som har hängt sig. Bara det. Inte dom som har skjutit sig, eller dränkt sig, hoppat från hustak, sprängt sig i bitar eller tagit gift. Utan bara dom som har hängt sig. I rep, tvättlinor eller ståltråd, ja till och med taggtråd en gång. Jag kommer inte ihåg hur många det är. Hela tiden vet jag att jag glömmer dom flesta. Och sen tänker jag att det är vansinne. Varför ska jag ligga och försöka minnas allt elände jag tvingats trampa omkring i?

– Det där är aldrig bra, sa Wallander. Risken är stor att man blir avtrubbad.

Nyberg la ner skeden och såg på Wallander.

– Vill du påstå att du inte redan är det? Avtrubbad?

– Jag hoppas att jag inte är det.

Nyberg nickade. Men han sa ingenting. Wallander bestämde sig för att det var bäst att lämna honom ifred. Dessutom behövde han aldrig styra Nybergs göranden och låtanden. Han var grundlig och organiserade sitt arbete väl. Han visste vad som var bråttom och vad som vid varje enskilt tillfälle kunde vänta.

– Jag har tänkt, sa Nyberg plötsligt. På det ena och det andra.

Wallander visste av erfarenhet att Nyberg ibland kunde visa prov på oväntat skarpsinne även när det gällde sådant som inte omedelbart tillhörde hans specialområde. Vid mer än ett tillfälle hade Nybergs reflexioner vridit en hel utredning åt rätt håll.

– Vad är det du har tänkt?

– Det där reläet som låg på båren. Väskan som slängts vid staketet. Kroppen som fördes tillbaka till bankomaten. Utan två fingrar. Vi letar efter en förklaring på vad det betyder. Vi strävar efter att få det att passa in i ett mönster. Är det inte så?

Wallander nickade.

– Vi försöker. Men vi lyckas inte särskilt väl. I alla fall inte än så länge.

Nyberg skrapade upp resterna av filmjölken ur tallriken innan han fortsatte.

– Jag talade med Ann-Britt. Om mötet igår när jag inte var med. Hon sa att du hade talat om att det fanns nåt dubbeltydigt i det som skedde. Ungefär som om en människa försöker tala två språk samtidigt. Du sa att det fanns nåt både beräknande och tillfälligt i det som hände. Nåt hänsynslöst och nåt försiktigt. Förstod jag det rätt?

– Det var ungefär så jag sa.

– I mina öron låter det som nåt av det vettigaste som sagts hittills under den här utredningen. Vad händer om man tar fasta på det? Att det finns inslag av både beräkning och tillfälligheter?

Wallander skakade på huvudet. Han hade ingenting att säga. Han föredrog att lyssna.

– En tanke for genom mitt huvud. Att vi kanske försöker tolka för mycket. Vi upptäcker plötsligt att mordet på taxichauffören kanske inte alls har med saken att göra. På annat sätt än att Sonja Hökberg är skyldig. Egentligen är det vi som börjar spela en huvudroll. Polisen.

– Vad hon eventuellt säger till oss? Nån blir rädd?

– Inte bara det. Vad händer om vi börjar sålla bland dom här händelserna? Och frågar oss om en del av det som hänt inte alls har med saken att göra? Att det egentligen bara är utlagda villospår?

Wallander insåg nu att Nyberg höll på att utveckla något som kunde vara viktigt.

– Vad tänker du på?

– Först och främst naturligtvis reläet på den tomma båren.

– Vill du med det säga att Falk inte alls hade med mordet på Hökberg att göra?

– Inte riktigt. Men nån vill få oss att tro att Falk hade mycket mer med det att göra än vad som verkligen var fallet.

Wallander började nu bli intresserad på allvar.

– Eller kroppen som plötsligt återvände, fortsatte Nyberg. Med två fingrar bortskurna. Vi grubblar kanske för mycket på varför det har skett. Låt oss anta att det inte betyder nånting. Var hamnar vi då?

Wallander tänkte efter.

– Vi hamnar i ett kärr där vi inte vet var vi ska sätta fötterna.

– Det är en bra liknelse, sa Nyberg gillande. Jag trodde aldrig att nån skulle kunna överträffa Rydberg när det gällde att skapa träffsäkra bilder för olika situationer. Men frågan är om du inte slår honom. Vi klafsar alltså omkring i ett kärr. Precis där nån vill att vi ska vara.

– Vi bör alltså ta oss upp på fasta marken? Är det så du menar?

– Jag tänker på grinden. Där ute vid transformatorstationen. Den var uppbruten. Vi grubblar ihjäl oss över varför den var uppbruten när den inre dörren hade blivit upplåst.

Wallander förstod. Nyberg hade verkligen närmat sig något viktigt. Wallander märkte att han blev irriterad. Han borde ha reagerat själv långt tidigare.

– Du menar alltså att den som låste upp den inre dörren även låste upp grinden. Men att han bröt upp den sen för att skapa förvirring?

– Det kan knappast finnas nån enklare förklaring.

Wallander nickade erkännande.

– Bra tänkt, sa han. Du gör mig nästan generad. Att jag inte sett den möjligheten tidigare.

– Du kan knappast tänka på allt, svarade Nyberg undvikande.

– Har du fler detaljer som vi kanske bör betrakta som slagg? Utan annat värde än att dom är utlagda för att förvirra oss?

– Man får gå försiktigt fram, sa Nyberg. Så man inte kastar ut det som är viktigt. Och behåller sånt som ingenting betyder.

– Alla exempel kan vara betydelsefulla.

– Det här var nog det viktigaste. Och jag påstår inte att jag har rätt. Jag bara tänker högt.

– Det är i alla fall en idé, sa Wallander. Det ger oss ändå ytterligare ett utsiktstorn att klättra upp i.

– Jag har ofta tänkt på vårt arbete som att vi är målare som står framför våra stafflier, sa Nyberg. Vi drar några streck, fyller i lite färg och tar ett steg bakåt för att få överblick. Sen går vi framåt igen och fortsätter. Jag undrar om inte det där steget bakåt är det viktigaste. Att det är då vi verkligen ser vad det är vi har framför ögonen.

– Konsten att se det man ser, sa Wallander. Det här borde du tala om på Polishögskolan.

Nyberg var full av förakt när han svarade.

– Vad tror du unga polisaspiranter bryr sig om vad en gammal utsliten kriminaltekniker har att säga?

– Mer än du tror. Dom lyssnade faktiskt på mig när jag var där för nåt år sen.

– Jag ska pensionera mig, sa Nyberg strängt. Jag ska knyta ryamattor och gå i fjällen. Ingenting annat.

I helvete du ska, tänkte Wallander. Men det sa han naturligtvis inte. Nyberg reste sig från bordet för att markera att samtalet var slut. Han ställde sig att diska sin tallrik. Det sista Wallander hörde när han lämnade matrummet var hur Nyberg svor över att diskborsten var dålig.

Wallander fortsatte sin avbrutna promenad. Det var Hansson han ville ha tag på. Dörren till hans rum stod på glänt. Wallander såg hur han satt och fyllde i någon av de otaliga spelkuponger han alltid var upptagen med. Hansson levde i en allt otåligare väntan på att något av de komplicerade systemen skulle slå in och göra honom rik. Den dag hästarna sprang som han önskade skulle han drabbas av den stora och efterlängtade nåden.

Wallander knackade och gav Hansson möjlighet att gömma undan spelkupongerna innan han petade upp dörren med foten och steg in.

– Jag såg din lapp, sa han.

– Mercedesbussen har dykt upp.

Wallander lutade sig mot dörrposten medan Hansson letade i sitt växande kaos av papper.

– Jag gjorde som du sa. Gick in i registren igen. Igår anmälde en liten uthyrningsfirma i Malmö att dom misstänkte att en av deras bilar hade blivit stulen. En mörkblå Mercedesbuss. Den skulle ha återlämnats i onsdags. Firman heter »Bil- och Lastvagnsservice«. Dom har kontor och uppställningsplats i Frihamnen.

– Vem hade hyrt den?

– Du kommer att tycka om svaret, sa Hansson. En man med asiatiskt utseende.

– Som hette Fu Cheng? Och betalade med American Express?

– Just precis det.

Wallander nickade sammanbitet.

– Han måste ha uppgett en adress?

– Hotell S:t Jörgen. Men på uthyrningsfirman hade dom naturligtvis gjort en kontroll när dom börjat misstänka att allt inte stod rätt till. Hotellet hade aldrig haft en gäst med det namnet.

Wallander rynkade pannan. Det var något som inte stämde.

– Verkar inte det egendomligt? Mannen som kallar sig Fu Cheng tar knappast risken att man undersöker om han verkligen bor där han har uppgivit.

– Det finns en förklaring, sa Hansson. På S:t Jörgen hade det bott en man som hette Andersen. En dansk. Men av asiatiskt ursprung. Ett jämförande signalement som gavs över telefon tyder på att det kan ha varit samma person.

– Hur betalade han sitt rum?

– Kontant.

Wallander tänkte efter.

– Det är brukligt att man uppger sin ordinarie hemadress. Vad hade Andersen skrivit?

Hansson bläddrade bland sina papper. En spelkupong ramlade ner på golvet utan att han märkte det. Wallander sa heller ingenting.

– Här har vi det. Andersen skrev att han bodde på en gata i Vedbæk.

– Har man undersökt det?

– Uthyrningsfirman var nitisk. Jag antar att bilen var värdefull. Det visade sig att gatan överhuvudtaget inte existerar.

– Då upphör spåren, sa Wallander.

– Bilen är heller inte återfunnen.

– Då vet vi i alla fall så mycket.

– Frågan är hur vi går vidare med den här bilen.

Wallander bestämde sig genast.

– Vi avvaktar. Ägna inga onödiga krafter åt den. Du har annat som är viktigare.

Hansson slog ut med armen mot sina pappershögar.

– Jag förstår inte hur jag ska hinna med.

Wallander orkade plötsligt inte med tanken på att dras in i ännu ett samtal om polisens krympande resurser.

– Vi hörs senare, sa han och lämnade hastigt rummet. Efter att ha bläddrat igenom en del papper som låg på hans bord tog han sin jacka. Det var dags att åka till Runnerströms Torg och hälsa på Alfredsson från Rikskrim. Han var också nyfiken på hur mötet mellan honom och Robert Modin skulle utfalla.

Men när han satt sig i bilen startade han inte motorn genast. Tankarna vandrade tillbaka till gårdagskvällen. Det var länge sedan han känt sig vid så gott mod. Fortfarande hade han svårt att våga tro att det var något som verkligen hade hänt. Men Elvira Lindfeldt fanns. Hon var ingen hägring.

Wallander kunde plötsligt inte motstå impulsen att ringa henne. Han tog fram mobiltelefonen och knappade in det telefonnummer han omgående hade lärt sig utantill. Efter tredje signalen svarade hon. Trots att hon verkade bli glad när hon hörde vem det var fick Wallander genast en känsla av att han hade ringt olämpligt. Vad det var som gav honom den känslan kunde han inte reda ut. Men den fanns där och den var alldeles verklig. En våg av oväntad svartsjuka sköt upp i honom. Men han lyckades behålla kontrollen över sin röst.

– Jag ville bara tacka för igår.

– Det hade du inte behövt göra.

– Resan hem gick bra?

– Jag höll på att köra över en hare. Ingenting annat.

– Jag sitter här på mitt arbetsrum och försöker föreställa mig vad du gör en lördagsmorgon. Men jag inser att jag förmodligen bara stör dig.

– Inte alls. Jag städar.

– Det är kanske inte rätt tillfälle. Men jag ville ändå fråga om du tror att vi kan ses nån gång under helgen.

– Bäst för mig vore i morgon. Kan du inte ringa mig igen? Senare i eftermiddag?

Wallander lovade att göra det.

Efteråt blev han sittande med telefonen i handen. Han var säker på att han hade stört henne. Någonting hade varit annorlunda i hennes röst. Jag inbillar mig, tänkte han. En gång gjorde jag det misstaget med Baiba. Jag reste till och med till Riga utan att säga till i förväg för att undersöka om jag hade haft rätt. Att det fanns en annan man i hennes liv. Men det gjorde det inte.

Han bestämde sig för att det varit som hon sagt. Hon höll på att städa. Ingenting annat. När han ringde senare under eftermiddagen skulle hon säkert låta helt annorlunda.

Wallander körde ner mot Runnerströms Torg. Vinden hade nu nästan lagt sig helt.

Han hade just svängt in på Skansgatan när han var tvungen att tvärbromsa och häftigt vrida på ratten. En kvinna hade snavat ut från trottoaren och hamnat mitt framför honom. Wallander lyckades få stopp på bilen men törnade emot en lyktstolpe. Han märkte hur han började skaka. Han öppnade bildörren och gick ut. Han var säker på att han inte kört på henne, men hon hade ändå fallit omkull. När Wallander böjde sig ner över henne upptäckte han att hon var mycket ung, knappast mer än 14, 15 år. Och hon var kraftigt berusad. Av alkohol eller droger. Wallander försökte tala med henne men fick bara några sluddrande obegripligheter till svar. En bil hade stannat. Chauffören kom springande och frågade om det hade hänt en olycka.

– Nej, sa Wallander. Men du kan hjälpa mig att försöka få henne på fötter.

De lyckades inte. Benen vek sig under henne.

– Är hon full? sa mannen som hjälpte Wallander. Hans röst var fylld med avsmak.

– Vi tar henne till min bil, sa Wallander. Så kör jag upp henne till sjukhuset.

De lyckades släpa och knuffa in henne i Wallanders baksäte. Han tackade för hjälpen och körde därifrån. Flickan i baksätet stönade. Sedan kräktes hon. Wallander hade själv börjat må illa. Berusade ungdomar hade han för länge sedan slutat att uppröra sig över. Men den här flickan var för illa däran. Han svängde in vid akutmottagningen och kastade en blick över axeln. Hon hade kräkts ner sin jacka och baksätet. När bilen stannade började hon rycka och dra i handtaget för att komma ut.

– Sitt kvar här, röt han. Så ska jag hämta nån.

Han ringde på klockan till akutmottagningen. Samtidigt svängde en ambulans in vid hans sida. Wallander kände igen ambulansföraren. Han hette Lagerbladh och hade funnits med i många år. De hälsade.

– Har du patient eller ska du hämta nån? frågade Wallander.

Lagerbladhs kollega hade dykt upp vid deras sida. Wallander nickade. Han hade aldrig sett mannen tidigare.

– Vi ska hämta, sa Lagerbladh.

– Då får ni hjälpa mig först, sa Wallander.

De följde honom till bilen. Flickan hade lyckats öppna ena dörren men inte förmått ta sig ut. Nu hängde hennes överkropp ut ur bilen. Wallander tänkte att han aldrig hade sett något liknande. Det smutsiga håret som släpade mot den blöta asfalten. Den nerspydda jackan. Och hennes sluddrande försök att göra sig förstådd.

– Var har du hittat henne? frågade Lagerbladh.

– Jag höll på att köra över henne.

– Normalt brukar dom inte bli fulla förrän till kvällen.

– Jag är inte säker på att det är alkohol, sa Wallander.

– Det kan vara precis vad som helst. I den här stan finns allt du kan begära. Heroin, kokain, extacy, vad du vill.

Lagerbladhs kollega hade gått för att hämta en rullbår.

– Jag tycker jag känner igen henne, sa Lagerbladh. Undrar om jag inte har kört henne tidigare nån gång.

Han böjde sig fram och slet omilt upp hennes jacka. Hon protesterade bara svagt. Lagerbladh hittade efter vissa besvär ett legitimationskort.

– »Sofia Svensson«, läste han. Namnet säger mig ingenting. Men jag känner igen utseendet. Hon är 14 år.

Lika gammal som Eva Persson, tänkte Wallander. Vad är det som händer egentligen?

Båren var framme. De lyfte upp henne. Lagerbladh tittade in i baksätet och grimaserade.

– Det blir inte lätt att få rent, sa han.

– Ring mig, sa Wallander. Jag vill veta hur det går. Och vad det är hon har fått i sig.

Lagerbladh lovade höra av sig. De försvann med båren. Regnet hade ökat. Wallander stirrade in i baksätet. Sedan såg han hur dörrarna stängdes till akutmottagningen. En oändlig trötthet grep tag i honom. Jag ser ett samhälle falla sönder runt mig, tänkte han förbittrat. En gång var Ystad en småstad, omgiven av bördiga jordbruksområden. Här fanns en hamn och några färjor som band oss samman med kontinenten. Men inte alltför nära. Malmö var långt borta. Det som hände där hände knappast här. Den tiden är för länge sedan förbi. Nu existerar inga skillnader längre. Ystad ligger mitt i Sverige. Snart ligger det också mitt i världen. Erik Hökberg kan sitta vid sina datorer och göra affärer i fjärran länder. Och här, liksom i alla storstäder, snavar en fjortonårig flicka omkring redlöst berusad eller nerdrogad en tidig lördagsmorgon. Vad jag egentligen ser vet jag knappast. Men det är ett land präglat av hemlöshet, genomstunget av sin egen sårbarhet. När den elektriska strömmen går stannar allting upp. Och den sårbarheten har trängt in på djupet i varje enskild människa. Sofia Svensson blir en bild av just det här. På samma sätt som Eva Persson. Och Sonja Hökberg. Och frågan är vad jag kan göra annat än att släpa in dem i mitt verkliga eller symboliska baksäte och köra dem till sjukhus eller polishuset.

Wallander gick bort till en container och hittade några blöta tidningar. Hjälpligt torkade han rent i baksätet. Sedan gick han runt bilen och såg på den intryckta kylaren. Det regnade kraftigt nu. Men han brydde sig inte om att han blev våt.

Han satte sig i bilen och körde mot Runnerströms Torg för andra gången. Plötsligt började han tänka på Sten Widén. Som sålde och gav sig av. Sverige har blivit ett land som människor flyr ifrån, tänkte han. De som kan ger sig av. Kvar blir sådana som jag. Och Sofia Svensson. Och Eva Persson. Han märkte att han var upprörd. På deras vägnar men också på sina egna. Vi håller på att lura en hel generation på deras framtid, tänkte han. Unga människor som går ut en skola där lärare kämpar förgäves, med för stora klasser och krympande resurser. Unga människor som aldrig ens kommer i närheten av ett vettigt arbete. Som inte bara är obehövda utan som upplever sig som direkt ovälkomna. I sitt eget land.

Hur länge han blev sittande i sina tankar visste han inte. Men plötsligt knackade någon på bilrutan. Han spratt till. Det var Martinsson som stod där med sitt leende och en påse wienerbröd i handen. Wallander blev motvilligt glad över att se honom. I vanliga fall skulle han säkert ha berättat för honom om den flicka han just kört till sjukhuset. Nu sa han ingenting. Han steg bara ur bilen.

– Jag trodde du satt här och sov.

– Jag tänkte, sa Wallander kort. Har Alfredsson kommit?

Martinsson brast i skratt.

– Det märkliga är att han faktiskt liknar sin namne. Åtminstone till utseendet. Men rolig kan man knappast beskylla honom för att vara.

– Har Robert Modin kommit?

– Jag ska hämta honom klockan ett.

De hade gått över gatan och trampade uppför trapporna.

– En man som hette Setterkvist dök upp, sa Martinsson. En barsk gammal herre. Han undrade vem som skulle betala Falks hyror i fortsättningen.

– Jag har träffat honom, svarade Wallander. Det var faktiskt han som avslöjade att Falk hade den här extra lägenheten.

De fortsatte under tystnad. Wallander tänkte på flickan som hade legat i hans baksäte. Han kände sig illa till mods.

De stannade när de kommit till slutet av trappan.

– Alfredsson verkar vara en omständlig herre, sa Martinsson. Men säkert mycket duktig. Han håller på att analysera det vi hittills har kommit fram till. Hans hustru ringer för övrigt hela tiden och klagar på att han inte är hemma.

– Jag tänker bara hälsa, sa Wallander. Sen lämnar jag er tills Modin har kommit.

– Vad var det egentligen han påstod att han kommit på?

– Jag vet inte exakt. Men han var övertygad om att han nu visste om ett sätt att tränga djupare in i Falks hemligheter.

De gick in. Martinsson hade haft rätt. Mannen från Rikskriminalen påminde verkligen om sin berömde namne. Wallander kunde inte låta bli att le. Dessutom drev det undan hans dystra tankar. Åtminstone för ögonblicket. De hälsade.

– Vi är naturligtvis tacksamma för att du kunde komma ner med så kort varsel, sa Wallander.

– Hade jag nåt val? svarade Alfredsson surt.

– Jag har köpt wienerbröd, sa Martinsson. Det kanske piggar upp.

Wallander bestämde sig för att genast gå därifrån. Det var först när Modin dök upp som hans närvaro kunde vara av värde.

– Ring när Modin har kommit, sa han till Martinsson. Jag går nu.

Alfredsson satt framför datorn. Plötsligt gav han till ett utrop.

– Det kommer brev till Falk, sa han.

Wallander och Martinsson gick fram och såg på skärmen. En blinkande punkt berättade att elektronisk post hade kommit. Alfredsson gick in och hämtade fram brevet.

– Det är till dig, sa han förvånat och såg på Wallander.

Wallander satte på sig glasögonen och läste texten.

Brevet var från Robert Modin.

Dom har spårat mig. Jag behöver hjälp. Robert.

– Helvete, sa Martinsson. Han sa att han hade sopat igen spåren.

Inte en till, tänkte Wallander desperat. Det klarar jag inte.

Han var redan på väg nerför trapporna. Martinsson fanns alldeles bakom honom.

Martinssons bil stod närmast. Wallander satte ut blåljuset.

När de lämnade Ystad hade klockan blivit tio på förmiddagen.

Regnet vräkte ner.

34

När de kom fram till Löderup efter en halsbrytande bilfärd fick Wallander för första gången träffa Robert Modins mor. Hon var kraftigt överviktig och verkade mycket nervös. Men ännu mer påfallande var att hon hade bomullstussar i näsborrarna och låg på en soffa med en våt handduk över pannan.

När de körde in på gårdsplanen öppnades ytterdörren och Robert Modins far kom ut. Wallander letade i minnet. Hade han någonsin hört vad Robert Modins far hette i förnamn? Han frågade Martinsson.

– Han heter Axel Modin.

De steg ur bilen. Det första Axel Modin sa var att Robert hade tagit bilen. Han upprepade det, gång på gång, samma ord.

– Pojken tog bilen. Och han har ju inte ens körkort.

– Kan han överhuvudtaget köra bil? frågade Martinsson.

– Det är väl knappt. Jag har försökt lära honom. Men jag begriper inte hur jag har kunnat få en så opraktisk son.

Men datorer begriper han sig på, tänkte Wallander. Hur det nu kommer sig.

De skyndade över gårdsplanen för att komma undan det häftiga regnet. I tamburen sa Robert Modins far med låg röst att hans hustru var inne i vardagsrummet.

– Hon blöder näsblod, sa han. Det gör hon alltid när hon blir uppskakad.

Wallander och Martinsson gick in och hälsade. Kvinnan började genast gråta när Wallander sa att han var polis.

– Det är bäst vi sätter oss i köket, sa Axel Modin. Så att hon får ligga här för sig själv. Hon är lite nervös till sin läggning.

Wallander anade något tungt, kanske sorgset, i mannens röst när han talade om hustrun. De gick ut i köket. Mannen sköt igen dörren men stängde den inte helt. Under samtalets gång hade Wallander också en känsla av att mannen hela tiden lyssnade efter hustrun där inne på soffan.

Han frågade om de ville ha kaffe. Båda tackade nej. Känslan av att de hade bråttom var stor. Under bilfärden hade Wallander hela tiden tänkt att han nu på allvar hade blivit rädd. Vad som pågick visste han inte. Men han var övertygad om att risken fanns att Robert kunde vara utsatt för fara. De hade redan två döda ungdomar och Wallander skulle inte uthärda att det skedde en tredje gång. Det var som om de snart hade tillbringat 40 symboliska dagar i en öken och riskerade att förvandlas till monument över odugligheten om de inte lyckades skydda den unge man som ställt sina stora datakunskaper till deras förfogande. Under resan till Löderup hade Wallander varit livrädd för Martinssons halsbrytande framfart vid ratten, men han hade inte sagt någonting. Det var först under den sista delen av färden, när vägen var så dålig att Martinsson inte kunde köra hur fort som helst, som han hade ställt några frågor.

– Hur kunde han veta att vi var vid Runnerströms Torg? Och hur kunde han skicka den där e-posten till Falks dator?

– Han kan ju ha försökt ringa till dig, sa Martinsson. Hade du mobilen på?

Wallander tog fram telefonen ur fickan. Den var avstängd. Han svor högt.

– Han måste ha gissat var vi befann oss, fortsatte Martinsson. Och Falks e-postadress hade han förstås noterat. Nåt fel på hans minne är det knappast.

Längre hade de inte kommit innan de svängt in på Modins gårdsplan. Nu satt de i köket.

– Vad hände? frågade Wallander. Vi fick nåt som kan kallas ett nödrop från Robert.

Axel Modin såg undrande på honom.

– Nödrop?

– Han hörde av sig via datorn. Men nu är det viktigt att du kort och tydligt berättar vad som hände.

– Jag vet ingenting, sa Axel Modin. Jag visste ju inte ens att ni var på väg. Men jag har hört att han varit uppe mycket på nätterna på sistone. Inte vet jag vad han hållit på med. Utom att det måste ha varit dom där olycksaliga datorerna. I morse när jag vaknade vid sextiden hörde jag att han fortfarande var vaken. Han hade alltså inte sovit på hela natten. Jag knackade på hans dörr och frågade om han ville ha kaffe. Han sa ja. Sen ropade jag upp i trappan när det var klart. Han kom ner efter nästan en halvtimme. Men han sa ingenting. Han verkade helt innesluten i sina tankar.

– Brukade han vara det?

– Ja. Det förvånade mig alltså inte. Jag kunde se på honom att han inte hade sovit.

– Sa han vad han höll på med?

– Det gjorde han aldrig. Det hade heller inte lönat sig. Jag är en gammal man som inte begriper mig på datorer.

– Vad hände sen?

– Han drack ur kaffet, tog ett glas vatten, och gick upp igen.
– Jag trodde inte han drack kaffe, sa Martinsson. Att han bara tog till sig mycket speciella drycker.
– Kaffe är undantaget. Men annars är det rätt. Han är vegan.
Wallander var mycket osäker på vad som egentligen definierade en vegan. Linda hade någon gång försökt förklara för honom och talat om miljömedvetande, bovetegröt och linser. Samtidigt var det för ögonblicket inte viktigt. Han gick vidare.
– Han återvände alltså till övervåningen. Vad var klockan då?
– Kvart i sju.
– Var det nån som ringde den där morgonen?
– Han har ju en mobiltelefon. Den hör inte jag.
– Vad hände sen?
– Klockan åtta gick jag upp med frukost till min fru. När jag passerade förbi hans dörr var det tyst därinne. Jag lyssnade faktiskt om han hade somnat.
– Hade han det?
– Det var tyst. Men jag tror egentligen inte han sov. Jag tror han tänkte.
Wallander rynkade pannan.
– Hur kan du veta det?
– Det kan jag inte. Men nog kan man märka om det sitter en människa och tänker bakom en stängd dörr. Kan man inte?
Martinsson nickade. Wallander blev irriterad över det som han uppfattade som Martinssons beskäftighet. I helvete att du skulle märka om jag satt och tänkte bakom min stängda dörr, tänkte han för sig själv.
– Vi går vidare. Du gav din hustru frukost på sängen.
– Inte på sängen. Hon sitter vid ett litet bord i sängkammaren. Hon är nervös på morgnarna och måste ha tid på sig.
– Vad hände sen?
– Jag gick ner och diskade och gav katterna mat. Och hönsen. Vi har några gäss också. Jag gick till brevlådan och hämtade tidningen. Så drack jag mer kaffe och bläddrade igenom tidningen.
– Hela tiden var det tyst däruppe?
– Ja. Det var sen det hände.
Martinsson och Wallander skärpte uppmärksamheten. Axel Modin reste sig och gick bort mot dörren som stod på glänt in mot vardagsrummet. Sen sköt han igen den ytterligare och lämnade bara en liten springa kvar. Han återvände till bordet och satte sig ner.
– Plötsligt hörde jag hur dörren till Roberts rum slogs upp. Han kom nerför trappan i våldsam fart. Jag hann resa mig innan han

kom in i köket. Jag satt där jag sitter nu. Han såg alldeles vild ut och stirrade på mig som om han hade sett ett spöke. Innan jag hann säga nåt hade han farit ut och låst ytterdörren. Han kom tillbaka hit in och frågade om jag hade sett nån. Skrek gjorde han. Om jag hade sett nån.

– Sa han så? Om du hade »sett nån«?

– Han verkade alldeles sjövild. Jag undrade vad som stod på. Men han lyssnade inte. Han såg ut genom fönstren. Här i köket och i vardagsrummet. Samtidigt hade hustrun börjat ropa där uppe. Hon hade blivit rädd. Det var en väldig röra just dom där minuterna. Men det blev värre.

– Vad hände?

– Han kom tillbaka in i köket med mitt hagelgevär. Och skrek att han skulle ha patroner. Jag blev rädd och frågade vad som hade hänt. Men han sa ingenting. Han skulle ha patroner. Fast jag gav honom inga.

– Vad hände då?

– Han slängde geväret på soffan därinne och tog bilnycklarna i hallen. Jag försökte stoppa honom. Men han knuffade till mig och gav sig av.

– Vad var klockan då?

– Det vet jag inte. Hustrun satt och skrek i trappan. Jag måste ta hand om henne. Men det bör väl ha varit kvart över nio.

Wallander tittade på klockan. Det var nu en dryg timme sedan. Han hade skickat ut sitt nödrop och sedan gett sig av.

Wallander reste sig från bordet.

– Såg du åt vilket håll han for?

– Norrut.

– En sak till. Såg du nån när du var ute och hämtade tidningen och gav hönsen mat?

– Vem skulle det ha varit? I det här vädret?

– Nån bil kanske. Som stod parkerad. Eller for förbi här på vägen.

– Det var ingen här.

Wallander nickade åt Martinsson.

– Vi måste se på hans rum, sa Wallander.

Axel Modin verkade hopsjunken vid bordet.

– Kan nån förklara för mig vad det är som händer?

– Inte just nu, sa Wallander. Men vi ska försöka leta reda på Robert.

– Han var rädd, sa Axel Modin. Jag har aldrig sett honom så rädd.

Och sedan, efter en kort tystnad.

– Han var lika rädd som hans mamma brukar vara.

Martinsson och Wallander gick upp till övervåningen. Martinsson pekade på hagelgeväret som stod lutat mot trappans räcke. Två dataskärmar lyste emot dem när de steg in i Roberts rum. På golvet låg kläder utspridda. Papperskorgen intill arbetsbordet var fylld till brädden.

– Nån gång strax före nio händer nånting, sa Wallander. Han blir rädd. Han skickar ut ett nödrop till oss och ger sig iväg. Han är desperat. Och bokstavligen livrädd. Han vill ha patroner till geväret. Han tittar ut genom fönstren och tar sen bilen.

Martinsson pekade på mobiltelefonen som låg intill en av de två datorerna.

– Han kan ha fått ett samtal, sa han. Eller han kan ha ringt själv och fått veta nånting som omedelbart gjort honom rädd. Synd att han inte fick med sig mobilen när han försvann.

Wallander pekade på datorerna.

– Skickar han nånting till oss kan han också själv ha tagit emot ett meddelande. Han skrev att nån var honom på spåren och att han behövde hjälp.

– Men han väntade inte. Han gav sig iväg.

– Det innebär att ytterligare nånting kan ha hänt sen han hörde av sig till oss. Eller så har han inte orkat vänta.

Martinsson hade satt sig vid bordet.

– Vi lämnar den här tills vidare, sa han och pekade mot den minsta av de två datorerna.

Wallander frågade inte hur Martinsson kunde veta vilken som var viktigast. Just nu var han beroende av honom. Situationen var ovanlig för Wallander. En av hans närmaste kollegor kunde för ögonblicket mer än han själv.

Martinsson knappade på tangentbordet. Regnet piskade mot fönstret. Wallander såg sig runt i rummet. På ena väggen hängde en affisch som föreställde en stor morot. Det var det enda som avvek från intrycket att allt i detta rum handlade om den elektroniska världen. Böcker, disketter, tekniska tillbehör. Kablar som förlorade sig i invecklade ormbon. Modem, skrivare, en TV-apparat, två videobandspelare. Wallander ställde sig bredvid Martinsson och böjde på knäna. Vad kunde Robert Modin ha sett genom fönstret när han satt vid sina datorer? Långt borta en väg. Där kunde ha dykt upp en bil, tänkte Wallander. Han såg sig omkring i rummet ännu en gång. Martinsson knappade och mumlade. Wallander lyfte försiktigt på en hög med papper. Där låg en kikare. Han riktade in den mot vägen som låg där ute i regndiset. En skata flaxade genom kikarbilden.

Wallander ryckte ofrivilligt till. Annars fanns där ingenting. Ett halvt nerfallet stängsel, några träd. Och en väg som ringlade fram mellan åkrarna.

– Hur går det? frågade han.

Martinsson svarade inte. Han mumlade bara otydligt. Wallander satte på sig sina glasögon och började studera de papper som låg intill datorerna. Robert Modin hade en mycket svårtydbar handstil. Där fanns kalkyler och nerkrafsade meningar, ofta ofärdiga, utan början eller slutpunkt. Ett ord förekom flera gånger. *Fördröjningen.* Ibland följt av ett frågetecken. Ibland understruket. *Fördröjningen.* Wallander bläddrade vidare bland pappren. På en sida hade Robert Modin tecknat en svart katt med långa spetsiga öron och en svans som övergick i en hoptrasslad ledning. Kladd när man tänker, förstod Wallander. Eller lyssnar på någon som talar. På nästa sida hade Robert Modin gjort en annan anteckning. *Programmeringen slutförd när?* Och sedan ytterligare två ord. *Insider nödvändig?* Många frågetecken, tänkte Wallander. Han letar efter svar. Precis som vi.

– Här, sa Martinsson plötsligt. Han har fått e-post. Sen anropar han oss efter hjälp.

Wallander lutade sig framåt och läste på skärmen.

You have been traced.

Ingenting annat. Bara det. »Du har blivit spårad.«

– Finns det nåt mer? frågade Wallander.

– Ingenting har kommit till hans brevlåda efter det här.

– Vem har skickat brevet?

Martinsson pekade på skärmen.

– Slumpmässiga siffror och bokstavskombinationer som avsändare. Nån har inte velat tala om vem han är.

– Men var kommer det ifrån?

– Servern heter »Vesuvius«, sa Martinsson. Det går naturligtvis att ta reda på var den befinner sig. Men det kan ta tid.

– Det är alltså inte i Sverige?

– Knappast.

– Vesuvius är en vulkan i Italien, sa Wallander. Kan det vara avsänt därifrån?

– Du kan inte få nåt omedelbart svar. Men vi kan ju pröva.

Martinsson förberedde ett svar till de bokstäver och siffror som stått som avsändare.

– Vad ska jag skriva?

Wallander tänkte efter.

– »Var vänlig upprepa meddelandet«, sa han. Skriv så.

Martinsson nickade erkännande och skrev det på engelska.

– Undertecknat av Robert Modin?
– Just det.
Martinsson tryckte på »Sänd«. Texten försvann ut i cyberrymden. Sedan kom det upp ett besked på skärmen att adressaten inte kunde nås.
– Då vet vi det, sa Wallander.
– Nu får du styra, sa Martinsson. Vad är det egentligen jag ska leta efter? Var »Vesuvius« ligger eller nånting annat?
– Skicka ut en fråga på Internet, sa Wallander. Eller till nån som begriper sig på det här. Om nån vet var »Vesuvius« ligger?
Sedan ändrade han sig.
– Ställ frågan på ett annat sätt. Ligger »Vesuvius« i Angola?
Martinsson blev förvånad.
– Tror du fortfarande att det där vykortet från Luanda är viktigt?
– Jag tror kortet i sig saknar betydelse. Men däremot träffade Tynnes Falk nån i Luanda för ganska många år sen. Då hände nånting. Jag vet inte vad. Men jag är övertygad om att det är viktigt. Avgörande, till och med.
Martinsson såg på honom.
– Ibland tror jag att du överskattar din intuition. Om du ursäktar att jag säger det.
Wallander fick hålla igen för att inte tappa besinningen. Upprördheten över vad Martinsson gjort välldе upp inom honom. Men han behärskade sig. Viktigast just nu var Robert Modin. Däremot lagrade Wallander omsorgsfullt Martinssons ord i sitt minne. Han kunde vara långsint om han ville. Nu skulle han visa att han verkligen var det.
Men det var också något annat som höll tillbaka honom. En tanke hade slagit honom i samma ögonblick som Martinsson hade kommit med sin kommentar.
– Robert Modin rådfrågade några vänner, sa Wallander. En fanns i Kalifornien och en i Rättvik. Noterade du möjligen deras e-postadresser?
– Jag skrev upp allt, svarade Martinsson surt. Wallander antog att han irriterade sig över att han inte kommit på det själv.
Det gladde honom. Som en liten förberedande hämnd.
– Dom kan knappast ha nåt emot att vi frågar om Vesuvius, fortsatte Wallander. Om du samtidigt markerar att vi gör det för Roberts skull. Under tiden ska jag börja söka efter honom.
– Men vad betyder egentligen det här meddelandet? sa Martinsson. Han har alltså inte sopat igen spåren efter sig. Är det så?
– Det är du som har kunskap om den här elektroniska världen, sa

Wallander. Inte jag. Men jag har fått en känsla som har växt sig allt starkare. Du får rätta mig om jag tar alldeles fel. Den här känslan har inte med min intuition att göra utan med fakta, enkla fakta. Som att jag har upplevt att nån hela tiden tycks vara väldigt välinformerad om vad vi håller på med.

– Vi vet att nån har hållit uppsikt över Apelbergsgatan och Runnerströms Torg. Nån avlossade ett skott i Falks lägenhet.

– Det är inte det. Jag talar inte om nån person. Som kanske heter Fu Cheng och har asiatiskt utseende. Åtminstone inte i första hand. Det är som om vi har en läcka inne i polishuset.

Martinsson brast ut i skratt. Om det var hånfullt eller inte kunde Wallander för ögonblicket inte bedöma.

– Du menar inte på fullt allvar att nån av oss skulle vara inblandad i det här?

– Nej. Men jag undrar om det kan finnas nån annan spricka. Där vatten sipprar både ut och in.

Wallander pekade på datorn.

– Falks dator är visst mycket avancerad. Jag undrar helt enkelt om nån håller på med samma sak som vi. Tappar våra datorer på information.

– Rikspolisens register är mycket hårt säkrade.

– Men våra egna datorer? Är dom så vattentäta att en som har dom tekniska resurserna och den rätta viljan inte kan nästla sig in? Du och Ann-Britt skriver in alla era rapporter på dator. Hur Hansson gör vet jag inte. Jag gör det bara ibland. Nyberg sitter och sliter med sin dator. Dom rättsmedicinska protokollen kommer till oss både som papperskopior och rätt in i datorerna. Vad händer om nån hänger sig på oss och tappar ur innehållet? Utan att vi är medvetna om det?

– Det låter inte troligt, sa Martinsson. Säkerheten är hög.

– Det är bara en tanke, sa Wallander. Bland många andra.

Han lämnade Martinsson och gick nerför trappan. Genom den halvöppna dörren in till vardagsrummet kunde han se hur Modin satt och höll om sin jättelika hustru som fortfarande hade bomullstussar i näsborrarna. Det var en bild som fyllde honom både med medömkan och en oklar känsla av glädje. Vilket som dominerade kunde han inte avgöra. Han knackade försiktigt på dörren.

Axel Modin kom ut.

– Jag behöver låna telefonen, sa Wallander.

– Vad är det egentligen som har hänt? Varför var Robert så rädd?

– Det är vad vi försöker ta reda på. Men du behöver inte oroa dig.

Wallander bad en tyst bön att det han sa verkligen skulle visa sig vara sant. Han satte sig vid telefonen som stod i hallen. Innan han lyfte luren tänkte han igenom vad han borde göra. Det första han måste bestämma sig för var om hans oro verkligen var befogad. Men meddelandet var verkligt nog, vem som än hade sänt det. Dessutom var hela utredningen präglad av att något till varje pris skulle döljas. Av människor som inte tvekade att döda. Wallander bestämde sig för att hotet mot Robert Modin var verkligt. Han vågade inte ta risken att göra en felaktig bedömning. Han lyfte luren och ringde in till polishuset. Den här gången hade han tur. Han lyckades genast få kontakt med Ann-Britt. Han förklarade situationen för henne. Vad som i första hand behövdes var bilar som letade igenom det närmaste området kring Löderup. Om det stämde att Robert Modin var en dålig bilförare skulle han förmodligen inte ha hunnit så långt. Risken fanns dessutom att han ställde till med en olycka, för sig själv eller andra. Wallander ropade efter Axel Modin och bad honom om en beskrivning av bilen och registreringsnumret. Ann-Britt noterade vad han sa och lovade att se till att patruller skickades ut. Wallander la på luren och återvände uppför trappan. Martinsson hade fortfarande inte hört något från någon av Modins rådgivare.

– Jag behöver låna din bil, sa Wallander.

– Nycklarna sitter i, svarade Martinsson utan att ta blicken från skärmen.

Wallander hukade i regnet medan han sprang mot bilen. Han hade bestämt sig för att ta en titt på den väg som ringlade fram mellan åkrarna och som Robert Modin hade kunnat se från sitt fönster. Med största sannolikhet skulle det inte ge någonting. Men Wallander ville försäkra sig om att så verkligen var fallet. Han körde ut från gårdsplanen och började leta efter avtagsvägen.

Någonting gnagde i Wallanders medvetande. En tanke som pressade sig upp mot ytan.

Det var något han själv hade sagt. Något om en ledning som i hemlighet hade kopplats in på polishusets nät. Han kom på vad det var i samma ögonblick som han hittade avtagsvägen.

Han hade fyllt tio år den gången. Eller kanske var det tolv. Att det varit jämna år mindes han. Och åtta skulle ha varit för lite. Det var hans far som hade gett honom böckerna. Vad han fått av sin mamma mindes han inte. Inte heller vad han fått av sin syster Kristina. Men böckerna hade legat i grönt omslagspapper på frukostbordet. Han hade genast öppnat paketet och sett att det varit nästan rätt. Inte alldeles rätt. Men nästan. Och minst av allt fel. Han hade öns-

kat sig »Kapten Grants barn« av Jules Verne. Det var titeln som lockat honom. De böcker han nu fick var »Den hemlighetsfulla ön«. Del ett och del två. Och det var de riktiga böckerna, de med röda ryggar och originalillustrationerna. Precis som »Kapten Grants barn«. Han hade börjat läsa dem samma kväll. Och där hade funnits denne underbare, mystiske välgörare som kom till de ensamma männen som blivit strandsatta på ön. Gåtan hade lägrat sig över dem. Vem var det som hjälpte dem när nöden var som störst? Plötsligt hade kininet bara funnits där. När unge Pencroff låg döende i malaria och ingen makt i världen skulle kunna rädda hans liv. Då hade kininet funnits där. Och hunden Top hade morrat ner i den djupa brunnen och de hade undrat vad det var som gjorde hunden så orolig. Till sist, när vulkanen redan börjat skälva, hade de funnit den okände välgöraren. De hade hittat den hemliga ledningen som kopplats ihop med telegrafträden som ledde från grottan till corralen. De hade följt den och sett den försvinna ner i havet. Och där, i sin undervattensbåt och sin grotta hade de till sist funnit kapten Nemo, deras okände välgörare ...

Wallander hade stannat på den leriga vägen. Regnet hade börjat avta. Istället kom dimman vältrande in från havet. Han mindes böckerna. Och välgöraren där nere i djupet. Den här gången är det tvärtom om jag har rätt, tänkte han. Att någon hela tiden håller ett osynligt öra tätt intill våra väggar och avlyssnar våra samtal. Den här gången är det ingen välgörare i djupet. Inte någon som kommer med kinin utan någon som tar bort det som bäst behövdes.

Han for vidare. Alldeles för fort. Men det var Martinssons bil och han höll fortfarande på att bygga upp sin hämnd. Nu fick det gå ut över bilen. När han kommit till den punkt han bedömde vara den han sett i kikaren stannade han och steg ur. Regnet var nästan helt borta nu. Dimman kom hastigt rullande. Han såg sig omkring. Om Martinsson höjde på huvudet skulle han få syn på sin bil. Och Wallander. Lyfte han kikaren skulle han kunna se Wallanders ansikte. Det fanns bilspår på vägen. Han tyckte sig också kunna se att en bil hade stannat på platsen. Men spåren var otydliga. Regnet hade nästan utplånat dem. Men någon kan ha stannat här, tänkte han. På något sätt som jag inte riktigt begriper sänds meddelanden till Robert Modins dator. Och samtidigt står någon här på vägen och håller uppsikt.

Wallander blev rädd. Om det hade stått någon på vägen skulle denne också ha sett att Robert Modin gett sig av från huset.

Wallander kände hur kallsvetten bröt fram. Det är mitt ansvar, tänkte han. Jag skulle aldrig ha blandat in Robert Modin i det här. Det var för farligt och det var helt oansvarigt.

Han tvingade sig att tänka alldeles lugnt. Robert Modin hade drabbats av panik och velat ha ett gevär med sig. Sedan hade han tagit bilen. Frågan var bara vart han hade begett sig.

Wallander såg sig om ytterligare en gång. Sedan körde han tillbaka till huset. Axel Modin mötte honom i ytterdörren med frågande uppsyn.

– Jag har inte hittat Robert, sa Wallander. Men vi letar efter honom. Och det finns ingen anledning till oro.

Axel Modin trodde honom inte. Det kunde Wallander se på hans ansikte. Men Modin sa ingenting. Han slog undan blicken. Som om hans misstro hade varit anstötlig. Från vardagsrummet kom inga ljud.

– Mår hon bättre? frågade Wallander.

– Hon sover. Det är alltid bäst för henne. Hon är rädd för dimman när den kommer smygande.

Wallander nickade mot köket. Modin följde honom. En stor svart katt låg i fönstret och betraktade Wallander med vaksamma ögon. Wallander undrade om det var den katten Robert hade ritat av. Och som fått en svans som övergått i en ledning.

– Frågan är vart Robert kan ha tagit vägen, sa Wallander och pekade ut mot dimman.

Axel Modin skakade på huvudet.

– Jag vet inte.

– Men han har vänner. När jag kom hit första gången befann han sig på en fest.

– Jag har ringt hans vänner. Ingen har sett till honom. Dom lovade att höra av sig om han dök upp.

– Du måste tänka, sa Wallander. Han är din son. Han är rädd och han ger sig iväg. Var kan han ha ett gömställe?

Modin funderade. Katten släppte inte Wallander med blicken.

– Han brukar tycka om att gå på stränderna, sa Modin tveksamt. Nere vid Sandhammaren. Eller på fälten uppe runt Backåkra. Nåt annat vet jag nog inte om.

Wallander var tveksam. En strand var alltför öppen, liksom fälten kring Backåkra. Men nu fanns dimman. Bättre gömställe än dimma fanns knappast i Skåne.

– Fortsätt att tänka, sa Wallander. Det kan hända att du kommer på nåt annat. Nåt gömställe han kan minnas från barndomen.

Han gick ut till telefonen och ringde till Ann-Britt. Patrullbilarna var redan på väg mot Österlen. Polisen i Simrishamn hade blivit informerad och hjälpte till. Wallander berättade om Sandhammaren och Backåkra.

– Jag åker upp till Backåkra, sa han. Till Sandhammaren får du dirigera en annan bil.

Ann-Britt lovade att göra som han sagt. Hon skulle dessutom själv komma ut till Löderup.

Wallander la på luren. I samma ögonblick kom Martinsson nerför trappan med stora kliv.

Wallander kunde genast se att något hade hänt.

– Jag fick svar från Rättvik, sa han. Du hade rätt. Den server som heter »Vesuvius« finns i Angolas huvudstad Luanda.

Wallander nickade. Han var inte förvånad.

Men han märkte också hur hans rädsla ökade.

35

Wallander kände det som om han stod inför en ointaglig fästning vars murar inte bara var höga utan också osynliga. De elektroniska murarna, tänkte han. Brandväggarna. Alla talar om den nya tekniken som en outforskad rymd där möjligheterna är till synes oändliga. Men just nu är den för mig befästningsverk som jag inte vet hur jag ska betvinga.

De hade identifierat den elektroniska postterminal som hette Vesuvius. Den fanns i Angola. Martinsson hade till yttermera visso fått veta att det var några brasilianska entreprenörer som låg bakom installationen och servicen. Men vem som var Falks adressat visste de inte, även om Wallander på goda grunder anade att det var den man som hittills bara kunnat identifieras med bokstaven »c«. Martinsson som hade större kunskaper än Wallander om tillståndet i Angola menade att där rådde i det närmaste kaos. Landet hade blivit självständigt från den portugisiska kolonialismen i mitten av 1970-talet. Men efter det hade där pågått ett nästan oavbrutet inbördeskrig. Att tro att det skulle finnas en fungerande poliskår var tveksamt. Dessutom hade de ingen aning om vem den man som kallade sig »c« egentligen var eller vad han hette. »c« kunde dessutom stå för mer än en person. Men ändå upplevde Wallander att något hade börjat hänga ihop, även om han inte alls visste vad det innebar. Vad som hade hänt den där gången i Luanda, när Tynnes Falk varit försvunnen under fyra år, var fortfarande okänt. Det enda de egentligen hade lyckats med var att de rört om i en myrstack. Nu sprang myrorna åt olika håll. Men vad som dolde sig inne i själva myrstacken visste de inte.

Wallander stod där i hallen hos Modin och stirrade på Martinsson och kände sin rädsla öka för varje sekund som gick. Det var det enda han var säker på, att de till varje pris måste hitta Robert Modin innan det var för sent. Om det inte redan var det. Minnesbilderna av Sonja Hökbergs sönderbrända kropp och Jonas Landahls massakrerade var mycket tydliga. Wallander ville genast ge sig ut i den framvältrande dimman och börja leta. Men allting var vagt och osäkert. Robert Modin fanns där ute. Han var rädd och han var på flykt. På samma sätt som Jonas Landahl hade gett sig av med en färja till Polen. Men han hade blivit fast på hemvägen. Eller upphunnen.

Och nu gällde det Robert Modin. Medan de väntade på Ann-Britt försökte Wallander pressa Axel Modin ytterligare. Hade han verkligen ingen föreställning om vart sonen kunde ha tagit vägen? Där fanns hans vänner som hade lovat att höra av sig om Modin dök upp. Men fanns där ingenting ytterligare? Något annat gömställe? Medan Wallander kämpade med att få Axel Modin att komma på något som kunde vara det förlösande ordet hade Martinsson återvänt till datorerna på övervåningen. Wallander hade manat på honom att fortsätta att tala med de okända vännerna i Rättvik och Kalifornien. Kanske de visste någonting om ett gömställe?

Axel Modin fortsatte att tala om Sandhammaren och Backåkra. Wallander såg förbi honom, över hans huvud, ut i dimman som nu var mycket tät. Med dimman kom också den egendomliga tystnad som Wallander inte hade upplevt någon annanstans än i Skåne. Just i oktober och november. När allting tycktes hålla andan, inför den vinter som också fanns där ute och bidade sin tid.

Wallander hörde bilen när den kom. Han gick och öppnade, precis som Axel Modin hade öppnat för honom. Ann-Britt kom in. Hon hälsade på Modin medan Wallander gick och ropade på Martinsson. Sedan satte de sig vid köksbordet. Axel Modin rörde sig i bakgrunden där också hans fru fanns med sina bomullstussar i näsborrarna, och med sin hemliga rädsla.

För Wallander var allting just nu mycket enkelt. De måste hitta Robert Modin. Ingenting annat var viktigt. Att patrullbilarna jagade runt i dimman var inte nog. Han sa åt Martinsson att se till att ett regionalt larm skickades ut. Nu skulle alla polisdistrikt vara med och leta efter bilen.

– Vi vet inte var han finns, sa Wallander. Men han flydde i panik. Vi kan inte veta om meddelandet som kom till hans dator enbart var ett hot. Vi vet inte om huset har hållits under bevakning. Men vi måste utgå från det.

– Dom måste ha varit mycket skickliga, sa Martinsson som stod i dörröppningen till köket med telefonen till örat. Jag är övertygad om att han sopade igen spåren.

– Men det kanske inte hjälpte, invände Wallander, om han har kopierat med sig material och suttit här hemma i natt och fortsatt arbetet. Även efter det att vi sa tack och adjö.

– Jag har inte hittat nånting, sa Martinsson. Men du kan naturligtvis ha rätt.

När zonlarmet gått ut bestämde de att Martinsson tills vidare skulle stanna i Modins hus som blivit ett provisoriskt högkvarter. Det kunde hända att Robert Modin tog kontakt igen. Ann-Britt skulle ta sig an Sandhammaren tillsammans med någon av de utsända patrullerna medan Wallander begav sig till Backåkra.

På väg ut mot bilarna såg Wallander att Ann-Britt var beväpnad. När hon gett sig av återvände Wallander upp till huset. Axel Modin satt på sin stol i köket.

– Hagelgeväret, sa Wallander. Och några patroner.

Wallander kunde se hur oron sköt upp i Modins ansikte.

– Jag tar med det för säkerhets skull, sa Wallander i ett försök att lugna honom.

Modin reste sig och lämnade köket. När han kom tillbaka hade han både geväret och en patronask med sig.

Återigen satt han i Martinssons bil. Han körde mot Backåkra. Trafiken på huvudvägen kröp fram. Billjusen kom emot honom ur dimman och försvann. Hela tiden försökte han förstå vart Robert Modin hade tagit vägen. Hur hade han tänkt när han gav sig av? Hade det funnits någon plan i hans huvud eller hade flykten varit precis så brådstörtad som hans far beskrivit den? Wallander insåg att där inte fanns några slutsatser för honom att dra. Han kände inte Robert Modin.

Han höll nästan på att köra förbi skylten till Backåkra. Han svängde av och ökade farten trots att vägen blev smalare. Men han räknade inte med att möta någon här. Backåkra med Svenska Akademiens hus stod säkert tomt och igenbommat den här tiden på året. När han kom upp till parkeringsplatsen stannade han och gick ur. På avstånd hörde han en mistlur. Han kände också doften av hav. Sikten var nu inte mer än någon meter. Han gick runt på parkeringen. Någon annan bil än den han kommit med fanns där inte. Han gick upp mot den fyrlängade gården. Igenbommat, tillslutet. Vad gör jag här? tänkte han. Finns här ingen bil så finns här inte heller någon Robert Modin. Ändå fortsatte han ut på fälten och svängde mot höger, där stenringen och meditationsplatsen fanns. En fågel skrek till någonstans på avstånd. Eller kanske det var mycket nära. Dimman gjorde honom osäker om avståndet. Hagelgeväret bar han under armen, patronasken hade han i fickan. Nu kunde han höra bruset från havet. Han kom fram till stenringen. Ingen var där och ingen tycktes ha varit där heller. Han tog upp telefonen och ringde till Ann-Britt. Hon svarade från Sandhammaren. Fortfarande hade de inga spår efter Modins bil. Men hon hade talat med Martinsson som berättat att alla polisdistrikt upp till småländska gränsen nu var med om att leta.

– Dimman är lokal, sa hon. På Sturup lyfter och landar planen normalt. Strax norr om Brösarp är det klar sikt.

– Så långt har han inte kommit, sa Wallander. Han finns nånstans här i närheten. Det är jag säker på.

Han avslutade samtalet och började gå tillbaka. Någonting fångade plötsligt hans uppmärksamhet. Han lyssnade. Det var en bil som närmade sig parkeringsplatsen. Han lyssnade intensivt. Den bil Modin hade gett sig av med var en vanlig personbil, en Golf. Men det här motorljudet lät annorlunda. Utan att han riktigt visste varför laddade han geväret. Sedan fortsatte han. Motorljudet upphörde. Wallander stannade. En bildörr öppnades. Men den stängdes inte. Wallander var säker på att det inte var Modin som kommit. Förmodligen var det någon som skulle se till huset. Eller som kanske ville undersöka vad det var för bil som Wallander kommit i. Risken för inbrott fanns alltid. Wallander fortsatte att gå. Men plötsligt stannade han igen. Han försökte se igenom dimman. Lyssna efter ljud. Någonting hade varnat honom. Vad visste han inte. Han lämnade den upptrampade stigen och gick i en vid halvcirkel tillbaka mot huset och parkeringsplatsen. Då och då stannade han. Jag skulle ha hört om någon låst upp dörren till huset och gått in, tänkte han. Men här är tyst. Alldeles för tyst.

Nu såg han huset. Han befann sig nästan på baksidan. Han tog några steg bakåt igen. Huset försvann. Sedan gick han runt det i riktning mot parkeringsplatsen. Han kom fram till stängslet. Med stort besvär klättrade han över. Sedan började han undersöka parkeringsplatsen. Sikten tycktes ha minskat ytterligare. Han tänkte att han inte borde gå fram till Martinssons bil. Hellre ta ytterligare en omväg. Han höll sig tätt intill stängslet för att inte förlora orienteringen.

Han hade kommit nästan ända till parkeringsplatsens infart när han tvärstannade. Där stod en bil. Eller snarare en buss. Först var han osäker på vad han egentligen hade framför ögonen. Sedan insåg han att det var en mörkblå Mercedesbuss.

Han tog ett snabbt kliv tillbaka in i dimman. Lyssnade. Hjärtat hade börjat slå fortare. Han undersökte säkringen på hagelgeväret. Dörren till förarhytten hade stått öppen. Han stod orörlig nu. Det kunde inte råda något tvivel. Bussen som stod där var den de letade efter. Den som hade transporterat Falks kropp tillbaka till bankomaten. Nu fanns det någon här ute i dimman som letade efter Modin.

Men Modin är inte här, tänkte Wallander.

I samma ögonblick insåg han att det fanns en helt annan möjlighet. Det var inte Modin de letade efter. Det kunde lika gärna vara honom själv de var ute efter.

Hade de sett Modin lämna huset kunde de också ha sett honom. Vad som hade funnits bakom honom ute i dimman kunde han inte veta. Nu mindes han att där funnits bilstrålkastare. Men ingen hade kört om honom.

Det surrade till i hans jackficka. Wallander ryckte till. Han svarade med låg röst. Men det var varken Martinsson eller Ann-Britt. Det var Elvira Lindfeldt.

– Jag hoppas jag inte stör, sa hon. Men jag tänkte att vi kunde bestämma nåt för i morgon. Om du fortfarande har lust.

– Det är lite svårt just nu, sa Wallander.

Hon bad honom tala högre eftersom hon hade svårt att uppfatta vad han sa.

– Det vore bra om jag kunde ringa dig lite senare, sa han. Jag är upptagen just nu.

– En gång till, bad hon. Jag hör dig dåligt.

Han höjde rösten en aning.

– Jag kan inte prata just nu. Jag ringer igen senare.

– Jag är hemma, svarade hon.

Wallander stängde av telefonen. Det är vansinne, tänkte han. Hon förstod inte. Hon tror att jag var avvisande mot henne. Varför måste hon ringa just nu? När jag inte kan tala med henne?

Under ett kort svindlande ögonblick for också en annan tanke genom hans huvud. Varifrån den kom kunde han inte avgöra. Det gick också så fort att han egentligen aldrig förstod vad som hade hänt. Men tanken hade funnits där, som en svart underström i hans hjärna. *Varför hade hon ringt just nu?* Var det en tillfällighet? Eller fanns där något annat skäl?

Han skakade på huvudet åt sin egen tanke. Den var orimlig. Ett utslag av hans trötthet och växande känsla av att vara utsatt för konspirationer. Han blev stående med telefonen i handen och funderade på om han skulle ringa upp henne. Men han bestämde sig för att det fick vänta. Han skulle lägga tillbaka telefonen i fickan. Men på något sätt gled den ur hans hand. Han försökte gripa tag i den innan den hamnade på den våta marken.

Det räddade hans liv. I samma ögonblick han hukade sig small det till bakom honom. Telefonen blev liggande på marken. Wallander vände sig om och höjde samtidigt geväret. Någonting rörde sig inne i dimman. Wallander kastade sig åt sidan och snubblade sedan bort så fort han kunde. Telefonen hade han inte fått med sig. Hjärtat bultade vilt i bröstkorgen. Vem det var som hade skjutit visste han inte. Inte heller varför. Men han måste ha hört min röst, tänkte Wallander. Han hörde mig tala och kunde lokalisera mig. Hade jag inte tappat telefonen hade jag inte stått här nu. Tanken gjorde honom skräckslagen. Geväret skakade i hans händer. Telefonen skulle han inte kunna hitta. Han visste inte heller var bilen stod eftersom han nu förlorat uppfattningen om var han egentligen befann sig. Inte ens stängslet var synligt längre. Han ville bara bort. Han satte sig på huk med geväret berett. Någonstans fanns mannen kvar där inne i dimman. Wallander försökte tränga igenom allt det vita med blicken och lyssnade intensivt. Men allt var tyst. Wallander insåg att han inte vågade vara kvar. Han måste ta sig bort från platsen. Han bestämde sig hastigt, osäkrade geväret och sköt rakt upp i luften. Smällen var öronbedövande. Sedan sprang han några meter åt sidan. Lyssnade igen. Han hade upptäckt stängslet nu och visste åt vilket håll han skulle följa det för att komma bort från parkeringsplatsen.

Samtidigt hörde han någonting annat. Ett ljud som inte gick att missta sig på. Sirener som närmade sig. Någon hörde det första skottet, tänkte han. Just nu finns gott om poliser på vägarna. Han skyndade ner mot infarten. En känsla av övertag började långsamt infinna sig. Det förändrade rädslan till ursinne. För andra gången på kort tid hade någon skjutit emot honom. Samtidigt försökte han tänka klart. Mercedesbussen fanns kvar där inne i dimman. Och det fanns bara en utfart. Valde mannen som skjutit att ta bilen skulle de klara att stoppa honom. Gav han sig av till fots blev det svårare.

Wallander hade kommit ner till infarten. Han sprang längs vägen.

Sirenerna närmade sig. Det var mer än en bil, två, kanske till och med tre. När han såg billjusen stannade han och fäktade med armarna. I den första bilen fanns Hansson. Wallander kunde inte påminna sig att någonsin tidigare ha blivit så glad över att se honom.

– Vad är det som händer? ropade Hansson. Vi fick besked om att det var skottlossning här uppe. Och Ann-Britt berättade att du farit hit.

Wallander förklarade så kortfattat som möjligt.

– Ingen går ut utan skyddsutrustning, slutade han. Vi måste dessutom få hit hundar. Men först ska vi göra oss beredda på att han försöker bryta sig ut.

Det gick snabbt att ordna spärren och klä polismännen i skyddsvästar och hjälmar. Ann-Britt hade kommit, strax därefter även Martinsson.

– Dimman kommer att lätta, sa Martinsson. Jag har talat med SMHI. Det är mycket lokalt och begränsat.

De väntade. Klockan hade blivit ett denna lördag den 18 oktober. Wallander hade lånat Hanssons telefon och gått åt sidan. Han hade slagit numret till Elvira Lindfeldt men sedan ångrat sig innan hon hunnit svara.

De fortsatte att vänta. Ingenting hände. Ann-Britt motade bort några nyfikna journalister som letat sig fram till platsen. Ingen hade heller hört något om Robert Modin och hans bil. Wallander försökte resonera sig fram till något som kunde vara rimligt. Hade något hänt Modin? Eller hade han tills vidare klarat sig undan? Wallander visste inte. Det fanns inga bra svar. Och där inne i dimman gömde sig en beväpnad man. De visste inte vem han var eller varför han hade skjutit.

Dimman lättade klockan halv två. Det gick mycket fort. Plötsligt började den tunnas ut, förflyktigas och sedan försvann den helt. Solen kom fram. Mercedesbussen stod kvar, liksom Martinssons bil. Ingen syntes till. Wallander gick fram och plockade upp sin telefon.

– Han har gett sig av till fots, sa Wallander. Bilen har han övergivit.

Hansson ringde till Nyberg som lovade komma genast. De letade igenom bilen. Där fanns ingenting som berättade om vem som hade kört den. Det enda de hittade var en halväten burk med något som verkade vara fisk. En elegant etikett meddelade att burken kom från Thailand och innehöll Plakapong Pom Poi.

– Vi kanske har hittat den där Fu Cheng, sa Hansson.

– Kanske, svarade Wallander. Men ingenting är säkert.

– Såg du honom inte alls?

Det var Ann-Britt som frågade. Wallander blev omedelbart irriterad eftersom han kände sig angripen.

– Nej, sa han. Jag såg ingen. Och det hade inte du heller gjort.

Hon blev stött.

– Man måste väl få lov att fråga, sa hon.

Vi är alla trötta, tänkte Wallander uppgivet. Hon och jag. För att inte tala om Nyberg. Men kanske inte Martinsson. Som i alla fall har ork att smyga omkring i korridorerna och konspirera.

De började söka med två hundar som genast fick upp vittring. Spåren ledde ner mot stranden. Nyberg hade under tiden hunnit anlända med sina tekniker.

– Fingeravtryck, sa Wallander. Det är vad som framför allt gäller. Överensstämmelser med Falks lägenheter, både Apelbergsgatan och Runnerströms Torg. Transformatorstationen. Sonja Hökbergs väska. Dessutom Siv Erikssons lägenhet.

Nyberg tittade in i Mercedesbussen.

– Jag är så tacksam varje gång jag kommer till en plats som inte är fylld med massakrerade lik, sa han. Eller så mycket blod att man får vada fram.

Han nosade omkring inne i hytten.

– Här luktar rök, sa han. Marijuana.

Wallander kände efter. Men han märkte ingenting.

– Man ska ha bra näsa, sa Nyberg belåtet. Lär dom sig det på Polishögskolan nuförtiden? Hur viktigt det är att ha en bra näsa?

– Knappast, svarade Wallander. Men jag vidhåller att du borde åka dit och gästföreläsa. Och visa hur man sniffar.

– I helvete heller, svarade Nyberg och avslutade samtalet mycket bestämt.

Robert Modin förblev spårlöst försvunnen. Vid tretiden återvände hundförarna. De hade förlorat spåren på stranden längre norrut.

– Dom som letar efter Robert Modin ska hålla utkik efter en man med asiatiskt utseende, sa Wallander. Det är viktigt att dom som eventuellt upptäcker honom inte ingriper innan dom har fullt understöd. Den här mannen är farlig. Han skjuter. Han har haft otur två gånger. Men det har han knappast en tredje. Dessutom ska vi vara observanta på inkommande rapporter om stulna bilar.

Därefter samlade Wallander sina närmaste medarbetare runt sig. Solen sken, det var vindstilla. Han tog med dem upp till meditationsplatsen.

– Fanns det poliser på bronsåldern? frågade Hansson.

– Det gjorde det säkert, sa Wallander. Men det fanns knappast nån rikspolischef.

– Dom blåste i lurar, sa Martinsson. Jag var på en konsert häromåret vid Ales stenar. Det lät som mistlurar. Men man kan naturligtvis också föreställa sig ljudet som forna tiders sirener.

– Låt oss försöka se var vi står, sa Wallander. Bronsåldern får vänta. Robert Modin upplever att han får ett hot via sin dator. Han flyr. Han har nu varit försvunnen mellan fem och sex timmar. Nånstans här i landskapet finns en person som är ute efter honom. Men vi kan utgå ifrån att han också vill komma åt mig. Vilket i sin tur bör innebära att samma sak gäller för er också.

Han tystnade och såg sig om för att understryka allvaret.

– Vi måste fråga oss varför, fortsatte han. Den frågan har just nu företräde framför allting annat. Det finns bara en enda rimlig förklaring. Att nån är orolig för att vi har gjort en upptäckt. Och ännu värre, fruktar att vi faktiskt är i stånd att förhindra nånting. Jag är fullständigt övertygad om att förklaringen till allt som har hänt har att göra med Falks död. Och med det som finns dolt i hans dator.

Han gjorde ett avbrott och såg på Martinsson.

– Hur går det för Alfredsson?

– Han tycker allt är mycket märkligt.

– Det tycker vi också, det kan du hälsa honom. Nånting mer måste han väl kunna säga?

– Han är imponerad av Modin.

– Också det är vi överens om. Men har han inte alls kommit vidare?

– Jag talade med honom för två timmar sen. Det han sa då har Modin redan talat om för oss. Det tickar ett osynligt urverk där inne. Nånting kommer att hända. Nu håller han på att lägga in olika sannolikhetskalkyler och reduktionsprogram för att se om han kan filtrera ut nån form av mönster. Han håller också löpande kontakt med Interpols olika dataenheter. För att se om det finns erfarenheter i andra länder som kan ge oss ledtrådar. Jag har intryck av att han är både duktig och nitisk.

– Då litar vi på honom, sa Wallander.

– Men vad händer om det verkligen är nåt som ska ske den 20? Det är nu på måndag. Det är mindre än 34 timmar till dess.

Det var Ann-Britt som ställde frågan.

– Mitt alldeles ärliga svar är att jag inte har en aning, sa Wallander. Men eftersom vi redan alltför väl vet att nån är beredd att begå mord för att skydda den hemligheten måste det vara nåt viktigt.

– Kan det vara nåt annat än en terroraktion? sa Hansson. Borde vi inte för länge sen ha informerat Säpo?

Hanssons förslag väckte viss munterhet. Varken Wallander eller någon av hans kollegor hade det minsta förtroende för Säkerhetspolisen. Men Wallander insåg att Hansson hade rätt. Inte minst borde han ha tänkt på det för sin egen skull, som spaningsledare. Det var hans huvud som skulle rulla om det inträffade något som Säpo kunde ha förhindrat.

– Ring dom, sa han till Hansson. Om dom nu har öppet under helgen.

– Strömavbrottet, sa Martinsson. Kunskapen om vilken transformatorstation som var större än många andra. Kan det vara så att nån har bestämt sig för att slå ut kraftförsörjningen i Sverige?

– Ingenting är otänkbart, svarade Wallander. Har vi förresten fått nån klarhet i hur ritningen över transformatorstationen hade hamnat hos Falk?

– Enligt Sydkrafts internutredning hade originalet som vi hittade hos Falk bytts ut mot en kopia, sa Ann-Britt. Jag fick en lista över dom personer som haft tillgång till arkivet. Den gav jag till Martinsson.

Martinsson slog ut med armarna.

– Jag har inte hunnit, svarade han. Men jag ska naturligtvis göra en slagning mot alla våra register.

– Det borde ske omgående, sa Wallander. Där kan finnas nåt som för oss vidare.

En svag vind hade börjat blåsa. Den var kylig och kom svepande över fält och åkrar. De pratade ytterligare en stund om vad som nu var de viktigaste arbetsuppgifterna, förutom att hitta Robert Modin så fort som möjligt. Martinsson var den förste som gav sig av. Han skulle ta med sig Modins datorer till polishuset och samtidigt köra namnlistan från Sydkraft genom olika register. Wallander avdelade Hansson att leda letandet efter Modin. Själv kände han ett stort behov av att i lugn och ro gå igenom situationen med Ann-Britt. Tidigare skulle han ha valt Martinsson. Nu klarade han inte det.

Wallander och Ann-Britt gjorde sällskap tillbaka mot parkeringsplatsen.

– Har du talat med honom? frågade hon.

– Inte än. Det är faktiskt viktigare att vi hittar Robert Modin och lyckas klara upp vad som egentligen ligger bakom allt det som har hänt.

– För andra gången på en vecka har dom skjutit emot dig. Jag förstår inte hur du kan ta det så lugnt.

Wallander stannade och ställde sig framför henne.

– Vem säger att jag tar det lugnt?

– Du ger i alla fall det intrycket.

– I så fall är det fel.

De fortsatte att gå.

– Ge mig din bild, sa Wallander. Ta tid på dig. Vad är det egentligen som har hänt? Vad kan vi vänta oss?

Hon hade svept jackan hårt omkring sig. Wallander såg att hon frös.

– Jag kan inte säga så mycket mer än du, svarade hon.

– Du kan säga det på ditt sätt. Hör jag din röst hör jag nåt annat än det jag själv går och tänker.

– Sonja Hökberg blev alldeles säkert våldtagen, började hon. Just nu ser jag ingen annan förklaring till varför hon dödade Lundberg. Om vi gräver tillräckligt djupt tror jag vi kommer att upptäcka en ung kvinna som blivit alldeles förblindad av hat. Sonja Hökberg är inte stenen som kastas i vattnet. Hon är en av dom yttre ringarna. Istället är själva tidpunkten kanske det viktigaste.

– Det vill jag att du utvecklar närmare.

– Vad hade hänt om Tynnes Falk inte hade avlidit nästan samtidigt som vi grep Sonja Hökberg? Låt oss anta att det hade gått ett par veckor emellan. Och att det kanske inte legat så nära den 20 oktober. Om det nu är ett datum som gäller.

Wallander nickade. Hennes tanke var riktig.

– Oron ökar och leder till okontrollerade handlingar? Är det så du menar?

– Det finns inga marginaler. Sonja Hökberg sitter hos polisen. Nån fruktar att hon vet nåt som hon kommer att delge oss. Vad hon vet kommer från hennes umgänge. Först och främst Jonas Landahl, som också blir dödad. Allt är ett försvarskrig för att skydda en hemlighet som ligger dold i en dator. Ett antal skygga elektroniska nattdjur, som Modin lär ha kallat dem, som till varje pris vill fortsätta att verka i det tysta. Om man bortser från en mängd lösa detaljer så kan det ha gått till på det här viset. Att Robert Modin blir hotad passar in. Liksom att du blir attackerad.

– Varför just jag? Varför inte nån annan?

– Du befann dig i lägenheten när nån kom dit. Det är du som hela tiden är synlig.

– Hålrummen är stora. Även om jag tänker på samma sätt som du. Det som bekymrar mig allra mest är känslan av det där örat tätt intill våra väggar, som hela tiden lyckas hålla sig informerat.

– Du kanske borde anbefalla en total radiotystnad. Inget skrivs in på datorer. Inget viktigt sägs över telefonledningar.

Wallander sparkade till en sten.

– Det händer inte, sa han. Inte här, inte i Sverige.

– Du brukar ju själv säga att det inte finns några utkanter längre. Var man än befinner sig är man mitt i världen.

– Då har jag överdrivit. Det här blir för mycket.

De gick vidare under tystnad. Vinden var byig nu. Ann-Britt hukade vid Wallanders sida.

– Det finns en sak till, sa hon. Som vi vet. Men inte dom som har blivit oroade.

– Vad är det?

– Att Sonja Hökberg faktiskt aldrig sa nånting till oss. Ur det perspektivet dog hon helt i onödan.

Wallander nickade. Hon hade rätt.

– Vad är det som ligger dolt i den där datorn? sa han efter en stund. Martinsson och jag har kommit fram till en enda och mycket tveksam gemensam nämnare: pengar.

– Kanske är det ett stort rån som planeras nånstans? Är det inte så det går till nuförtiden? En bank börjar agera galet och överför obegripliga summor till nåt felaktigt bankkonto.

– Kanske. Svaret är återigen att vi helt enkelt inte vet.

De hade kommit fram till parkeringsplatsen. Ann-Britt pekade på huset.

– Jag var här en gång i somras och lyssnade på en föreläsning av en framtidsforskare. Jag har glömt hans namn. Men han berättade om hur det moderna samhället blir allt bräckligare. På ytan lever vi med allt tätare och snabbare kommunikationer. Men det finns en osynlig underjord. Som till slut gör att en enda dator kan lamslå en hel värld.

– Det kanske är just det Falks dator planerar att göra, sa Wallander.

Hon skrattade.

– Enligt den där forskaren är vi inte riktigt där än.

Hon öppnade munnen för att säga någonting. Men Wallander fick aldrig veta vad det var. Han hade upptäckt att Hansson springande var på väg emot dem.

– Vi har hittat honom, ropade Hansson.

– Modin eller mannen som sköt?

– Modin. Han är i Ystad. Det var en av patrullerna som skulle in och byta som upptäckte bilen.

– Var?

– Han stod parkerad i hörnet av Surbrunnsvägen och Aulingatan. Vid Folkets park.

– Var är han nu?

– På polishuset.

Wallander såg på Hansson och kände hur han andades ut.

– Han är oskadd, fortsatte Hansson. Vi hann i tid.

– Vi gjorde visst det.

Klockan hade blivit kvart i fyra.

36

Klockan fem lokal tid i Luanda kom det telefonsamtal som Carter hade väntat på. Mottagningen var dålig och han hade svårt att höra vad Cheng sa på sin brutna engelska. Carter tänkte att det var som att förflyttas tillbaka till det avlägsna 1980-talet, då kommunikationerna med Afrika fortfarande kunde vara mycket dåliga. Han mindes den tiden då det ibland till och med hade varit svårt att göra något så enkelt som att skicka eller ta emot ett fax.

Men trots den ekande tidsfördröjningen och de knastrande linjerna hade Carter ändå förstått vilket budskap Cheng hade kommit med. När samtalet var över hade Carter gått ut i trädgården för att tänka. Celina var inte längre kvar i köket. Hans middagsmat som hon förberett stod i kylskåpet. Han hade svårt att behärska sin irritation. Cheng hade inte levt upp till förväntningarna. Ingenting kunde göra honom mer upprörd än att tvingas inse att människor inte räckte till för de uppdrag han hade tilldelat dem. Den telefonrapport som hade nått honom var oroande. Han visste att han nu måste fatta ett beslut.

Värmen när han kom ut från husets svala luftkonditionering var tryckande. Ödlor kilade hastigt fram och tillbaka mellan hans fötter. I jakarandaträdet satt en fågel och betraktade honom. När han kom runt huset till framsidan upptäckte han att José sov. Det plötsliga ursinnet gick inte att behärska. Han sparkade till honom. José vaknade.

– Nästa gång jag kommer på dig med att sova får du sparken, sa han.

José öppnade munnen för att svara. Men Carter lyfte handen. Han orkade inte lyssna till några förklaringar. Han återvände till baksidan av huset igen. Svetten hade redan börjat rinna innanför skjortan. Men det berodde inte i första hand på värmen. Oron kom inifrån. Carter försökte tänka alldeles klart och alldeles lugnt. Cheng hade misslyckats. Hans kvinnliga vakthund hade däremot hittills gjort som han förväntat sig. Men hennes förmåga att agera var ändå begränsad. Carter stod alldeles stilla och betraktade en ödla som satt upp och ner på ryggstödet till en av trädgårdsmöblerna. Han visste att det inte fanns några alternativ längre. Men ännu var heller ingenting för sent. Han såg på klockan. Det gick ett nattflyg till Lissabon klockan 23.00. Fortfarande var det sex timmar kvar. Jag vågar inte ta risken att något händer, tänkte han. Alltså måste jag resa.

Beslutet var fattat. Han återvände in i huset igen. I arbetsrummet satte han sig vid datorn och skickade ett elektroniskt brev som meddelade att han var på väg. Han gav de få instruktioner som var nödvändiga.

Sedan ringde han ut till flygplatsen för att boka sin biljett. Han fick beskedet att det inte fanns några platser. Men efter att han bett att få bli kopplad till en av flygbolagets chefer hade det problemet snart blivit undanröjt.

Han åt den middag som Celina hade förberett åt honom. Sedan tog han en dusch och packade sin väska. Han rös till av obehag vid tanken på att behöva resa mot hösten och kylan.

Strax efter nio for han ut till Luandas flygplats.

Tio minuter försenat, klockan 23.10, lyfte TAP:s nattflyg mot Lissabon och försvann på natthimlen.

*

De hade kommit in till polishuset i Ystad strax efter fyra. Av någon anledning hade Robert Modin placerats i det rum som en gång varit Svedbergs och som numera mest användes av poliser som befann sig i Ystad på tillfälliga uppdrag. När Wallander steg in genom dörren satt Modin och drack kaffe. Han log osäkert när han fick syn på Wallander. Men Wallander kunde ändå upptäcka rädslan som fanns där under.

– Vi går in till mig, sa han.

Modin tog sin kaffemugg och följde efter honom. När han slog sig ner i Wallanders besöksstol föll armstödet av. Han hajade till.

– Det händer alla, sa Wallander. Låt det ligga.

Han satte sig bakom skrivbordet och sköt undan pappren som låg utströdda.

– Dina datorer är på väg hit, sa han. Martinsson hämtar dom.

Modin följde honom vaksamt med blicken.

– När ingen såg det kopierade du över en del av det material som fanns i Falks dator och tog med dig hem. Var det inte så?

– Jag vill tala med en advokat, svarade Modin med tillkämpad beslutsamhet i rösten.

– Det behövs inga advokater, sa Wallander. Du har inte gjort nåt olagligt. I alla fall inte i mina ögon. Men jag måste få veta exakt vad som har hänt.

Modin litade inte på det han sa. Inte riktigt än.

– Du är här för att vi ska kunna beskydda dig, fortsatte Wallander. Inte av nån annan anledning. Du är varken fängslad eller misstänkt för att ha begått nåt olagligt.

Modin tycktes fortfarande överväga om han skulle våga lita på Wallander. Wallander väntade.

– Kan jag få det skriftligt? sa Modin till sist.

Wallander sträckte sig efter ett kollegieblock och skrev att han garanterade riktigheten i sina ord. Sedan undertecknade han med sitt namn.

– Nån stämpel får du inte, sa han. Men här har du det skriftligt.

– Det här duger inte, sa Modin.

– Det får duga mellan oss, svarade Wallander bestämt. Risken är annars att jag ändrar mig.

Modin förstod att han menade allvar.

– Vad var det som hände? upprepade Wallander. Det kom in ett hotfullt brev i din dator. Det har jag själv läst. Och sen upptäckte du plötsligt att det stod en bil parkerad på vägen som går mellan åkrarna. Var det så?

Modin såg förvånat på honom.

– Hur kan du veta det?

– Jag vet, sa Wallander. Hur jag vet spelar ingen roll. Du blev rädd och du gav dig av. Frågan är varför du blev så rädd.

– Dom hade spårat mig.

– Du hade alltså ändå inte sopat igen spåren ordentligt? Du gjorde samma misstag som förra gången?

– Dom är skickliga.

– Men det är du också.

Modin ryckte på axlarna.

– Problemet var väl att du blev oförsiktig? Du kopierade över material från Falks dator till din egen. Och då hände nånting. Frestelsen blev för stor. Du fortsatte att bearbeta materialet på natten. På nåt sätt kunde dom lista ut att du satt där i Löderup.

– Jag förstår inte varför du frågar när du redan vet allting?

Wallander tänkte att nu var ögonblicket inne att sätta in stöten.

– Du måste förstå att det som händer är allvarligt.

– Det har jag redan gjort. Varför skulle jag annars ha gett mig av? Jag kan ju inte ens köra bil?

– Då är vi överens. Du inser att det är farligt. Från och med nu gör du som jag säger. Har du för övrigt ringt hem och talat om att du är här?

– Det trodde jag ni hade gjort?

Wallander pekade på telefonen.

– Ring och säg att allt är som det ska. Att du är hos oss. Och att du tills vidare stannar här.

– Min pappa behöver kanske bilen.
– Då skickar vi ut nån med den.
Wallander lämnade rummet medan Modin ringde hem. Men han stannade utanför dörren och lyssnade. Just nu vågade han inte ta några som helst risker. Samtalet blev långt. Robert frågade hur det stod till med mamman. Wallander anade att familjen Modins liv kretsade kring en mor som led av djupgående själsliga problem. När Robert hade lagt på luren väntade han innan han gick tillbaka in i rummet.
– Har du fått nån mat? frågade han. Jag vet att du inte äter vad som helst.
– En sojapaj vore gott, svarade Modin. Och morotssaft.
Wallander ringde ut till Irene.
– Vi behöver en sojapaj, sa han. Och morotssaft.
– Kan du upprepa det där, sa Irene vantroget.
Ebba skulle inte ha ställt några frågor, tänkte Wallander.
– Sojapaj.
– Vad i herrans namn är det?
– Mat. Vegetarisk. Det vore bra om det inte dröjde för länge.
Innan Irene hann fråga något mer hade han lagt på luren.
– Låt oss börja med att tala om det du såg genom fönstret, sa Wallander. Du upptäckte en bil där ute?
– Det brukar aldrig köra bilar på den vägen.
– Du tog din kikare och såg efter vem det var?
– Du vet ju allting.
– Nej, sa Wallander. Men jag vet en del. Vad såg du?
– En mörkblå bil.
– Var det en Mercedes?
– Jag vet ingenting om bilmärken.
– Var den stor? Nästan som en buss?
– Ja.
– Och utanför den stod nån och såg mot huset?
– Det var nog det som gjorde mig rädd. Jag riktade in kikaren och ställde in skärpan. Och såg en man som såg på mig genom en annan kikare.
– Kunde du uppfatta hans ansikte?
– Jag blev rädd.
– Det förstår jag. Men hans ansikte?
– Han hade mörkt hår.
– Hur var han klädd?
– En svart regnrock. Tror jag.
– Såg du nånting mer? Hade du sett honom nån gång tidigare?
– Nej. Och jag la inte märke till nåt annat.

– Du gav dig av. Kunde du se om han följde efter dig?
– Jag tror inte det. Det finns en avtagsväg strax bortom vårt hus som ingen egentligen lägger märke till.
– Vad gjorde du sen?
– Jag hade skickat e-posten till dig. Jag tänkte att jag behövde hjälp. Men jag vågade inte åka till Runnerströms Torg. Jag visste inte vad jag skulle göra. Först tänkte jag ge mig av till Köpenhamn. Men jag vågade inte köra genom Malmö. Om nånting skulle hända. Jag kör ju inte så bra.
– Du for alltså till Ystad? Vad gjorde du efter det?
– Ingenting.
– Du satt bara i bilen tills poliserna hittade dig?
– Ja.
Wallander tänkte efter hur han skulle fortsätta. Egentligen ville han att Martinsson var närvarande. Och Alfredsson. Han reste sig och lämnade rummet. Irene satt i receptionen. Hon skakade på huvudet när hon såg honom.
– Hur går det med maten? frågade han strängt.
– Ibland tror jag inte ni är riktigt kloka.
– Det är säkert sant. Men jag har en pojke där inne som inte äter hamburgare. Såna finns. Och han är hungrig.
– Jag ringde till Ebba, sa Irene. Hon skulle ordna det.
Wallander blev genast vänligare stämd. Hade hon talat med Ebba så skulle allt säkert lösa sig.
– Jag vill ha hit Martinsson och Alfredsson så fort som möjligt, sa han. Ordna det, är du hygglig.
I samma ögonblick kom Lisa Holgersson skyndande in genom porten.
– Vad är det jag hör? sa hon. Skottlossning igen?
Wallander hade minst av allt lust att tala med Lisa Holgersson. Men han visste samtidigt att det var ofrånkomligt. Han berättade i korta drag vad som hade hänt.
– Har det gått ut larm?
– Det är åtgärdat.
– När kan jag få en ordentlig genomgång av det som hänt?
– Så fort alla har kommit in.
– Det känns som om hela den här utredningen har spårat ur.
– Inte riktigt än, sa Wallander och dolde inte att han blev arg. Men du kan naturligtvis ersätta mig som spaningsledare när du vill. Hansson är den som håller i sökaktionen.
Hon hade ytterligare frågor. Men Wallander hade redan vänt sig om och gått därifrån.

Klockan fem hade både Martinsson och Alfredsson kommit. Wallander hade tagit med sig Modin till ett av de mindre mötesrummen. Hansson hade ringt och meddelat att de fortfarande inte fått upp några spår av den man som skjutit mot Wallander i dimman. Var Ann-Britt höll hus var det ingen som visste. Wallander formligen barrikaderade sig i mötesrummet. Modins datorer hade slagits på. Några nya meddelanden hade inte kommit in.

– Nu ska vi på nytt gå igenom allting grundligt, sa Wallander när alla hade satt sig. Från början till slut.

– Det tror jag knappast går, svarade Alfredsson. Fortfarande är det mesta bortom vår insyn.

Wallander vände sig mot Robert Modin.

– Du sa att du hade kommit på nånting?

– Jag tror knappast jag kan förklara det, svarade han. Dessutom är jag hungrig.

Wallander märkte att han för första gången blev irriterad på Modin. Att han besatt betydliga kunskaper inom datorernas magiska värld innebar inte att allt hos Modin kunde försvaras.

– Maten är på väg, sa Wallander. Om du inte kan vänta får du hålla till godo med vanliga svenska skorpor. Eller en pizza.

Modin reste sig och satte sig framför sina datorer. De andra samlades bakom honom.

– Jag var länge tveksam om vad det egentligen handlade om, började han. Det mest troliga var att talet 20 som hela tiden återkom på något sätt hade med år 2000 att göra. Då vet vi att många komplicerade datasystem kommer att få problem om det inte åtgärdas i tid. Men jag hittade aldrig dom där två nollorna som fattas. Dessutom verkar programmeringen vara så gjord att processen ska starta relativt snart. Vad den än innebär. Jag kom fram till att det nog trots allt handlar om den 20 oktober.

Alfredsson skakade på huvudet och ville protestera. Men Wallander höll tillbaka honom.

– Gå vidare.

– Jag började leta efter andra detaljer i det här mönstret. Vi vet att nånting vandrar från vänster till höger. Där det alltså finns en utgång. Det säger oss att nånting kommer att hända. Men inte vad. Då gick jag in på Internet och började leta efter information kring dom här institutionerna som vi har identifierat. Indonesiens Riksbank, Världsbanken, börsmäklaren i Seoul. Jag försökte se om det fanns nån gemensam nämnare. Den där punkten som man alltid letar efter.

– Vilken punkt?

– Där nånting brister. Där isen är svag. Där man skulle kunna tänka sig att en attack sattes in utan att det märktes. Förrän det redan var för sent.

– Det finns en stor beredskap, invände Martinsson. Och det finns skydd mot virus som placeras ut för att ställa till skada.

– USA har redan kapacitet att föra krig med datorer, sa Alfredsson. Tidigare talade vi om datorstyrda missiler. Eller elektroniska ögon som dirigerade robotar mot sina mål. Nu är det snart lika antikt som att marschera upp med kavalleri. Man skickar in radiostyrda komponenter i fiendens egna nätverk och de slår ut alla militära styrsystem. Eller riktar om dom mot mål som man själv bestämmer.

– Är det här verkligen riktigt? sa Wallander skeptiskt.

– Det här är vad vi vet, förtydligade Alfredsson. Men vi ska naturligtvis vara på det klara över att det mesta vet vi inte. Sannolikt är vapensystemen ännu mer avancerade.

– Låt oss gå tillbaka till Falks dator, sa Wallander. Hittade du nån av dom där svaga punkterna?

– Jag vet inte, sa Modin tveksamt. Men om man vill kan man se alla dom här institutionerna som pärlorna i ett radband. Och dom har i alla fall en sak gemensamt.

– Vad då?

Modin skakade på huvudet som om han tvekade inför sin egen slutsats.

– Dom är hörnstenar i världens finanscentra. Om man ställde till kaos där skulle man kunna skapa en ekonomisk kris som slog ut världens alla finansiella system. Börskurserna skulle löpa amok. Det skulle utbryta panik. Sparare skulle länsa sina konton. Dom olika valutorna skulle hamna i såna inbördes oklara förhållanden att ingen längre kunde vara säker på vad dom hade för värde.

– Vem skulle ha intresse av nåt sånt?

Martinsson och Alfredsson svarade nästan samtidigt.

– Många, sa Alfredsson. Det vore det yttersta sabotaget av en grupp människor som inte vill ha ordning och reda i världen.

– Man släpper ut minkar, sa Martinsson. Här skulle man släppa ut pengarna ur deras burar. Resten kan man nog föreställa sig själv.

Wallander försökte tänka.

– Menar ni att man ska föreställa sig en sorts finansveganer? Eller vad man nu ska kalla dom?

– Ungefär, sa Martinsson. Man släpper ut minkar ur deras burar eftersom man inte vill att dom ska dödas för sina pälsar. Vi har andra grupper som går in och förstör avancerade stridsflygplan. Allt det här kan man ha förståelse för. Men i förlängningen ligger naturligtvis också galenskapen på lur. Det vore förstås den ultimata sabotageaktionen att slå ut världens finansiella system.

– Är vi överens i det här rummet om att det faktiskt är nåt sånt vi står inför? Hur underligt det än kan verka? Och att allt det här skulle kunna börja i en dator som finns i Ystad?

– Nånting är det, sa Modin. Jag har aldrig stött på ett sånt avancerat säkerhetssystem.

– Är det svårare att ta sig in i än Pentagon? frågade Alfredsson.

Modin kisade mot honom.

– Det är i alla fall inte mindre komplicerat.

– Jag är osäker på hur man går vidare i den här situationen, sa Wallander.

– Jag ska tala med Stockholm, sa Alfredsson. Dom får en rapport. Sen skickas den ut över världen. Inte minst bör dom institutioner vi har identifierat få besked. Så att dom kan vidta åtgärder.

– Om det inte redan är för sent, mumlade Modin.

Alla hörde vad han sa. Men ingen gjorde någon kommentar. Alfredsson lämnade rummet i stor brådska.

– Ändå vägrar jag nästan att tro det, sa Wallander.

– Det är svårt att tänka sig vad det annars skulle vara.

– Nånting hände i Luanda för tjugo år sen, sa Wallander. Falk hade en upplevelse som förändrade honom. Han måste ha träffat nån.

– Vad som än finns i Falks dator så är människor beredda att begå mord för att bevara materialet intakt och processen igång.

– Jonas Landahl hade med saken att göra, sa Wallander eftertänksamt. Och eftersom Sonja Hökberg och han en gång var tillsammans så dog också hon.

– Strömavbrottet kan vara en förövning, sa Martinsson. Och det finns en man ute i dimman som har försökt döda dig två gånger.

Wallander pekade på Modin för att Martinsson skulle förstå att han skulle välja sina ord med omsorg.

– Frågan är vad vi kan göra, fortsatte Wallander. Kan vi överhuvudtaget göra nånting?

– Man kan föreställa sig en avskjutningsramp, sa Modin plötsligt. Eller en knapp som man ska trycka på. Om man infekterar ett datasystem med virus gör man ofta så, för att undvika upptäckt, att man gömmer det i ett oskyldigt och ofta upprepat kommando. Flera saker måste sammanfalla eller utföras på ett visst bestämt klockslag på ett visst bestämt sätt.

– Kan du ge ett exempel?
– Det kan vara nästan precis vad som helst.
– Det bästa vi kan göra nu är att fortsätta på samma sätt som hittills, sa Martinsson. Avslöja dom institutioner som ligger gömda i Falks dator och sen se till att dom får besked så att dom kan se över sina säkerhetsrutiner. Resten tar Alfredsson hand om.
Martinsson satte sig plötsligt ner vid bordet och skrev några rader på ett papper. Han såg på Wallander som böjde sig fram och läste:
Hotet mot Modin bör verkligen tas på allvar.
Wallander nickade. Vem som än hade stått där ute på vägen som löpte mellan åkrarna visste att Modin var en viktig person. Just nu befann han sig i samma situation som Sonja Hökberg hade gjort.
Det ringde på Wallanders telefon. Hansson rapporterade att jakten på den man som skjutit fortfarande var resultatlös. Men den fortsatte med oförminskad styrka.
– Hur går det för Nyberg?
– Han är redan igång med att jämföra fingeravtryck.
Hansson befann sig fortfarande ute i trakten av Backåkra. Där skulle han också stanna kvar. Vart Ann-Britt tagit vägen visste han fortfarande inte.
De avslutade samtalet. Wallander försökte nå hennes telefon. Men den gick för närvarande inte att kontakta.
Det knackade på dörren. Där stod Irene med en kartong.
– Det var den här maten, sa hon. Vem ska egentligen betala den? Jag har lagt ut så länge.
– Ge mig kvittot, svarade Wallander.
Modin satte sig vid bordet och åt. Wallander och Martinsson betraktade honom under tystnad. Sedan surrade det i Wallanders telefon igen. Det var Elvira Lindfeldt. Han gick ut i korridoren och stängde dörren bakom sig.
– Jag hörde på radion att det varit skottlossning utanför Ystad, sa hon. Med poliser inblandade. Jag hoppas det inte var du?
– Inte direkt, svarade Wallander undvikande. Men vi har mycket att göra just nu.
– Jag blev orolig. Nu är jag lugn igen. Istället blir jag nyfiken, men jag ska inte fråga.
– Det är inte så mycket jag kan säga, sa Wallander.
– Jag förstår att du inte kommer att ha tid att träffa mig nu under helgen.
– Det är för tidigt att svara på. Men jag hör av mig.
När samtalet var över tänkte Wallander att det var mycket länge

sedan någon verkligen hade brytt sig om honom. Till och med blivit orolig.

Han återvände in i rummet. Klockan hade blivit tjugo minuter i sex. Modin åt. Martinsson höll på att tala med sin fru. Wallander slog sig ner vid bordet och tänkte igenom situationen ännu en gång. Han mindes vad som hade stått skrivet i Falks loggbok. Om att »rymden var tyst«. Hittills hade han hela tiden föreställt sig att det varit den yttre rymden Falk hade syftat på. Nu insåg han för första gången att det naturligtvis var den elektroniska världen som funnits i Falks tankar. Han hade skrivit om »vännerna«. Vännerna som inte svarade på anrop. Vilka vänner? Loggboken hade försvunnit eftersom där hade stått något avgörande. Loggboken måste bort på samma sätt som Sonja Hökberg måste dödas. Och Jonas Landahl. Bakom allt detta fanns någon som kallade sig »C«. Någon som Tynnes Falk en gång hade mött i Luanda.

Martinsson avslutade sitt samtal. Modin torkade sig om munnen. Sedan ägnade han sig åt sin morotssaft. Wallander och Martinsson hämtade kaffe.

– Jag glömde säga att jag körde Sydkrafts personal genom registren. Men där fanns ingenting.

– Det hade vi heller inte väntat oss, svarade Wallander.

Kaffeautomaten krånglade igen. Martinsson drog ur kontakten och satte i den igen. Nu fungerade den på nytt.

– Finns det ett dataprogram i den här kaffeautomaten? frågade Wallander.

– Knappast, svarade Martinsson förvånat. Men man kan naturligtvis föreställa sig avancerade bryggare som styrs av små chips med detaljerade instruktioner.

– Om nån gick in och manipulerade den här? Vad skulle hända då? Kom det ut te när man tryckte på kaffe? Och mjölk när man tryckte på espresso?

– Det skulle kunna hända.

– Men när börjar det? Vad är det som utlöser det hela? Hur startar man lavinen inne i maskineriet?

– Man kan till exempel tänka sig att ett visst datum är inprogrammerat. Och ett bestämt klockslag. Låt oss säga en tidsrymd på en timme. Den elfte gången nån trycker på kaffeknappen under den timmen startar lavinen.

– Varför just den elfte?

– Det var bara ett exempel. Det kan lika gärna vara den nionde eller tredje gången.

– Vad händer sen?

– Man kan naturligtvis dra ur kontakten, sa Martinsson. Och hänga upp en skylt att kaffeautomaten är trasig. Sen får man byta ut programmet som styr det hela.

– Är det nåt sånt här Modin menar?

– Ja, fast i större skala.

– Men vi har ingen aning om var Falks symboliska kaffeautomat befinner sig?

– Det kan vara precis var som helst.

– Det här betyder att den som startar lavinen inte nödvändigtvis vet om det?

– För den som ligger bakom det hela är det naturligtvis en fördel om han själv inte är närvarande.

– Vi letar med andra ord efter en symbolisk kaffeautomat, sa Wallander.

– Så kan man naturligtvis uttrycka saken. Men ännu bättre vore att säga att vi letar efter en nål i en höstack. Utan att vi vet var själva höstacken befinner sig.

Wallander gick fram till fönstret och såg ut. Det hade redan mörknat. Martinsson ställde sig vid hans sida.

– Om det vi tror stämmer har vi med nån form av ytterst sammansvetsad och effektiv sabotagegrupp att göra, sa Wallander. Dom har kompetens och dom är hänsynslösa. Ingenting får stoppa dom.

– Men vad är dom egentligen ute efter?

– Modin kanske har rätt. Att dom vill starta ett finansiellt jordskred.

Martinsson begrundade under tystnad det Wallander hade sagt.

– Jag vill att du gör en sak, fortsatte Wallander. Jag vill att du går till ditt rum och skriver ihop en PM om det här. Ta Alfredsson till hjälp. Sen skickar du det till Stockholm. Och till alla utländska polisorganisationer du kan komma på.

– Om vi tar fel blir vi utskrattade.

– Den risken får vi ta. Ge mig pappren så kan jag underteckna dom.

Martinsson gick. Wallander stod kvar i matrummet och försjönk i tankar. Utan att han märkte det kom Ann-Britt in. Han ryckte till när hon stod vid hans sida.

– Jag kom att tänka på en sak, sa hon. Du berättade att du hade sett en affisch i Sonja Hökbergs garderob.

– »Djävulens advokat«. Jag har filmen hemma. Men jag har fortfarande inte haft tid att se den.

– Jag tänkte inte så mycket på filmen, sa hon. Utan på Al Pacino. Det slog mig att det faktiskt finns en likhet.

Wallander såg granskande på henne.
– Likhet med vad?
– Den där teckningen hon hade gjort. Av när hon blir slagen i ansiktet. En sak går inte att komma ifrån.
– Vilken?
– Att Carl-Einar Lundberg faktiskt liknar Al Pacino. Även om han är en betydligt fulare variant.
Wallander insåg att hon hade rätt. Han hade bläddrat igenom en rapport hon lagt in på hans rum. Där hade funnits en bild av Lundberg. Men då hade han inte tänkt på likheten. Ytterligare en detalj föll plötsligt på plats.
De satte sig vid ett bord. Ann-Britt var trött.
– Jag for hem till Eva Persson, sa hon. I en fåfäng förhoppning om att hon trots allt skulle ha nåt mer att säga.
– Hur mådde hon?
– Det värsta är att hon verkar så oberörd. Om hon ändå hade visat tecken på att vara rödgråten. Eller att hon sov dåligt. Men hon tuggar på sina tuggummin och verkar egentligen mest störd över att behöva svara på frågor.
– Hon döljer det inom sig, sa Wallander bestämt. Jag blir mer och mer övertygad om att det pågår ett vulkanutbrott inom henne. Men vi ser det inte.
– Jag hoppas du har rätt.
– Hade hon nåt mer att säga?
– Nej. Varken hon eller Sonja Hökberg hade en aning om vad dom satte igång när Sonja tog sin hämnd.
Wallander berättade vad som hade hänt under eftermiddagen.
– Nånting liknande har vi aldrig varit i närheten av, sa hon när han tystnat. Om det stämmer.
– Vi får veta på måndag. Om vi inte lyckas göra nåt innan dess.
– Klarar vi det?
– Kanske. Det kan trots allt hjälpa att Martinsson tar kontakt med poliser över hela världen. Dessutom håller Alfredsson på att kontakta dom institutioner som vi har lyckats identifiera.
– Tiden är knapp. Om det med måndag stämmer. Dessutom är det helg.
– Tiden är alltid knapp, svarade Wallander.

Klockan nio orkade Robert Modin inte längre. De hade då bestämt att han inte skulle sova hemma i Löderup de närmaste nätterna. När Martinsson föreslagit att han kunde övernatta på polishuset hade han dock vägrat. Wallander funderade på om han skulle ringa till

Sten Widén och be honom bädda en extra säng. Men han lät tanken falla. Av olika skäl ansågs det inte heller lämpligt att han bodde hemma hos någon av poliserna. Ingen visste var gränserna för hoten gick. Wallander hade manat på alla att vara försiktiga.

Det var också då han insåg vem han kunde fråga. Elvira Lindfeldt. Hon befann sig utanför. Det skulle dessutom ge honom själv en möjlighet att träffa henne, om så bara för en kort stund.

Wallander nämnde inte hennes namn. Han sa bara att han skulle ta sig an Robert Modin och var han sov.

Han ringde henne strax före halv tio.

– Jag har en fråga, sa han, som säkert kommer oväntat.

– Jag är van vid oväntade frågor.

– Kan du ordna en extra sovplats i natt?

– För vem då?

– Minns du den unge mannen som kom in på restaurangen när vi åt?

– Han som hette Kolin?

– Ungefär. Modin.

– Har han ingenstans att sova?

– Jag säger bara så mycket som att han behöver nånstans att vara dom närmaste nätterna.

– Det är klart att han kan sova här. Men hur kommer han hit?

– Jag kör honom. Nu genast.

– Vill du ha nånting att äta när du kommer?

– Bara kaffe. Ingenting annat.

De lämnade polishuset strax före tio. När de hade passerat Skurup var Wallander säker på att ingen följde efter dem.

*

I Malmö hade Elvira Lindfeldt sakta lagt på telefonluren. Hon var nöjd. Mer än nöjd. Hon hade en nästan oförskämd tur. Hon tänkte på Carter som snart skulle lämna flygplatsen i Luanda.

Han kunde inte bli annat än belåten.

Han hade fått det precis som han ville.

37

Natten mot söndagen den 19 oktober blev en av de värsta som Wallander någonsin hade upplevt. Efteråt skulle han tänka att han nog redan hade haft en föraning om att något skulle hända när han satt i bilen och körde mot Malmö. Just när de hade passerat avfarten till Svedala hade en bilist gjort en plötslig och halsbrytande omkörning. De hade samtidigt haft möte med en långtradare som låg långt ut mot mitten av vägbanan. Wallander slet till i ratten och var nära att köra av. Robert Modin satt och sov vid hans sida. Han hade ingenting märkt. Men Wallander kände hur hjärtat slog innanför bröstbenet.

Han hade plötsligt blivit påmind om hur han något år tidigare hade somnat vid ratten och varit en hårsmån från att bli dödad. Det var innan han hade upptäckt sin diabetes och kunnat göra något åt den. Nu hade det hållit på att hända igen. Sedan hade oron vandrat vidare till utredningen vars utgång tycktes alltmer oviss. Wallander hade än en gång frågat sig om de verkligen var på rätt väg. Eller hade han betett sig som en berusad lots och drivit upp spaningsgruppen på ett grund? Vad innebar det om det som fanns i Falks dator inte alls hade med saken att göra? Om sanningen istället låg någon helt annanstans?

Den sista biten in mot Malmö hade Wallander på nytt försökt hitta en alternativ förklaring. Att något hade hänt när Falk var försvunnen i Angola var han fortfarande övertygad om. Men kunde det vara någonting helt annat än han hittills föreställt sig? Kunde det ha med droger att göra? Vad visste han själv överhuvudtaget om Angola? Nästan ingenting. Vagt anade han att det var ett rikt land, med både oljetillgångar och stora diamantförekomster. Kunde det vara förklaringen? Eller handlade det om att någon förvirrad grupp sabotörer höll på att förbereda en attack mot den svenska kraftförsörjningen? Men varför hade då Falk genomgått det som måste ha varit en stor förändring just i Angola? Där i mörkret, med de mötande bilarnas strålkastare som skar genom det svarta, hade han sökt en förklaring utan att finna den. I oron fanns också tankarna på det Ann-Britt hade berättat. Om Martinsson och hans spel bakom Wallanders rygg. Känslan av att vara ifrågasatt och det kanske med rätta. Oron överföll honom från alla håll samtidigt.

När han svängde av vid infarten mot Jägersro vaknade Robert Modin med ett ryck.

– Vi är strax framme, sa Wallander.
– Jag drömde, svarade Modin. Nån grep mig i nacken.
Wallander letade sig utan större besvär fram till den rätta adressen. Huset låg precis i hörnet av ett villaområde. Wallander gissade att det nog var byggt någon gång under mellankrigstiden. Han bromsade in och stängde av motorn.
– Vem är det som bor här? frågade Modin.
– En väninna, sa Wallander. Hon heter Elvira. Här sover du tryggt i natt. Och nån kommer och hämtar dig i morgon bitti.
– Jag har inte ens en tandborste med mig.
– Det ordnar sig på nåt sätt.
Klockan hade varit ungefär elva. Wallander hade då föreställt sig att han kanske skulle stanna till midnatt, dricka en kopp kaffe, se på hennes vackra ben, och sedan återvända till Ystad igen.
Men ingenting blev som han tänkt sig. De hade knappt hunnit ringa på dörren och blivit insläppta förrän det hade börjat surra i Wallanders telefon. När han svarade hörde han Hanssons upphetsade stämma. De hade äntligen fått upp ett spår av den som de trodde var den man som i dimman skjutit mot Wallander. Återigen var det en kvällsvandrare som luftat sin hund som hade upptäckt en man som tycktes försöka hålla sig gömd och betedde sig allmänt underligt. Mannen med hunden hade under hela dagen sett polisbilar jaga fram längs vägarna i närheten av Sandhammaren och hade tänkt att det vore klokt att ringa in sin iakttagelse. När Hansson talade med honom hade han genast sagt att mannen bar något som verkade vara en svart regnrock. Wallander hann inte mycket mer än att tacka Elvira för att hon tog emot Robert Modin, presentera honom på nytt och sedan var han på väg igen. Han hade tänkt att mycket tycktes handla om människor som luftade sina hundar under den här utredningen. Kanske dessa människor var en resurs som polisen mer aktivt borde börja använda sig av i framtiden? Efter att ha kört alldeles för fort kom han vid midnatt till den plats strax norr om Sandhammaren som Hansson angivit. Då hade han också stannat till vid polishuset och hämtat sitt tjänstevapen.
Det hade börjat regna igen. Martinsson hade anlänt en stund innan Wallander. Skyddsutrustade polismän fanns på plats, liksom två hundpatruller. Den man de jagade måste finnas i ett litet skogsområde som begränsades av vägen mot Skillinge och några öppna fält. Trots att Hansson snabbt hade fått en bevakningskedja på plats insåg Wallander omedelbart att risken för att den okände mannen skulle kunna komma undan i mörkret var mycket stor. De försökte resonera sig fram till någon sorts aktionsplan. Men att skicka ut

hundpatruller bedömde de genast som för farligt. De stod i regnet och blåsten och försökte komma fram till vad de egentligen kunde göra mer än att hålla bevakningslinjen och invänta gryningen. Då raspade det till i Hanssons radio. Den polispatrull som befann sig längst norrut hade fått något som de trodde var en kontakt. Sedan hördes ett skott, och strax därpå ännu ett. Ur radion kom sedan ett väsande: »Den jäveln skjuter.« Därefter tystnad. Wallander hade genast fruktat det värsta. Han och Hansson var de första att ge sig iväg. Vart Martinsson hade tagit vägen i den oreda som uppstått hade Wallander just för ögonblicket inte lagt märke till. Det tog dem sex minuter att hitta fram till den plats varifrån anropet kommit. När de upptäckte ljuset från polisbilen stannade de, plockade fram sina vapen och steg ur. Tystnaden var öronbedövande. Sedan ropade Wallander och till hans och Hanssons stora lättnad kom svar. De sprang hukande fram till bilen där två vettskrämda polismän låg nertryckta i leran med vapen i händerna. En av dem var El Sayed, den andre Elofsson. Mannen som skjutit befann sig i en liten skogsdunge på andra sidan vägen. De hade stått vid bilen när de plötsligt uppfattade hur en gren hade knäckts. Elofsson hade riktat sin ficklampa mot skogsbrynet, samtidigt som El Sayed hade tagit radiokontakt med Hansson. Sedan kom skotten.

– Vad finns bakom skogsdungen? väste Wallander.

– Det går en stig ner mot havet, svarade Elofsson.

– Finns det några hus där?

Ingen visste.

– Vi slår en ring runt, sa Wallander. Nu vet vi i alla fall var han gömmer sig.

Hansson ropade upp Martinsson och förklarade var de befann sig. Under tiden skickade Wallander El Sayed och Elofsson bort från bilen, djupare in i skuggorna. Hela tiden var han beredd på att mannen skulle dyka upp intill bilen, med vapnet höjt.

– Ska vi ta hit en helikopter? frågade Martinsson.

– Se till att den kommer i luften. Och den ska ha bra strålkastare. Men den ska inte dyka upp här förrän alla är på plats.

Martinsson återvände till radion. Wallander tittade försiktigt fram vid sidan av bilen. Naturligtvis kunde han inte se någonting. Bruset från vinden var nu så starkt att han heller ingenting hörde. Vad som var verkliga ljud och vad som var inbillade kunde han omöjligt avgöra. Han mindes plötsligt hur han en natt hade legat i en leråker tillsammans med Rydberg och spanat efter en man som slagit ihjäl sin fästmö med en yxa. Det var höst den gången också. De hade legat där och hackat tänder i den våta leran och Rydberg

hade förklarat att en av de svåraste konster som fanns var att skilja de ljud man verkligen hörde från dem som bara var inbillade. Vid flera tillfällen hade Wallander haft anledning att påminna sig Rydbergs ord. Men han tyckte aldrig han hade lyckats lära sig konsten.
Martinsson kröp närmare.
– Dom är på väg. Hansson skulle se till att få upp en helikopter.
Wallander hann aldrig svara. I samma ögonblick small det. De kröp ihop.
Skottet kom någonstans ifrån vänster. Wallander hade ingen aning om vem eller vad som varit målet. Han ropade till Elofsson. Och fick svar av El Sayed. Sedan hördes också Elofssons röst. Wallander tänkte att han måste göra någonting. Han ropade rakt ut i mörkret.
– Polisen. Lägg ner vapnet.
Sedan upprepade han samma ord på engelska.
Det kom inget svar. Bara vinden.
– Jag tycker inte om det här, viskade Martinsson. Varför ligger han kvar där och skjuter? Varför ger han sig inte av? Han måste ju förstå att det är förstärkningar på väg.
Wallander svarade inte. Även han hade börjat undra över samma sak.
Sedan hörde de sirener på avstånd.
– Varför sa du inte till dom att hålla käft?
Wallander dolde inte sin irritation.
– Det borde Hansson ha tänkt på själv.
– Du ska inte begära för mycket.
I samma ögonblick ropade El Sayed till. Wallander uppfattade vagt en skugga som försvann över vägen och ut mot den åker som låg till vänster om bilen. Sedan var den borta igen.
– Han ger sig iväg, väste Wallander.
– Var?
Wallander pekade ut i mörkret. Det var meningslöst. Martinsson kunde inte se. Wallander insåg att han måste göra någonting. Om mannen försvann över åkrarna skulle han snart komma in i ett större skogsparti där det skulle bli svårare att ringa in honom. Han ropade åt Martinsson att flytta på sig. Sedan hoppade han in i bilen, startade den och vände med häftiga rörelser. Han törnade emot någonting utan att veta vad det var. Men nu lyste strålkastarna rakt ut på åkern.
Mannen fanns där ute. När ljuset träffade honom stannade han och vände sig om. Regnrocken fladdrade i vinden. Wallander uppfattade att mannen lyfte ena armen. Han kastade sig åt sidan. Skot-

tet gick rakt igenom vindrutan. Wallander rullade ut ur bilen samtidigt som han skrek åt de andra att trycka sig mot marken. Ännu ett skott föll. Det träffade en av bilens strålkastare som slocknade. Wallander undrade om det var ren tur att mannen lyckats träffa strålkastaren på det avståndet. Sedan upptäckte han att han hade svårt att se. När han rullade ut ur bilen hade han skrapat upp pannan mot gruset och blodet hade börjat rinna. Han höjde försiktigt på huvudet samtidigt som han ännu en gång ropade åt de andra att ligga ner. Mannen klafsade fram i den våta leran.

Var fan är hundarna? tänkte Wallander.

Sirenerna kom närmare. Wallander blev plötsligt rädd att någon av bilarna skulle hamna inom mannens skottradie. Han ropade till Martinsson att ge besked över radion att de skulle stanna och inte komma närmare förrän de fick klartecken.

– Jag har tappat radion, svarade Martinsson. Jag hittar den inte i den här skiten.

Mannen ute på åkern höll nu på att försvinna ut ur strålkastarljuset. Wallander kunde se hur han snubblade till och nästan föll omkull. Wallander visste att han måste fatta ett beslut. Han reste sig upp.

– Vad i helvete gör du?

Wallander hörde Martinssons röst.

– Nu tar vi honom, sa Wallander.

– Vi måste ringa in honom först.

– Då hinner han komma undan.

Wallander såg på Martinsson som skakade på huvudet. Sedan gav han sig iväg. Leran började genast klumpa sig under hans skor. Mannen var borta ur strålkastarljuset nu. Wallander stannade, tog fram sitt vapen och kontrollerade att det var osäkrat. Bakom sig kunde han höra Martinsson ropa till Elofsson och El Sayed. Wallander försökte hålla sig strax utanför ljuset från den kvarvarande strålkastaren. Han ökade farten. Då fastnade hans ena sko i leran. Wallander böjde sig ner och rev ilsket av sig också den andra. Vätan och kylan trängde genast in i hans fötter. Men han rörde sig lättare nu. Plötsligt fick han syn på mannen. Han snubblade fram över åkern och hade svårt att hålla sig upprätt. Wallander gled djupare in i mörkret. Sedan kom han på att hans jacka var vit. Han tog av den och släppte den i leran. Tröjan han hade under var mörkgrön. Nu syntes han inte så lätt längre. Mannen framför honom tycktes inte vara medveten om att Wallander fanns där bakom. Det gav honom ett övertag.

Fortfarande var avståndet så stort att Wallander inte vågade försöka oskadliggöra honom genom att skjuta mot benen. På avstånd hörde Wallander en helikopter. Ljudet kom inte närmare. Den avvaktade någonstans i närheten. De befann sig mitt ute på åkern nu. Ljuset från strålkastaren hade börjat bli svagare. Wallander tänkte att han måste göra något. Frågan var bara vad. Han visste att han var en dålig skytt. Mannen framför honom hade visserligen missat två gånger. Men han var ändå med säkerhet skickligare med sitt vapen än Wallander. Strålkastaren hade han träffat på stort avstånd. Wallander försökte febrilt hitta en lösning. Snart skulle mannen vara uppslukad av mörkret. Han förstod inte heller varför Martinsson eller Hansson inte släppte fram helikoptern.

Plötsligt snubblade mannen till. Wallander tvärstannade. Sedan såg han att mannen böjde sig ner och började leta efter någonting. Det tog bråkdelen av en sekund för Wallander att inse att han hade tappat sitt vapen och inte kunde hitta det. Wallander hade drygt trettio meter fram. Det är för kort tid, tänkte han. Sedan gav han sig iväg. Han försökte hoppa över de våta och stela plogfårorna. Men han snubblade till och höll på att mista balansen. Samtidigt upptäckte mannen honom. Trots att avståndet fortfarande var stort kunde Wallander se att han var asiat.

Sedan halkade Wallander. Vänsterfoten gled undan som om han hade befunnit sig på ett isflak. Han lyckades aldrig parera obalansen utan föll omkull. I samma ögonblick hittade mannen sitt vapen. Wallander hade kommit upp på knä. Vapnet i mannens hand var riktat rakt emot honom. Wallander tryckte av. Pistolen strejkade. Han tryckte igen. Samma resultat. I ett sista desperat försök att komma undan kastade Wallander sig åt sidan och försökte pressa sig djupt ner i leran. Då kom skottet. Wallander ryckte till. Men han hade inte blivit träffad. Han låg orörlig och väntade på att mannen skulle skjuta igen. Men det hände ingenting. Hur länge Wallander blev liggande visste han inte. Men i huvudet hade han en bild, där han tyckte sig se sin egen situation på avstånd. Det var alltså så här allting skulle ta slut. En meningslös död, ensam på en åker. Hit hade han kommit med alla sina drömmar och föresatser. Nu blev det inget mer. Med ansiktet tryckt mot den våta och kalla leran skulle han försvinna bort i det sista mörkret. Och han skulle inte ens ha skor på sig.

Det var först när ljudet av helikoptern hastigt närmade sig som han vågade tänka tanken att han faktiskt skulle överleva. Försiktigt tittade han upp.

Mannen låg på rygg i leran med utbredda armar. Wallander reste sig och gick långsamt närmare. På avstånd kunde han se hur helikopterns strålkastare hade börjat spela över åkrarna. Han hörde också hundar som skällde och Martinsson som ropade ur mörkret.

Mannen var död. Orsaken behövde Wallander inte leta efter. Det skott som han nyss hört hade inte varit ämnat åt honom. Mannen som låg död framför honom i leran hade skjutit sig själv. Rakt i tinningen. Wallander kände sig plötsligt yr och illamående. Han satte sig ner på huk. Fukten och kylan som trängt in i honom gjorde att han skakade.

Han tänkte att han nu inte behövde undra längre. Den man i svart regnrock som låg död framför honom hade ett asiatiskt utseende. Vilket land han kom ifrån kunde Wallander inte avgöra. Men det var den här mannen som ett par veckor tidigare fått Sonja Hökberg att byta plats med Eva Persson på Istváns restaurang och som sedan betalat med ett falskt kreditkort, utställt på Fu Cheng. Det var han som kommit in i Falks lägenhet när Wallander var där och väntade på änkan. Det var han som två gånger hade skjutit mot Wallander utan att träffa.

Wallander visste inte vem mannen var eller varför han hade kommit till Ystad. Men hans död var en lättnad. Nu behövde Wallander i alla fall inte längre oroa sig för sina kollegors eller Robert Modins säkerhet.

Han trodde att mannen som låg framför honom också hade varit den person som släpat in Sonja Hökberg i transformatorstationen. Och Jonas Landahl ner i det oljeblandade vattnet runt propelleraxeln i maskinutrymmet på en Polenfärja.

Luckorna var många. Det oförklarade dominerade över det som de kunde begripa. Men Wallander satt på huk där i leran och tänkte att något trots allt hade tagit slut.

Att det inte var så kunde han naturligtvis inte veta. Det skulle han komma att förstå först senare.

Martinsson var den förste som nådde fram. Wallander reste på sig. Elofsson fanns strax bakom. Wallander bad honom hämta hans skor och jackan som fanns någonstans i leran.

– Sköt du honom? frågade Martinsson vantroget.

Wallander skakade på huvudet.

– Han sköt sig själv. Om han inte hade gjort det hade jag varit död nu.

Någonstans ifrån hade nu också Lisa Holgersson kommit. Wallander lät Martinsson förklara. Elofsson kom med Wallanders jacka och hans skor. De var fulla med lera. Wallander ville nu komma bort från platsen så fort som möjligt. Inte bara för att åka hem och byta kläder utan lika mycket för att slippa minnet av sig själv, där han låg i leran och väntade på slutet. Det eländiga slutet.

Någonstans inuti honom fanns nog en glädje. Men för ögonblicket kände han mest tomhet.

Helikoptern var borta nu. Hansson hade skickat tillbaka den. Det stora pådraget hade börjat avvecklas. Kvar fanns bara de som skulle undersöka platsen och ta hand om den döde.

Hansson kom klafsande i leran. Han hade brandgula gummistövlar och sydväst på huvudet.

– Du borde åka hem, sa Hansson och betraktade Wallander.

Wallander nickade och började gå tillbaka samma väg han kommit. Ficklampor flackade runt honom. Flera gånger höll han på att falla omkull.

Strax innan han kom fram till vägen hade Lisa Holgersson hunnit ikapp honom.

– Jag tror jag har fått en ganska bra bild av det som hänt, sa hon. Men i morgon måste vi naturligtvis gå igenom det här ordentligt. Det var tur att det gick som det gick.

– Vi kommer snart att kunna svara på om det var han som dödade Sonja Hökberg och Jonas Landahl.

– Du tror inte han också kan ha haft nånting med Lundbergs död att göra?

Wallander såg undrande på henne. Ofta hade han tänkt att hon snabbt förstod och ställde de riktiga frågorna. Nu förvånade hon honom av precis motsatt skäl.

– Det var Sonja Hökberg som dödade Lundberg, sa han. Den saken behöver vi knappast grubbla över längre.

– Men varför har allt det här hänt?

– Det vet vi inte än. Men Falk spelar en huvudroll. Eller rättare sagt det som gömmer sig i hans dator.

– Jag tycker fortfarande det verkar vara ganska obevisat.

– Nån alternativ förklaring existerar inte.

Wallander kände att han inte orkade mer.

– Jag måste få på mig torra kläder, sa han. Om du ursäktar så tänker jag faktiskt åka hem nu.

– Bara en sak till, sa hon. Jag är tvungen att säga det till dig. Det var helt oförsvarligt att du gav dig ut efter honom ensam. Du skulle ha tagit Martinsson med dig.

– Allting gick så fort.

– Du borde inte ha hindrat honom att följa med dig.

Wallander hade hållit på att torka bort lera från sina kläder. Nu såg han plötsligt upp.

– Hindrat honom?

– Du borde inte hindrat Martinsson att följa med dig. Det är en grundregel att man aldrig ska ingripa ensam. Det borde du veta.

Wallander hade mist allt intresse för leran som klibbade.

– Vem har sagt att jag har hindrat nån?

– Det har framgått mycket klart.

Wallander visste att det bara fanns en enda förklaring. Att Martinsson själv hade påstått det. Elofsson och El Sayed hade befunnit sig på alltför stort avstånd.

– Vi kanske kan tala om det här i morgon, sa han undvikande.

– Jag var tvungen att påtala det. Annars hade jag begått tjänstefel. Din situation just nu är ju dessutom tillräckligt komplicerad som den är.

Hon lämnade honom och försvann mot vägen med sin ficklampa. Wallander märkte att han var rasande. Martinsson hade alltså ljugit. Om att Wallander skulle ha hindrat honom från att följa med ut i åkern. Och sedan hade Wallander legat där i leran och varit säker på att han mycket snart skulle dö.

I samma ögonblick upptäckte han att Martinsson och Hansson var på väg emot honom. Ljuset från ficklamporna dansade. I bakgrunden startade Lisa Holgersson sin bil och for därifrån.

Martinsson och Hansson stannade.

– Kan du hålla Martinssons ficklampa? sa Wallander och såg på Hansson.

– Varför det?

– Kan du bara vara snäll och göra som jag säger.

Martinsson sträckte över sin lampa. Wallander tog ett kliv framåt och slog till Martinsson rakt i ansiktet. Men eftersom han hade svårt att bedöma avståndet i ficklampornas flackande ljus blev det aldrig mer än ett slag som snuddade vid Martinssons ansikte.

– Vad i helvete håller du på med?

– Vad i helvete håller *du* på med? skrek Wallander.

Sedan kastade han sig över Martinsson. De rullade runt i leran. Hansson försökte gå emellan men halkade omkull. En av ficklamporna slocknade, den andra blev liggande i leran.

Wallanders ursinne hade försvunnit lika fort som det kommit. Han tog upp ficklampan och lyste på Martinsson, som blödde ur munnen.

– Du säger till Lisa att jag hindrade dig att följa med efter honom? Du säger saker om mig som inte är sanna.

Martinsson satt kvar i leran. Hansson hade rest sig. Någonstans på avstånd skällde en hund.

– Du går bakom min rygg, fortsatte Wallander och märkte att hans röst nu var alldeles lugn.

– Jag vet inte vad du talar om.

– Du går bakom min rygg. Du tycker att jag är en dålig polis. Du smiter in till Lisa när du tror att ingen ser dig.

Hansson blandade sig i samtalet.

– Vad är det ni håller på med?

– Vi diskuterar på vilket sätt man bäst samarbetar, svarade Wallander. Om det sker genom att man försöker vara nåt så när uppriktiga mot varandra. Eller om lämpligaste sättet är att man går bakom ryggen på varandra.

– Jag förstår fortfarande ingenting, sa Hansson.

Wallander miste orken. Han såg ingen mening i att dra ut på det här längre än nödvändigt.

– Det var bara det jag ville säga, sa han och slängde ficklampan framför Martinssons fötter.

Sedan gick han bort till vägen och bad en av patrullbilarna köra honom hem. Han tog ett bad och satte sig sedan i köket. Klockan var närmare tre. Han försökte tänka, men huvudet var tomt. Han gick och la sig, utan att kunna somna. Han återvände till åkern igen. Rädslan när han legat där med ansiktet tryckt mot leran. Den egendomliga känslan av skam över att han nästan hade dött utan skor på fötterna. Och sedan uppgörelsen med Martinsson.

Jag nådde min bristningsgräns, tänkte han. Kanske inte bara i förhållande till Martinsson? Utan till allt jag håller på med.

Ofta hade han känt sig sliten och utarbetad. Men aldrig som nu. Han försökte tänka på Elvira Lindfeldt för att repa mod. Hon låg säkert och sov. Och i ett rum i hennes närhet fanns Robert Modin. Som nu inte längre behövde oroa sig för att män med kikare skulle dyka upp i hans synfält.

Han undrade också vad som skulle bli konsekvenserna av att han slagit till Martinsson. Ord skulle komma att stå emot ord. På samma sätt som ord stod mot ord i fallet med Eva Persson och hennes mamma. Lisa Holgersson hade redan visat att hon uppenbart hade större förtroende för Martinsson än för honom. På mindre än två veckor hade dessutom Wallander gripit till våld två gånger. Det gick inte att komma ifrån. I det ena fallet hade det varit mot en minderårig under ett förhör, i det andra fallet mot en av hans äldsta kollegor. En man som han delat många förtroenden med.

Där han låg i nattmörkret frågade han sig om han ångrade sitt utfall. Men han kunde inte göra det. Ytterst handlade det om hans egen värdighet. Detta hade varit en nödvändig reaktion på Martinssons svek. Det Ann-Britt i förtroende hade berättat för Wallander skulle tvingas upp till ytan.

Han låg länge vaken och tänkte på det som han upplevde som sin bristningsgräns. Men han tänkte också att en sådan fanns i hela samhället. Vad som skulle komma ut av det visste han inte. Annat än att framtidens poliser, de som just nu, som El Sayed, lämnade Polishögskolan skulle ha helt andra förutsättningar att hantera de nya former av brottslighet som följde i den nya informationsteknikens spår. Även om jag inte är gammal är jag en gammal hund, tänkte han. Och gamla hundar lär man bara med yttersta besvär att göra nya konster.

Två gånger steg han upp. Den ena för att dricka vatten, den andra för att kissa. Båda gångerna blev han stående vid fönstret i köket och såg ut över den tomma gatan.

När han till sist somnade hade klockan blivit över fyra.

Söndagen den 19 oktober.

*

Carter landade i Lissabon med TAP:s Flight 553 exakt klockan 6.30. Planet till Köpenhamn skulle gå klockan 8.15. Som vanligt kände Carter hur ankomsten till Europa gjorde honom orolig. I Afrika kände han sig skyddad. Men här befann han sig på främmande territorium.

Inför sin entré i Portugal hade han valt bland sina pass och identiteter. Han gick igenom kontrollen som Lukas Habermann, tysk medborgare, född i Kassel 1939, och han la passkontrollörens ansikte på minnet. Därifrån gick han raka vägen till toaletten och klippte sönder passet. Bitarna spolade han noga ner. Ur sitt handbagage tog han därefter fram det brittiska pass där han hette Richard Stanton och var född i Oxford 1940. Sedan satte han på sig en annan jacka och vattenkammade håret. Efter att ha checkat in gick han tillbaka till passkontrollen och valde sedan att gå igenom så långt som möjligt ifrån den lucka där han en halvtimme tidigare visat upp sitt tyska pass. Ingenstans stötte han på några problem. Han letade reda på en undanskymd plats där ombyggnadsarbeten pågick inne i själva avgångshallen. Eftersom det var söndag låg arbetet nere. Han tog fram sin telefon när han förvissat sig om att han var ensam.

Hon svarade nästan genast. Han tyckte inte om att tala i telefon. Därför ställde han bara korta frågor och förväntade sig att få lika korta och precisa svar.

Var Cheng befann sig kunde hon inte svara på. Han skulle ha hört av sig kvällen innan. Men det hade aldrig kommit något telefonsamtal.

Sedan lyssnade Carter vantroget på den nyhet hon hade. Han trodde knappt att det var sant. Sådan tur kunde man bara inte ha.

Till sist var han ändå övertygad. Robert Modin hade gått, eller blivit skjutsad, rakt i fällan.

När Carter hade avslutat samtalet blev han stående. Att Cheng inte hade hört av sig var oroande. Någonting hade hänt. Men å andra sidan skulle det nu inte vara några problem att oskadliggöra den man som hette Modin och som alltmer kommit att framstå som deras största bekymmer.

Carter stoppade ner telefonen i väskan och mätte sedan sin puls.

Den var lite över det normala. Ingenting anmärkningsvärt.

Han gick till den speciella lounge där passagerare i business class kunde dra sig undan.

Där åt han ett äpple och drack en kopp te.

Planet till Köpenhamn var fem minuter försenat när det lyfte klockan 8.20.

Carter satt på platsen nummer 3D. Gångplats. Han avskydde att sitta inklämd vid ett fönster.

Han sa till flygvärdinnan att han inte ville ha någon frukost.

Sedan slöt han ögonen och hade snart somnat.

38

Wallander och Martinsson möttes klockan åtta på söndagsmorgonen. Som om de hade avtalat tid och plats kom de till polishuset exakt samtidigt. De stötte samman i korridoren utanför matrummet. Eftersom de kom från var sitt håll i den söndagstomma korridoren fick Wallander en känsla av att de på något sätt möttes för att utkämpa en duell. Men ingenting annat skedde än att de nickade och gemensamt gick in i matrummet där kaffeautomaten på nytt hade slutat att fungera. Martinsson hade en blånad över ena ögat och underläppen var svullen. De stirrade på den slarvigt textade lappen som meddelade att kaffeautomaten var ur funktion.

– Jag ska ta dig för det du gjorde, sa Martinsson. Men först ska vi klara upp det vi håller på med.

– Det var fel av mig att slå dig, svarade Wallander. Men det är också det enda jag ångrar.

Sedan sa de inte mer om det som hade hänt. Hansson hade kommit in i matrummet och betraktade oroligt de två männen vid kaffeautomaten.

Wallander föreslog att de lika gärna kunde slå sig ner inne i matrummet som var tomt istället för att använda ett mötesrum. Hansson satte på en kastrull med vatten och erbjöd dem att dela hans privata kaffeförråd. När de hade hällt upp vattnet kom Ann-Britt. Wallander visste inte om Hansson hade ringt henne tidigare på morgonen och berättat vad som hänt. Men det visade sig vara Martinsson som gett henne information om mannen som hade dött ute på åkern. Wallander förstod att han inte hade sagt någonting om slagsmålet. Han märkte också att Martinsson såg på henne med kyla. Vilket inte kunde innebära annat än att han ägnat sin natt åt att fundera ut vem som kunde ha skvallrat för Wallander.

När Alfredsson anslöt sig efter ytterligare några minuter var alla samlade. Hansson kunde berätta att Nyberg fortfarande var kvar ute på åkern.

– Vad tror han sig om att hitta? frågade Wallander förvånat.

– Han åkte hem och sov några timmar, förtydligade Hansson. Men han räknar med att vara klar där ute om nån timme.

Mötet blev kort. Wallander sa åt Hansson att tala med Viktorsson. I den situation de befann sig i var det viktigt att åklagaren fick information löpande. Det skulle med säkerhet också uppstå ett behov av en presskonferens under dagen. Men den fick Lisa Holgersson ta hand om. Fanns det tid kunde Ann-Britt assistera.

– Jag var ju inte ens med i natt? sa hon förvånat.

– Du behöver inte säga nånting. Det är bara så att jag vill att du ska höra vad Lisa säger. Ifall hon får för sig att göra nån riktigt enfaldig kommentar.

Reaktionen på hans sista ord var förvånad tystnad. Ingen hade tidigare hört honom vara så öppet kritisk mot deras chef. För Wallander låg det ingen genomtänkt avsikt bakom det han sa. Det var bara hans nattliga tankar som gjorde sig påminda igen. Känslan av att vara utsliten, kanske gammal. Och baktalad. Men om han verkligen var gammal så kunde han tillåta sig att säga som det var. Utan hänsyn, vare sig mot det som varit eller det som skulle komma.

Sedan övergick han till det som var viktigt just nu.

– Vi måste koncentrera oss på Falks dator. Om det stämmer, att nåt har programmerats in som kommer att utlösas den 20, har vi mindre än 16 timmar på oss att lista ut vad det är.

– Var är Modin? frågade Hansson.

Wallander tömde det sista av sin kaffemugg och reste sig.

– Jag ska hämta honom. Nu sätter vi igång.

När de lämnade matrummet ville Ann-Britt tala med honom. Men han viftade avvärjande.

– Inte nu. Jag måste hämta Modin.

– Var är han?

– Hos en god vän.

– Kan ingen annan hämta honom?

– Säkert. Men jag behöver tänka. Hur använder vi oss av den här dagen på bästa sätt? Vad betyder det att mannen där ute i åkern är död?

– Det var just det jag ville tala om.

Wallander stannade i dörren.

– Du får fem minuter.

– Det verkar inte som om nån har ställt den viktigaste frågan.

– Vilken är det?

– Varför han sköt sig själv och inte dig.

Wallander märkte på sin röst att han lät irriterad. Det var han också. På allt och alla. Han gjorde inga försök att dölja det.

– Varför tror du inte att jag har ställt mig den frågan?

– Då skulle du ha sagt nåt nu när vi satt samlade.

Frågvisa kärring, tänkte han. Men det sa han inte. Där fanns ändå en osynlig gräns som han inte förmådde överskrida.

– Vad är din åsikt?

– Jag var aldrig där. Jag vet inte hur det såg ut eller vad som egentligen hände. Men det ska ändå mycket till för att en sån människa ska ta livet av sig.

– Varför tror du det?

– Lite erfarenhet har jag väl trots allt samlat på mig genom åren?

Wallander kunde inte hjälpa att han blev mästrande.

– Frågan är om den erfarenheten har nåt direkt värde just nu. Den där mannen har förmodligen dödat minst två personer. Och han skulle inte ha tvekat att döda ytterligare en. Vad som ligger bakom vet vi inte. Men han måste ha varit en mycket hänsynslös människa. Och därtill ovanligt kallblodig. En asiatisk kallblodighet kanske, vad som nu kan menas med det. Han hörde helikoptern. Han insåg att han inte skulle komma undan. Vi misstänker att människorna som ligger bakom det som sker är fanatiska. Till slut kanske han vände den besattheten mot sig själv.

Ann-Britt ville säga någonting. Men Wallander var redan på väg ut genom dörren.

– Jag måste hämta Modin, sa han. Sen kan vi prata. Om den här världen fortfarande finns kvar då.

Wallander lämnade polishuset. Klockan var kvart i nio. Han hade bråttom. Vinden var byig. Det hade slutat regna. Molntäcket höll hastigt på att spricka upp. Han körde mot Malmö. Söndagsvägen var öde. Den hastighet han höll var alltför hög. Någonstans mellan Rydsgård och Skurup körde han över en hare. Han försökte väja men haren hamnade under ett av bakhjulen. I backspegeln kunde han se hur det ryckte i bakbenen där den låg på vägbanan. Men han bromsade inte.

Han stannade först utanför huset vid Jägersro. Klockan var då tjugo minuter i tio. Elvira Lindfeldt öppnade genast när han ringde på dörrklockan. Wallander skymtade Robert Modin där han satt vid köksbordet och drack te. Hon var fullt påklädd. Men Wallander fick en känsla av att hon var trött. På något sätt verkade hon annorlunda mot senast när han träffat henne. Men hennes leende var ändå detsamma. Hon ville bjuda honom på kaffe. Wallander hade inte velat något hellre. Men han sa nej. Tiden var knapp. Hon insisterade, tog honom i armen och nästan föste honom in i köket. Wallander uppfattade att hon kastade en förstulen blick på sin klocka. Genast blev han misstänksam. Hon vill att jag ska stanna, tänkte han. Men inte för länge. Sedan har hon något annat som väntar. Eller någon. Han tackade nej igen och sa åt Modin att göra sig klar.

– Jag blir orolig av människor som har bråttom, klagade hon när Modin hade lämnat köket.

– Då har du hittat ditt första fel hos mig, sa Wallander. Men just idag kan jag faktiskt inte hjälpa det. Vi behöver Modin i Ystad.

– Varför är allting så bråttom?

– Jag har inte tid att förklara, sa Wallander. Låt mig bara säga att vi är lite bekymrade för den 20 oktober. Och det är i morgon.

Trots att Wallander var trött märkte han den svaga sky av oro som drog över hennes ansikte. Sedan log hon igen. Wallander undrade om det var rädsla. Men han slog bort det som inbillning.

Modin kom nerför trappan. Han var klar. Sina små datorer bar han en under vardera armen.

– Kommer min nattgäst tillbaka ikväll? frågade hon.

– Det behövs inte mer.

– Kommer *du* tillbaka?

– Jag ringer, sa Wallander. Just nu vet jag inte.

De for tillbaka mot Ystad. Wallander hade dämpat farten. Men inte mycket.

– Jag vaknade tidigt, sa Modin. Jag försökte tänka. Några nya idéer dök upp i mitt huvud som jag gärna vill pröva.

Wallander undrade om han skulle berätta om nattens händelser. Men han bestämde sig för att avvakta. Just nu var det viktigare än något annat att Modin behöll sin koncentration. De for vidare under tystnad. Wallander insåg det meningslösa i att Modin skulle ödsla kraft på att försöka förklara för honom vad hans nya idéer egentligen innebar.

De passerade platsen där Wallander hade kört på haren. En flock kråkor försvann åt olika håll när bilen närmade sig. Haren var redan sönderhackad till oigenkännlighet. Wallander berättade att det var han som hade kört på haren på vägen till Malmö.

– Man ser hundratals överkörda harar, sa Wallander. Men det är först när det är en man själv har dödat som man verkligen ser den.

Modin såg plötsligt på Wallander.

– Kan du säga det där en gång till? Om haren.

– Det är först när man själv har kört på den som man ser den. Trots att man har sett hundratals andra döda harar.

– Just det, sa Modin eftertänksamt. Så är det naturligtvis.

Wallander kastade en undrande blick på honom.

– Det är kanske så man ska se det, förklarade Modin. Det vi söker efter i Falks dator. Nånting vi har sett flera gånger tidigare utan att lägga märke till det.

– Jag tror inte jag riktigt förstår hur du menar?

– Kanske vi har letat onödigt djupt? Kanske det vi söker inte alls är gömt utan finns där mitt framför ögonen på oss?

Modin försjönk i sina tankar. Wallander var fortfarande osäker på om han hade förstått.

Klockan elva stannade de utanför huset vid Runnerströms Torg. Modin sprang uppför trapporna med sina datorer. Wallander kom flåsande en halvtrappa efter. Han visste att han från och med nu måste förlita sig på det Alfredsson och Modin kunde få fram. Med assistans av Martinsson. Det bästa han själv kunde göra var att försöka behålla överblicken. Inte tro att han kunde dyka ner och simma runt i det elektroniska havet tillsammans med de andra. Men ändå kände han behov av att påminna dem om vilken situation de befann sig i. Vad som var viktigt och vad som kunde vänta. Samtidigt hoppades han att Martinsson och Alfredsson hade vett att inte berätta för Modin om vad som hänt under natten. Egentligen borde Wallander ha tagit Martinsson åt sidan och förklarat för honom att Modin ingenting visste. Och att det tills vidare borde fortsätta att vara på det sättet. Men han kunde inte förmå sig att prata mer än absolut nödvändigt med Martinsson. Han klarade inte längre att dela några som helst förtroenden med honom.

– Klockan är elva, sa han när han fått tillbaka andhämtningen efter den våldsamma marschen uppför trapporna. Det betyder att vi har tretton timmar till midnatt den 20:e. Tiden är med andra ord knapp.

– Nyberg ringde, avbröt Martinsson.

– Vad hade han att komma med?

– Inte mycket. Vapnet var en Makarov, 9 mm. Han antog att det skulle visa sig vara samma vapen som användes i lägenheten på Apelbergsgatan.

– Hade mannen några papper på sig?

– Han hade tre olika pass. Ett koreanskt, ett från Thailand och märkligt nog också ett från Rumänien.

– Inget från Angola?

– Nej.

– Jag ska prata med Nyberg.

Sedan övergick Wallander till att tala om läget i stort. Modin satt otåligt och väntade framför datorn.

– Om tretton timmar är det den 20 oktober, upprepade han. Just nu är det två saker som intresserar oss. Allt annat måste tills vidare vänta. Svaren på dom två frågorna kommer med nödvändighet att leda oss till en tredje. Men den återkommer jag till.

Wallander såg sig om. Martinsson stirrade framför sig med uttryckslöst ansikte. Svullnaden vid läppen hade börjat bli blå.

– Svaret på den första frågan kan dessutom eliminera dom två andra, fortsatte Wallander. Är det verkligen den 20 oktober som är vårt datum? Och om det är så, vad kommer då att hända? Har vi kommit fram till ett »ja« så innebär den tredje frågan att vi måste försöka förstå hur vi ska kunna agera för att stoppa det hela. Ingenting annat än det här är viktigt.

Wallander tystnade.

– Det har inte kommit några svar från utlandet än, sa Alfredsson.

Wallander påminde sig det papper han skulle ha signerat innan det skickades ut till internationella polisorganisationer.

Martinsson hade läst hans tankar.

– Jag skrev under det själv. För att spara tid.

Wallander nickade.

– Har nån av dom institutioner vi lyckats identifiera hört av sig med reaktioner?

– Ingenting än så länge. Men det har ju knappast gått nån tid. Och det är söndag.

– Det betyder att vi just nu är ensamma, sammanfattade Wallander.

Sedan såg han på Modin.

– Robert sa till mig i bilen hit att han hade några nya idéer. Vi får hoppas att dom leder oss rätt.

– Jag är övertygad om att det är den 20:e, sa Modin.

– Då gäller det att du övertygar oss andra.

– Jag behöver en timme, sa Modin.

– Vi har 13, svarade Wallander. Men låt oss alltså utgå ifrån att vi faktiskt inte har mer än så.

Wallander gick därifrån. Det bästa han kunde göra just nu var att lämna dem ifred. Han åkte upp till polishuset. Det första han gjorde var att gå på toaletten. De senaste dagarna hade han nästan ständigt känt behov av att kissa. Och han hade varit torr i munnen. Det var signaler på att han börjat missköta sin diabetes igen. Han lämnade toaletten och gick till sitt rum och satte sig i stolen.

Vad är det jag har förbisett, tänkte han. Finns det någonting i allt det här som i ett enda slag skulle kunna ge oss det sammanhang vi letar efter? Huvudet malde på tomgång. För ett ögonblick vandrade tankarna tillbaka till Malmö. Elvira Lindfeldt hade varit annorlunda den här morgonen. Vad det var kunde Wallander inte avgöra, men han var säker på sin sak. Och det gjorde honom orolig. Minst av allt önskade han att hon redan nu skulle börja hitta några fel hos honom. Kanske hade han för snabbt och abrupt dragit in henne i sitt yrkesliv genom att be om natthärbärge för Robert?

Han ruskade av sig tankarna och gick över till Hanssons rum. Denne satt framför sin dator och slog i olika register enligt en lista som Martinsson hade gett honom. Wallander frågade hur det gick. Hansson skakade på huvudet.

– Det finns ingenting som hänger ihop, sa han uppgivet. Det är som att försöka plocka ihop ett antal bitar från olika pussel och hoppas att dom på nåt mirakulöst sätt ska passa ihop. Den enda gemensamma nämnaren är att det är finansinstitutioner. Plus ett telebolag och en satellitentreprenör.

Wallander hajade till.

– Vad var det sista du sa?

– En satellitentreprenör i Atlanta. »Telsat Communications.«

– Det är alltså inte fråga om en tillverkare?

– Såvitt jag har förstått handlar det om ett företag som hyr ut sändningsutrymme på ett antal kommunikationssatelliter.

– Det passar i så fall ihop med telebolaget, sa Wallander.

– Om man vill kan man naturligtvis säga att det passar ihop även med allt annat. Pengar skickas fram och tillbaka på elektronisk väg idag. Den tid när man flyttade pengar i lådor är förbi. Åtminstone när det gäller dom riktigt stora transaktionerna.

En tanke hade slagit Wallander.

– Kan man se om nån av det där företagets satelliter täcker in Angola?

Hansson knappade på sitt tangentbord. Wallander märkte att det gick betydligt långsammare än när Martinsson höll på.

– Deras satelliter täcker hela världen. Till och med polarområdena.

Wallander nickade.

– Nånting kan det betyda, sa han. Ring upp Martinsson och berätta det här.

Hansson grep tillfället.

– Vad var det egentligen som hände i natt där ute på åkern?

– Martinsson pratar skit, svarade Wallander kort. Men vi tar inte det just nu.

Wallander såg på sin klocka hur timmarna gick denna söndag. De tycktes inte komma vidare. Han tillbringade till en början sin tid uppe på polishuset i en fåfäng förhoppning om att det förlösande telefonsamtalet skulle komma från Runnerströms Torg. Men det var tyst. Lisa Holgersson höll en improviserad presskonferens klockan två. Hon hade velat tala med Wallander innan. Men han hade gjort sig osynlig och strängt instruerat Ann-Britt att säga att han inte var inne. Långa stunder stod han orörlig framför sitt fönster och såg ut mot vattentornet. Molntäcket hade försvunnit. Det var en klar och kylig oktoberdag.

Vid tretiden stod han inte ut på polishuset längre och åkte ner till Runnerströms Torg. Där pågick en intensiv diskussion om hur några sifferkombinationer skulle tolkas. När Modin ville dra in Wallander i samtalet skakade han bara på huvudet.

Klockan fem gick han ut och åt en hamburgare. När han kommit tillbaka till polishuset ringde han till Elvira Lindfeldt. Han fick inget svar. Inte ens hennes telefonsvarare var på. Misstänksamheten kom genast tillbaka. Men han var för trött och splittrad för att på allvar låta den ta befälet.

Halv sju dök Ebba överraskande upp på polishuset. Hon hade med sig en plastlåda med mat till Modin. Wallander bad Hansson köra henne ner till Runnerströms Torg. Efteråt tänkte han att han aldrig hade tackat henne ordentligt.

Vid sjutiden ringde han till Runnerströms Torg. Martinsson svarade. Samtalet var kort. De hade fortfarande inte kommit fram till några svar på de frågor Wallander hade ställt. Han la på luren och gick in till Hansson som med blodsprängda ögon satt och stirrade på sin skärm. Wallander frågade om det fortfarande inte hade kommit några meddelanden från utlandet. Hanssons svar bestod av ett enda ord.

Ingenting.

Wallander drabbades av ett plötsligt raserianfall. Han slet till sig Hanssons besöksstol och kastade den i väggen. Sedan gick han därifrån.

Klockan åtta stod han i Hanssons dörröppning igen.

– Vi åker ner till Runnerströms Torg, sa han. Det här går inte längre. Vi måste sammanfatta läget.

De hämtade Ann-Britt som halvsov på sitt rum. Sedan for de under tystnad ner till Falks kontorslägenhet. När de kom upp satt Modin på golvet och lutade sig mot väggen. Martinsson hade sin fällstol. Alfredsson hade lagt sig raklång på golvet. Wallander undrade om han någonsin tidigare i sitt liv hade stått inför en så uppgiven och utröttad spaningsgrupp. Han visste att den fysiska tröttheten kom sig av att de, trots nattens händelser, så helt tycktes sakna avgörande framgång. Hade de bara gjort något rejält framsteg, hade de lyckats tränga igenom väggen, skulle deras samlade energi fortfarande ha varit tillräcklig. Nu härskade en håglöshet och uppgivenhet som var i det närmaste bottenlös.

Vad gör jag? tänkte han. Hur ser vår sista ansträngning ut? Innan klockan blir midnatt.

Han satte sig på stolen intill datorn. De andra grupperade sig runt honom. Martinsson höll sig dock i bakgrunden.

– Sammanfattning, sa Wallander. Var står vi nu?

– Mycket talar för att nåt kommer att ske den 20:e, sa Alfredsson. Men om det är precis vid tolvslaget eller senare vet vi inte. Nån form av dataproblem kan alltså tänkas uppstå inom dom här institutionerna vi har identifierat. Och bland alla dom andra som vi inte har identifierat. Eftersom det är stora och mäktiga finansiella institutioner det handlar om måste vi förutsätta att det på nåt sätt har med pengar att göra. Men om det är en avancerad form av elektroniskt bankrån eller nåt annat vet vi inte.

– Vad skulle vara det värsta tänkbara som inträffade? frågade Wallander.

– Att det blir kaos på världens finansmarknader.

– Men är det verkligen möjligt?

– Vi har varit igenom det här tidigare. Men om det till exempel skapas en osäkerhet eller en dramatisk förändring av dollarns värde kan det utlösa en panik som blir svår att kontrollera.

– Jag tror det är vad som kommer att hända, sa Modin.

Alla såg på honom där han satt med korslagda ben på golvet invid Wallanders fötter.

– Varför tror du det? Kan du bevisa det?

– Jag tror det är så stort att vi inte ens kan föreställa oss det. Det innebär att vi inte heller vare sig med logiska argument eller med vår fantasi klarar att se vad som sker innan det är för sent.

– Men var startar det hela? Behövs det inte en utlösande faktor? Nån som trycker på en knapp?

– Förmodligen börjar det med nåt så vardagligt att vi inte ens förmår tänka tanken.

– Den symboliska kaffeautomaten, sa Hansson. Där är den igen.

Wallander satt tyst. Sedan såg han sig omkring.

– Det enda vi kan göra just nu är att fortsätta, sa han. Nåt alternativ existerar inte.

– Jag glömde några disketter inne i Malmö, sa Modin. Jag måste ha dom för att kunna fortsätta arbetet.

– Vi skickar en bil och hämtar dom.

– Jag följer med, sa Modin. Jag måste komma ut. Dessutom finns det en kvällsöppen affär i Malmö. Som har sån mat jag kan äta.

Wallander nickade och reste sig. Hansson ringde efter en patrullbil som kunde köra Modin in till Malmö. Wallander slog numret till

Elvira Lindfeldt. Det tutade upptaget. Han försökte igen. Nu svarade hon. Han sa som det var, att Modin skulle komma in till Malmö för att hämta några kvarglömda disketter. Hon lovade att ta emot honom. Hennes röst lät som vanligt nu.

– Kommer du med? frågade hon.

– Jag hinner inte.

– Jag ska inte fråga varför.

– Det är bäst. Det skulle ta för lång tid att förklara.

Alfredsson och Martinsson lutade sig på nytt över Falks dator. Wallander återvände med de andra upp till polishuset. I receptionen stannade han.

– Jag vill att vi möts om en halvtimme, sa han. Då vill jag att var och en har tänkt igenom allt det som har hänt. Trettio minuter är inte mycket. Men det är vad ni får. Sen måste vi börja om från början igen och utvärdera situationen.

De försvann till sina rum. När Wallander kommit in till sig ringde receptionen och sa att han hade besök.

– Vem är det och vad gäller det? frågade Wallander. Jag har inte tid.

– Det är nån som säger sig vara din granne på Mariagatan. En fru Hartman.

Wallander började genast oroa sig för att något hade hänt. Några år tidigare hade hans lägenhet drabbats av en vattenläcka. Fru Hartman, som var änka, bodde i lägenheten under Wallander. Den gången var det hon som ringt till polishuset och slagit larm.

– Jag är på väg, sa Wallander och la på luren.

När han kommit ut i receptionen kunde fru Hartman ge honom ett lugnande besked. Någon vattenläcka hade inte uppstått. Däremot räckte hon honom ett brev.

– Brevbäraren måste ha stoppat det fel, sa hon beklagande. Förmodligen hamnade det hos mig i fredags. Men jag har varit bortrest och kom tillbaka först idag på morgonen. Jag tänkte att det kanske kunde vara viktigt.

– Du skulle inte ha gjort dig besväret, sa Wallander. Det är mycket sällan jag får så viktig post att den inte kan vänta.

Hon gav honom brevet. Någon avsändare var inte utsatt. Fru Hartman gick och Wallander återvände till sitt rum. Han öppnade brevet och upptäckte till sin förvåning att det var från Datamötet. De tackade för hans anmälan och lovade att översända eventuella svar så fort de hade börjat komma.

Wallander knycklade ihop brevet och kastade det i papperskorgen. De närmaste sekunderna var hans huvud alldeles tomt. Sedan rynkade han pannan och tog upp brevpappret ur papperskorgen. Han slätade ut det och läste texten ännu en gång. Sedan letade han reda på kuvertet i papperskorgen. Fortfarande visste han inte riktigt varför han gjorde det. Han såg länge på poststämpeln. Brevet var avsänt på torsdagen.

Huvudet var fortfarande alldeles tomt.

Oron kom från ingenstans. Brevet var poststämplat på torsdagen. Han hälsades där välkommen till Datamötet. Men då hade han redan fått svar från Elvira Lindfeldt. Och det var i ett kuvert som stoppats direkt i hans låda. Ett brev som saknat poststämpel.

Tankarna rusade i huvudet på honom.

Sedan vände han sig om och såg på sin dator. Han satt alldeles orörlig. Tankarna snurrade runt. Till en början fort, sedan allt långsammare. Han undrade om han höll på att bli tokig. Sedan tvingade han sig att tänka alldeles lugnt och klart.

Samtidigt fortsatte han att stirra på sin dator. En bild började framträda i hans huvud. Ett sammanhang. Och det var förfärande. Han rusade ut i korridoren och sprang till Hanssons rum.

– Ring patrullbilen, ropade han när han kom in i rummet.

Hansson ryckte till och såg förskräckt på honom.

– Vilken patrullbil?

– Den som körde in Modin till Malmö.

– Varför det?

– Gör bara som jag säger. Fort.

Hansson grep telefonen. Efter mindre än två minuter fick han kontakt.

– Dom är på väg tillbaka, sa han och la på luren.

Wallander andades ut.

– Men Modin blev kvar där inne i Malmö.

Wallander kände hur det högg till i magen.

– Varför det?

– Han hade tydligen kommit ut och sagt att han skulle fortsätta att arbeta därifrån.

Wallander stod orörlig. Hjärtat bultade hårt. Han hade fortfarande svårt att tro att det kunde vara sant. Ändå var det han själv som tidigare kommit fram till att risken fanns. Att polisens datorer tappades på sitt innehåll.

Det gällde inte bara utredningsmaterial. Det kunde också handla om ett brev som skickats till en kontaktförmedling.

– Ta med vapen, sa han. Vi åker om en minut.

– Vart?

– Till Malmö.

På vägen försökte Wallander förklara. Hansson hade av naturliga skäl svårt att förstå. Wallander bad honom hela tiden att ringa till Elvira Lindfeldts telefonnummer. Det kom inget svar. Wallander hade satt ut siren på taket. Tyst bad han till alla gudar han visste namnet på om assistans att ingenting skulle ha hänt Modin. Men han fruktade redan det värsta.

De bromsade in framför huset strax efter klockan tio. Huset var mörkt. De steg ur bilen. Allt var tyst. Wallander bad Hansson vänta i skuggorna intill grinden. Sedan osäkrade han sitt vapen och gick uppför gången. Utanför ytterdörren lyssnade han. Ringde på. Väntade och lyssnade. Han ringde igen. Sedan kände han på dörren. Den var olåst. Han vinkade till sig Hansson.

– Vi borde skaffa förstärkning, viskade Hansson.

– Det finns inte tid till det.

Wallander öppnade försiktigt dörren. Lyssnade igen. Vad som fanns där inne i mörkret visste han inte. Han kom ihåg att strömbrytaren satt till vänster om dörren. Han trevade med handen tills han hittade den. Samtidigt som ljuset tändes tog han ett steg åt sidan och kurade ihop.

Tamburen var tom.

Ljuset föll in i vardagsrummet. Han kunde se att Elvira Lindfeldt satt där inne i soffan. Hon såg på honom. Wallander andades djupt. Hon rörde sig inte. Wallander visste att hon var död. Han ropade på Hansson. De gick försiktigt in i vardagsrummet.

Hon hade blivit skjuten i nacken. Den ljusgula soffryggen var indränkt med blod.

Sedan sökte de igenom huset. Men där fanns ingen mer.

Robert Modin var borta. Wallander visste att det bara kunde betyda en enda sak.

Någon hade funnits där och väntat på honom.

Mannen ute i åkern hade inte varit ensam.

39

Vad som gjorde att Wallander lyckades ta sig igenom den där natten lyckades han efteråt aldrig helt reda ut. Han föreställde sig att det var lika delar självförebråelser och vrede. Men starkast var hela tiden rädslan för vad som hade hänt med Robert Modin. Hans första lamslagna tanke när han såg Elvira Lindfeldt sitta död i soffan var att Robert Modin också hade blivit dödad. Men när de försäkrat sig om att huset i övrigt var tomt förstod Wallander att Modin fortfarande kunde vara i livet. Om allting hittills hade handlat om att något skulle döljas eller förhindras måste det vara därför Modin hade förts bort. Walllander behövde inte påminna sig om vad som hade hänt med Sonja Hökberg och Jonas Landahl. Men han tänkte också att ingenting kunde jämföras rakt över. Den gången hade de inte vetat vad som hänt. Nu fanns ändå klart avläsbara samband. Det innebar att deras utgångsläge var bättre. Även om de ännu inte visste vad som hade hänt med Modin.

Men det som också drev honom den där natten var ursinnet över att ha blivit bedragen. Och sorgen över att livet ännu en gång lurat honom på en utväg ur ensamheten. Elvira Lindfeldt kunde han inte sakna även om hennes död skrämde honom. Hon hade stulit hans kontaktannons ur datorn och sedan närmat sig honom i en alltigenom falsk förklädnad. Han hade låtit sig luras. Illusionen hade varit skickligt genomförd. Kränkningen var oerhörd. Raseriet kom flödande inom honom från många olika källor.

Men ändå skulle Hansson efteråt berätta att Wallander hade verkat ovanligt samlad. Hans värdering av situationen och hans förslag till insatser hade varit föredömligt klara.

Wallander hade insett att han så fort som möjligt måste återvända till Ystad. Det var där det centrum fanns som de sökte, om det nu fanns något centrum överhuvudtaget. Hansson skulle stanna där han var, slå larm till Malmöpolisen och ge dem den bakgrund som behövdes.

Men Hansson skulle också göra något annat. På den punkten var Wallander mycket bestämd. Även om det var mitt i natten skulle Hansson försöka gräva fram en bakgrund till Elvira Lindfeldt. Fanns det någonting som kunde länka ihop henne med Angola? Vad hade hon för umgänge i Malmö?

– Det låter sig knappast göra mitt i natten, invände Hansson.

– Ändå är det vad som måste ske, insisterade Wallander. Jag bryr mig inte om vem du ringer och väcker. Du ska heller inte acceptera ett enda försök att skjuta upp nåt till i morgon. Om det blir nödvändigt ska du personligen åka hem till folk och sätta på dom deras byxor. Jag vill veta så mycket som möjligt om den här kvinnan innan det blir morgon.

– Vem var hon? frågade Hansson. Varför var Modin här? Var det nån du kände?

Wallander svarade inte. Hansson upprepade heller aldrig sin fråga. Efteråt skulle han då och då, när Wallander inte var i närheten, fråga om det fortfarande inte var någon som visste vem den där mystiska kvinnan var. Wallander måste ha känt henne eftersom det var han som placerat Modin där. I den omfattande utredning som följde fanns också något svävande just när det gällde frågan hur Wallander hade kommit i kontakt med henne. Ingen fick någonsin veta vad som egentligen hade hänt.

Wallander lämnade Hansson och for tillbaka mot Ystad. Hela tiden försökte han koncentrera sig på den enda frågan: Vad hade hänt med Modin?

Wallander for genom nattens landskap med en känsla av att katastrofen nu var mycket nära. Hur han skulle kunna förhindra den, eller vad den överhuvudtaget innebar, visste han inte. Men viktigare än allt var nu att rädda Modins liv. Wallander for i rasande fart mot Ystad. Han hade bett Hansson ringa och meddela att han var på väg. De som eventuellt sov skulle väckas. Men när Hansson frågat om detta också gällde Lisa Holgersson hade Wallander rutit fram sitt svar. Hon skulle inte kallas. Under den natten var detta plötsliga utbrott det enda som visade vilken oerhörd press som Wallander var utsatt för.

Klockan var halv två när Wallander bromsade in på polishusets parkeringsplats. Han rös till i kylan när han skyndade mot porten.

De hade suttit och väntat på honom inne i mötesrummet. Martinsson, Ann-Britt och Alfredsson. Nyberg var på väg. Wallander hade betraktat sina kollegor som snarare gjort intryck av att vara en slagen arméspillra än en stridsberedd trupp. Ann-Britt gav honom en kopp kaffe som han nästan genast lyckades slå omkull och spilla över sina byxor.

Sedan gick han rakt på sak. Robert Modin var försvunnen. Den kvinna som han bott hos natten till igår hade blivit återfunnen mördad.

– Det är den första slutsatsen, sa Wallander. Mannen i åkern var inte ensam. Det var ett ödesdigert misstag att tro att så var fallet. Åtminstone jag själv borde ha insett det.

Ann-Britt ställde sedan den oundvikliga frågan.

– Vem var hon?

– Hon hette Elvira Lindfeldt, svarade Wallander. En avlägsen bekant till mig.

– Men hur kunde nån veta att Modin skulle komma dit ikväll?

– Det blir en senare fråga att reda ut.

Trodde de honom? Wallander kände det själv som om han ljög med övertygelse. Men han hade för ögonblicket liten tilltro till sitt eget omdöme. Han visste att han borde ha sagt som det var. Att han skrivit ett brev på sin dator till en kontaktförmedling. Och att någon tagit sig in i datorn, läst hans brev och sedan placerat ut Elvira Lindfeldt i hans väg. Men allt detta lät han bli att säga något om. Hans försvar, åtminstone inför sig själv, var att de nu måste koncentrera sig på att hitta Modin. Om det inte redan var för sent.

När de kommit så långt öppnades dörren och Nyberg kom in. Han hade pyjamasjacka under sin kavaj.

– Vad fan har hänt? frågade han. Hansson ringde från Malmö och verkade alldeles galen. Det var omöjligt att begripa vad han sa.

– Sätt dig ner, sa Wallander. Natten blir lång.

Sedan nickade han mot Ann-Britt som kortfattat satte Nyberg in i nattens händelser.

– Malmöpolisen har väl egna kriminaltekniker? sa Nyberg förvånat.

– Jag vill ha dig med här i natt, sa Wallander. Inte bara för att du ska vara tillgänglig om nåt dyker upp i Malmö utan lika mycket för att höra dina åsikter.

Nyberg nickade stumt. Sedan tog han fram en kam och började försöka få ordning på sina hårtestar.

Wallander gick vidare.

– Det finns även en annan slutsats vi kan dra. Även om den är mindre säker. Men vi får putsa till kanterna så gott det går. Slutsatsen är enkel: nånting kommer att inträffa. Och på nåt sätt har det sin utgångspunkt här i Ystad.

Han såg på Martinsson.

– Har bevakningen fortsatt på Runnerströms Torg?

– Den är indragen.

– Vem fan har bestämt det?

– Viktorsson tyckte det var slöseri med resurser.

– Jag vill att den bevakningen återupptas omedelbart. Apelbergsgatan satte jag själv stopp för. Kanske det också var ett misstag. Jag vill ha en bil på plats där med från och med nu.

Martinsson lämnade rummet. Wallander visste att han skulle se till att bilarna kom på plats så fort som möjligt.

De väntade under tystnad. Ann-Britt erbjöd Nyberg, som fortfarande kammade sig, en fickspegel men fick bara ett morrande till svar. Martinsson kom tillbaka.

– Klart.

– Vad vi söker är en utlösande faktor, sa Wallander. Det kan vara Falks död. Det är så jag tolkar allt som har hänt. Så länge Falk var i livet hade han kontrollen. Men plötsligt dör han. Då sprider sig en oro som utlöser hela det här händelseförloppet.

Ann-Britt lyfte handen.

– Vet vi med bestämdhet att Falk dog en naturlig död?

– Det måste ha varit så. Mina slutsatser vilar på antagandet att Falks död kom helt oväntat. Hans läkare kommer och säger till mig att en hjärtinfarkt var i det närmaste orimlig. Falk var vid god hälsa. Ändå dör han. Och det är just det som ställer till allting. Hade Falk fortsatt att leva som han rimligtvis borde ha gjort hade Sonja Hökberg inte blivit dödad. Hon hade blivit fälld för ett mord på en taxichaufför. Jonas Landahl hade inte heller blivit dödad. Han hade kunnat fortsätta att springa Falks ärenden. Vad Falk och dom som omgav honom hade planerat hade hänt utan att vi hade haft en aning om det.

– Det är med andra ord tack vare Falks plötsliga, men helt naturliga död som vi överhuvudtaget vet att nånting kommer att hända, kanske med effekt i hela världen?

– Jag har ingen annan tolkning. Om det är nån som har ett bättre alternativ att föreslå vill jag höra det här och nu.

Ingen hade någonting att säga.

Wallander ställde sig återigen frågan hur Falk och Landahl hade mötts. Hur de var förbundna med varandra hade de ännu inget svar på. Wallander hade alltmer börjat ana konturerna av en osynlig organisation, utan ritualer, utan yttre kännetecken som verkade genom sina symboliska nattdjur. De knappt synliga ingrepp som kanske kunde innebära att hela datavärldar störtade samman. Och någonstans i det här mörkret hade Falk och Landahl mötts. Att Sonja Hökberg en tid varit förälskad i Landahl hade inneburit hennes död. Men mer än så kunde de inte veta. I alla fall inte ännu.

Alfredsson tog upp sin portfölj och hällde ut ett antal lösa och hopvikta papper.

– Modins anteckningar, sa han. Dom låg i ett hörn. Jag samlade ihop dom. Kanske det vore värt mödan att gå igenom dom?

– Det får bli din och Martinssons sak, sa Wallander. Det är ni som begriper er på det. Inte vi andra.

Telefonen på bordet ringde. Ann-Britt svarade. Hon räckte över luren till Wallander. Det var Hansson.

– En granne påstår sig ha hört en bil rivstarta här nån gång vid halvtiotiden, sa han. Men det är ungefär allt vi har lyckats få fram. Ingen har sett eller hört nånting. Inte ens skotten.

– Var det mer än ett?

– Läkaren säger att hon har två kulor i huvudet. Det finns två ingångshål.

Wallander blev illamående. Han var tvungen att svälja kraftigt.

– Är du kvar?

– Jag är kvar. Ingen hade hört skotten?

– Åtminstone inte dom närmaste grannarna. Dom är dom enda vi har hunnit väcka än så länge.

– Vem leder arbetet?

– Han heter Forsman. Jag har aldrig träffat honom tidigare.

Wallander kunde heller inte påminna sig namnet.

– Vad säger han?

– Han har naturligtvis väldigt svårt att få nån ordning på det jag berättar. Det finns ju inget motiv.

– Du får hålla ställningarna så gott det går. Vi hinner inte prata med honom just nu.

– Det var en annan sak, sa Hansson. Modin åkte ju hit för att hämta några disketter? Var det inte så?

– Det var vad han sa.

– Jag tror jag har lyckats lista ut vilket rum han bodde i. Men några disketter fanns inte där.

– Dom tog han alltså med sig.

– Det verkar så.

– Har du hittat nånting annat som tillhör honom?

– Ingenting.

– Finns det tecken på att nån annan har varit inne i huset?

– En granne påstår att det kom en taxi hit nån gång mitt på dagen. En man steg ur.

– Det kan vara viktigt. Den taxin måste spåras. Du måste se till att Forsman prioriterar det.

– Jag har faktiskt inga möjligheter att bestämma över vad Malmökollegorna gör och inte gör.

– Då får du försöka spåra den där taxibilen själv. Finns det nåt signalement på mannen som steg ur?

– Grannen hade tyckt han såg ut att vara tunt klädd för årstiden.

– Sa han så?

– Om jag har förstått det rätt.

Mannen från Luanda, tänkte Wallander. Han som har ett namn som börjar på bokstaven »c«.

– Det är viktigt med taxin, upprepade Wallander. Man kan tänka sig att den antingen kom från nån av färjeterminalerna. Eller från Sturup.

– Jag ska se vad jag kan göra.

Wallander berättade om samtalet för de andra kring bordet.

– Jag anar att det har kommit förstärkningar, sa Wallander. Kanske så långt bortifrån som Angola.

– Jag har inte fått in ett enda svar på mina förfrågningar, sa Martinsson. Om sabotagegrupper eller terrorsammanslutningar som proklamerat krig mot dom finansiella systemen i världen. Ingen tycks ha hört talas om nån sammanslutning av såna du kallade strukturveganer. Ett ord eller begrepp som jag fortfarande tycker är missvisande.

– Nån gång ska vara den första, sa Wallander.

– Här i Ystad?

Nyberg hade lagt ifrån sig kammen och såg ogillande på Wallander. Denne tänkte att Nyberg plötsligt verkade mycket gammal. Kanske de andra såg på honom själv på samma sätt?

– Det låg en asiatisk man död ute på en åker vid Sandhammaren, svarade Wallander. En man från Hongkong med falsk identitet. Även om det skulle vi kunna säga att det inte händer här. Lik förbannat gör det det. Det finns inga avkrokar längre. Det finns knappast ens nån verklig skillnad mellan städer och landsbygd. Så mycket har jag också förstått om den nya informationstekniken att den placerar världens centrum precis var som helst.

Telefonen ringde på nytt. Den här gången grep Wallander själv luren. Återigen var det Hansson.

– Forsman är bra, sa han. Här går det faktiskt undan. Taxin är spårad.

– Var kom den ifrån?

– Sturup. Du hade rätt.

– Har nån talat med chauffören?

– Han står här intill mig. Hans arbetspass tycks vara mycket långa. Forsman hälsar förresten. Ni lär ha träffats på nån konferens i våras.

– Hälsa tillbaka, sa Wallander. Får jag tala med chauffören.

– Han heter Stig Lunne och han kommer här.

Wallander vinkade till sig papper och penna.

Taxichauffören talade en även för Wallanders tränade öra nästan obegriplig skånska. Men hans svar var föredömligt korta. Stig Lunne var inte en man som spillde några ord i onödan. Wallander sa vem han var och vad saken gällde.

– Vad var klockan när du fick körningen?

– 12.32.

– Hur kan du veta det så precist?

– Datorn.

– Var körningen förbeställd?

– Nej.

– Du stod alltså ute på Sturup?

– Ja.

– Kan du beskriva din passagerare?

– Lång.

– Kan du säga nånting mer?

– Smal.

– Var det allt?

– Solbränd.

– Mannen var lång och mager och solbränd?

– Ja.

– Talade han svenska?

– Nej.

– Vad talade han för språk?

– Jag vet inte. Han visade bara fram en lapp med adressen.

– Sa han ingenting under hela resan?

– Nej.

– Hur betalade han?

– Kontant.

– Med svenska pengar?

– Ja.

– Vad hade han för bagage?

– Axelremsväska.

– Inget mer?

– Nej.

– Var den här mannen ljus eller mörk? Såg han europeisk ut?

Svaret som följde förvånade Wallander. Inte bara för att det var det längsta som Stig Lunne presterade.

– Morsan säger att jag ser ut som en spanjor. Men jag är född på BB i Malmö.

– Du menar alltså att det är svårt att svara på min fråga?

– Ja.

– Var han ljushårig eller mörkhårig?

– Skallig.

– Såg du hans ögon?

– Blå.
– Hur var han klädd?
– För tunt.
– Vad menar du med det?
Stig Lunne gjorde en kraftansträngning igen
– Sommarkläder och ingen överrock.
– Hade han shorts, menar du?
– Tunn vit kostym.
Wallander kom inte på någonting mer att fråga om. Han tackade Stig Lunne och bad honom att genast höra av sig om han kom på något mer.
Klockan hade blivit tre. Wallander återgav i korthet det signalement som Lunne hade gett av sin passagerare. Martinsson och Alfredsson försvann någonstans för att gå igenom Modins anteckningar. Strax efter reste sig också Nyberg och lämnade rummet. Kvar fanns bara Wallander och Ann-Britt.
– Vad tror du det är som har hänt?
– Jag vet inte. Men jag fruktar det värsta.
– Vem är den där mannen?
– Inkallad förstärkning. Som vet att Modin är den som kommit djupast in i Falks hemliga värld. Vem han egentligen är vet jag förstås inte.
– Men varför måste den där kvinnan dö?
– Jag vet inte. Och jag är rädd.
Martinsson och Alfredsson kom tillbaka efter en halvtimme. Strax efter återvände även Nyberg och satte sig på sin plats utan att säga ett enda ord.
– Det är svårt att få ut nåt vettigt av Modins anteckningar, sa Alfredsson. Inte minst när han skriver att vi måste hitta »en kaffeautomat vi har mitt framför ögonen«.
– Han menar att nånting lika vardagligt kommer att utlösa den där processen, sa Wallander. Nåt vi gör utan att tänka på det. En knapp vi trycker på. När knappen trycks ner vid ett förutbestämt klockslag eller på en förutbestämd plats i en viss turordning kommer nånting att hända.
– Vad för knapp? sa Ann-Britt.
– Det är det vi måste lista ut.
De försökte hitta lösningen. Klockan blev fyra. Var fanns Robert Modin? Strax före halv fem ringde Hansson igen. Wallander lyssnade under tystnad och gjorde samtidigt anteckningar. Då och då sköt han in en fråga. Samtalet varade mer än en kvart.
– Hansson har lyckats spåra en av Elvira Lindfeldts väninnor, sa

Wallander. Hon kunde berätta intressanta saker. För det första att Elvira Lindfeldt arbetade i Pakistan några år under 1970-talet.

– Jag trodde spåren ledde till Luanda, sa Martinsson förvånat.

– Det viktiga är vad hon gjorde i Pakistan.

– Till hur många världsdelar förgrenar sig egentligen spåren? undrade Nyberg. Nyss talade vi om Angola. Nu är det Pakistan. Vad kom-mer sen?

– Det vet vi inte, sa Wallander. Jag är lika förvånad som du. Men den här väninnan som Hansson talat med hade ändå en sorts svar att ge.

Han försökte tyda de anteckningar han gjort på baksidan av ett kuvert.

– Enligt den här väninnan arbetade hon då för Världsbanken. Det ger oss i alla fall den kopplingen. Men det var mer. Enligt väninnan kunde hon ge uttryck för ganska avvikande åsikter. Hon var av den bestämda uppfattningen att hela den nuvarande ekonomiska världsordningen måste göras om. Och att det bara kunde ske genom att man först förstörde den som nu är förhärskande.

– Då vet vi det, sa Martinsson. Att det tydligen är många som är inblandade. Men vi vet fortfarande inte var dom finns och vad som kommer att ske.

– Vi letar efter en knapp, sa Nyberg. Är det så? Eller en spak? Eller en strömbrytare? Men sitter den inomhus eller utomhus?

– Det vet vi inte.

– Då vet vi med andra ord ingenting.

Stämningen i rummet var tryckt. Wallander såg med något som närmade sig förtvivlan på sina kollegor. Vi klarar det inte, tänkte han. Vi kommer att hitta Modin död. Och vi har inte kunnat förhindra det.

Telefonen ringde. För vilken gång i ordningen det var som Hansson hörde av sig visste Wallander inte längre.

– Lindfeldts bil, sa Hansson. Den borde vi ha tänkt på.

– Ja, sa Wallander. Det borde vi.

– Hon brukade ha den stående här ute på gatan. Den är borta. Vi har larm ute efter den. En mörkblå Golf. Registreringsnummer FHC 803.

Alla bilar i den här härvan tycks vara mörkblå, tänkte Wallander. Hansson frågade om det hade hänt något i Ystad. Wallander kunde bara svara nekande.

Klockan var tio minuter i fem. I mötesrummet härskade en trött och tung väntan. Wallander tänkte att de var slagna. De visste inte alls vad de skulle göra. Martinsson reste sig.

– Jag måste ha mat, sa han. Jag åker till den där nattöppna grillbaren på Österleden. Är det nån som vill ha nåt?

Wallander skakade på huvudet. Martinsson krafsade ner en lista med de andras önskemål. Sedan lämnade han rummet. Nästan genast var han tillbaka igen.

– Jag har inga pengar, sa han. Är det nån som kan lägga ut?

Wallander hade tjugo kronor. Egendomligt nog hade ingen av de övriga några pengar alls.

– Jag får åka förbi nån bankomat, sa Martinsson.

Han lämnade rummet. Wallander stirrade tomt framför sig. Han hade börjat få huvudvärk.

Men någonstans bakom huvudvärken formulerades en tanke utan att han egentligen var klar över det. Plötsligt ryckte han till. De andra såg undrande på honom.

– Vad var det Martinsson sa?

– Han skulle handla mat.

– Inte det. Men sen?

– Han skulle åka förbi nån bankomat.

Wallander nickade långsamt.

– Kan det vara det? sa han. Som vi har framför ögonen utan att vi ser det? Kaffeautomaten vi söker?

– Jag förstår nog inte riktigt vad du menar, sa Ann-Britt.

– Nånting vi gör utan att vi egentligen tänker på det.

– Handlar mat?

– Sticker in ett kort i en bankomat. Och får pengar och ett kontoutdrag.

Wallander vände sig mot Alfredsson.

– Ni gick igenom Modins anteckningar, sa han. Stod det nånting där om bankomater?

Alfredsson bet sig i läppen. Sedan såg han på Wallander.

– Jag tror faktiskt det gjorde det.

Wallander sträckte på sig.

– Vad stod det?

– Jag minns inte. Varken Martinsson eller jag bedömde det som viktigt.

Wallander smällde handflatan i bordet.

– Var är pappren?

– Det var Martinsson som tog dom.

Wallander hade redan rest sig upp och var på väg ut genom dörren.

Alfredsson följde med till Martinssons rum.

Modins hopskrynklade papper låg intill Martinssons telefon. Al-

fredsson började gå igenom dem medan Wallander otåligt väntade.
– Här är det, sa Alfredsson och gav honom pappret.
Wallander satte på sig glasögonen och läste. Pappret var fulltecknat med katter och tuppar. Längst ner, bland några invecklade och till synes meningslösa talkombinationer hade Modin gjort en anteckning som han sedan strukit under med så många streck att det gått hål i pappret. *Lämplig anfallspunkt. Kan det vara en bankomat?*
– Var det det du sökte? frågade Alfredsson.
Men han fick inget svar. Wallander var redan på väg tillbaka till mötesrummet igen.
Plötsligt var han övertygad. Det var så det var. Människor kom och gick, dygnet runt, till olika bankomater. Någonstans, vid något tillfälle, skulle en människa denna dag ta ut pengar i en av dem och helt ovetande sätta igång en process som de fortfarande inte visste innebörden i men som de fruktade. De kunde heller inte bortse från möjligheten att det redan hade skett.
Wallander hade rest sig från bordet.
– Hur många bankomater finns det i Ystad? frågade han.
Ingen visste med bestämdhet.
– Det står säkert i telefonkatalogen, sa Ann-Britt.
– Om inte får du väcka nån bankmänniska och ta reda på det.
Nyberg lyfte handen.
– Hur kan vi plötsligt vara så säkra på att det här som du säger är rätt?
– Det kan vi inte, svarade Wallander. Men allt är bättre än att sitta med armarna i kors.
Nyberg gav sig inte.
– Men vad kan vi egentligen göra?
– Om jag har rätt, sa Wallander, så kan vi ändå inte veta vilken bankomat det gäller. Eller kanske det är mer än en. Vi vet inte heller när eller hur det händer. Det enda vi kan göra är att se till att det inte händer nånting alls.
– Du tänker dig alltså att ingen ska kunna ta ut pengar?
– Tills vidare, ja.
– Inser du vad det innebär?
– Att människor kommer att tycka sämre om polisen än på mycket lång tid. Att det kommer att bli bråk.
– Du kan inte göra det här utan att ha beslut från åklagare. Och efter samråd med ett antal bankdirektörer.
Wallander satte sig på en stol mitt emot Nyberg.
– Just nu bryr jag mig inte om det. Inte ens om det blir det sista jag gör som polis i Ystad. Eller som polisman överhuvudtaget.

Ann-Britt hade bläddrat igenom en telefonkatalog medan samtalet pågick. Alfredsson hade suttit tyst och avvaktande.

– Det finns fyra bankomater i Ystad, sa hon. Tre nere i centrum och en däruppe vid varuhusen. Där vi hittade Falk.

Wallander tänkte efter.

– Martinsson åkte med all säkerhet till en av dom i centrum. Dom ligger närmast Österleden. Ring honom. Du och Alfredsson får bevaka dom andra två. Själv åker jag upp till varuhusen.

Sedan vände han sig till Nyberg.

– Dig tänker jag be om att ringa till Lisa Holgersson. Väck henne. Säg precis som det är. Sen får hon ta hand om det hela.

Nyberg skakade på huvudet.

– Hon kommer att sätta stopp för alltihop.

– Ring henne, svarade Wallander. Men du kan ju vänta tills klockan blir sex.

Nyberg såg på honom och log.

Wallander hade ytterligare en sak att säga.

– Vi får inte glömma Robert Modin. Och mannen som är lång, mager och solbränd. Vi vet inte vad han talar för språk. Kanske är det svenska, kanske är det nåt annat. Men vi måste förutse att han eller nån annan kommer att bevaka den bankomat som det gäller. Om jag nu har rätt. Vid minsta osäkerhet, minsta misstanke måste ni ta kontakt med oss andra.

– Mycket har jag stått och bevakat i mina dar, sa Alfredsson. Men aldrig en bankomat.

– Nån gång ska vara den första. Har du vapen med dig?

Alfredsson skakade på huvudet.

– Ordna det, sa Wallander till Ann-Britt. Nu börjar vi.

Klockan hade blivit nio minuter över fem när Wallander lämnade polishuset. Det hade återigen börjat blåsa och blivit kallare. Han for upp till varuhusen under stor vånda. Det mesta talade naturligtvis för att han hade fel. Men de hade för ögonblicket nått så långt de kunde komma vid ett sammanträdesbord. Wallander parkerade utanför skattemyndigheten. Runt honom var det öde och mörkt. Ännu ingen gryning. Han drog upp blixtlåset i jackan och såg sig om. Sedan gick han bort mot bankomaten. Det fanns inga skäl till att han skulle hålla sig osynlig. Det skrapade i den radio han stoppat i fickan. Det var Ann-Britt som meddelade att alla var på plats. Alfredsson hade omedelbart drabbats av problem. Några berusade personer hade insisterat på att få ta ut pengar. Han hade ringt efter en patrullbil för att få assistans.

– Låt den bilen cirkulera, sa Wallander. Det kommer att bli värre problem om en timme, när folk börjat vakna på allvar.

– Martinsson hann ta ut pengar, fortsatte hon. Men ingenting hände.

– Det vet vi inte, sa Wallander. Vad som än händer kommer vi inte att upptäcka det.

Radion tystnade. Wallander betraktade en omkullslagen kundvagn som låg på parkeringen. Förutom en mindre lastbil fanns där ingenting. En affisch som gjorde reklam för nedsatt pris på revbensspjäll virvlade omkring. Klockan hade blivit tre minuter i halv sex. På Malmövägen kom en slamrande långtradare som var på väg västerut. Wallander började tänka på Elvira Lindfeldt, men märkte genast att han inte orkade. Det fick komma sedan. Att reda ut hur han hade kunnat bli så lurad. Så kränkt. Wallander vände ryggen mot vinden och stampade med fötterna för att inte börja frysa. Han hörde en bil som närmade sig. En personbil med reklam för ett elföretag på dörrarna körde fram och stannade. Mannen som hoppade ut var lång och mager. Wallander hajade till och grep efter pistolen. Sedan slappnade han av igen. Han kände igen mannen. Vid något tillfälle hade han reparerat de elektriska ledningarna i hans fars hus i Löderup. Mannen nickade.

– Är den trasig? frågade han.

– Du kan tyvärr inte göra nåt uttag just nu.

– Då får jag åka ner till stan.

– Det är tyvärr inte möjligt där heller.

– Vad är det som har hänt?

– Det är ett tillfälligt fel.

– Som polisen måste övervaka?

Wallander svarade inte. Mannen satte sig misslynt i bilen igen och for därifrån. Wallander insåg att det var den möjlighet de hade. Att hänvisa till ett tekniskt fel. Men han våndades redan vid tanken på vad som skulle hända när det kom ut. Hur skulle han egentligen kunna stå emot? Lisa Holgersson skulle sannolikt stoppa det hela. De skäl han hade var alltför vaga. Då kunde han ingenting göra. Och Martinsson hade fått ytterligare argument för att Wallander inte längre höll måttet som spaningsledare.

Sedan upptäckte han en man som kom gående över parkeringsplatsen. En ung man. Han hade dykt upp vid sidan av den ensamma lastbilen. Han kom gående emot Wallander. Det tog några sekunder innan Wallander insåg vem det var. Robert Modin. Wallander stod orörlig. Höll andan. Han förstod inte. Plötsligt vände Modin ryggen mot honom. Wallander förstod utan att ha förstått, en intuitiv reaktion.

Han kastade sig åt sidan. Mannen som fanns där bakom honom hade kommit från baksidan av varuhusen. Han var lång och mager och solbränd och hade ett vapen i handen. Avståndet var tio meter. Det fanns ingenstans där Wallander kunde ta skydd. Wallander slöt ögonen. Känslan från åkern kom tillbaka. Den utmätta tiden. Att komma hit men inte längre. Han väntade på skottet som inte kom. Han öppnade ögonen. Mannen höll vapnet riktat mot honom. Men han såg samtidigt på sin klocka. Tiden, tänkte Wallander. Den är inne nu. Jag hade rätt. Vad jag hade rätt i vet jag inte. Men jag hade rätt.

Mannen gjorde tecken åt Wallander att komma närmare och lyfta armarna i vädret. Han plockade fram Wallanders vapen och slängde det i en papperskorg som satt vid bankomaten. Med vänster hand sträckte han sedan fram ett plastkort mot honom och sa några siffror på bruten svenska.

– Ett, fem, fem, ett.

Han släppte kortet på asfalten och pekade med vapnet. Wallander tog upp det. Mannen gick några steg åt sidan. Återigen såg han på klockan. Sedan pekade han på bankomaten. Rörelsen var häftig. För första gången verkade mannen nervös. Wallander gick fram. När han vred på huvudet kunde han se Robert Modin som stod alldeles orörlig. Just nu brydde Wallander sig inte om vad som hände när han stoppade in kortet och slog in koden. Robert Modin levde. Det var det viktigaste. Men hur skulle han klara att skydda hans liv? Wallander letade efter en utväg. Försökte han göra ett utfall mot mannen skulle han genast bli skjuten. Robert Modin skulle säkert inte heller hinna springa därifrån. Wallander sköt in kortet i springan. I samma ögonblick small ett skott. Det träffade asfalten och försvann med ett vinande. Mannen hade vänt sig om. Wallander upptäckte Martinsson på andra sidan parkeringen. Avståndet var mer än trettio meter. Wallander kastade sig åt sidan och grävde samtidigt med ena handen i papperskorgen. Han fick tag i sitt vapen. Mannen sköt mot Martinsson. Skottet missade. Wallander tryckte av. Han träffade mannen mitt i bröstet. Han föll omkull på asfalten och blev liggande. Robert Modin stod fortfarande orörlig.

– Vad händer? skrek Martinsson.

– Du kan komma, ropade Wallander tillbaka.

Mannen på asfalten var död.

– Varför är du här? frågade Wallander.

– Om du överhuvudtaget hade rätt så borde det ju vara här, svarade Martinsson. Nog borde väl Falk ha valt den bankomat som låg närmast hans bostad och som han passerade på sina promenader. Jag bad Nyberg bevaka min bankomat nere i centrum.

– Han skulle ju ringa till Lisa?
– Det finns väl mobiltelefoner.
– Ta hand om det här, sa Wallander. Jag ska prata med Modin.
Martinsson pekade på den döde.
– Vem är han?
– Jag vet inte. Men jag tror att han har ett namn som börjar med bokstaven »C«.
– Är det över nu?
– Kanske. Jag tror det. Men vad det är som är över vet jag faktiskt inte.
Wallander tänkte att han borde ha tackat Martinsson. Men han sa ingenting. Istället gick han bort till Modin, som fortfarande stod orörlig på samma fläck som förut. Tids nog skulle Martinsson och han mötas i en öde korridor för den uppgörelse som måste komma.

Robert Modin hade tårar i ögonen.
– Han sa att jag skulle gå fram mot dig. Annars skulle han döda min mamma och pappa.
– Vi tar det senare, sa Wallander. Hur mår du?
– Han sa först att jag skulle stanna och slutföra mitt arbete i Malmö. Sen sköt han henne. Och vi for iväg. Jag låg i bagageutrymmet och kunde knappt andas. Men vi hade rätt.
– Ja, sa Wallander. Vi hade rätt.
– Hittade du min lapp?
– Ja, jag hittade den.
– Det var först efteråt som jag på allvar började tro att det kunde vara så. En bankomat nånstans. Där människor kommer och går och gör sina uttag.
– Du skulle ha sagt det, sa Wallander. Men jag borde kanske ha kommit på det själv. På ett tidigt stadium var vi övertygade om att allting på nåt sätt handlade om pengar. Då borde jag ha tänkt på en bankomat som ett gömställe.
– En avskjutningsramp för en virusmissil, sa Modin. Man kan i alla fall inte beskylla dom för att vara dumma.
Wallander betraktade pojken vid sin sida. Hur mycket till skulle han orka? Plötsligt fick han en känsla av att han hade stått med en pojke bredvid sig på samma sätt någon gång tidigare. Sedan insåg han att det var Stefan Fredman han tänkte på. Den pojke som nu var död och begraven.
– Vad var det som hände? frågade han. Orkar du svara?
Modin nickade.
– Han bara fanns där i huset när hon släppt in mig. Och han hota-

de mig. Jag blev inlåst i badrummet. Plötsligt hörde jag hur han började skrika åt henne. Eftersom det var på engelska förstod jag vad han sa. Det jag kunde höra.

– Vad var det?

– Hon hade inte skött sina uppgifter. Hon hade varit svag.

– Hörde du nåt mer?

– Bara skotten. När han låste upp badrummet trodde jag han skulle döda mig också. Han hade en pistol i handen. Men han sa bara att jag var hans gisslan. Och att jag skulle göra som han sa. Annars skulle han döda mina föräldrar.

Wallander märkte hur Modin började bli ostadig på rösten.

– Vi tar resten sen, sa Wallander. Det räcker nu. Det räcker mer än väl.

– Han sa att dom skulle slå ut hela det globala finansiella systemet. Och det skulle börja här vid bankomaten.

– Jag vet, sa Wallander. Men vi tar det senare. Du behöver sova nu. Du ska åka hem till Löderup. Sen pratar vi.

– Egentligen är det fantastiskt.

Wallander betraktade honom uppmärksamt.

– Vad menar du?

– Vad man kan åstadkomma. Bara genom att sätta in en liten tickande missil i en bankomat nånstans.

Wallander svarade inte. Polisbilar med påslagna sirener närmade sig. Wallander upptäckte att en mörkblå Golf stod parkerad bakom lastbilen, omöjlig att se från där han hade stått. Affischen med reklamen för det billiga revbensspjället virvlade runt hans fötter.

Han kände hur trött han var. Och lättad.

Martinsson kom gående.

– Vi borde prata, sa han.

– Ja, svarade Wallander. Men inte nu.

Klockan hade blivit nio minuter i sex. Måndagen den 20 oktober. Wallander undrade frånvarande hur vintern skulle bli.

40

Tisdagen den 11 november blev Wallander överraskande friad från anklagelsen att ha misshandlat Eva Persson under ett förhör. Det var Ann-Britt som meddelade honom nyheten. Det var också hon som på ett avgörande sätt medverkat till upplösningen. Men det var först i efterhand som Wallander fick veta hur det hade gått till.

Några dagar innan hade Ann-Britt besökt Eva Persson och hennes mor. Vad som hade blivit sagt under det mötet blev dock aldrig helt klarlagt. Inget protokoll hade förts, inget vittne hade varit närvarande, trots att det var emot bestämmelserna. Ann-Britt antydde dock för Wallander att hon hade bedrivit en »mild form av känslomässig utpressning«. Vad det egentligen innebar hade hon inte förklarat. Men av andra saker hon sa drog Wallander slutsatsen att Eva Persson enligt Ann-Britt nu borde börja tänka på sin framtid. Även om hon friades från alla misstankar om att aktivt ha varit med om att döda Lundberg kunde en falsk anklagelse mot en polisman få besvärliga konsekvenser. Vad som i detalj hade sagts fick alltså varken Wallander eller någon annan veta med bestämdhet. Men dagen efter hade Eva Persson och hennes mor genom sin advokat dragit tillbaka anklagelsen mot Wallander. De erkände att örfilen hade utdelats på det sätt som Wallander påstått. Eva Persson tog på sig skulden för att ha attackerat sin mamma. Ett allmänt åtal mot Wallander hade ändå kunnat väckas. Men saken avskrevs, skyndsamt, som om alla enbart kände lättnad. Ann-Britt hade också sett till att ett antal utvalda journalister blivit informerade. Men nyheten att Wallander blivit friad genom att anklagelsen tagits tillbaka fick aldrig någon framträdande plats i tidningarna, om den alls infördes.

Denna tisdag var en ovanligt kall höstdag i Skåne, med byiga nordvindar som ibland nådde kulingstyrka. Wallander hade vaknat tidigt på morgonen efter en orolig natt, där elaka drömmar hade rusat omkring i hans undermedvetna. Vad han hade drömt kunde han inte återkalla i detalj. Men han hade varit både jagad och hotande nära att bli kvävd av skugglika gestalter och tyngder som pressade sig emot honom.

När han kom till polishuset vid åttatiden stannade han bara en kort stund. Han hade dagen innan bestämt sig för att en gång för alla få svar på en fråga som länge hade upptagit honom. Efter att ha läst igenom några papper och förvissat sig om att det fotoalbum han lånat av Marianne Falk verkligen blivit tillbakaskickat lämnade han polishuset och for hem till familjen Hökberg. Han var väntad eftersom han talat med Erik Hökberg dagen innan. Sonjas bror Emil var i skolan och hustrun hade farit på ett av sina återkommande besök till sin syster i Höör. Wallander såg att Erik Hökberg var blek och hade magrat. Enligt ett rykte som nått Wallander hade Sonja Hökbergs begravning varit mycket upprivande. Wallander steg in i huset och lovade att han inte skulle stanna länge.

– Du sa att du ville se Sonjas rum, sa Erik. Men jag förstod aldrig varför?

– Jag ska förklara när vi har kommit dit upp. Jag vill alltså att du följer med.

– Ingenting har förändrats. Det orkar vi inte. Inte än.

De gick upp till övervåningen och in i det rosa rum där Wallander redan vid sitt första besök haft en känsla av att något varit alldeles fel.

– Jag tror inte det här rummet alltid har sett ut så här, sa han. Nån gång möblerade Sonja om det. Var det inte så?

Erik Hökberg betraktade honom förvånat.

– Hur visste du det?

– Jag visste inte. Jag frågar.

Erik Hökberg svalde. Wallander väntade tålmodigt.

– Det var efter den där händelsen, sa Erik Hökberg. Våldtäkten. Plötsligt tog hon bort allt hon hade på väggarna och plockade fram gamla saker som hon haft tidigare. När hon var yngre. Sånt som låg i pappkartonger uppe på vinden. Vi förstod väl aldrig riktigt varför hon tog fram allt igen. Och hon sa ingenting heller.

Hon berövades någonting, tänkte Wallander. Och hon flydde på två sätt. Dels tillbaka till sin barndom, när ingenting ännu var förstört. Dels genom att begå en ställföreträdande hämnd.

– Det var bara det jag undrade, sa Wallander.

– Varför är det viktigt att veta nu? När ingenting spelar nån roll längre. Sonja kommer inte tillbaka. För Ruth och för mig och för Emil blir det väl bara ett halvt liv, om det ens blir det.

– Ibland måste man komma till punkt, sa Wallander tveksamt. Frågor som lämnas obesvarade kan bli till en efterhängsen plåga. Men naturligtvis har du rätt. Det förändrar tyvärr ingenting.

De lämnade rummet och gick ner. Erik Hökberg ville bjuda på kaffe, men Wallander tackade nej. Han ville lämna detta sorgens hus så fort som möjligt.

Han for ner till centrum. Där parkerade han på Hamngatan och gick upp till bokhandeln, som just öppnade, för att hämta den bok om möbeltapetsering som hade legat och väntat på honom alltför länge. Han häpnade över priset, bad att få den inslagen och återvände till bilen. Dagen efter skulle Linda komma till Ystad. Då skulle hon få boken som present.

Han var tillbaka på polishuset strax efter nio. Klockan halv tio hade han samlat ihop sina pärmar och begav sig till ett av mötesrummen. Just denna morgon skulle de ha en sista genomgång av allt som hade inträffat sedan Tynnes Falk ramlade omkull död framför bankomaten vid varuhusen. De skulle gå igenom materialet en sista gång och sedan överlämna det till åklagaren. Eftersom mordet på Elvira Lindfeldt också var en angelägenhet för kollegorna i Malmö skulle den kriminalinspektör Forsman som hade hand om utredningen vara med på mötet.

Så dags visste Wallander fortfarande inte att han hade blivit friad från misstankarna om misshandel. Det beskedet skulle Ann-Britt ge honom senare på dagen. Men detta var ändå ingenting som för ögonblicket vållade honom någon större oro. Fortfarande var det viktigaste för honom att Robert Modin hade överlevt. Det hjälpte honom också över de tankar som ibland överföll honom, att han kanske kunde ha förhindrat även Jonas Landahls död, om han hade tänkt lite längre än han hade gjort. Innerst inne visste han att det var en orimlig belastning på samvetet. Det hade varit att begära det omöjliga. Men tankarna fanns där ändå, de kom och gick, och lämnade honom ännu inte ifred.

För en gångs skull var Wallander den siste som kom in i mötesrummet. Han hälsade på Forsman och kände igen hans ansikte från något seminarium där de bägge deltagit. Hans Alfredsson hade återvänt till Stockholm och Nyberg låg nerbäddad i influensa. Wallander satte sig ner. De började gå igenom det omfattande utredningsmaterialet. Först klockan ett hade de nått sista sidan och kunde avsluta mötet. De kunde sätta punkt.

Under de tre veckor som gått sedan skottdramat utanför bankomaten hade det som tidigare varit undanglidande och oklart blivit alltmer överskådligt och hanterbart. Wallander hade vid flera tillfällen kunnat konstatera hur rätt de hade haft, trots att det ofta hade varit resultatet av riskabla gissningar, snarare än ett handfast hanterande av fakta. Ingen behövde heller betvivla Robert Modins betydelse. Det var han som identifierat brandväggen, det var han som hittat vägarna igenom. De hade under veckorna som gått upplevt ett ständigt ökande tillflöde av information från utlandet. Till sist hade hela den omfattande komplotten blivit möjlig att avslöja och tränga in i.

Den döde mannen, som hette Carter och kom från Luanda, hade fått en identitet och en historia. Wallander tyckte sig nu ha fått svar på den fråga han så många gånger ställt sig under utredningen: *Vad hade egentligen hänt i Angola?* Nu visste de hur åtminstone den yttre ramen måste ha sett ut. Falk och Carter hade träffats i Luanda under 1970-talet, förmodligen av en tillfällighet. Vad som hade hänt och vad som hade blivit sagt under deras möten kunde man förstås bara ana sig till. Men något hade förenat de två männen. De hade ingått ett förbund där en blandning av privat hämndbegär, högmod och förvirrade föreställningar om deras utvaldhet var de dominerande inslagen. De hade bestämt sig för att gå till attack mot hela det globala finansiella systemet. De skulle skicka iväg sin elektroniska missil när tiden var mogen. Carters inblick i de finansiella strukturerna, parad med Falks innovativa kunskaper om de världsomspännande datasystemen hade varit en idealisk och därmed ytterst farlig kombination.

Samtidigt som de steg för steg hade planerat själva attacken hade de utvecklat sig till två udda men övertygande profeter. De hade byggt upp en hemlighetsfull och hårt hållen organisation där enskilda människor, som Fu Cheng från Hongkong samt Elvira Lindfeldt och Jonas Landahl från Skåne, hade dragits in, övertygats och ohjälpligt blivit fast. Bilden av en hierarkisk sekt hade långsamt börjat framträda. Carter och Falk var de som fattade alla beslut. De som tilläts inträda i deras gemenskap hade utpekats som utvalda. Även om det fortfarande inte fanns några bevis kunde man ana sig till att Carter personligen avrättat flera av de medlemmar som inte bedömts hålla måttet. Eller som velat bryta sig ur gemenskapen.

Carter hade varit missionären av de två. Även om han brutit med Världsbanken hade han då och då utfört konsultativa uppdrag för organisationen. Det var under ett sådant som han mött Elvira Lindfeldt i Pakistan. På vilket sätt Jonas Landahl hade kommit med lyckades de däremot aldrig helt reda ut.

För Wallander framstod Carter alltmer som den galne sektledaren. Full av beräkning och hänsynslöshet. Bilden av Falk var mer komplicerad. Några drag av öppen hänsynslöshet hade de inte kunnat upptäcka. Däremot anade de konturerna av en man som haft ett välmaskerat behov av att hävda sig. En man som en kortare tid under det sena 1960-talet varit medlem av både extremistiska högerrörelser och deras motsvarigheter på vänsterkanten. Men som snart brutit sig loss och istället börjat närma sig världen med sitt profetiska människoförakt.

I Angola hade Carters och Falks spår råkat korsas. De hade sett in i varandra och där hade de upptäckt sina egna spegelbilder.

Om Fu Cheng hade polisen i Hongkong skickat långa rapporter som berättade att han egentligen hette Hua Gang. Interpol hade identifierat hans fingeravtryck från olika brott, bland annat två grova bankrån i Frankfurt och Marseille. Även om det inte gick att bevisa kunde man ana sig till att pengarna använts till att finansiera den operation som förbereddes av Falk och Carter. Hua Gang hade haft ett förflutet i den organiserade brottslighetens underjord. Utan att någonsin ha blivit fälld hade han varit misstänkt för flera mord både i Asien och Europa, alla begångna under olika identiteter. Att det var han som dödat Sonja Hökberg och sedan också Jonas Landahl rådde det inget tvivel om. Fingeravtryck och vittnesuppgifter som kommit fram styrkte misstankarna. Men att han bara varit en hantlangare, styrd av Carter och kanske också Falk, behövde man heller inte betvivla. Förgreningarna tycktes leda till alla kontinenter. Fortfarande återstod mycket arbete med att göra den definitiva kartläggningen. Men den slutsats som redan nu var möjlig att dra innebar att det knappast fanns någon orsak att frukta en fortsättning. Med Carter och Falk döda hade också organisationen upphört att existera.

Varför Carter hade skjutit Elvira Lindfeldt gick aldrig att få ett svar på. Annat än de fragment av Carters upprörda anklagelser mot henne som Modin kunnat referera. Hon hade vetat för mycket, hon hade inte längre behövts. Wallander utgick från att Carter måste ha varit desperat när han kom till Sverige.

De hade alltså bestämt sig för att skapa kaos i finansvärlden och utredarnas slutsats var skrämmande: De hade varit mycket nära att lyckas. Hade Modin eller Wallander stoppat in bankkortet och knappat in koden exakt klockan 5.31 den där måndagen den 20 oktober hade en elektronisk lavin lösts ut. Experter som hade hunnit utföra en provisorisk granskning av det program som Falk ympat in i systemen hade bleknat. Sårbarheten i de institutioner som i lönndom seriekopplats av Falk och Carter hade visat sig vara chockerande stor. Runt om i världen arbetade nu olika expertgrupper intensivt på att utvärdera vad som egentligen kunde ha blivit effekten om lavinen hade lösts ut.

Men varken Modin eller Wallander hade stoppat in Carters Visakort. Ingenting hade egentligen skett, annat än att ett antal bankomater i Skåne denna måndag hade drabbats av plötsliga och oförklarliga problem. Flera av dem hade fått stängas, men ingen hade kunnat hitta några fel. Och plötsligt hade allting börjat fungera normalt igen. En hög sekretessmur hade rests kring utredningen och de slutsatser som långsamt började ta form.

Morden på Sonja Hökberg, Landahl och Lindfeldt hade fått sin förklaring. Fu Cheng hade begått självmord. Kanske ingick det i den hemlighetsfulla organisationens ritualer att aldrig låta sig gripas. På den frågan skulle de heller aldrig få något svar. Carter hade blivit skjuten av Wallander. De gåtfulla inslagen – varför Sonja Hökberg blivit inslängd i en transformatorstation och varför Falk hade haft tillgång till ritningen över en av Sydkrafts viktigaste installationer – kunde de inte helt utreda. Däremot lyckades de delvis lösa gåtan med hur dörren och grinden vid transformatorstationen blivit upplåst. Det var Hansson som inte gav sig. Den linjereparatör som hette Moberg hade vid ett tillfälle haft inbrott i sitt hem under en semestervecka. Nycklarna hade funnits kvar. Men Hansson menade att den som gjort inbrottet varit ute just efter nycklarna. Han hade kopierat dem och sedan, förmodligen mot en stor summa pengar, lyckats muta sig till kopior av den amerikanska tillverkaren.

I Jonas Landahls pass som återfunnits kunde de se att han varit i USA månaden efter inbrottet hos Moberg. Och pengar fanns, från bankrånen i Frankfurt och Marseille. Mödosamt hade de sökt svar på en efter en av alla de lösa trådändar som hängde ut från utredningsmaterialet. Det visade sig bland annat att Tynnes Falk hade haft en privat postbox inne i Malmö. Varför han påstått för Siv Eriksson att det var till henne han fick sin post kunde de inte ge något heltäckande svar på. Inte heller återfanns loggboken eller Falks avklippta fingrar. Men däremot tycktes patologerna till slut kunna enas om att Falk verkligen hade dött en naturlig död. Enander hade haft rätt, det hade inte varit någon hjärtattack. Däremot hade hans död åstadkommits av en svårupptäckt bristning i en åder i hjärnan. Om taximordet rådde det heller till sist inga tvivel. Det var Sonja Hökbergs impulsiva hämndbegär som varit den utlösande faktorn. Hon hade utfört sin ställföreträdande hämnd. Varför hon aldrig gett sig på den man som förbrutit sig mot henne utan istället gett sig på hans oskyldige far kunde de dock aldrig finna något tillfredsställande svar på. Inte heller kunde de begripa Eva Perssons bristande reaktioner trots att en grundlig personundersökning hade blivit utförd. Men de blev övertygade om att hon ändå inte hade hållit i vare sig hammaren eller kniven. De fick också till sist en förklaring på en annan fråga som saknat ett svar. Eva Persson hade ändrat sin historia av det enkla skälet att hon inte ville ta ansvar för något hon inte gjort. När hon avgett denna nya förklaring hade hon inte vetat att Sonja Hökberg var död. Inget annat än hennes egen självbevarelsedrift hade spelat in. Vad som skulle ske med henne i framtiden kunde ingen svara på.

Det fanns också andra trådändar som fortfarande hängde lösa. En dag hittade Wallander en lång rapport från Nyberg på sitt bord som i utförliga ordalag berättade att den tomma väska som återfunnits i hytten på Polenfärjan bevisligen hade tillhört Landahl. Vad som hänt med hans kläder, eller vad han i övrigt kunde tänkas ha förvarat där, kunde Nyberg inte ge besked om. Förmodligen hade Hua Gang som dödat honom slängt det över bord i ett försök att försena identifieringen av Landahl. Det var alltså bara hans pass som blivit återfunnet. Med en suck la Wallander rapporten åt sidan.

Det viktigaste var ändå kartläggningen av Carter och Falk. För Wallander stod det klart att Falk och Carter hade haft vidare planer. Från attacken på de finansiella systemen skulle de gå vidare. De hade redan en plan för hur de skulle kunna angripa olika avgörande kraftförsörjningscentra. Och de hade inte kunnat låta bli att spela ut sin fåfänga, genom att markera sin närvaro, till exempel när Carter beordrade Hua Gang att lägga ett relä på den tomma båren och att föra bort Falks kropp och kapa två fingrar. Man kunde ana både rituella och religiösa övertoner i den makabra värld där Carter och Falk varit sina egna gudar.

Mitt i all brutalitet och övermänniskoförvirring kunde Wallander ändå inte komma ifrån att Falk och Carter avslöjat något som var viktigt. Sårbarheten i det samhälle de levde i var större än någon kunnat ana.

Inom Wallander hade också en annan insikt mognat under den här tiden. I framtiden skulle en helt annan typ av poliser komma att behövas. Inte så att den erfarenhet och den kunskap han själv representerade var något överspelat. Men det fanns områden han inte alls behärskade.

I en vidare bemärkelse hade han tvingats acceptera att han verkligen var gammal. En gammal hund som inte skulle kunna lära sig några nya konster.

Han hade under sena kvällar i sin lägenhet på Mariagatan ofta försjunkit i tankar som handlade om sårbarheten. Samhällets och hans egen. De tycktes på något sätt sammanflätade med varandra. Han försökte förstå sina reaktioner på två sätt. Dels höll ett samhälle på att växa fram som han inte alls kände igen. I sitt arbete såg han ständigt exempel på de brutala krafter som obarmhärtigt slungade människor ut i de yttersta marginalerna. Han såg unga människor förlora tron på sitt eget värde innan de ens gått ur skolan, han såg missbruket som ständigt ökade, han mindes Sofia Svensson som spytt ner hans baksäte. Sverige var ett samhälle där gamla sprickor vidgades, och nya ständigt uppstod, ett land där osynliga stängsel ringade in de krympande grupper som levde bra. Murarna restes höga mot dem som levde i de kalla marginalerna: utslagna, missbrukare, arbetslösa.

Vid sidan av detta pågick en annan revolution. Sårbarhetens revolution, där allt kraftfullare, men samtidigt allt bräckligare elektroniska knutpunkter reglerade samhället. Effektiviteten ökade till priset av att man gjorde sig försvarslös mot de krafter som ägnade sig åt sabotage och terror.

Sedan fanns där till slut också hans egen sårbarhet. Ensamheten, den vacklande självkänslan. Vetskapen om att han höll på att bli omkullsprungen av Martinsson. En känsla av osäkerhet inför allt det nya som hela tiden förändrade hans arbete och ställde andra krav på hans förmåga till anpassning och förnyelse.

Under de där kvällarna på Mariagatan tänkte han ofta att han inte längre orkade. Men han visste att han måste fortsätta. Åtminstone tio år till. Några egentliga alternativ hade han inte längre. Han var en utredande polis, en fältarbetare. Att tänka sig en tillvaro där han reste runt i skolor och varnade för narkotika eller undervisade daghemsbarn i trafikvett var honom alldeles omöjligt. Den världen skulle aldrig kunna bli hans.

Klockan ett avslutades sammanträdet och materialet kunde överlämnas till åklagaren. Men ingen skulle bli fälld, eftersom alla som var skyldiga redan var döda. På åklagarens bord fanns dock ett utkast till något som skulle kunna bli en resning mot Carl-Einar Lundberg.

Det var efter mötet, strax före två, som Ann-Britt kom till Wallanders rum och sa att Eva Persson och hennes mor hade dragit tillbaka sin anklagelse. Wallander blev naturligtvis lättad. Men i grunden kände han ingen förvåning. Även om han blivit alltmer tveksam över hur rättvisan i Sverige egentligen fungerade hade han inte tvivlat på att sanningen om vad som hänt i förhörsrummet till sist skulle komma fram.

De satt i hans rum och diskuterade möjligheten att han nu gick till motattack. Ann-Britt menade att han borde göra det. Inte minst för kårens skull. Men Wallander ville inte. Han insisterade på att det bästa som kunde ske var att hela saken begravdes i tysthet.

När Ann-Britt hade lämnat hans rum blev Wallander länge sittande i sin stol. Huvudet var tomt. Sedan reste han sig för att hämta kaffe.

I dörren in till matrummet stötte han ihop med Martinsson. Under de veckor som gått hade Wallander känt en egendomlig och för honom ovanlig tvehågsenhet. I vanliga fall var han inte rädd för att kliva rakt in i en konflikthärd, men det som hade hänt med Martinsson var svårare och gick djupare. Det handlade om förlorad gemenskap, svek, bruten vänskap. När han nu mötte Martinsson i dörren visste han att ögonblicket var inne. Det gick inte att skjuta upp längre.

– Vi borde prata, sa han. Har du tid?

– Jag har väntat på dig.

De återvände till sammanträdesrummet de lämnat några timmar tidigare. Wallander gick rakt på sak.

– Jag vet att du går bakom min rygg. Jag vet att du pratar skit om mig. Du har ifrågasatt min förmåga att leda den här utredningen. Varför du har gjort det i hemlighet istället för att komma till mig kan bara du svara på. Men jag har naturligtvis en teori. Du känner mig. Du vet hur jag spekulerar. Det enda sätt jag kan förstå ditt beteende på är att du lägger grunden för din egen vidare karriär. Och att du gör det till vilket pris som helst.

Martinsson var lugn när han svarade. Wallander märkte att orden som kom var välrepeterade.

– Jag bara säger som det är. Att du har tappat greppet. Man kan kanske klandra mig för att jag inte sagt det tidigare.

– Varför sa du inget till mig direkt?

– Jag försökte. Men du lyssnar inte.

– Jag lyssnar.

– Du tror att du gör det. Det är inte samma sak.

– Varför sa du till Lisa att jag hade hindrat dig att följa med ut i åkern?

– Det måste hon ha missförstått.

Wallander såg på Martinsson. Lusten fanns där igen att slå till honom, men han visste att han inte skulle göra det. Han märkte att han inte orkade. Martinsson skulle inte vara möjlig att rubba. Han trodde på sina egna lögner. Åtminstone skulle han inte upphöra att försvara dem.

– Var det nåt mer du ville?

– Nej, sa Wallander. Jag har inget mer att säga.

Martinsson vände sig om och gick.

Wallander kände det som om väggarna rasade runt honom. Martinsson hade gjort sitt val. Vänskapen var borta, bruten. Nu undrade Wallander med växande förfäran om den någonsin hade funnits där. Eller om Martinsson alltid hade varit en människa som väntat på ett tillfälle att slå till.

Vågor av sorg rullade in över hans stränder. Sedan kom en ensam våg av ilska och tornade upp sig framför honom.

Han tänkte inte ge sig. Ännu några år skulle det vara han som ledde de mest komplicerade utredningarna i Ystad.

Men känslan av att ha förlorat något var starkare än ilskan. Han undrade ännu en gång hur han skulle bära sig åt för att orka.

Wallander lämnade polishuset direkt efter sitt samtal med Martinsson. Han lät sin mobiltelefon vara kvar på kontoret och sa ingenting till Irene om vart han var på väg eller när han skulle komma tillbaka. Han satte sig i bilen och körde ut på Malmövägen. När han kom till avtagsvägen mot Stjärnsund svängde han av. Egentligen visste han inte varför han gjorde det. Men kanske var förlusten av två vänskaper för mycket för honom att bära. Wallander återvände ofta i tankarna till Elvira Lindfeldt. Hon hade kommit in i hans liv under en falsk förklädnad. I slutänden anade han sig till att hon kanske skulle ha varit beredd att döda honom. Men han kunde ändå inte låta bli att också tänka på henne som han faktiskt upplevt henne. En kvinna som satt mittemot honom vid ett matbord och lyssnade på det han sa. En kvinna med vackra ben som vid några tillfällen brutit hans ensamhet.

När han svängde in på Sten Widéns gård låg den öde. En skylt vid infarten visade att gården var till salu. Men där fanns nu även en annan skylt. Som berättade att gården redan var såld. Han kom fram till ett hus som var övergivet. Han gick bort till stallet och öppnade. Boxarna var tomma. En ensam katt satt på resterna av en höbal och betraktade honom avvaktande.

Wallander blev genast illa till mods. Sten Widén hade redan gett sig av. Och han hade inte ens brytt sig om att säga adjö.

Wallander lämnade stallet och for därifrån så fort han kunde.

Den dagen återvände han aldrig till polishuset. Under eftermiddagen körde han planlöst omkring på småvägarna kring Ystad. Några gånger stannade han, steg ur och ställde sig att stirra ut över de tomma åkrarna. När det mörknade återvände han till Mariagatan. Han stannade och betalade sin räkning i mataffären. På kvällen satt han och lyssnade igenom Verdis »La Traviata« två gånger i rad. Han talade också med Gertrud i telefon. De bestämde att han skulle besöka henne under morgondagen.

Strax före midnatt ringde telefonen. Wallander hajade till. Bara ingenting har hänt, tänkte han. Inte nu, inte än. Det orkar ingen av oss.

Det var Baiba som ringde från Riga. Wallander tänkte att de inte hade talat med varandra på över ett år.

– Jag ville bara höra hur du har det.
– Bra. Och du själv?
– Bra.
Sedan vandrade tystnaden fram och tillbaka mellan Ystad och Riga.
– Tänker du nånsin på mig? frågade han.
– Varför skulle jag annars ha ringt?
– Jag bara undrar.
– Och du?
– Jag tänker alltid på dig.
Wallander insåg att hon genast skulle genomskåda honom. Att han ljög eller åtminstone överdrev. Varför han gjorde det visste han inte. Baiba var något som var förbi, hade förbleknat. Ändå kunde han inte släppa henne. Eller snarare minnet av tiden med henne.

De utbytte några vardagliga fraser. Sedan var samtalet över. Wallander la långsamt på luren.

Saknade han henne? Han kunde inte ge sig själv något svar. Det var som om det inte bara var i datorernas värld det existerade brandväggar. Han hade också en inom sig själv. Som han inte alltid visste hur han skulle ta sig igenom.

Dagen efter, onsdagen den 12 november, hade den kraftiga vinden avtagit. Wallander vaknade tidigt. Han var ledig. När det senast hänt att han inte behövde arbeta en vanlig vardag kunde han inte påminna sig. Men eftersom Linda skulle komma hade han bestämt sig för att ta ut en del av sin hopsamlade övertid. Han skulle möta henne på Sturup klockan ett. Förmiddagen hade han tänkt använda till att äntligen byta bil. Han hade avtalat med bilfirman att han skulle komma klockan tio. Trots att han behövde städa lägenheten blev han liggande i sängen.

Han hade drömt igen. Om Martinsson. De var tillbaka på Kiviks marknad. En händelse som nu låg sju år tillbaka i tiden. I drömmen var allt som den gången i verkligheten. De hade letat efter några personer som dödat en gammal lantbrukare och hans hustru. Plötsligt hade de upptäckt dem, vid ett stånd där de sålde stulna skinnjackor. Det hade blivit skottlossning. Martinsson hade skjutit en av männen i armen, eller kanske det var axeln. Och Wallander hade själv jagat ifatt den andre nere på stranden. Så långt hade drömmen varit en exakt återgivning av det som hände den gången. Men sedan, där nere på stranden, hade Martinsson plötsligt lyft sitt vapen och riktat det mot honom. I det ögonblicket vaknade han.

Jag är rädd, tänkte Wallander. Rädd för att jag inte alls vet vad mina kollegor egentligen tänker. Jag är rädd för att tiden springer ifrån mig. Att jag håller på att bli en polis som varken förstår vad mina kollegor tänker eller vad som händer i Sverige längre.

Han låg länge kvar i sängen. För en gångs skull kände han sig utvilad. Men när han började tänka på sin egen framtid sänkte sig en annan sorts trötthet över honom. Skulle det bli så att han började gruva sig för att gå till polishuset på morgnarna? Hur skulle han då uthärda de år han trots allt hade kvar?

Hela min tillvaro består av en massa stängsel, tänkte han. Jag har dem inte bara inom mig. De finns inte heller enbart i datorerna och nätverken. De finns också på polishuset, mellan mig och mina kollegor, utan att jag varit medveten om dem förrän nu.

Vid åttatiden steg han upp, drack kaffe, läste tidningen och städade lägenheten. Han bäddade i Lindas gamla rum och ställde undan dammsugaren strax före tio. Solen sken. Genast blev han på bättre humör. Han körde ut till bilfirman som låg på Industrigatan och gjorde upp affären. Det blev en Peugeot igen. En 306, 1996 års modell, lite körd, en ägare. Bilhandlaren som hette Tyrén gav honom ett bra pris för hans gamla bil. Halv elva körde Wallander därifrån. Det gav honom alltid en känsla av tillfredsställelse att byta bil. Som om han skrubbade sig ren.

Eftersom det fortfarande var lång tid tills han skulle vara på Sturup körde han mot Österlen. Han stannade utanför faderns gamla hus i Löderup. När han insåg att huset var tomt svängde han in på gårdsplanen. Han knackade på dörren utan att någon kom och öppnade. Då gick han bort till det uthus där fadern haft sin ateljé. Dörren var olåst. Han öppnade och steg in. Allting var omgjort. Han upptäckte till sin förvåning att en liten simbassäng var nersänkt i cementgolvet. Av fadern existerade inga spår, inte ens doften av terpentin fanns kvar. Nu luktade det klor. För ett ögonblick kändes detta som en kränkning. Hur kunde minnet av en människa tillåtas att så helt försvinna? Wallander gick ut. Vid sidan av uthuset låg en del gammalt skrot. Han gick dit och tittade. Nästan helt begravd under cementklumpar och jord låg hans fars gamla kaffepanna. Han grävde försiktigt fram den och tog den med sig. När han körde ut från gårdsplanen gjorde han det i den fasta förvissningen att han aldrig mer skulle återvända.

Från Löderup fortsatte han till det hus i Svarte där Gertrud bodde tillsammans med sin syster. Han drack kaffe och lyssnade frånvarande på systrarnas prat. Om sitt besök i Löderup sa Wallander ingenting.

Kvart i tolv for han därifrån. När han kommit in i flygplatsbyggnaden på Sturup var det fortfarande en halvtimme kvar tills planet skulle landa.

Som vanligt kände han sig nervös när han skulle träffa Linda. Han undrade om det alltid var så, att föräldrar vid en viss tidpunkt blev rädda för sina barn. Han hade inget svar. Han satte sig och drack kaffe. Plötsligt upptäckte han vid ett annat bord Ann-Britts man, med sina montörväskor, på väg mot något avlägset resmål. Han hade sällskap av en kvinna Wallander inte kände igen. Han kände sig genast sårad på Ann-Britts vägnar. För att mannen inte skulle upptäcka honom satte sig Wallander vid ett annat bord och vände ryggen till. Han undrade över sin reaktion. Men han hittade inget svar.

Samtidigt började han tänka på den gåtfulla händelse som inträffat hos István på hans restaurang. När Sonja Hökberg bytt plats, kanske för att få ögonkontakt med den man som då hette Fu Cheng och senare fick sitt namn ändrat till Hua Gang. Han hade diskuterat händelsen med Hansson och Ann-Britt. Men ingen hade kunnat ge något rimligt svar. Hur mycket hade Sonja Hökberg egentligen vetat om Jonas Landahl och hans koppling till den hemlighetsfulla organisation som var Falks och Carters? Varför hade Hua Gang hållit henne under uppsikt? De hade aldrig funnit något svar. Det var en detalj som inte längre hade någon betydelse. En liten skärva av utredningen som skulle sjunka undan mot en okänd botten. I Wallanders minne fanns många sådana skärvor. I varje utredning fanns alltid ett moment av oklarhet, någon detalj som flydde undan och vägrade inordna sig. Det hade alltid hänt och det skulle hända igen.

Wallander kastade en blick över axeln.

Ann-Britts man och kvinnan i hans sällskap var borta.

Wallander skulle just resa sig från bordet när en äldre man kom fram.

– Jag tycker jag känner igen dig, sa mannen. Är det du som är Kurt Wallander?

– Ja, det är jag.

– Jag vill inte störa. Men mitt namn är Otto Ernst.

Wallander kände igen namnet. Mannen hade han dock aldrig sett tidigare.

– Jag är skräddare, fortsatte Ernst. Jag har ett par byxor på mitt skrädderi som var beställda av Tynnes Falk. Nu vet jag ju att han tyvärr har avlidit. Men jag undrar vad jag ska göra med byxorna. Jag har talat med hans före detta hustru. Men hon vill inte veta av dom.

Wallander såg ingående på mannen. Skämtade han? Trodde han verkligen att en polisman kunde hjälpa honom med ett par byxor som inte blivit avhämtade? Men Otto Ernst såg uppriktigt bekymrad ut.

– Jag föreslår att du tar kontakt med hans son, svarade Wallander. Jan Falk. Han kanske kan hjälpa dig.

– Du har möjligtvis inte hans adress?

– Ring till polishuset i Ystad. Tala med en som heter Ann-Britt Höglund. Säg att det är jag som har hänvisat dig till henne. Hon kan ge dig adressen.

Ernst log och sträckte fram handen.

– Jag tänkte nog att jag skulle få hjälp. Ursäkta att jag störde.

Wallander såg länge efter honom.

Det var som om han mött en människa från en värld som inte längre existerade.

Planet landade punktligt. Linda var en av de sista som kom ut. När de hälsade försvann Wallanders oro genast. Hon var som hon brukade, glad och öppen. Hennes lättillgänglighet var raka motsatsen till hans eget sätt att vara Dessutom var hon inte lika uppseendeväckande klädd som vid tidigare tillfällen när han träffat henne. De hämtade ut hennes väska och lämnade flygplatsbyggnaden. Wallander visade henne den nya bilen. Hade han ingenting sagt hade hon säkert inte ens märkt att han bytt bil.

De for mot Ystad.

– Hur går det? frågade han. Vad gör du? Under den senaste tiden har du verkat så hemlighetsfull.

– Det är vackert väder, sa hon. Kan vi inte köra ner till stranden?

– Jag frågade dig om en sak.

– Du ska få svar.

– När då?

– Inte riktigt än.

Wallander vek av mot höger och körde ner till Mossby strand. Parkeringsplatsen var övergiven, kiosken igenbommad. Hon öppnade sin väska och tog fram en tjock tröja. Sedan gick de ner till stranden.

– Jag minns att vi gick här när jag var liten, sa hon. Det är ett av dom tidigaste minnen jag har.

– Oftast var det bara du och jag. När Mona ville vara ifred.

Ett fartyg stävade mot väster långt ute vid horisonten. Havet var nästan alldeles stilla.

– Den där bilden i tidningen, sa hon plötsligt.

Wallander kände hur det högg till.

– Det är över nu, svarade Wallander. Flickan och hennes mamma har tagit tillbaka. Det är över.

– Jag såg en annan bild, sa hon. I en veckotidning som låg på restaurangen. Nånting som hade hänt utanför en kyrka i Malmö. Det stod att du hade hotat en fotograf.

Wallander tänkte tillbaka på Stefan Fredmans begravning. På filmen han trampat sönder. Men det hade alltså tagits en rulle till. Den händelsen hade alldeles försvunnit ur hans minne. Nu berättade han för henne om sin uppgörelse med fotografen.

– Du gjorde rätt, sa hon. Jag hoppas jag hade gjort samma sak.

– Du slipper hamna i dom här situationerna, sa Wallander. Du är inte polis.

– Inte än.

Wallander tvärstannade och såg på henne.

– Vad var det du sa?

Hon svarade inte genast utan fortsatte att gå. Några måsar skrek över deras huvuden.

– Du tycker jag har varit hemlighetsfull, sa hon. Och du har frågat vad jag hållit på med. Jag ville inte säga nånting förrän jag bestämt mig.

– Vad menade du med det du sa?

– Jag tänker bli polis. Jag har sökt in till Polishögskolan. Jag tror jag kommer in.

Wallander var oförstående.

– Är det här verkligen sant?

– Ja.

– Men du har aldrig talat om det tidigare?

– Jag har tänkt på det länge.

– Varför har du inte sagt nånting?

– Jag har inte velat.

– Men jag trodde du skulle bli möbeltapetserare?

– Jag också. Men nu har jag kommit fram till vad jag vill. Det är därför jag kom hit, för att berätta för dig. Och fråga vad du tycker. Få din välsignelse.

De hade börjat gå igen.

– Det kommer väldigt plötsligt, sa Wallander.

– Du har talat om hur det var när du berättade för farfar att du själv ville bli polis. Att du hade bestämt dig. Om jag har förstått dig rätt kom hans svar på en gång.

– Han sa nej innan jag ens kommit till punkt.

– Vad säger du?

– Ge mig en minut så ska jag svara sen.

Hon satte sig på en gammal trästock som låg halvt begravd i sanden. Wallander gick ner till vattenlinjen. Aldrig hade han kunnat föreställa sig att Linda en dag skulle vilja gå i hans fotspår. Han hade svårt att reda ut vad han egentligen tyckte om det han hört.

Han såg ut över havet. Solljuset blänkte i vattnet.

Hon ropade att minuten var över. Han gick tillbaka.

– Jag tycker det är bra, sa han. Du blir nog en sån polis som kan behövas i framtiden.

– Menar du vad du säger?

– Varje ord.

– Jag var orolig för att berätta. För hur du skulle reagera.

– Det hade du inte behövt vara.

Hon reste sig från stocken.

– Vi har mycket att tala om, sa hon. Dessutom är jag hungrig.

De återvände till bilen och for till Ystad. Wallander satt bakom ratten och försökte smälta den stora nyheten. Att Linda kunde bli en bra polis tvivlade han inte på. Men insåg hon vad det betydde? All den utsatthet han själv hade upplevt?

Samtidigt upplevde han också något annat. Hennes beslut innebar att hans eget val en gång i livet på något sätt blev rättfärdigat.

Känslan var dunkel och oklar. Men den fanns där och den var mycket stark.

De satt uppe länge den kvällen och pratade. Wallander berättade om den svåra utredningen som börjat och slutat vid en oansenlig bankomat.

– Man talar om makt, sa hon när Wallander tystnat. Men ingen talar egentligen om såna institutioner som Världsbanken. Vilken makt dom besitter i vår tid. Hur mycket mänskligt lidande som orsakas av deras beslut.

– Menar du med det att du har förståelse för det Carter och Falk ville åstadkomma?

– Nej, svarade hon. I alla fall inte för sättet dom hade valt.

Wallander blev alltmer övertygad om att hennes beslut hade mognat fram långsamt. Det var inget hugskott som hon senare skulle komma att ångra.

– Jag kommer säkert att behöva fråga om råd, sa hon just innan hon gick och la sig.

– Du ska inte vara alldeles säker på att jag har några att ge dig.

När hon lagt sig blev Wallander sittande i vardagsrummet. Klockan var halv tre på morgonen. Framför sig hade han ett glas vin. En av Puccinis operor stod på. Ljudet var nerskruvat.

Wallander blundade. Framför sig såg han en brinnande vägg. I tankarna tog han sats.

Sedan sprang han rakt igenom väggen. Han svedde bara sitt hår och sin hud.

Han slog upp ögonen igen. Och log.

Någonting var över.

Något annat höll just på att ta sin början.

Dagen efter, torsdagen den 13 november, började börserna i Asien oväntat att rasa.

Förklaringarna till det som skedde var många och motsägelsefulla.

Men ingen lyckades någonsin svara på den viktigaste frågan.

Vad som egentligen hade utlöst de dramatiska kursfallen.

Efterord

Det här är en roman som utspelar sig i ett gränsland.
Mellan verkligheten, det som har hänt, och dikten, det som kunde ha hänt.
Det innebär att jag emellanåt har tagit mig stora friheter.
En roman är alltid en självsvåldig skapelseakt.

Det innebär att jag har flyttat på hus, ändrat gatunamn – och i något fall lagt till en gata som inte existerar.
Jag har låtit det bli frostnätter i Skåne när det har passat mina syften.
Jag har upprättat mina egna tidtabeller för färjors avgångar och ankomster.
Inte minst har jag byggt upp ett alldeles eget kraftförsörjningssystem i Skåne. Vilket inte ska tolkas som att jag har det minsta att anmärka på Sydkrafts tjänster.
Det har jag inte.
De har alltid gett mig den ström jag behövt.

Jag har också tillåtit mig att laborera ganska fritt i elektronikens värld.
Jag misstänker ju att det som står i den här boken snart kommer att hända.

Ett stort antal människor har varit mig behjälpliga.
Ingen har begärt att bli omnämnd.
Alltså nämner jag ingen. Men tackar dem alla.

Det som står är helt och hållet mitt eget ansvar.

MAPUTO I APRIL 1998
Henning Mankell

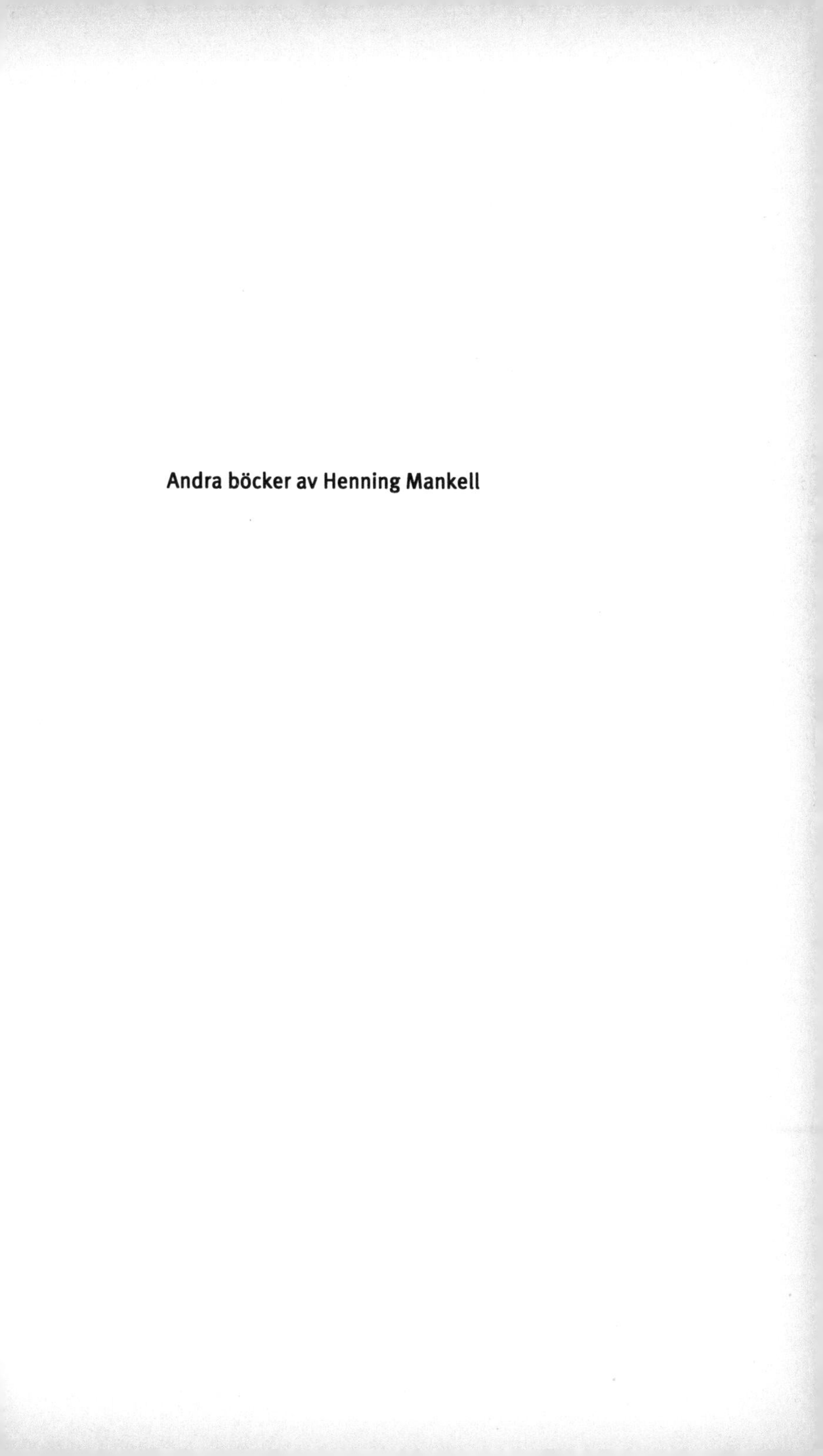

Andra böcker av Henning Mankell

Henning Mankell
Mördare utan ansikte

”Någonting har han glömt, det vet han med säkerhet när han vaknar. Någonting han har drömt under natten. Någonting han bör komma ihåg.

Han försöker minnas. Men sömnen är som ett svart hål. En brunn som ingenting avslöjar av sitt innehåll.

Ändå har jag inte drömt om tjurarna, tänker han. Då skulle jag ha varit svettig, som om jag hade värkt ut en feber under natten. Den här natten har tjurarna lämnat mig ifred.

Han ligger stilla i mörkret och lyssnar. Hustruns andhämtning är så svag vid hans sida att han knappt kan uppfatta den.

En morgon kommer hon att ligga död bredvid mig utan att jag märker det, tänker han. Eller jag. En av oss dör före den andre. En gryning kommer att innebära att en av oss har blivit lämnad ensam.

Han ser på klockan som står på bordet intill sängen. Visarna skimrar och pekar på kvart i fem.

Varför vaknar jag, tänker han. I vanliga fall sover jag till halv sex. Det har jag gjort i över fyrtio år. Varför vaknar jag nu?

Han lyssnar ut i mörkret och plötsligt är han alldeles klarvaken.

Någonting är annorlunda. Någonting är inte längre som det brukar vara.

Försiktigt trevar han med ena handen tills han når sin hustrus ansikte. Med fingertopparna känner han att hon är varm. Det är alltså inte hon som har dött. Ännu har ingen av dem blivit lämnad ensam.

EN TIDIG MORGON på nyåret 1990 gör en lantbrukare i södra Skåne en fruktansvärd upptäckt. Under natten har hans grannar mördats. Den enda ledtråden Kurt Wallander och hans kolleger har att gå efter är ett ord den gamla kvinnan uttalade innan hon dog: »Utländsk.«

Han lyssnar ut i mörkret.

Hästen, tänker han. Hon gnäggar inte. Det är därför jag vaknar. Stoet brukar skria om natten. Det hör jag utan att vakna och i mitt undermedvetna vet jag att jag kan fortsätta att sova.

Försiktigt reser han sig ur den knarrande sängen. I fyrtio år har de haft den. Det var den enda möbel de köpte när de gifte sig. Det är också den enda säng de kommer att ha i sitt liv.

Han känner hur det värker i vänster knä när han går över trägolvet fram till fönstret.

Jag är gammal, tänker han. Gammal och förbrukad. Varje morgon när jag vaknar blir jag lika förvånad över att jag redan är sjuttio år.

Han ser ut i vinternatten. Det är den 8 januari 1990 och någon snö har inte fallit i Skåne denna vinter. Lampan utanför köksdörren kastar sitt sken över trädgården, den kala kastanjen och åkrarna där bortom. Han kisar med ögonen mot granngården där Lövgrens bor. Det vita, låga och långsträckta huset är mörkt. Stallet som ligger i vinkel mot bostadshuset har en blekgul lampa ovanför den svarta stalldörren. Det är där inne stoet står i sin box och det är där hon plötsligt gnäggar av oro om nätterna.

Han lyssnar ut i mörkret.❞

Utkom 1991. 308 sidor. ISBN 91-7324-416-3

Henning Mankell
Hundarna i Riga

”Wallander for upp till sjukhuset. Trots att han hade varit där många gånger hade han fortfarande svårt att hitta i det nybyggda komplexet. Han stannade i cafeterian på nedre botten och köpte en banan. Sen begav han sig till Patologen. Obducenten som hette Mörth hade ännu inte börjat den grundliga kroppsliga undersökningen. Men han kunde ändå ge Wallander svar på hans första fråga.

— Båda männen är skjutna, sa han. Från nära håll, rakt i hjärtat. Jag förmodar att det är dödsorsaken.

— Jag vill gärna ha resultatet så fort som möjligt, sa Wallander. Kan du redan nu säga nånting om hur länge dom varit döda?

Mörth skakade på huvudet.

— Nej, sa han. Och det är på sätt och vis ett svar.

— Hur menar du?

— Att dom sannolikt har varit döda ganska länge. Då blir det svårare att fastställa tidpunkten när dom har avlidit.

— Två dagar? Tre? En vecka?

— Jag kan inte svara, sa Mörth. Och jag vill inte gissa.

Mörth försvann in i obduktionssalen. Wallander tog av sig jackan, satte på sig gummihandskar, och började gå igenom de dödas kläder som låg framlagda på något som såg ut som en gammaldags diskbänk.

Den ena kostymen var tillverkad i England, den andra i Belgien. Skorna var italienska och Wallander tyckte sig förstå att de var dyrbara. Skjortor, slipsar och underkläder talade samma språk. De var av god kvalitet och

EN VINTERDAG 1991 flyter en räddningsflotte i land vid den skånska sydkusten. I flotten ligger två män mördade. Vilka är de döda männen? Varifrån kommer flotten?

säkert inte billiga. När Wallander hade gått igenom kläderna två gånger insåg han att där knappast fanns några spår som förde honom vidare. Det enda han visste var att de döda männen sannolikt hade gott om pengar. Men var fanns plånböckerna? Vigselringar? Klockor? Ändå mer förbryllande var det faktum att båda männen hade varit utan sina kavajer när de blivit skjutna. Det fanns inga hål eller märken efter krut på kavajerna.

Wallander försökte se det hela framför sig. Någon skjuter två män rakt genom hjärtat. När männen är döda sätter gärningsmannen på dom deras kavajer innan de lämpas i en räddningsflotte. Varför?

Han gick igenom kläderna en gång till. Det är någonting jag inte ser, tänkte han.”

Utkom 1992. 340 sidor. ISBN 91-7324-436-8

Henning Mankell
Den vita lejoninnan

”Hon knackade på dörren, men inget hände. Hon knackade igen, den här gången hårdare, men fortfarande fick hon inget svar. Hon försökte kika in genom ett fönster intill dörren, men gardinerna var fördragna. Hon knackade en tredje gång, innan hon gick runt för att se om det kanske också fanns en dörr på baksidan av huset.

Där låg en övervuxen fruktträdgård. Äppelträden hade säkert inte beskurits på tjugo, trettio år. Några halvruttna utemöbler stod under ett päronträd. En skata flaxade till och lyfte. Hon hittade ingen dörr och återvände till framsidan av huset.

Jag knackar en gång till, tänkte hon. Om ingen kommer och öppnar åker jag tillbaka till Ystad. Och jag hinner stanna en stund vid havet innan jag måste laga middag.

Hon bultade kraftigt på dörren.

Fortfarande inget svar.

Hon mer anade än hörde att någon dök upp bakom henne på gårdsplanen. Hastigt vände hon sig om.

Mannen befann sig ungefär fem meter ifrån henne. Han stod alldeles orörlig och betraktade henne. Hon såg att han hade ett ärr i pannan.

Hon kände sig plötsligt illa till mods.

Var hade han kommit ifrån? Varför hade hon inte hört honom? Det var grus på gårdsplanen. Hade han smugit sig mot henne?

Hon tog några steg emot honom och försökte låta som vanligt.

FREDAGEN DEN 24 APRIL 1992 på eftermiddagen försvinner fastighetsmäklare Louise Åkerblom spårlöst från sitt hem i Ystad. Samtidigt, på andra sidan jordklotet, planerar en grupp fanatiska boer i Sydafrika ett attentat mot en ledande politiker för att stoppa demokratiseringsprocessen. När Kurt Wallander inser sambandet, står det också klart att hundratusentals människors öden ligger i hans händer...

— Förlåt om jag tränger mig på, sa hon. Jag är fastighetsmäklare och jag har kört fel. Jag ville bara fråga om vägen.

Mannen svarade inte.

Kanske var han inte svensk, kanske förstod han inte vad hon sa? Det var något främmande över hans utseende som fick henne att tro att han kanske var utlänning.

Plötsligt visste hon att hon måste bort därifrån. Den orörlige mannen med sina kalla ögon gjorde henne rädd.

— Jag ska inte störa mer, sa hon. Förlåt att jag har trängt mig på.

Hon började gå men stannade i steget. Den orörlige mannen hade plötsligt blivit levande. Han tog upp någonting ur jackfickan. Först kunde hon inte se vad det var. Sedan insåg hon att det var en pistol.

Långsamt lyfte han vapnet och siktade mot hennes huvud.

Gode Gud, hann hon tänka.

Gode Gud, hjälp mig. Han tänker döda mig.

Gode Gud, hjälp mig.

Klockan var kvart i fyra på eftermiddagen den 24 april 1992.”

Utkom 1993. 480 sidor. ISBN 91-7324-454-6

Henning Mankell
Mannen som log

” – Det är nånting som inte stämmer. Jag vill veta vad det var.

– Jag kan inte hjälpa dig, sa Wallander. Även om jag skulle vilja.

Det var som om Sten Torstensson inte hörde honom.

– Nycklarna, sa han. Bara som exempel. Dom satt inte i tändningslåset. Dom låg på golvet.

– Dom kan ha pressats ut, invände Wallander. När en bil knycklas samman kan vad som helst hända.

– Tändningslåset var oförstört, sa Sten Torstensson. Ingen av nycklarna var ens böjd.

– Ändå kan det finnas en förklaring, sa Wallander.

– Jag skulle kunna ge dig fler exempel, fortsatte Sten Torstensson. Jag vet att nånting hände. Min pappa dog i en bilolycka som var nånting annat.

Wallander tänkte efter innan han svarade.

– Skulle han ha begått självmord?

– Jag har tänkt på möjligheten, svarade Sten Torstensson. Men jag avskriver den som omöjlig. Jag kände min pappa.

– Dom flesta självmord kommer oväntat, sa Wallander. Men du vet naturligtvis bäst själv vad du vill tro.

– Det finns ännu ett skäl till att jag inte kan acceptera bilolyckan, sa Sten Torstensson.

Wallander betraktade honom uppmärksamt.

– Min pappa var en glad och utåtriktad man, sa Sten Torstensson. Hade jag inte känt honom så väl hade jag kanske inte märkt förändringen,

EN GRÅKALL OKTOBERDAG 1993 på Skagen. Kurt Wallander har just fattat beslutet att lämna polisyrket. Då blir han uppsökt av advokat Sten Torstensson, vars far nyligen omkommit i en bilolycka. Men sonen är misstänksam. Det är alltför mycket som inte stämmer med faderns död, anser han, och ber Wallander om hjälp.

den lilla, knappt synliga, men ändå alldeles bestämda sinnesförändringen hos honom under sista halvåret.

— Kan du beskriva det närmare? frågade Wallander.

Sten Torstensson skakade på huvudet.

— Egentligen inte, svarade han. Det var bara en känsla jag hade. Av att nånting upprörde honom. Nåt som han absolut inte ville att jag skulle märka.

— Talade du aldrig med honom om det?

— Aldrig.

Wallander sköt ifrån sig den tomma kaffekoppen.

— Hur gärna jag än vill så kan jag inte hjälpa dig, sa han. Som din vän kan jag lyssna på dig. Men som polisman finns jag helt enkelt inte längre. Jag känner mig inte ens smickrad av att du reser ända hit för att tala med mig. Jag känner mig bara tung och trött och nerstämd.”

Utkom 1994. 372 sidor. ISBN 91-7324-490-2

Henning Mankell
Villospår

”Kvinnan befann sig ungefär femtio meter ut i rapsfältet. Wallander såg att hennes hår var mycket mörkt. Det avtecknade sig skarpt mot den gula rapsen.

— Jag ska tala med henne, sa Wallander. Vänta här.

Han tog ett par stövlar ur bakluckan på bilen. Sedan gick han mot rapsfältet med en känsla av att situationen var overklig. Kvinnan stod alldeles orörlig och betraktade honom. När han kom närmare såg han att hon inte bara hade långt svart hår utan att hennes hy också var mörk. Han stannade när han hade kommit fram till åkerfästet. Han lyfte ena handen och försökte vinka henne till sig. Fortfarande stod hon alldeles orörlig. Trots att hon fortfarande var långt ifrån honom och den vajande rapsen då och då skymde hennes ansikte, anade han att hon var mycket vacker. Han ropade till henne att hon skulle komma fram till honom. När hon ändå inte rörde sig tog han det första steget ut i rapsen. Genast försvann hon. Det gick så hastigt att han tänkte på henne som ett skyggande djur. Samtidigt märkte han att han blev irriterad. Han fortsatte ut i rapsen och spanade åt olika håll. När han upptäckte henne igen hade hon rört sig mot fältets östra hörn. För att hon inte skulle slippa undan igen började han springa. Hon rörde sig mycket hastigt och han märkte att han blev andfådd. När han kommit henne så nära som drygt tjugu meter befann de sig mitt ute i rapsfältet. Han ropade till henne att hon skulle stanna.

— Polis! röt han. Stå stilla!

SOMMAREN 1994. Den varmaste i mannaminne. Svenskarna sitter som fastklistrade framför teven för att följa fotbolls-VM. Men för Kurt Wallander blir det ingen fotbollsfest. Sommarstiltjen bryts av att en lantbrukare ringer och säger att en ung kvinna uppträder märkligt i hans rapsåker.

Han började gå mot henne. Sedan tvärstannade han. Allt gick nu mycket fort. Plötsligt lyfte hon en plastdunk över sitt huvud och började hälla ut en färglös vätska över sitt hår, sitt ansikte och sin kropp. Han tänkte hastigt att hon måste ha burit den med sig hela tiden. Han uppfattade nu också att hon var mycket rädd. Hennes ögon var uppspärrade och hon såg oavbrutet på honom.

— Polisen! ropade han igen. Jag vill bara tala med dig.

I samma ögonblick drev en lukt av bensin emot honom. Hon hade plötsligt en brinnande cigarettändare i ena handen som hon satte till sitt hår. Wallander skrek till samtidigt som hon flammade upp som en fackla. Lamslagen såg han hur hon vacklade runt i rapsfältet medan elden fräste och flammade mot hennes kropp. Wallander kunde själv höra hur han skrek. Men kvinnan som brann var tyst. Efteråt kunde han inte minnas att hon hade skrikit på hela tiden.”

Utkom 1995. 430 sidor. ISBN 91-7324-520-8

Henning Mankell
Den femte kvinnan

”Plötsligt tvärstannade han. Han hade då kommit fram till spången som ledde över diket.

Det var någonting med tornet på kullen. Någonting var annorlunda. Han kisade för att urskilja detaljer i mörkret. Han kunde inte avgöra vad det var. Men någonting hade förändrats.

Jag inbillar mig, tänkte han. Allt är som vanligt. Tornet jag byggde för tio år sedan har inte förändrats. Det är mina ögon som har blivit grumliga. Ingenting annat. Han tog ytterligare ett steg så att han kom ut på spången och kände träplankorna under fötterna. Han fortsatte att betrakta tornet.

Det stämmer inte, tänkte han. Hade jag inte vetat bättre kunde jag ha trott att det blivit en meter högre sedan igår kväll. Eller att det hela är en dröm. Att jag ser mig själv stå där uppe i tornet.

I samma ögonblick han tänkte tanken insåg han att det var sant. Det stod någon uppe i tornet. En orörlig skugga. Ett hastigt stråk av rädsla drog förbi inom honom, som en ensam vindpust. Sedan blev han arg. Någon gjorde intrång på hans marker, besteg hans torn utan att först ha frågat honom om lov. Antagligen var det en tjuvjägare, på spaning efter något av de rådjur som brukade röra sig kring skogsdungen på andra sidan kullen. Att det skulle vara någon annan fågelskådare hade han svårt att föreställa sig.

Han ropade till skuggan i tornet. Inget svar, ingen rörelse. Åter blev han osäker. Det måste vara hans ögon som var grumliga och som bedrog ho-

EN STJÄRNKLAR NATT i september 1994. Holger Eriksson, en stillsam äldre herre, fågelskådare och fritidspoet, har just avslutat en dikt och ger sig ut på en promenad på sina ägor för att följa flyttfåglarnas avfärd från Skåne.

nom. Han ropade ännu en gång utan att få svar. Sedan började han gå längs spången.

När plankorna knäcktes föll han handlöst. Diket var över två meter djupt. Han föll framåt och hann aldrig sträcka ut armarna för att ta emot sig.

Sedan kände han en stingande smärta. Den kom från ingenstans och skar rätt igenom honom. Det var som om någon höll glödande järn mot olika punkter på hans kropp. Smärtan var så stark att han inte ens förmådde skrika. Strax innan han dog insåg han att han aldrig hade kommit till botten av diket. Han hade blivit hängande i sin egen smärta.

Det sista han tänkte på var nattfåglarna som sträckte någonstans långt ovanför honom.

Himlen som rörde sig mot söder.

En sista gång försökte han ta sig loss ur smärtan.

Sedan var allting över.

Klockan var tjugo minuter över elva, kvällen den 21 september 1994.

Just den natten flög stora flockar av taltrastar och rödvingetrastar söderut.”

Utkom 1996. 476 sidor. ISBN 91-7324-560-7

Henning Mankell
Steget efter

”Vid midnatt hade han fortfarande inte bestämt sig.

Han visste också att han inte hade bråttom. De skulle stanna ända till morgonen. Kanske skulle de stanna och sova ut under hela förmiddagen?

Han kände till deras planer in i minsta detalj. Det gav honom en känsla av oinskränkt övertag.

Bara den som hade övertaget kunde undkomma.

Strax efter elva, när han kunde höra att de var berusade, hade han försiktigt bytt position. Redan vid sitt första besök på platsen hade han utsett den punkt från vilken han skulle utgå. Det var ett tätt buskage en bit upp i slänten. Han hade full uppsikt över allt som skedde kring den ljusblå duken. Och han kunde komma alldeles inpå dem utan att själv bli sedd. Då och då lämnade de duken för att uträtta sina behov. Han kunde se allt vad de företog sig.

Klockan hade passerat midnatt. Fortfarande väntade han. Han väntade eftersom han tvekade.

Det var något som hade blivit annorlunda. Något hade skett.

De skulle ha varit fyra. Men en hade inte kommit. I huvudet gick han igenom tänkbara orsaker. *Det fanns ingen förklaring.* Något oväntat hade inträffat. Kanske flickan hade ändrat sig? Kanske hade hon blivit sjuk?

Han lyssnade på musiken. Skratten. Då och då föreställde han sig att

MIDSOMMARAFTON 1996. Tre ungdomar stämmer möte i en undanskymd glänta på Österlen. Men bakom ett träd väntar någon som ger deras fest ett makabert slut.

han själv satt där nere vid den ljusblå duken, med ett glas i handen. Efteråt skulle han prova en av perukerna. Kanske också några av kläderna? Det fanns så mycket han kunde göra. Det fanns inga gränser. Hans övertag skulle inte ha varit större om han kunnat göra sig osynlig.

Han fortsatte att vänta. Skratten steg och sjönk. Någonstans ovanför hans huvud svävade en nattfågel hastigt förbi.”

Utkom 1997. 540 sidor. ISBN 91-7324-604-2

Henning Mankell
Comédia infantil

”Den milda vinden från havet som strök över mitt ansikte kändes plötsligt kall och hotfull. Jag såg ut över den mörka staden som klättrade längs sluttningarna ner mot havet, såg de flammande eldarna och de enstaka gatlyktorna där nattfjärilarna dansade, och tänkte: Här levde Nelio en kort tid, mitt ibland oss. Och jag är den ende som känner hela hans historia. Till mig anförtrodde han sig när han hade blivit skjuten och jag burit upp honom på taket och lagt ner honom på den smutsiga madrassen som han aldrig mer skulle resa sig ifrån.

— Det är inte för att jag är rädd för att bli bortglömd, hade han sagt. Det är för att ni inte ska glömma bort vilka ni själva är.

Nelio påminde oss om vilka vi egentligen var. Människor som var och en bar på hemliga krafter vi inte kände till. Nelio var en märkvärdig människa. Hans närvaro gjorde att vi alla kände oss märkvärdiga.

Det var hans hemlighet.

Det är natt vid Indiska oceanen.

Nelio är död.

Och hur osannolikt det än kan låta verkade det på mig som om han dog utan att ens vara rädd.

Hur kan det vara möjligt? Att en tioåring dör utan att avslöja ens en glimt av fasa över att inte få lov att vara med i livet längre?

Jag förstår det inte. Inte alls.

I EN AFRIKANSK HAMNSTAD står en man om natten på ett tak och ser ut över staden. Vid hans fötter, på en smutsig madrass, ligger, mager och medfaren, en döende pojke som under nio nätter berättar sitt livs historia för honom.

Jag, som är en vuxen människa, kan inte tänka på döden utan att känna en isande hand runt min strupe.

Men Nelio bara log. Tydligen hade han ändå en hemlighet han inte delade med sig av till oss andra. Det var märkligt, eftersom han varit mycket generös med de få ägodelar han hade, vare sig det gällde de smutsiga skjortor av indisk bomull han alltid bar eller någon av hans ständigt lika oväntade tankar.

Att han inte längre finns tar jag som ett tecken på att jorden snart kommer att gå under.

Eller tar jag miste?

Jag står på taket och tänker på första gången jag såg honom, när han låg på det smutsiga golvet och hade blivit träffad av den förvirrade mördarens kulor.

Jag tar den mjuka nattvinden som driver in från havet till min hjälp för att minnas.

Nelio brukade fråga:

— Känner du vad vinden smakar?

Jag visste aldrig vad jag skulle svara. Kan vinden verkligen ha någon smak?

Det menade Nelio.”

Utkom 1995. 257 sidor. ISBN 91-7324-522-4

Henning Mankell
Berättelse på tidens strand

”En natt utanför Umbeluzi lämnade en man sina ögon till de som gick förbi. Han hette Felisberto och hans leende glimmade i de tropiska mörkret.

Han sträckte fram sina händer, inte för att få
men för att ge.
En man som hela tiden tycktes oåtkomlig men ändå mycket nära.

Så tog han emot mig och lät mig se hans ansikte.

I en saga helt utan ord berättade denne man
som var så gammal att han kanske redan var död
den historia som jag först efteråt förstod var min egen,
sagan om mig själv.

Afrika är kanske allas jag,
ett ursprung och en dröm?

I Afrika såg jag aldrig någon gråta av sorg utan att där också glödde en vrede.

Leenden fanns alltid att få, kostade inget, gavs bort med en generositet jag inte trodde var möjlig.

I Afrika lärde jag mig att man kan uppleva en hemkomst på en plats där man aldrig tidigare har varit.

Intill de stora floderna, Zambezi, Kongo och Rovuma, såg jag också alltid Ljusnans mörka vatten.

VID GRÄNSEN MELLAN hav och land, mellan dröm och verklighet, mellan saga och sanning berättar Henning Mankell om Afrika. I hans bok är Afrika dramat om människan och människans ursprung, om visheten och grymheten, om glädjen och sorgen.

Floder är som syskon, åtskilda, men ändå födda ur samma källa.

I Afrika finner man till slut sin egen identitet, när man har letat sig fram till den hemliga underström som förbinder alla källor.

I Afrika vände sig livet mot jorden, mot de redan döda för att framtiden skulle bli synlig.

Människorna ristade kartor och minnen i sin hud och de log som om de visste att blickar utgör det egentliga språket.

I Afrika såg man förundrat på dessa vita som tycktes rädda för själva rädslan.

Dessa allvarliga män som drog ut i oändliga karavaner och var beredda att offra sina liv för att underkuva människor som inte ens visste att friheten hade en motsats.

De vita släpade ut sina téserviser i djungeln, och där i skymningen, lät de sig badas, bytte om och satt vid dukade bord.

Bärarna hukade på avstånd
vid sina eldar.

Bortom dem
väntade tidsåldrarna.”

Utkommer oktober 1998. 250 sidor. ISBN 91-7324-610-7